Het gezicht van de dood

Van dezelfde auteur

De stilte van de hel

Cody Mcfadyen

Het gezicht van de dood

A.W. Bruna Uitgevers B.V., Utrecht

Oorspronkelijke titel
The Face of Death

Vertaling
Valérie Janssen
Omslagontwerp
Wil Immink Design

ISBN 978 90 229 9357 6
NUR 332

Mixed Sources
Productgroep uit goed beheerde bossen, gecontroleerde bronnen en gerecycled materiaal.
www.fsc.org Cert no. CU-COC-802528
© 1996 Forest Stewardship Council

Dit boek is gedrukt op papier dat het keurmerk van de Forest Stewardship Council (FSC) mag dragen. Bij dit papier is het zeker dat de productie niet tot bosvernietiging heeft geleid. Een flink deel van de grondstof is afkomstig uit bossen en plantages die worden beheerd volgens de regels van FSC. Van het andere deel van de grondstof is vastgesteld dat hiervoor geen houtkap in de laatste resten waardevol bos heeft plaatsgevonden. Daarom mag dit papier het FSC Mixed Sources label dragen. Voor dit boek is het FSC-gecertificeerde Munkenprint gebruikt. Dit papier is 100% chlooren zwavelvrij gebleekt en wordt geleverd door Arctic Paper Munkedals AB, Zweden.

Voor Brieanna, mijn 'Kleine B'

Boek 1:
Bij de waterpoel
(waar duistere wezens drinken)

1

Ik droom van het gezicht van de dood.
Het is een gezicht dat telkens verandert, dat door velen op het verkeerde moment wordt gedragen, maar uiteindelijk door iedereen wordt gedragen. Ik heb dit gezicht al vele malen gezien.
Dat is nu eenmaal wat je doet, suffie.
Dit zegt een stem in mijn droom tegen me.
De stem heeft gelijk. Ik werk bij de FBI in Los Angeles en ben verantwoordelijk voor het opsporen van het allergrootste tuig. Kindermoordenaars, seriemoordenaars, mannen (en soms vrouwen) zonder geweten, zelfbeheersing en wroeging. Ik doe dit al meer dan tien jaar en misschien heb ik de dood nog niet in al zijn vermommingen gezien, maar wel in de meeste. De dood is eindeloos en erosief. Zijn naakte gezicht put de menselijke ziel uit.
Op deze avond verandert het gezicht als een stroboscooplamp in de mist, en schiet het heen en weer tussen drie mensen die ik ooit heb gekend. Echtgenoot, dochter, vriendin. Matt, Alexa, Annie.
Dood, dood en dood.
Ik sta voor een spiegel zonder spiegelbeeld. De spiegel lacht me uit. Hij balkt als een ezel, hij loeit als een koe. Ik sla ertegen met mijn vuist en de spiegel valt in scherven uiteen. Een blauwe plek ontluikt als een roos op mijn wang. Hij is prachtig, dat voel ik.
Mijn spiegelbeeld duikt op in de glasscherven.
Weer die stem: gebroken dingen kunnen nog steeds licht opvangen.
Ik word wakker uit de droom door mijn ogen open te doen. Het is een vreemde gewaarwording dat je na één keer met je ogen te knipperen al van diepe slaap in volledig bewustzijn kunt overgaan. Ik word tenminste niet langer krijsend wakker.
Datzelfde kan ik niet van Bonnie zeggen. Ik draai me op mijn zij om naar haar te kijken, voorzichtig, zodat ik haar niet aanstoot. Ik zie dat ze al wakker is en naar me staart.
‘Heb ik je wakker gemaakt, liefje?’ vraag ik.
Ze schudt haar hoofd. Nee, zegt ze.
Het is laat en dit is een van die momenten waarop de slaap nog steeds lonkt. Als Bonnie en ik het willen, sleept hij ons zo weer mee. Ik hou mijn armen

uitnodigend voor haar open. Mijn geadopteerde dochter kruipt dicht tegen me aan. Ik knuffel haar stevig, maar niet te stevig. Ik ruik de zoete geur van haar haren en het donker eist ons met de fluistering van een oceaangetijde op.

Wanneer ik wakker word, voel ik me geweldig. Echt volkomen uitgerust, zoals ik me lang niet heb gevoeld. De droom heeft me gelouterd achtergelaten. Zachtjes schoongeschrobd.
Ik voel me rustig, afwezig en vredig. Ik heb niets bijzonders om me zorgen over te maken, wat vreemd is, want bezorgdheid is als een fantoompijn voor me. Het is net alsof ik in een luchtbel zit – of misschien in de baarmoeder. Ik laat me even meevoeren en luister zwevend naar mijn eigen witte ruis. Het is zaterdagochtend, niet alleen in naam, maar ook wat betreft gevoel.
Ik kijk naar de plek waar Bonnie zou moeten liggen en zie alleen verkreukelde lakens. Ik spits een oor en hoor in de verte lichte voetstappen. Tienjarige voeten die door het huis lopen. Met een tienjarige dochter leven is soms net als leven met een fee. Het heeft iets magisch.
Ik rek me uit, wat zalig en katachtig aanvoelt. Er is maar één ding nodig om deze ochtend perfect te maken. Terwijl ik dit denk, sper ik mijn neusgaten open.
Koffie.
Ik spring uit bed en loop de trap af naar de keuken. Ik bedenk tevreden dat ik alleen een oud T-shirt aanheb en wat ik mijn 'omaonderbroek' noem, en een paar belachelijk donzige, olifantvormige pantoffels. Mijn haar ziet eruit alsof ik net door een orkaan ben gewandeld. Het doet er allemaal niet toe, want het is zaterdag en er is verder niemand, alleen wij tweetjes.
Bonnie staat me aan de voet van de trap op te wachten met een kop koffie.
'Dank je, ukkepuk.' Ik neem een slok. 'Perfect,' zeg ik met een knikje. En dat is hij ook.
Ik ga aan de eettafel zitten en drink met kleine slokjes van mijn koffie. Bonnie heeft een glas melk en we kijken elkaar aan. Het is een heel, heel aangename stilte. Ik grijns.
'Wat een heerlijke ochtend, hè?'
Ze grijnst terug en die lach steelt mijn hart, alweer, dat is niets nieuws. Ze knikt.
Bonnie praat niet. Dat is niet het gevolg van een of ander lichamelijk gebrek. Het komt doordat haar moeder voor haar ogen is afgeslacht. En doordat de moordenaar haar vervolgens aan het lijk van haar moeder vastbond, met de gezichten naar elkaar toe. Zo heeft ze daar drie dagen gezeten. Sindsdien heeft ze geen woord meer gezegd.
Annie – haar moeder – was mijn beste vriendin. De moordenaar had het op

haar gemunt om mij pijn te doen. Soms erken ik dat Annie is gestorven omdat ze mijn vriendin was. Meestal erken ik dit niet. Ik doe net alsof het er niet is; het is gewoon veel te groot, duister en verpletterend, een schaduw met de omvang van een walvis. Als ik die waarheid te vaak zou erkennen, ging ik eraan onderdoor.

Toen ik zes was, ben ik eens om de een of andere reden heel boos geweest op mijn moeder. Ik kan me niet eens meer herinneren waarom. Ik had destijds een kitten die ik meneer Mittens had genoemd en hij kwam naar me toe met dat inlevingsvermogen dat dieren vaak hebben, waardoor hij wist dat ik van slag was. Meneer Mittens bood me zijn onvoorwaardelijke liefde en ik reageerde door hem zacht te schoppen.

Hij mankeerde niets, niets blijvends in elk geval. Zelfs niets tijdelijks. Hij was daarna alleen nooit echt meer een kitten. Wanneer je hem wilde aaien, kromp hij altijd eerst in elkaar. Tot op de dag van vandaag word ik verteerd door schuldgevoel wanneer ik aan meneer Mittens denk. Niet zo'n kort schokje, maar een gevoel van pure ellendigheid, een soort verminking van de ziel. Wat ik deed, was slecht. Ik heb een onschuldig wezen permanent beschadigd. Ik heb nooit aan iemand verteld wat ik meneer Mittens had aangedaan. Het is een geheim dat ik wil meenemen in mijn graf, een zonde waarvoor ik liever naar de hel ga dan dat ik hem opbiecht.

De gedachte aan Annie roept het gevoel bij me op alsof ik meneer Mittens heb doodgeschopt. Dus zie ik het meestal maar liever niet onder ogen.

Annie heeft Bonnie aan mij nagelaten. Ze is mijn boetedoening. Dat is niet eerlijk, want Bonnie betekent voor mij magie, verwondering en zonnige dagen. Ondanks haar zwijgzaamheid en nachtelijk geschreeuw. Bij boetedoening hoort lijden; Bonnie laat me glimlachen.

Ik bedenk dit allemaal in een fractie van een seconde, terwijl ik naar haar kijk. Gedachten gaan snel.

'Wat zou je ervan zeggen als we eerst een paar uurtjes lui rondlummelen en daarna gaan winkelen?'

Bonnie denkt hier even over na. Dat is een van haar eigenschappen: ze reageert nooit luchthartig op iets. Ze laat het eerst bezinken, zorgt ervoor dat ze, wanneer ze antwoord geeft, zeker weet dat dit de waarheid is. Ik weet niet of dat wordt veroorzaakt door wat ze heeft meegemaakt of dat het een eigenaardige karaktertrek is waarmee ze is geboren. Ze maakt me met een glimlach en een hoofdknikje duidelijk wat ze heeft besloten.

'Mooi. Wil je ontbijten?'

Daar hoeft ze niet over na te denken; eten vormt consequent een uitzondering op dat eigenaardige karaktertrekje. Op deze vraag volgt altijd direct enthousiast een bevestigende reactie.

Ik scharrel bedrijvig rond, bak eieren en spek, rooster brood. Tijdens het eten besluit ik de komende week ter sprake te brengen.
'Ik heb je toch verteld dat ik een paar weken vrij heb genomen, hè?'
Ze knikt.
'Daar had ik een heleboel verschillende redenen voor, maar er was één speciale reden bij. Ik wil er graag met jou over praten, omdat... nu ja... het is goed, maar misschien ook een beetje moeilijk. Voor mij, bedoel ik.'
Ze buigt zich voorover en kijkt me met vasthoudende, geduldige concentratie aan.
Ik neem een slokje koffie. 'Ik heb besloten dat het tijd is om een paar dingen op te ruimen. Dingen zoals Matts kleren en zijn spullen uit de badkamer. Een deel van Alexa's speelgoed. Geen foto's of dat soort dingen. Ik ben niet van plan om hen helemaal uit te wissen. Alleen...' Ik zoek naar woorden. Ik vind ze en ze vormen een eenvoudig zinnetje: 'Alleen wonen ze hier niet meer.'
Bondig, één enkele regel. Boordevol betekenis, kennis, angst, liefde, hoop en wanhoop. Pas uitgesproken nadat ik eerst een woestijn van duisternis ben overgestoken.
Ik sta aan het hoofd van de afdeling Zware Misdaad in Los Angeles. Ik ben goed in mijn werk – heel goed. Ik geef leiding aan een team van drie mensen, allemaal persoonlijk door mij uitgekozen en allemaal voorbeeldige, vakkundige wetshandhavers. Ik kan me natuurlijk bescheiden opstellen, maar dan zou ik gewoon liegen. De waarheid is dat je echt níét de psychopaat wilt zijn achter wie mijn team aan zit.
Een jaar geleden zochten we een man die Joseph Sands heette. Een aardige vent voor zijn buren, een liefhebbende vader van twee kinderen en de eigenaar van slechts één enkel gebrek: vanbinnen was hij hol. Hij vond dat zelf blijkbaar niet erg, maar ik weet zeker dat de jonge vrouwen die hij martelde en vermoordde dat wel erg vonden.
We zaten hem op de hielen – we waren er namelijk bijna achter dat hij het was – en toen zette hij mijn wereld op zijn kop. Op een nacht brak hij bij mij thuis in, en met alleen een touw en een jachtmes maakte hij een einde aan de wereld zoals ik die kende. Voor mijn ogen vermoordde hij mijn man Matt. Hij verkrachtte en verminkte mij. Hij hield mijn dochter Alexa voor zich en gebruikte haar als een menselijk schild om de kogel op te vangen die ik op hem had afgevuurd.
Als wederdienst heb ik hem volgepompt met alle kogels uit mijn pistool, dat ik vervolgens herlaadde om het nog eens dunnetjes over te doen. Daarna heb ik er een halfjaar lang over nagedacht of ik wilde blijven leven of mezelf een kogel door mijn kop zou jagen.

Toen werd Annie vermoord en kwam Bonnie in mijn leven, en kreeg het leven me op een of andere manier weer stevig in zijn greep.
De meeste mensen kunnen zich echt niet voorstellen dat je in een positie kunt verkeren waarin de dood wellicht te verkiezen is boven het leven. Het leven is sterk. Het houdt je op veel manieren vast: door het kloppen van je hart, de zon op je gezicht en het gevoel van de grond onder je voeten. Het laat je niet gemakkelijk gaan.
De greep van het leven op mij was een dunne draad. Een ragfijn spinnenwebdraadje waaraan ik boven de kloof van de eeuwigheid bungelde. Het werden twee draden. Daarna vijf. Toen een heel touw. De kloof week langzaam terug en op een bepaald moment drong het tot me door dat het leven weer vat op me had. Het had me teruggelokt naar een regelmatige ademhaling en rondpompend bloed, en ik vond het allemaal weer belangrijk. De kloof was verdwenen, vervangen door een horizon.
'Het is tijd om hier weer een echt thuis van te maken, liefje. Snap je wat ik bedoel?'
Ze knikt. Ik zie aan haar dat ze het echt helemaal snapt.
'Goed – dan iets wat jij waarschijnlijk wel leuk vindt.' Ik glimlach even naar haar. 'Tante Callie heeft een tijdje vrij genomen, en ze komt bij ons logeren om te helpen' – dit roept een verrukte glimlach bij Bonnie op – 'en Elaina komt ook.'
Haar ogen worden enorme bakens van geluk. De glimlach is oogverblindend. Absolute goedkeuring. Ik grinnik. 'Fijn dat je dat zo leuk vindt.'
Ze knikt en we eten verder. Ik ben met mijn gedachten heel ergens anders, maar krijg dan door dat ze me weer aandachtig met een scheef hoofd bestudeert. Er ligt een tedere, vragende uitdrukking op haar gezicht.
'Je vraagt je zeker af waarom ze komen?'
Ze knikt.
'Omdat...' Ik zucht. Weer zo'n korte, eenvoudige zin. 'Omdat ik het niet alleen kan.'
Ik ben vastbesloten om dit te doen, om verder te gaan met mijn leven. Ik ben er alleen ook een beetje bang voor. Ik heb geestelijk zo lang in de kreukels gelegen dat ik deze recente mentale stabiliteit verdacht vind. Ik wil vrienden om me heen hebben die me steunen als ik even wankel.
Bonnie staat op uit haar stoel en komt naar me toe. Er zit zoveel tederheid in dit kind. Zoveel goedheid. Als mijn dromen het gezicht van de dood bevatten, dan is dit het gezicht van de liefde. Ze steekt een hand uit en volgt met een vingertje zacht de littekens op de linkerkant van mijn gezicht. Kapotte scherven. Ik ben de spiegel.
Mijn hart loopt vol en leeg, vol en weer leeg.

'Ik hou ook van jou, lieverd.'
Een vluchtige omhelzing, een berg van betekenis, en dan terug naar het ontbijt. Wanneer we zijn uitgegeten, slaak ik een tevreden zucht. Bonnie laat een boer, lang en hard. Er volgt een geschrokken stilte – maar dan barsten we allebei in lachen uit, een geluid dat regelrecht uit onze buik komt. We lachen tot de tranen over onze wangen lopen; dan bedaart het tot gegiechel en het eindigt in een brede grijns.
'Zin om tekenfilms te gaan kijken, ukkepuk?'
Een stralende lach, als de zon op een veld rozen.
Ik besef dat dit de beste dag is die ik in het afgelopen jaar heb meegemaakt. De aller-, allerbeste.

2

Bonnie en ik lopen door de overdekte Glendale Galleria – moeder aller winkelcentra – en de dag is er alleen maar nog beter op geworden. We zijn in Sam Goody's geweest om de muziekvoorraad te inspecteren. Ik heb een cd-set gekocht – *Het beste van de jaren '80* – en Bonnie heeft de nieuwste cd van Jewel gekregen. Haar huidige muzikale belangstelling past goed bij haar karakter: bedachtzaam en vol schoonheid, ongelukkig noch vreugdevol. Ik kijk uit naar de dag waarop ze me vraagt iets voor haar te kopen waarbij ze haar voeten niet kan stilhouden, maar vandaag kan het me allemaal niets schelen. Bonnie is gelukkig. Dat is het enige wat ertoe doet.

We kopen een paar enorme zoute pretzels en gaan op een bankje zitten om ze op te eten en naar mensen te kijken. Twee tieners met alleen oog voor elkaar slenteren voorbij. Het meisje is een jaar of vijftien; een brunette, alledaags, vanboven slank, vanonder zwaar, met een laaghangende spijkerbroek en een hemdje aan. De jongen is ongeveer even oud en schattig on-cool. Lang, mager, slungelig, met een bril met dikke glazen op, heel veel puistjes en haar dat tot over zijn schouders hangt. Hij heeft één hand in de kontzak van haar spijkerbroek gestoken en zij heeft een arm om zijn middel geslagen. Ze zien er allebei jong, verliefd, onhandig en gelukkig uit. Ze lijken totaal misplaatst en ik moet om hen glimlachen.

Ik betrap een man van middelbare leeftijd erop dat hij met grote ogen naar een mooie vrouw van in de twintig staart. Ze is net een ongetemd paard, vol natuurlijke vitaliteit. Prachtig gitzwart haar dat tot op haar middel hangt. Smetteloze, gebruinde huid. Parmantige glimlach, parmantige neus, parmantige alles. Ze straalt een zelfvertrouwen en sensualiteit uit die volgens mij eerder onbewust dan opzettelijk zijn. Ze loopt langs de man. Zijn mond hangt open. Ze merkt hem niet eens op. Zo gaan die dingen nu eenmaal.

Ben ik ook ooit zo geweest, vraag ik me peinzend af. Een wezen dat zo mooi is dat het mannelijk IQ er spontaan van daalt?

Dat zou best kunnen. De tijden veranderen echter.

Ik word nu ook bekeken, dat klopt. Het zijn alleen geen wellustige blikken. De uitdrukking erin varieert nu van nieuwsgierigheid tot afschuw. Ik kan het hun niet kwalijk nemen. Sands heeft met het verminken van mijn gezicht een van zijn beste werken afgeleverd.

De rechterkant is volmaakt en onaangeroerd. Al het echt afschuwelijke zit aan de linkerkant. Het litteken begint midden op mijn voorhoofd bij de haargrens. Het loopt recht omlaag tot de plek tussen mijn wenkbrauwen en buigt dan naar links, in een vrijwel perfecte hoek van 90 graden. Ik heb geen linkerwenkbrauw; het litteken heeft de plaats daarvan ingenomen. Het kartelige pad loopt verder over mijn slaap en kromt in een wijde looping over mijn wang. Het scheurt naar mijn neus, waar het nog net over de brug heen sliert, maar keert dan terug op zijn schreden, snijdt diagonaal over mijn linkerneusvleugel en schiet ten slotte langs mijn kaaklijn naar mijn hals, waarna het bij mijn sleutelbeen eindigt.

Er is nog een tweede litteken, kaarsrecht en precies, dat van midden onder mijn linkeroog naar de hoek van mijn mond loopt. Het is nieuwer dan de rest; de man die Annie vermoordde, dwong me om mezelf te snijden, terwijl hij gretig toekeek. Hij vond het prachtig om me te zien bloeden, dat kon je aan zijn ogen zien, in vervoering. Het was een van de laatste dingen die hij voelde voordat ik zijn hersens aan gort schoot.

Dit zijn alleen nog maar de zichtbare littekens. Onder de kraag van elke bloes die ik bezit zitten nog andere. Veroorzaakt door een mes en het gloeiende uiteinde van een sigaar.

Ik heb me heel lang geschaamd voor mijn gezicht. Ik liet mijn haar voor de linkerkant hangen in een poging te verbergen wat Joseph Sands me had aangedaan. Toen het leven weer grip kreeg op mijn hart, stelde ik mijn mening over die littekens bij. Tegenwoordig draag ik mijn haar naar achteren, strak tegen mijn hoofd in een paardenstaart, een uitdaging aan de wereld om naar me te kijken.

Voor de rest zie ik er niet slecht uit. Ik ben klein, een meter vijftig. Ik heb wat Matt altijd 'borsten die in zijn mond passen' noemde. Ik ben niet mager, maar wel fit. Ik heb niet echt een kleine kont, eerder ronde billen. Matt was er vroeger dol op. Wanneer ik voor de kleedspiegel stond, liet hij zich soms op zijn knieën vallen; dan greep hij mijn achterwerk vast, keek omhoog naar mijn gezicht en zei met zijn beste 'gollem'-stem: 'Mijn lieveling...'

Het maakte elke keer weer een onbeheerste giechelbui bij me los.

Bonnie roept me met een rukje aan mijn mouw terug uit deze lome dagdroom. Ik kijk in de richting waarin ze wijst. 'Wil je naar Claire's?'

Ze knikt.

'Dat kan, ukkepuk.' Claire's is typisch zo'n winkel die is ontworpen voor moeders-met-dochters. Goedkope, maar stijlvolle sieraden voor jong en oud, haarklemmen, opzichtig met glitter bewerkte borstels.

We lopen naar binnen. Een vrouw van in de twintig blijkt een van de verkoopmedewerksters te zijn. Ze komt met een door de middenstand gepaten-

teerde glimlach naar ons toe, bereid om te helpen en te verkopen. Ze spert haar ogen wijd open wanneer ze me aankijkt. De glimlach hapert, spat dan uiteen.
Ik trek een wenkbrauw op. 'Is er iets?'
'Nee, ik...' Ze blijft naar mijn littekens staren, zenuwachtig en ontzet. Ik voel bijna met haar mee. Schoonheid is haar afgod, dus moet mijn gezicht er wel uitzien als een overwinning van de duivel.
'Ga die meisjes daar eens helpen, Barbara.' De stem is scherp, een klap. Ik kijk om en zie een vrouw van in de veertig staan. Ze is mooi, zoals mooie vrouwen dat kunnen zijn wanneer ze ouder worden. Peper-en-zoutkleurig haar, in combinatie met de opmerkelijkste blauwe ogen die ik ooit heb gezien. 'Barbara,' zegt ze nogmaals.
De twintiger schrikt wakker, gooit er een kort 'Ja, mevrouw' uit en holt zo snel als haar perfect gepedicuurde voeten haar kunnen dragen bij me vandaan.
'Let maar niet op haar, liefje,' zegt de vrouw. 'Glimlachen kan ze als de beste, maar op de afdeling IQ schort er het een en ander aan.' De stem klinkt vriendelijk en ik doe mijn mond al open om antwoord te geven, maar dan dringt het tot me door dat ze het niet tegen mij heeft, maar tegen Bonnie.
Ik kijk omlaag en zie dat Bonnie de twintiger vernietigend nakijkt. Bonnie is erg beschermend jegens mij; ze vond het helemaal niet leuk. Ze reageert op de stem van de vrouw, kijkt haar aan en onderwerpt haar openlijk aan een keurende blik. De frons maakt plaats voor een verlegen glimlach. Ze mag die peper-en-zoutdame wel.
'Ik ben Judith en dit is mijn winkeltje. Waarmee kan ik de dames van dienst zijn?'
Nu praat ze wel tegen mij. Ik onderwerp haar zelf ook aan een keurende blik, maar kan niets vals aan haar ontdekken. Haar vriendelijkheid is ongedwongen, meer dan gemeend. Een aangeboren eigenschap. Ik weet niet goed waarom ik het vraag, maar de woorden vliegen mijn mond uit voordat ik ze kan tegenhouden. 'Waarom zit jij er niet zo mee als zij, Judith?'
Judith kijkt me aan met die o zo scherpe ogen en glimlacht dan. 'Lieve schat, ik heb vorig jaar kanker overwonnen. Daarvoor moesten allebei mijn borsten worden afgezet. Toen mijn man het resultaat voor het eerst zag, knipperde hij niet eens met zijn ogen. Hij zei alleen maar dat hij van me hield. Schoonheid is een bijzonder overgewaardeerde eigenschap.' Ze knipoogt. 'Waarmee kan ik jullie dus van dienst zijn?'
'Smoky,' zeg ik. 'Smoky Barrett. Dit is Bonnie. We willen graag even rondkijken en bovendien heb je ons al enorm geholpen.'
'Prima. Veel plezier en roep maar wanneer ik iets kan doen.'

Nog een laatste glimlach, een knipoogje en weg is ze, maar ze laat als een fee een glinsterend spoor van vriendelijkheid achter.
We blijven minstens twintig minuten in de winkel en zijn daarna beladen met snuisterijen. De helft ervan zullen we nooit gebruiken, maar het was enig om ze te kopen. We rekenen onze aankopen bij Judith af, mompelen een afscheidsgroet en vertrekken met de buit. Wanneer we buiten de winkel staan, kijk ik op mijn horloge.
'We moeten maar eens teruggaan, meisje. Tante Callie komt al over een uur of twee.'
Bonnie glimlacht, knikt en pakt mijn hand. We verlaten het winkelcentrum en lopen een prachtige dag vol Californische zonneschijn in. Het is alsof je een ansichtkaart binnenwandelt. Ik denk aan Judith en werp een blik op Bonnie. Ze ziet niet dat ik naar haar kijk. Ze lijkt zorgeloos, zoals een kind hoort te zijn.
Ik zet mijn zonnebril op en denk weer: dit is een fantastische dag. De beste in een heel lange tijd. Misschien is dat een goed voorteken. Ik ruim de geesten in mijn huis op en het leven wordt steeds beter. Daardoor raak ik ervan overtuigd dat ik het juiste doe.
Ik weet dat ik me, zodra ik weer aan het werk ga, zal herinneren dat er daarbuiten roofdieren rondsluipen, verkrachters en moordenaars en nog erger. Zij lopen samen met ons onder dezelfde blauwe hemel, koesteren de warmte van dezelfde gele zon; ze liggen voortdurend op de loer, wachten voortdurend af, ze schuren tegen de rest van ons aan en trillen daarbij als duistere stemvorken.
Op dit moment zou de zon echter gewoon de zon kunnen zijn. Zoals de droomstem al zei: we zijn dan misschien gebroken, maar we kunnen nog steeds het licht opvangen.

3

De bank in de woonkamer omarmt ons zacht en ontspannen. Het is een wat versleten, oude bank, beige microvezel, hier en daar bevlekt door het verleden. Ik zie wijndruppels die er niet meer uit wilden, iets etenswaarachtigs dat er waarschijnlijk al jaren zit. De buit uit het winkelcentrum ligt in tassen te wachten op de salontafel, die ook de nodige sporen van eerder onachtzaam gebruik vertoont. Het notenhout glansde toen Matt en ik hem kochten; nu zit het tafelblad onder de krassen en voren.

Ik zou de meubels allebei moeten vervangen, maar dat kan ik niet, nog niet. Ze zijn trouw, vertrouwd en oprecht geweest, en ik ben er nog niet aan toe om ze naar de meubelhemel te sturen.

'We moeten even praten, lieverd,' zeg ik tegen Bonnie.

Ze richt haar volle aandacht op me. Ze hoort de weifeling in mijn stem, voelt de strijd die in me woedt. Toe maar, zegt haar blik. Het komt wel goed.

Dit is ook iets wat ik hoop ooit achter ons te laten. Bonnie stelt me te vaak gerust. Ik zou haar moeten leiden met mijn kracht, niet andersom.

'We moeten even praten over het feit dat je niet praat.'

Haar ogen veranderen, gaan van begrijpend over in zorgelijk.

Nee, zegt ze. Hier wil ik het niet over hebben.

'Lieverd.' Ik raak haar arm aan. 'Ik maak me gewoon een beetje zorgen. Ik heb met een paar dokters gesproken. Volgens hen kun je je vermogen om te praten voorgoed kwijtraken als je te lang niet praat. Ook als je nooit meer iets zegt, hou ik van je. Dat betekent alleen niet dat dit is wat ik voor jou wil.'

Ze slaat haar armen over elkaar. Ik zie dat ze inwendig strijd voert, maar ik kan niet zien waarover. Dan dringt het opeens tot me door.

'Probeer je te bedenken hoe je me iets duidelijk kunt maken?' vraag ik.

Ze knikt.

Ja.

Ze staart me geconcentreerd aan. Ze wijst naar haar mond. Ze schokschoudert. Ze doet het nogmaals: wijst, schokschoudert. Ik denk even na.

'Je weet niet waaróm je niet praat?'

Ze knikt.

Ja.

Ze steekt een vinger op. Ik heb inmiddels geleerd dat dit 'maar' of 'wacht' betekent.
'Ik luister.'
Ze wijst naar haar hoofd. Trekt een gezicht alsof ze ingespannen nadenkt. Weer duurt het even voordat ik het doorheb.
'Je weet niet waarom je niet praat – maar je denkt erover na? Je probeert erachter te komen wat de reden is?'
Aan de opluchting die van haar gezicht af te lezen is zie ik dat ik in de roos heb geschoten. Nu is het mijn beurt om bezorgd te kijken.
'Maar liefje, heb je daar dan geen hulp bij nodig? We kunnen een therapeut zoeken...'
Ze springt geschrokken op van de bank. Maakt afwerende gebaren met haar handen.
Mooi niet, echt niet, nee nee nee.
Dit behoeft geen uitleg. Ik begrijp het meteen.
'Goed, goed. Geen therapeuten.' Ik leg een hand op mijn hart. 'Beloofd.'
Dit is nog een reden om de man die Bonnies moeder heeft vermoord te haten, dood of niet: hij was therapeut, en dat weet Bonnie. Bonnie heeft gezien hoe hij haar moeder vermoordde en daarmee heeft hij al het mogelijke vertrouwen in zijn beroepsgroep gedood.
Ik steek een hand uit, pak haar vast, trek haar tegen me aan. Het gaat onhandig en stuntelig, maar ze verzet zich niet.
'Het spijt me, meisje. Ik... Ik maak me gewoon zorgen om je. Ik hóú van je. Ik ben bang dat je nooit meer iets zult zeggen.'
Ze wijst naar zichzelf en knikt.
Ik ook, zegt ze.
Ze wijst naar haar hoofd.
Ik ben ermee bezig.
Ik zucht.
'Vooruit dan maar. Voorlopig.'
Bonnie slaat haar armen ook om mij heen, om te laten te zien dat alles in orde is, dat de dag niet is verpest, dat er niets is veranderd. Stelt me opnieuw gerust.
Aanvaard het. Ze is momenteel gelukkig. Laat haar maar begaan.
'Wat zeg je ervan: zullen we al die gave spullen die we hebben gekocht eens bekijken?'
Brede grijns, knikje.
Ja!
Vijf minuten later hebben de snuisterijen haar aandacht van ons eerdere gesprek afgeleid.

Mij leiden ze natuurlijk minder af. Ik ben de volwassene. Bij mij laten zorgen zich niet met nagellak omkopen.
Er zijn dingen die ik Bonnie niet heb verteld over deze vakantie van twee weken. Weglatingen, geen leugens. Het recht van iedere ouder. Je laat dingen weg, zodat je kind een kind kan zijn. Ze zullen snel genoeg en onvermijdelijk volwassen worden, en de lasten van een volwassene moeten dragen.
Ik moet een paar beslissingen nemen over mijn leven en ik heb twee weken om te bedenken wat ik zal doen. Dit is een deadline die ik mezelf heb gesteld. Ik moet een besluit nemen, niet alleen voor mezelf, maar ook voor Bonnie. We hebben allebei stabiliteit nodig, zekerheid, een vast patroon.
Ik bevind me in deze kritieke fase doordat ik tien dagen geleden in het kantoor van de adjunct-directeur werd ontboden.
Ik ken adjunct-directeur Jones al sinds mijn allereerste dag bij de FBI. Aanvankelijk was hij mijn mentor en loopbaanadviseur. Nu is hij mijn baas. Hij heeft zijn huidige positie niet bereikt met politieke spelletjes; hij is via de ladder opgeklommen doordat hij een uitstekende FBI-agent was. Met andere woorden: hij is echt, geen bobo. Ik heb een diep respect voor hem.
Het kantoor van AD Jones heeft geen ramen en is sober. Hij had een hoekkantoor kunnen kiezen met een geweldig uitzicht, maar toen ik hem er een keer naar vroeg, was zijn reactie iets in de trant van: 'Een goede baas hoort niet veel tijd in zijn kantoor door te brengen.'
Hij zat achter zijn bureau, een enorm, log, anachronistisch geval van grijs metaal, dat hij al heeft zo lang ik hem ken. Net als de man zelf straalt het uit: 'Niet sleutelen aan iets wat niet kapot is.' Zoals altijd was het bureaublad bezaaid met stapels dossiermappen en papieren. Een versleten naamplaatje van hout en koper vermeldde zijn rang. Aan de muren hingen geen oorkondes of certificaten, hoewel ik toevallig weet dat hij er talloze heeft die hij zou kunnen ophangen.
'Ga zitten,' zei hij en hij gebaarde naar de twee leren stoelen die daar altijd staan.
AD Jones is begin vijftig. Hij werkt al sinds 1977 bij de FBI. Hij is hier in Californië begonnen en heeft zich door de rangen heen omhooggewerkt. Hij is twee keer getrouwd en twee keer gescheiden. Hij is een knappe man, op een harde, uit-hout-gesneden manier. Hij is meestal kortaf, nors en heel zelfverzekerd. Ook is hij een formidabele *special agent*. Ik heb geluk gehad dat ik zo vroeg in mijn carrière onder hem heb mogen werken.
'Wat is er?' vroeg ik.
'Ik ben niet tactvol, Smoky, dus ik zal het je recht voor zijn raap vertellen. Je hebt een baan aangeboden gekregen als docent bij Quantico. Je bent niet verplicht het aanbod te accepteren, maar ik ben wel verplicht je erover in te lichten.'

Ik was met stomheid geslagen. Ik stelde de voor de hand liggende vraag: 'Waarom?'
'Omdat je de beste bent.'
Iets in zijn gezichtsuitdrukking zei me dat er meer meespeelde.
'Maar?'
Hij slaakte een diepe zucht. 'Er is geen "maar". Er is een "en". Je bént de beste. Je hebt de nodige kennis en ervaring, en je hebt het op basis van je verdiensten ruimschoots verdiend.'
'Wat is de "en" dan?'
'Een paar hoge omes van de FBI – onder wie ook de directeur – zijn van mening dat we je dit verschuldigd zijn.'
'Verschuldigd?'
'Vanwege alles wat je hebt gegéven, Smoky.' Zijn stem klonk heel zacht. 'Je hebt de FBI je gezin gegeven.' Hij voelde aan zijn wang. Ik wist niet of hij dat onbewust deed of naar aanleiding van mijn littekens. 'Je hebt vanwege je werk heel wat meegemaakt.'
'Nou en?' vroeg ik kwaad. 'Hebben ze soms medelijden met me? Of zijn ze bang dat ik in de toekomst instort?'
Hij verraste me met een glimlach. 'Onder normale omstandigheden zou ik me wel in die gedachtegang kunnen vinden. Nu echter niet. Ik heb met de directeur gesproken en hij was heel duidelijk: dit is geen diplomatieke afkoopsom. Het is een beloning.' Hij keek me onderzoekend aan. 'Heb je directeur Rathbun wel eens ontmoet?'
'Eén keer. Hij leek me heel rechtdoorzee.'
'Dat is hij ook. Hij is keihard, hij is eerlijk – zo eerlijk als hij in zijn positie maar kan zijn – en hij windt nergens doekjes om. Hij denkt dat jij bijzonder geschikt bent voor die baan. Er is een salarisverhoging aan verbonden, je krijgt stabiliteit voor Bonnie en je zou zelf minder risico's lopen.' Een korte stilte. 'Dit is het geval: hij heeft me verteld dat dit het beste is wat de FBI je te bieden heeft.'
'Dat volg ik even niet.'
'Er is een tijd geweest waarin ze jou op het oog hadden voor de baan van adjunct-directeur – míjn baan.'
'Ja, dat weet ik.'
'Daar is nu geen sprake meer van.'
Er ging een schok door me heen.
'Waarom niet? Omdat ik ben doorgedraaid toen Matt en Alexa overleden?'
'Nee, nee, daar gaat het helemaal niet om. Dat gaat veel te diep. Denk eens oppervlakkiger.'
Dat had ik gedaan, en toen was me iets gaan dagen. Aan de ene kant kon ik

het bijna niet geloven. Aan de andere kant was dit typisch iets voor de FBI.
'Het is mijn gezicht, hè? Het is een imagokwestie.'
Een ondoorgrondelijke mengeling van verdriet en woede laaide op in zijn ogen. Die was langzaam overgegaan in een intense vermoeidheid.
'Ik heb je gezegd dat hij er geen doekjes om windt. We leven in een door de media bepaald tijdperk, Smoky. Er staat je niets in de weg om met jouw uiterlijk je eenheid te leiden.' Zijn lippen vertrokken in een sardonische grijns. 'De algemeen heersende opvatting is echter dat het niet zo zou werken in een positie op directeursniveau. Romantisch zolang je de jager bent, slecht voor het werven van nieuwe mensen als je directeur of adjunct-directeur bent. Ik vind het gelul en hij ook, maar zo staan de zaken nu eenmaal.'
Ik zocht naar de verontwaardiging die ik had verwacht te zullen voelen, maar tot mijn verbazing ontdekte ik dat die volledig ontbrak. Het enige wat ik kon vinden was onverschilligheid.
Er was een tijd dat ik net zo ambitieus was als alle andere special agents. Matt en ik hadden erover gesproken, er zelfs plannen voor gemaakt. We waren ervan uitgegaan dat het vanzelf sprak dat ik de ladder der rangen zou beklimmen. Nu lag alles anders.
Dit kwam deels voort uit pragmatisme. Als je persoonlijke gevoelens even buiten beschouwing liet, dan hadden de hoge omes gelijk: ik was niet langer geschikt om het publieke gezicht van de FBI te worden. Als soldaat voldeed ik, getekend en angstaanjagend. Ik was prima in staat om anderen op te leiden, de doorgewinterde veteraan. Maar voor foto's poseren met de president? Dat zat er niet in.
Het had ook deels te maken met de kansen die de baan me bood. Lesgeven in Quantico was een begerenswaardige positie waarnaar veel mensen streefden. Het ging gepaard met een uitstekend salaris, regelmatige werktijden en veel minder stress. Studenten schoten niet op je. Ze braken niet bij je thuis in. Ze vermoordden je gezin niet.
Dit alles schoot in een oogwenk door mijn hoofd.
'Hoe lang heb ik de tijd om te beslissen?' vroeg ik.
'Een maand. Als je de baan accepteert, heb je genoeg tijd om de overstap te maken. Een maand of zes.'
Een maand, dacht ik bij mezelf. Genoeg tijd, en toch bij lange niet lang genoeg.
'Wat vindt u dat ik moet doen?'
Mijn mentor had geen seconde geaarzeld.
'Je bent de beste special agent met wie ik heb gewerkt, Smoky. Moeilijk te vervangen. Je moet echter doen wat het beste is voor jou.'
In het hier en nu kijk ik stiekem naar Bonnie. Ze gaat helemaal op in de

tekenfilms. Ik denk na over vandaag, over ontspannen ochtenden, ontbijtboeren en bezoekjes aan Claire's.
Wat is het beste voor mij? Wat is het beste voor Bonnie? Moet ik het haar zelf vragen?
Ja, eigenlijk wel. Alleen niet nu.
Voorlopig wilde ik het plan doorzetten dat ik had. Ik zou Matt en Alexa wegbergen. Weg, maar niet vergeten.
We zullen wel zien hoe het er daarna voor staat.
Ik voelde geen druk omdat ik een beslissing moest nemen. Ik had een keus. Keuzes betekenden toekomst. Een toekomst hier, een toekomst in Quantico – allemaal een voorwaartse beweging, en beweging betekende leven. Allemaal beter dan een halfjaar geleden.
Dat zeg je steeds tegen jezelf. Zo eenvoudig is het echter niet en dat weet jij ook. Achter al die onverschilligheid zit iets verborgen, iets duisters en akeligs en punttandigs.
Punttandigs is niet eens een echt woord, zeg ik verachtelijk bij mezelf.
Ik zet dit alles uit mijn gedachten (of probeer het in elk geval), kruip tegen Bonnie aan en laat de zaterdag weer gewoon de zaterdag zijn.
'Tekenfilms zijn gaaf, hè, meisje van me?'
Bonnie knikt zonder haar ogen van de televisie af te wenden.
Ja, zegt ze instemmend. Dat zijn ze inderdaad.
Totaal niet punttandig.

4

'Wat zien jullie er allebei lui en tevreden uit,' zegt Callie.
Ze staat waardig in de keuken. Bordeauxrood gelakte nagels tikken op het zwartgranieten aanrechtblad van het kookeiland. Haar koperkleurige haar vormt een sterk contrast met de witte eiken keukenkastjes achter haar. Ze trekt afkeurend één volmaakt gevormde wenkbrauw op.
Bonnie en ik kijken elkaar grinnikend aan.
Als er een beschermheilige van oneerbiedigheid bestond, was het Callie. Ze is bot, heeft een vlijmscherpe tong en maakt er een gewoonte van om iedereen met *honey-love* aan te spreken. Het gerucht gaat dat er een geschreven reprimande in haar personeelsdossier zit, omdat ze zelfs de directeur van de FBI met honey-love heeft aangesproken. Ik twijfel er geen seconde aan of het zo is; dat is op en top Callie.
Ze is zo beeldschoon dat zelfs vrouwen van in de twintig haar benijden, want het is een blijvende schoonheid, een filmsterrenschoonheid, die zich niet door leeftijd laat beïnvloeden. Ik heb foto's van Callie gezien toen ze twintig was en ik kan in alle eerlijkheid zeggen dat ze nu op haar achtendertigste mooier is. Ze heeft vuurrood haar, volle lippen, lange benen – ze had zo topmodel kunnen zijn. In plaats van een borstel heeft ze echter altijd een pistool bij zich. In mijn ogen is haar volslagen gebrek aan interesse voor haar eigen lichamelijke perfectie een van de dingen die haar nog mooier maken – als dat tenminste kan. Niet dat ze zichzelf onderschat (integendeel zelfs), maar ze ziet haar schoonheid niet als een eigenschap die veel voorstelt.
Callie is spijkerhard, slimmer dan de wetenschappers bij de NASA en de trouwste vriendin die je maar kunt hebben. Niets van dit alles is vanzelfsprekend. Callie moet weinig hebben van fysiek contact. Ik heb nog nooit een kaartje of een verjaarscadeau van haar gekregen. Haar vriendschap blijkt uit haar daden.
Callie was degene die me in de nasleep van Joseph Sands vond. Die me mijn pistool afnam, terwijl ik het op haar richtte en de trekker overhaalde, vurend met lege kamers, *klik-klik-klik.*
Callie is lid van mijn team; we werken al tien jaar samen. Ze is afgestudeerd in forensische geneeskunde en heeft een stel hersens dat bijzonder geschikt is voor het werk dat wij doen. Callie bezit een zekere meedogenloosheid wat

betreft haar werk. Bewijsmateriaal en waarheid zijn voor haar hogere machten. Als het bewijsmateriaal in jouw richting wijst, zal ze zich tegen je keren en geen spaan van je heel laten, ongeacht of je tot op dat moment goed met elkaar overweg kon of niet. Ze zal zich er ook totaal niet schuldig over voelen. De eenvoudigste oplossing: word geen misdadiger, dan kun je het vast en zeker prima met haar vinden.

Callie is niet volmaakt, ze weet alleen beter om te gaan met haar zwakke plekken. Op haar vijftiende raakte ze zwanger en werd ze door haar ouders gedwongen het kind op te geven voor adoptie. Callie wist dit tot een halfjaar geleden voor iedereen verborgen te houden, ook voor mij. Toen bracht een moordenaar haar geheim in de openbaarheid. Mensen benijdden haar om haar fraaie uiterlijk, maar ze had geknokt en geleden om te worden wie ze is.

'We zíjn ook tevreden,' zeg ik glimlachend. 'Dank je wel dat je bent gekomen.'

Ze wuift afwerend met haar hand. 'Ik ben hier vanwege het gratis eten.' Ze kijkt me streng aan. 'Er is toch zeker wel gratis eten, hè?'

Bonnie antwoordt in mijn plaats. Ze loopt naar de koelkast, doet de deur open en komt terug met in haar handen een van Callies lievelingshapjes: een doos chocoladedonuts.

Callie doet alsof ze een traan wegpinkt. 'Dank je.' Ze kijkt glimlachend neer op Bonnie. 'Zin om me te helpen er een paar weg te werken?'

Bonnie glimlacht terug, nog meer zon en rozen. Ze halen melk, een belangrijk ingrediënt. Ik sla hen gade terwijl ze een paar donuts weghappen en denk peinzend na over het feit dat hierdoor, door deze doodgewone minuut, een geluksgevoel in me opwelt dat bijna volmaakt is. Vrienden, donuts en een glimlachende dochter – een elixer van lachen en leven.

'Nee, honey-love,' hoor ik Callie zeggen. 'Nóóit een hap nemen zonder hem eerst in melk te dopen. Tenzij er natuurlijk geen melk is, want dat is de eerste regel van het leven, onthou dat goed: de donut gaat altijd boven de melk.'

Ik staar vol verwondering naar mijn vriendin. Ze is zich er niet van bewust, gaat helemaal op in het overleveren van haar donutkennis. Dit is een van de redenen waarom Callie een van de mensen is op wie ik het meest gesteld ben: haar bereidheid om plezier te hebben, om onbeschaamd naar de laaghangende vruchten van het geluk te graaien.

'Ik ben zo terug,' zeg ik.

Ik loop over de met tapijt beklede trap naar mijn slaapkamer en kijk om me heen. Het is de grootste slaapkamer van het huis en hij is erg ruim. De luiken met horizontale latjes aan de buitenmuur kunnen zo worden opengevouwen dat ze het zonlicht gedeeltelijk of helemaal binnenlaten. De muren zijn gebroken wit geschilderd; het beddengoed vormt een felle, lichtblauwe vlek.

Het bed, een kingsize hemelbed met een super-de-luxe, als uit de hemel gezonden matras, neemt de meeste ruimte in. Stapels kussen, bergen kussens. Ik ben gek op kussens.
Er staan twee identieke ladekasten, een voor Matt en een voor mij, allebei van donker kersenhout. Aan het plafond draait een ventilator in het rond, rustig, met een zacht gezoem dat al heel lang mijn nachtelijke metgezel vormt.
Ik ga op het bed zitten, kijk om me heen en neem het geheel in me op.
Ik heb dit moment even nodig voordat alles gaat beginnen. Een moment om alles te zien zoals het was, niet zoals het zal worden.
Geweldige dingen, verschrikkelijke dingen, banale dingen – ze hebben allemaal op dit bed plaatsgehad. Ze stromen nu door me heen, als regendruppels over boombladeren. Een zacht geroffel op het dak van mijn wereld.
Herinneringen verliezen uiteindelijk hun scherpe randjes en snijden je niet eeuwig tot bloedens toe open. De felle pijn verdwijnt, wordt vervangen door ontroering. Zo is het met de herinneringen aan mijn gezin gegaan, en daar ben ik best blij om. Er is een tijd geweest waarin ik bij elke gedachte aan Matt of Alexa dubbelsloeg van de pijn. Nu kan ik met een glimlach aan hen terugdenken. Vooruitgang, schat, vooruitgang.
Matt praat nog steeds van tijd tot tijd tegen me. Hij was mijn beste vriend; ik ben er nog niet aan toe om zijn stem in mijn hoofd niet meer te horen.
Ik doe mijn ogen dicht en denk terug aan de dag waarop Matt en ik dit bed, dat we bij een of ander meubelzaakje hadden gekocht, in deze kamer neerzetten. Dit was ons eerste eigen huis, aangeschaft nadat we onze spaarrekeningen hadden geplunderd voor de aanbetaling en met de nodige schietgebedjes voor een begripvolle geldschieter. We kochten een huis in een wijk in Pasadena die in opkomst was, een vrij nieuw huis met een bovenverdieping (we konden ons met geen mogelijkheid een van de honderd jaar oude Craftsmanhuizen veroorloven, ook al wierpen we er voortdurend verlangende blikken op). Het lag niet heel dicht bij het werk, maar we wilden geen van beiden in LA zelf wonen. We wilden een gezinnetje stichten. Pasadena was veiliger. Het huis zag er weliswaar precies hetzelfde uit als alle andere huizen eromheen – het bezat evenmin een eigen karakter –, maar het was wel van ons.
'Dit is thuis,' had Matt in de voortuin tegen me gezegd; hij omhelsde me van achteren en we staarden allebei omhoog naar het huis. 'Hier gaan we een leven beginnen. Daar hoort een nieuw bed bij, vind ik. Als symbool.'
Natuurlijk was het sullig en sentimenteel. En natuurlijk was ik het met hem eens. Dus kochten we het bed en sjouwden we het zelf over de trap omhoog. Vol goede moed zetten we zwetend hoofdeinde, frame en voeteneinde in elkaar, kreunend en steunend hesen we de boxspring en de matras erop. Toen zaten we uit te hijgen op de vloer van de slaapkamer.

Matt keek me glimlachend aan. Hij bewoog zijn wenkbrauwen op en neer. 'Wat zeg je ervan als we eens wat lakens op het bed gooien en dan de horizontale mambo doen?'
Om zoveel onbehouwenheid moest ik giechelen. 'Jij weet wel hoe je een vrouw moet verleiden.'
Zijn gezicht had opeens zogenaamd serieus gestaan. Hij had een hand op zijn hart gelegd en de andere in de lucht gestoken. 'Mijn vader heeft me de regels geleerd voor het vrijen met een deerne. Ik zweer dat ik die altijd zal nakomen.'
'Hoe luiden die ook alweer?'
'Nooit je sokken aanhouden tijdens seks. Weten waar de clitoris zit. Haar in slaap knuffelen voordat je zelf in slaap valt. Geen winden laten in bed.'
Ik knikte plechtig. 'Jouw vader was een wijs man. Met die voorwaarden stem ik in.'
Onze mambo duurde de hele middag, tot het begon te schemeren.
Ik kijk naar het bed. Voel het meer dan dat ik het zie.
Alexa is in dit bed verwekt, tijdens een bezweet, teder moment of misschien wel tijdens wat ruwere, acrobatischer toeren – wie zal het zeggen? Matt en ik kwamen met z'n tweeën bij elkaar, en we gingen met ons drieën uit elkaar. Achtereenvolgens vreugde en goddelijke toevoeging.
Tijdens mijn zwangerschap heb ik slapeloze nachten op dit bed doorgebracht. Gezwollen enkels, een pijnlijke rug. Ik gaf Matt overal de schuld van met een verbitterdheid die je alleen op 210 dagen om drie uur in de ochtend voelt. Ik hield ook om alles van Matt. Een peilloze liefde die een mengeling was van oprechte vreugde en op hol geslagen hormonen.
De meeste mensen zijn in het begin eigenlijk veel te egoïstisch voor het huwelijk. Een zwangerschap slaat dat er meteen helemaal uit.
Een dag nadat we haar hadden meegenomen naar huis legden Matt en ik Alexa midden op dit bed. We gingen ieder aan een kant naast haar liggen en dachten verbaasd na over het feit dat ze daar lag.
Alexa is hier gemaakt. Ze heeft hier af en toe gehuild. Ze heeft hier gelachen, is hier boos geweest en heeft hier volgens mij zelfs een keertje overgegeven, omdat Matt haar te veel ijs had laten eten. Ik heb het bed verschoond, Matt sliep op de bank.
Ik heb in dit bed wijze lessen geleerd. Op een keer bedreven Matt en ik de liefde. We hadden niet gewoon seks – nee, we bedreven de liefde. Er waren wijn en kaarsen aan voorafgegaan. We hadden een bijpassende cd opgezet op precies het goede volume – hard genoeg om sfeer te scheppen, zacht genoeg om ons niet af te leiden. De maan scheen overvloedig en de nachtelijke bries was mild. We waren net bezweet genoeg om op een sexy, niet-plakkerige manier gesmeerd te blijven. Het toppunt van sensualiteit.

Toen liet ik een wind.
Weliswaar een damesachtig zacht windje, maar het was en bleef een wind. We verstijfden allebei. Alles stond een lang, pijnlijk, gênant moment stil.
Toen begon het gegiechel. Gevolgd door gelach. Gevolgd door luidkeels gebrul dat we met kussens onderdrukten, totdat het ons te binnen schoot dat Alexa bij een vriendinnetje logeerde. Later volgde een heel ander soort seks. Niet langer sprookjesachtig, maar wel tederder en oprechter.
Je kunt je trots hebben en je kunt liefde hebben, maar je kunt ze niet altijd allebei hebben. In dit bed heb ik geleerd dat liefde beter is.
Er waren niet altijd winden en lachbuien. Matt en ik hebben in dit bed ook gevochten. Mijn god, wat konden wij goed vechten. Zo noemden we het: goed vechten. We waren ervan overtuigd dat een succesvol huwelijk af en toe een stevige knokpartij moest kunnen hebben. We waren bijzonder trots op enkele van onze 'betere pogingen' – natuurlijk wel altijd achteraf gezien dan.
Ik ben in dit bed verkracht en ik heb Matt zien sterven, terwijl ik hier vastgebonden lag. Ellendige dingen.
Ik adem in, adem uit. De regendruppels vallen door de boombladeren heen, zacht, maar onverbiddelijk. Een fundamentele waarheid: wanneer het regent, word je nat. Geen ontkomen aan.
Ik bekijk het bed en denk na over de toekomst. Over alle goede dingen die hier nog steeds kunnen gebeuren als ik besluit te blijven. Ik had Matt niet en ik had Alexa niet, maar ik had wel Bonnie, en ik had mezelf.
Het leven zoals het vroeger was, dat was de melk. Het leven in het algemeen, dat was echter de donut met chocolade, en de donut gaat altijd boven de melk.
'Hier vindt dus de magie plaats.'
Callies stem haalt me met een schok uit mijn dagdroom terug. Ze staat met een onderzoekende blik in de deuropening.
'Hé,' zeg ik. 'Fijn dat je bent gekomen, dat je me hiermee wilt helpen.'
Ze loopt de kamer in en kijkt om zich heen. 'Nu ja, ik kon kiezen tussen dit of herhalingen van *Charlie's Angels*. Bovendien geeft Bonnie me te eten.'
Ik grinnik. 'Hoe vang ik een wilde Callie: donuts met chocolade en een heel grote muizenval.'
Ze komt naar me toe, laat zich op het bed vallen. Wipt een paar keer op en neer. 'Niet slecht,' oordeelt ze.
'Ik heb hier heel veel goede herinneringen aan.'
'Wat ik me altijd heb afgevraagd...' begint ze aarzelend.
'Ja?'
'Waarom heb je het gehouden? Dit is toch hetzelfde bed? Waarop het is gebeurd?'

'Het enige echte.' Ik strijk met een hand over het dekbed. 'Ik heb overwogen om het weg te doen. De eerste weken na mijn thuiskomst kon ik er niet in slapen; ik sliep op de bank. Toen ik eenmaal genoeg moed had verzameld om het te proberen, kon ik het niet meer verdragen om ergens anders te slapen. Er heeft hier één verschrikkelijke gebeurtenis plaatsgevonden. Dat mag niet zwaarder wegen dan alle fijne dingen. Ik heb hier mensen liefgehad. Mijn mensen. Dat laat ik me niet door Sands afnemen.'

Ik kan de blik in haar ogen niet doorgronden. Verdriet. Schuldgevoel. Een beetje verlangen?

'Kijk, dat is nu het verschil tussen ons, Smoky. Ik heb in mijn tienerjaren één slecht moment, ga naar bed met de verkeerde jongen, raak in verwachting en geef mijn kind weg. Vervolgens zorg ik er verdomd goed voor dat ik nooit meer een vaste relatie aanga. Jij wordt in dit bed verkracht, maar voor jou zijn de sterkste herinneringen de momenten die je met Matt en Alexa hebt gedeeld. Ik bewonder je optimisme, dat meen ik echt.' Haar glimlach is nog net niet melancholiek. Haar lippen krullen vol zelfspot omhoog. 'Mijn glas is halfleeg.'

Ik zeg niets, want ik ken mijn vriendin. Ze vertelt me dit nu wel, maar tot meer is ze echt niet in staat. Troostende woorden zouden gênant zijn, bijna verraad. Ik ben hier zodat zij deze dingen kan zeggen in de wetenschap dat iemand haar heeft gehoord, meer niet.

Ze glimlacht. 'Weet je wat ik mis?' vraagt ze dan. 'Matts taco's.'

Ik kijk haar verrast aan. Dan glimlach ik ook.

'Wat waren die heerlijk, hè?'

'Ik droom er soms over,' antwoordt ze met een melodramatisch verlangen in haar ogen.

Ik kan echt totaal niet koken. Ik laat zelfs het spreekwoordelijke water nog verbranden. Matt was, als altijd, in alles, ook hierin heel goed. Hij kocht kookboeken, probeerde dingen uit en negen van de tien keer was het resultaat verbluffend.

Hij had van iemand, ik weet niet meer van wie, geleerd hoe hij zelf taco's kon maken. Niet met die smerige kant-en-klaar gekochte pannenkoeken, maar met zachte tortilla's die hij zelf in stevige en toch malse halvemaantjes vol heerlijkheid veranderde. Hij deed een of andere kruiderij bij het vlees waardoor het water me letterlijk in de mond liep.

Blijkbaar gold dat ook voor Callie. Ze was gek op eten en kwam op eigen initiatief drie of vier keer per maand bij ons eten. In gedachten zie ik weer voor me hoe ze de ene na de andere taco verslond en met volle mond vanuit een mondhoek zat te praten. Dat ze iets zei waardoor Alexa zo moest giechelen dat haar melk in het verkeerde keelgat schoot en uit haar neus spoot. Wat

voor Alexa uiteraard het hilarische hoogtepunt van de dag was, het toppunt van alle dijenkletsers.
'Dank je wel,' zeg ik.
Ze weet wat ik bedoel. Dank je wel voor die herinnering, dat vergeten, bitterzoete fragment, die stomp in mijn maag die pijnlijk en tegelijkertijd fantastisch aanvoelt.
Zo is Callie. Ze suist razendsnel op me af om mijn ziel te omhelzen en suist dan even snel weer weg om opnieuw haar hooghartige, afstandelijke houding aan te nemen.
Ze staat op van het bed en loopt naar de deur. Ze kijkt over haar schouder naar me en glimlacht, een ondeugende glimlach.
'O ja, misschien handig om te weten: je hebt helemaal geen muizenval nodig. Stop gewoon een slaapmiddel in die donuts. Donuts eet ik namelijk altíjd.'

5

'Hoe gaat het nu met je, Smoky?'
Elaina stelt deze vraag. Ze is ongeveer twintig minuten geleden aangekomen en na de gebruikelijke omhelzing van Bonnie heeft ze me apart genomen, zodat we nu alleen in de woonkamer zitten. Haar ogen zijn openhartig en vriendelijk, maar ook net jupiterlampen. Ze kijkt me recht aan, doorboort me met die bruine kijkers. 'Probeer maar niet eromheen te draaien,' zegt die blik.
'Meestal goed, soms slecht,' zeg ik zonder aarzelen. Het komt niet eens bij me op om niet eerlijk te zijn tegen Elaina. Zij is een van die zeldzame mensen die tegelijk vriendelijk en sterk zijn.
Haar blik verzacht. 'Vertel me eens over dat slechte.'
Ik staar terug en probeer de woorden te vinden om mijn nieuwe demon te beschrijven, de duivel die door mijn hoofd banjert wanneer ik slaap. Ik heb een tijdlang over Joseph Sands gedroomd, die gniffelde en grijnsde, me steeds opnieuw verkrachtte en mijn gezin met een knipoog en een glimlach vermoordde. Sands is vervaagd; mijn nachtmerries draaien nu om Bonnie. Ik zie haar zitten op de schoot van een gestoorde gek, met een mes tegen haar keel. Ik zie haar op een wit kleed liggen met een kogelgat in haar voorhoofd en een engelvormige bloedplas die zich onder haar verspreidt.
'Angst. Het is angst.'
'Angst om wat?'
'Bonnie.'
De rimpels in haar voorhoofd verdwijnen. 'Ah. Je bent bang dat haar iets overkomt.'
'Doodsbenauwd zelfs. Ik ben bang dat ze nooit meer zal praten en helemaal doordraait. Dat ik er niet ben wanneer ze me nodig heeft.'
'En?' spoort Elaina me aan. Ze dwingt me om dat wat ik het meest vrees, de kerel op de bodem van de donkere put, in woorden te vatten.
'Dat ze doodgaat, nou goed?' Het komt er vinnig uit. Dat spijt me. 'Sorry.'
Ze glimlacht om duidelijk te maken dat het niet erg is. 'Alles bij elkaar genomen lijkt het me heel logisch dat je bang bent, Smoky. Je hebt een kind verloren. Je weet dat het wel degelijk kan gebeuren. In vredesnaam, Bonnie is bijna voor jouw ogen gestorven.' Een zachte aanraking, haar hand op de mijne.

'Het is logisch dat je bang bent.'
'Ik voel me alleen zo'n zwakkeling,' antwoord ik, en het klinkt miserabel. 'Angst is een zwakte. Ik moet sterk zijn voor Bonnie.'
Ik slaap met een geladen pistool in mijn nachtkastje. Het huis is aan alle kanten en van boven tot onder beveiligd. Een indringer heeft een uur nodig om door het nachtslot op de voordeur heen te boren. Alle beetjes helpen, maar niets verjaagt die angst.
Elaina kijkt me doordringend aan en schudt één keer haar hoofd. 'Nee. Je moet aanwézig zijn voor Bonnie. Je moet van haar houden. Ze heeft een moeder nodig, geen superheld. Echte mensen zijn slordig, ingewikkeld en over het algemeen lastig, maar ze zijn er tenminste wel, Smoky.'
Elaina is de vrouw van Alan, een van de leden van mijn team. Ze is een beeldschone latina met zachte rondingen en de ogen van een dichteres. Maar haar ware schoonheid komt uit haar hart; ze bezit een gedreven zachtaardigheid die 'mama' en 'veilig' en 'liefde' uitstraalt. Niet op een dwaze, overdreven optimistische manier – Elaina's goedheid is niet weeïg sentimenteel. Eerder onvermurwbaar, onontkenbaar en vastberaden.
Vorig jaar werd bij haar darmkanker stadium twee vastgesteld. Ze heeft een operatie ondergaan om de tumor te laten verwijderen, gevolgd door bestraling en chemotherapie. Het gaat goed met haar, maar ze is haar dikke, ontembare haar wel kwijtgeraakt. Ze draagt deze vernedering op dezelfde manier waarop ik mijn littekens heb leren dragen: onbedekt en voor iedereen te zien. Haar hoofd is kaalgeschoren en gaat niet verborgen onder een hoed of hoofddoek. Ik vraag me af of dit verlies haar soms vanuit het niets overvalt, zoals de afwezigheid van Matt en Alexa mij een tijdlang heeft overvallen.
Waarschijnlijk niet. Voor Elaina is het verlies van haar haren waarschijnlijk ondergeschikt aan de vreugde over het feit dat ze leeft; die ongecompliceerde doelgerichtheid maakt deel uit van haar innerlijke kracht.
Elaina is me komen opzoeken nadat Sands me mijn gezin had ontnomen. Ze denderde mijn kamer in het ziekenhuis binnen, schoof de verpleegster aan de kant en kwam met wijdgespreide armen op me af. Die armen sloten zich als de vleugels van een engel om me heen. In die armen liet ik me eindelijk gaan en tegen haar borst huilde ik een zee van tranen in wat aanvoelde als een eeuwigheid. Op dat moment was zij mijn moeder; ik zal daarom altijd van haar houden.
Ze knijpt in mijn hand. 'Het is logisch dat je je zo voelt, Smoky. De enige manier om helemaal geen angst te voelen is door minder van Bonnie te houden dan je nu doet, en daar is het volgens mij te laat voor.'
Mijn keel slaat dicht. Mijn ogen branden. Elaina weet het altijd terug te brengen tot eenvoudige waarheden, die nuttig zijn en vrijheid geven, maar

wel tegen een bepaalde prijs: je kunt ze niet meer vergeten. Deze waarheid is lelijk, prachtig en onontkoombaar: ik zit vast aan mijn angst, omdat ik van Bonnie hou. Het enige wat ik hoef te doen om zonder stress te leven, is niet van haar houden.

Dat zit er niet in.

'Wordt het wel minder erg?' vraag ik. Ik zucht uit pure frustratie. 'Ik wil het niet voor haar verpesten.'

Ze pakt mijn beide handen vast en kijkt me strak aan. 'Wist je dat ik een wees ben, Smoky?'

Ik kijk haar verbaasd aan.

'Nee, dat wist ik niet.'

Ze knikt. 'Tja, het is echt zo. Samen met mijn broer Manuel. Mijn vader en moeder zijn bij een auto-ongeluk om het leven gekomen en we zijn opgevoed door mijn *abuela* – mijn grootmoeder. Een goede vrouw. Dat bedoel ik in de zin van onbaatzuchtig. Ze klaagde nooit. Niet één keer.' Haar glimlach is weemoedig. 'En Manuel... o, dat was zo'n heerlijk knulletje, Smoky. Onzelfzuchtig. Lief. Helaas was hij ook heel teer. Niets specifieks of aanwijsbaars, maar hij liep altijd als eerste alle ziektes op die heersten en was altijd als laatste weer beter. Op een keer nam mijn abuela ons in de zomer mee naar Santa Monica Beach. Manuel werd meegesleept door de onderstroom. Hij stierf.'

De woorden zijn eenvoudig en worden onnadrukkelijk uitgesproken, maar ik voel de pijn die erachter zit. Stil verdriet.

Ze gaat verder: 'Mijn ouders ben ik zonder enige reden kwijtgeraakt. Mijn broer ben ik op een prachtige dag kwijtgeraakt, alleen maar omdat hij niet hard genoeg kon trappen om weer aan wal te komen.' Ze kijkt me schouderophalend aan. 'Wat ik wil zeggen, Smoky, is dat ik die angst ken. De verschrikkelijke angst dat je iemand van wie je houdt zult kwijtraken.' Ze trekt haar handen los en glimlacht. 'Wat doe ik dus vervolgens? Ik word verliefd op een fantastische man met een gevaarlijk beroep en ja, ik heb nachtenlang heel bang wakker gelegen. Er zijn momenten geweest waarop ik dat op Alan afreageerde. Onterecht.'

'Echt?' Het kost me moeite dit beeld te verzoenen met het voetstuk waarop ik Elaina heb geplaatst; ik kan me haar niet als minder dan volmaakt voorstellen.

'Echt. Soms gaan er jaren voorbij zonder dat het opspeelt. Dan denk ik er niet aan dat ik hem kan kwijtraken en slaap ik prima. Maar het komt altijd terug. Om antwoord te geven op je vraag: nee, voor mij gaat het nooit voorgoed weg, maar toch blijf ik liever van Alan houden, met of zonder angst.'

'Elaina – waarom heb je me dit alles nooit eerder verteld? Dat je wees bent, dat je een broer hebt gehad?'

Haar schouderophalen is rustig, bijna diepzinnig.
'Dat weet ik niet. Misschien heb ik zo lang geprobeerd dit niet bepalend te laten zijn voor wie ik ben dat ik gewoon vergat het te vertellen wanneer het moest. Ik heb het één keer overwogen, toen je in het ziekenhuis lag, maar besloot toen het niet te doen.'
'Waarom niet?'
'Je houdt van me, Smoky. Het zou je verdriet alleen maar erger hebben gemaakt en je was er niets mee opgeschoten.'
Ze heeft gelijk, besef ik.
Elaina lacht, een glimlach met vele facetten. De glimlach van een vrouw die weet dat ze het heeft getroffen met een man van wie ze echt houdt, van een moeder die nooit zelf een kind heeft gehad, van een kaal Raponsje dat blij is dat ze leeft.
Callie komt met Bonnie de kamer in. Ze nemen me allebei aandachtig op. Op zoek naar barstjes, vermoed ik.
'Klaar om aan de slag te gaan?' vraagt Callie.
Ik glimlach geforceerd. 'Zo klaar als maar kan zijn.'
'Leg eens uit wat we eigenlijk gaan doen,' zegt Elaina.
Ik bal mezelf tot een denkbeeldige vuist en dwing die de glibberige, bevende delen van me goed vast te houden. 'Het is nu een jaar geleden dat Matt en Alexa zijn overleden. Er is in die tijd veel gebeurd.' Ik kijk Bonnie aan en glimlach. 'Niet alleen voor mij. Ik mis ze nog steeds en weet dat dat ook altijd zo zal blijven. Maar...' Ik gebruik dezelfde uitdrukking die ik eerder vandaag ook voor Bonnie heb gebruikt. 'Ze wonen hier niet meer. Ik bedoel niet dat ik alle herinneringen aan hen wil uitwissen. Alle foto's, elke zelfgemaakte film wil ik bewaren. Ik heb het over praktische zaken die geen nut meer hebben. Kleding. Aftershave. Golfclubs. Dingen die alleen zouden worden gebruikt als zij hier waren.'
Bonnie kijkt me zonder enige aarzeling of terughoudendheid aan. Ik glimlach naar haar en leg mijn hand op de hare.
'We zijn hier om te helpen,' zegt Elaina. 'Zeg maar wat we moeten doen. Wil je de kamers verdelen? Of wil je dat we met z'n allen kamer voor kamer aanpakken?'
'Dat laatste, denk ik.'
'Goed.' Ze zwijgt even. 'Met welke kamer wil je beginnen?'
Ik heb het gevoel alsof ik aan de bank zit vastgelijmd. Ik denk dat Elaina dat aanvoelt. Daarom spoort ze me zo aan. Ze zet me in beweging, dwingt me om op te staan en in actie te komen. Dat ergert me en die ergernis geeft me een schuldgevoel, want ik erger me nooit aan Elaina en dat verdient ze nu ook niet.

Ik sta in één beweging op, alsof ik van de hoge duikplank spring zonder er eerst over na te denken. 'Laten we maar in mijn slaapkamer beginnen.'

We hebben een paar dozen klaargezet in een schrikbarende kakofonie van scheurend plakband en schurend karton. Inmiddels is het weer stil. Matt en ik hadden allebei onze eigen kast in de grote slaapkamer. Ik kijk naar de deur van zijn kast en de lucht wordt benauwend.
'O, in godsnaam,' zegt Callie. 'Het is hier verdorie veel te somber.'
Ze beent naar de ramen en rukt een voor een de luiken open. Onmiddellijk stroomt zonlicht de kamer binnen, een vloedgolf van goud. Ze zet met vastberaden, bijna wilde gebaren de ramen open. Het duurt even voordat er een koele bries naar binnen glipt, gevolgd door buitengeluiden.
'Wacht hier,' snauwt ze en ze loopt naar de deur van de slaapkamer.
Elaina kijkt me met een opgetrokken wenkbrauw aan. Ik schokschouder. We horen Callie naar beneden bonken, gevolgd door wat geluiden uit de keuken, en dan komt ze weer bonkend terug naar boven. Ze komt binnen met een kleine gettoblaster en een cd in haar handen. Ze steekt de stekker van de gettoblaster in het stopcontact, stopt de cd erin en drukt op *play*. Een energieke drumbeat, vermengd met de riff van een elektrische gitaar die aanstekelijk en enigszins bekend klinkt. Zo'n nummer is het dus: ik weet de titel niet, maar heb het duizenden keren gehoord, mijn voet tikt altijd automatisch mee op de maat.
'Hits van de jaren zeventig, tachtig en negentig,' zegt ze. 'Het heeft qua inhoud weinig te bieden, maar wat lol betreft des te meer.'
Binnen drie minuten heeft Callie de kamer een transformatie laten ondergaan. Hij is van schimmig en somber veranderd in kleurrijk en frivool. Een doodgewone slaapkamer op een prachtige dag. Ik denk aan wat ze eerder zei, over haar onvermogen om zich te binden, en realiseer me dat het vermijden van alles wat serieus is in haar privéleven minstens één positief bijeffect heeft: ze weet hoe ze in een mum van tijd de boel kan opvrolijken.
Ik kijk naar Bonnie, trek mijn wenkbrauwen op. 'Denk je dat we ons hier een weg doorheen kunnen swingen, meid?' vraag ik.
Ze kijkt me grijnzend aan en knikt.
'Precies,' antwoord ik. Ik haal diep adem, loop naar de kast en doe de deur open.

6

De muziek en het zonlicht hebben hun werk gedaan, in elk geval in mijn slaapkamer. We hebben Matts kast uitgespit zonder dat ik me erg triest heb gevoeld.
We hebben zijn overhemden, nette broeken, truien en schoenen ingepakt. Zijn geur hing nog overal en ook zijn schim was aanwezig. Het was net alsof ik bij elk kledingstuk een herinnering had. Toen hij deze das droeg, had hij geglimlacht. In dit pak had hij tijdens de begrafenis van zijn opa gehuild. Op dit overhemd had Alexa een handafdruk in jam achtergelaten. De herinneringen deden minder pijn dan ik had verwacht. Ze waren eerder waardevol dan deprimerend.
Je doet het goed, lieverd, had ik Matt in gedachten horen zeggen.
Ik gaf geen antwoord, maar glimlachte in mezelf.
Ik dacht ook aan Quantico en de mogelijkheden die het bood. Misschien is het inderdaad goed om deze plek achter me te laten.
Als ik het doe, moet het wel uit vrije keuze zijn en niet bij wijze van toevluchtsoord. Ik moet mijn demonen in de armen sluiten en hen ter ruste leggen, want ze zullen me overal volgen. Dat doen demonen nu eenmaal.
We hebben ons door de kast en de slaapkamer heen gewerkt, daarna door de badkamer, en ik ben door alles heen gezweefd, mijn verdriet voelbaar, maar draaglijk. Bitterzoet graag, koffiejuffrouw, met extra veel zoet.
We zijn in ganzenpas met de dozen de trap af gelopen, naar de garage gegaan, naar de zolder boven de garage, waar we ze hebben neergezet en helemaal achter in een hoek hebben geschoven, waar ze in het donker stof zullen blijven vergaren.
Het spijt me, Matt, dacht ik bij mezelf.
Het zijn maar dingen, lieverd, antwoordde hij. Het hart vergaart geen stof.
Misschien heb je wel gelijk.
Trouwens, zegt Matt dan zonder enige inleiding: hoe zit het met 1forUtwo4me?
Ik zeg niets. Ik sta op de ladder, vanaf mijn middel op de zolder.
'Smoky?' roept Callie vanuit de deuropening van de garage.
'Ik kom er zo aan.'
Ja, denk ik bij mezelf. Hoe zit het met 1forUtwo4me? Wat doen we daarmee?

Door mijn werk had ik geleerd dat goede mannen en vrouwen ook geheimen kunnen hebben. Goede echtgenotes en echtgenoten kunnen elkaar wel degelijk bedriegen, stiekem slechte gewoontes hebben of uiteindelijk minder goed blijken te zijn dan werd gedacht. Ook had ik geleerd dat alles uitkomt wanneer je overlijdt, want wanneer je eenmaal bent overleden, staat het anderen vrij op hun gemak in jouw leven te graven zonder dat je daar ook maar iets aan kunt doen.

Wat me bij 1forUtwo4me brengt. Het was een wachtwoord. Nadat een gemeenschappelijk e-mailadres door derden was misbruikt, had Matt me eens uitgelegd wat een veilig wachtwoord was.

'Wat je doet is cijfers tussen de letters plaatsen. Hoe langer, hoe beter, dat spreekt voor zich, maar je moet wel iets kiezen wat je kunt onthouden en niet hoeft op te schrijven. Een soort ezelsbruggetje. Bijvoorbeeld...' Hij knipte met zijn vingers. '*One for you, two for me.* Dat is een zinnetje dat bij mij goed blijft hangen. Ik verander het een beetje, voeg er een paar cijfers aan toe en dan heb je 1forUtwo4me. Een beetje suf, maar voor mij gemakkelijk te onthouden en het zal niet snel gebeuren dat iemand er bij toeval achter komt.'

Hij had gelijk. Het was net als kauwgom onder je schoen. 1forUtwo4me. Ik hoefde het nooit op te schrijven. Het zou altijd begrijpelijk blijven.

Een paar maanden nadat Matt was overleden zat ik achter zijn computer. We hadden in ons huis een werkkamer met ieder een eigen pc. Ik voelde me verdoofd en was op zoek naar iets wat een beetje emotie in me kon losmaken. Ik scrolde door zijn e-mail, zocht in zijn mappen. Ik stuitte op iets met de naam 'Privé.' Toen ik de map wilde openen, kwam ik erachter dat die met een wachtwoord was beveiligd.

1forUtwo4me, daar had je het dus, opgedoken voordat ik er zelfs maar aan had gedacht. Mijn vingers gleden als vanzelf naar het toetsenbord. Ik wilde het al intikken. Ik stopte.

Verstarde.

Stel nu eens... dacht ik bij mezelf. Stel nu eens dat privé echt privé betekent? In de zin van niet voor mij bestemd?

Die gedachte was afschuwelijk. Angstaanjagend ook. Mijn fantasie sloeg op hol.

Een minnares? Porno? Hield hij van iemand anders?

Na deze gedachten volgde schuldgevoel.

Hoe kun je dat nu denken? Dit is Matt. Je eigen Matt.

Ik ging de kamer uit, verstopte het hele 1forUtwo4me en probeerde er niet meer aan te denken.

Af en toe kwam het weer bovendrijven. Zoals nu.

Wat doe je dus? De waarheid of ontkenning?

'Smoky?' roept Callie weer.
'Ik kom,' antwoord ik en ik klauter omlaag.
Ik voel Matt nog steeds.
Hij wacht af.
1forUtwo4me.
Het verleden opbergen, zo bedenk ik, is een rommelige aangelegenheid.

We staan in de deuropening van Alexa's kamer. In de niet al te verre verte doemt een onbehaaglijk gevoel op. Het verdriet is hier iets feller, hoewel nog steeds draaglijk.
'Mooie kamer,' mompelt Elaina.
'Alexa was dol op dat supermeisjesachtige spul,' zeg ik glimlachend.
De kamer is de droom van ieder klein meisje. Het brede hemelbed is bezaaid met alle denkbare tinten paars. Het dekbed en de kussens zijn dik, weelderig en uitnodigend. 'Kom hier liggen en zak in ons weg,' zeggen ze.
Een kwart van de vloer wordt in beslag genomen door Alexa's verzameling pluchen beesten. Ze variëren van klein via groot tot reusachtig en bestrijken het hele palet van identificeerbaar tot gefantaseerd.
'Leeuwen, tijgers en nog lollifanten ook,' grapte Matt vaak.
Ik neem alles in me op en bedenk opeens iets. Ik verbaas me erover dat het niet veel eerder bij me is opgekomen.
Vanaf de dag dat ik Bonnie mee naar huis heb genomen, slaapt ze bij mij. Ik geloof dat ze zelfs nog nooit in deze kamer is geweest.
Wel eerlijk blijven, hou ik mezelf bestraffend voor. Jij hebt haar hier nooit mee naar binnen genomen, zo zit het. Je hebt haar nooit gevraagd of ze misschien een dierentuin aan pluchen beesten wilde hebben of een paarse waterval van lakens en kussens.
Tijd om daar iets aan te doen, denk ik bij mezelf. Ik kniel naast Bonnie neer.
'Is hier iets wat jij wilt hebben, liefje?' vraag ik haar. Ze kijkt me aan, haar ogen staren onderzoekend in de mijne. 'Je mag alles hebben wat je wilt.' Ik knijp in haar hand. 'Echt. Je mag de hele kamer hebben.'
Ze schudt haar hoofd. Nee, dank je wel, zegt ze.
Ik heb al dat kinderachtige gedoe achter me gelaten, zegt die blik.
'Goed, meisje,' mompel ik en ik sta op.
'Hoe wil je deze kamer aanpakken, Smoky?' Ik schrik op van Elaina's zachte stem.
Ik strijk met een hand over Bonnies haar en kijk de kamer rond.
'Tja,' zeg ik – en dan gaat mijn gsm over.
Callie rolt met haar ogen. 'Daar gaan we.'
'Barrett,' zeg ik in mijn mobieltje.

Sorry, zeg ik geluidloos tegen hen.
Een zware stem bromt: 'Smoky. Met Alan. Het spijt me dat ik je vandaag stoor, maar we hebben een probleem.'
Tijdens mijn vakantie heeft Alan de leiding over het team. Hij is uiterst capabel; als hij het nodig vindt me te bellen gaan bij mij daarom meteen alle alarmbellen af.
'Wat is er?'
'Ik sta voor een huis in Canoga Park. Plaats delict van een drievoudige moord. Een bijzonder gruwelijke plaats delict. De ellende is dat er een zestienjarig meisje in het huis aanwezig is. Ze houdt een pistool tegen haar hoofd en zegt dat ze alleen met jou wil praten.'
'Heeft ze mijn naam genoemd?'
'Ja.'
Ik zwijg en probeer het te laten bezinken.
'Het spijt me echt verschrikkelijk, Smoky.'
'Maak je niet druk. We wilden toch net even een pauze nemen. Geef me het adres maar, dan komen Callie en ik zo snel mogelijk naar je toe.'
Ik krabbel het adres neer en verbreek de verbinding.
Het was dus niet waar: blijkbaar gaat de dood toch nóóit op vakantie. Dat was ook wel te verwachten. Zoals altijd speelde mijn leven zich weer eens op verschillende niveaus tegelijk af: hier een thuis van maken, beslissen of ik dit huis zou verlaten en naar Quantico zou gaan, voorkomen dat een jonge vrouw zichzelf een kogel door het hoofd jaagt. Ik kon tegelijkertijd lopen en kauwgom kauwen, een applausje voor mezelf.
Ik kijk naar Bonnie. 'Lieverd,' begin ik, maar ik zwijg wanneer ze knikt. Het is al goed, ga maar, zegt ze.
Ik kijk naar Elaina. 'Elaina...'
'Ik pas wel op Bonnie.'
Opluchting en dankbaarheid, dat is wat ik voel.
'Callie...'
'Ik rij wel,' zegt ze.
Ik hurk naast Bonnie neer en kijk haar recht aan. 'Zou je iets voor me willen doen, liefje?'
Ze kijkt me vragend aan.
'Probeer eens te bedenken wat we met al die pluchen beesten moeten doen.'
Ze grijnst. Knikt.
'Top.' Ik ga weer rechtop staan en kijk Callie aan. 'Laten we dan maar gaan.'
Er liggen akelige dingen op ons te wachten. Ik wil niet dat ze ongeduldig worden.

7

'Keurig netjes weggestopt,' merkt Callie peinzend op wanneer we de straat in de buitenwijk Canoga Park in rijden.
Ze heeft het niet zozeer tegen mij als wel tegen zichzelf, maar wanneer ik om me heen kijk, begrijp ik haar opmerking wel. Canoga Park maakt deel uit van Los Angeles County. De afstand van het centrum van Los Angeles naar de buitenwijken eromheen is niet zo groot. Het is mogelijk dat je van een straat met aan weerszijden bedrijven na twee kruispunten al in een woonwijk belandt. Het is een onopvallende overgang; verkeerslichten maken plaats voor stopborden en alles wordt gewoon iets rustiger. Even verderop jakkert de stad door, zonder stil te staan, altijd aanwezig, terwijl hier huizen keurig netjes staan weggestopt.
De straat die we zijn ingeslagen, bevindt zich in een van die wijken, maar hier heerst die rust niet langer. Ik tel minstens vijf politiewagens, een SWAT-busje en twee of drie onopvallende dienstauto's. Boven dit alles cirkelt de gebruikelijke helikopter rond.
'Godzijdank is het nog licht,' merkt Callie op met een blik op de helikopter. 'Ik heb zo de pest aan die felle lampen.'
Overal waar ik kijk zie ik mensen. De dappersten staan in hun eigen tuin, terwijl hun angstiger buren vanachter de gordijnen naar ons gluren. Grappig, denk ik bij mezelf. Iedereen heeft het altijd over de misdaad in steden, maar de beste moorden vinden altijd in de buitenwijken plaats.
Callie parkeert de auto aan de kant van de weg.
'Zullen we dan maar?' vraag ik haar.
'Vooruit met de geit, gaan met die banaan, kies zelf maar een cliché,' zegt ze.
Wanneer we uit de auto stappen, zie ik dat Callies gezicht pijnlijk vertrekt. Ze steunt met een hand op het dak van de auto om haar evenwicht te bewaren.
'Gaat het?' vraag ik.
Ze wuift mijn bezorgdheid weg. 'Overblijfsel van de schotwond, niets wat ik niet aankan.' Ze steekt haar hand in een zak van haar jas en haalt een flesje pillen tevoorschijn. 'Vicodin, trouwe steun en toeverlaat van de moderne moeder.' Ze wipt het deksel open en laat een tablet in haar hand rollen. Slikt hem door. Glimlacht. 'Mjam mjam.'

Callie is een halfjaar geleden neergeschoten. De kogel heeft haar ruggengraat geschampt. Eén spannende week lang wisten we niet zeker of ze ooit nog zou kunnen lopen. Ik dacht dat ze volledig was genezen.
Dat dacht ik dus blijkbaar verkeerd. Wat heet. Ze sleept een pot Vicodin mee alsof het een doosje Tictac is!
'Zullen we maar eens gaan kijken waar het allemaal om te doen is?' vraagt ze.
'Best,' antwoord ik.
Denk alleen maar niet dat je al van me af bent, Callie.
We lopen naar de afzetting. Een politieman van in de twintig houdt ons tegen. Het is een knappe gozer. Zijn opwinding over het feit dat hij deel uitmaakt van deze kakofonie van wetshandhavers is bijna tastbaar. Ik mag hem onmiddellijk; hij ziet de littekens op mijn gezicht en knippert bijna niet met zijn ogen.
'Het spijt me, mevrouw,' zegt hij. 'Ik mag niemand toelaten.'
Ik pak mijn FBI-pas en laat hem die zien. 'Special agent Barrett,' zeg ik. Callie volgt mijn voorbeeld.
'Het spijt me, mevrouw,' zegt hij nogmaals. 'Mevrouw,' zegt hij tegen Callie.
'Maak je niet dik,' antwoordt Callie.
Ik zie Alan te midden van een groepje pakken en uniformen staan. Hij torent boven iedereen uit, een indrukwekkend menselijk bouwwerk. Alan is halverwege de veertig, een Afro-Amerikaanse man die alleen maar kan worden omschreven als reusachtig. Hij is niet dik – hij is gewoon groot. Een chagrijnige blik van hem kan een verhoorkamer veranderen in een veel te kleine, gevaarlijke plek voor iemand die schuldig is.
Het leven zit vol ironie en Alan vormt daarop geen uitzondering. Ondanks zijn enorme omvang is hij een bedachtzame menselijke berg, een briljante geest in het lichaam van een linebacker. Hij combineert uiterst nauwgezette precisie met een schier eindeloos geduld. Zijn aandacht voor zelfs de kleinste details is legendarisch. Een van de belangrijkste huldeblijken aan zijn karakter is het feit dat Elaina zijn vrouw is, en ze aanbidt hem.
Alan is het derde lid van mijn vier leden tellende team, het oudste en nuchterste. Toen bij Elaina kanker was vastgesteld, vertelde hij me dat hij overwoog om de FBI te verlaten, zodat hij meer tijd voor haar had. Hij heeft het er sindsdien niet meer over gehad en ik heb hem er niet meer naar gevraagd, maar het is nooit echt ver uit mijn gedachten.
Callie die pillen slikt, Alan die overweegt om met pensioen te gaan – misschien moet ik toch maar opstappen. Laat iemand anders het team maar weer van de grond af aan opbouwen.
'Daar is ze,' hoor ik Alan zeggen.
Ik benoem automatisch de verschillende reacties op mijn gezicht, maar dan

hou ik ermee op. Jullie zullen me moeten nemen zoals ik ben, jongens.
Een van de mannen doet een stap naar voren en steekt een hand naar me uit. Ik zie dat de andere hand een MP5-machinepistool vastheeft. Hij is van top tot teen in de standaard SWAT-uitrusting gekleed: kogelvrij vest, helm, laarzen.
'Luke Dawes,' zegt hij. 'Hoofd van de SWAT. Dank u wel dat u bent gekomen.'
'Graag gedaan,' antwoord ik. Ik wijs naar Alan. 'Vindt u het erg als ik me door mijn collega laat bijpraten? Dat is niet beledigend bedoeld, hoor.'
'Zo vat ik het ook niet op.'
Het geklets in mijn hoofd verstomt zodra ik mijn daadkrachtige, leidinggevende ik de overhand laat krijgen en Alan aankijk. 'Kom maar op,' zeg ik.
'Ongeveer anderhalf uur geleden kwam er bij de alarmcentrale een telefoontje binnen van de buurman. Ene Jenkins, een weduwnaar. Volgens Jenkins was het meisje – Sarah Kingsley – gekleed in een nachtjapon en besmeurd met bloed zijn voortuin in gestrompeld.'
'Hoe wist hij dat ze in zijn voortuin stond?'
'Zijn woonkamer ligt aan de voorkant van het huis en hij laat de gordijnen altijd open totdat hij naar bed gaat. Hij zat televisie te kijken en zag haar vanuit een ooghoek.'
'Ga verder.'
'Hij was van slag, maar wist genoeg moed te verzamelen om naar buiten te gaan en te vragen wat er aan de hand was. Hij zegt dat ze verward was – zijn woorden – en mompelde dat haar ouders waren vermoord. Hij heeft geprobeerd haar zover te krijgen dat ze met hem mee naar binnen ging, maar toen begon ze te krijsen en rende ze weg, haar eigen huis weer in.'
'Ik neem aan dat hij wel zo verstandig was om niet achter haar aan te gaan?'
'Ja, zijn heldhaftigheid ging niet verder dan zijn eigen voortuin. Hij holde terug naar binnen om het alarmnummer te bellen. Toevallig was er een patrouillewagen in de buurt, dus die is hiernaartoe gereden om een kijkje te nemen. De agenten' – hij werpt nogmaals een blik op zijn opschrijfboekje – 'Sims en Butler arriveren, steken hun hoofd om de hoek van de voordeur – die wagenwijd openstond – en proberen haar weer naar buiten te lokken. Ze reageert niet. Nadat ze even hebben overlegd, besluiten ze naar binnen te gaan om haar te halen. Gevaarlijk misschien, maar ze zijn geen van beiden beginnelingen en ze maken zich zorgen om het meisje.'
'Begrijpelijk,' mompel ik. 'Zijn Sims en Butler nog hier?'
'Ja.'
'Ga verder.'
'Ze gaan het huis binnen en vanaf de eerste stap is het een godvergeten bloedbad.'
'Ben je zelf binnen geweest?' onderbreek ik hem.

'Nee. Sinds ze dat wapen te pakken heeft gekregen, is er niemand meer binnen geweest. Goed, ze gaan dus naar binnen. Het is meteen overduidelijk dat er iets ergs is gebeurd en dat dat nog maar kortgeleden is. Gelukkig voor ons hebben Sims en Butler al eens eerder met de plaats delict van een moord te maken gehad, dus houden ze hun koppie erbij. Ze lopen met een wijde boog om alles heen wat er als bewijsmateriaal uitziet.'

'Dat is mooi,' zeg ik.

'Inderdaad. Ze horen iets op de eerste verdieping en roepen het meisje. Geen antwoord. Ze lopen de trap op en treffen haar aan in de grootste slaapkamer, samen met drie stoffelijke overschotten. Ze heeft een pistool.' Hij raadpleegt zijn aantekeningen. 'Een of andere 9-mm, volgens de agenten. Vanaf dat moment wordt alles anders. Nu worden ze zenuwachtig. Ze denken dat zij misschien wel verantwoordelijk is voor wat er is gebeurd, dus ze richten hun wapens op haar, dragen haar op om het pistool te laten vallen enzovoort, enzovoort. Dan zet ze het tegen haar eigen hoofd.'

'Waardoor de hele situatie weer verandert.'

'Precies. Ze huilt en begint tegen hen te gillen. Ik citeer: "Ik wil met Smoky Barrett praten, en anders schiet ik mezelf dood!" Einde citaat. Ze proberen haar om te praten, maar geven het op wanneer ze het wapen een paar keer op hen richt. Ze melden het bij het politiebureau en' – hij spreidt zijn armen en wijst op de overweldigende aanwezigheid van wetsdienaren om ons heen – 'hier staan we dan.' Hij knikt naar het SWAT-hoofd. 'Inspecteur Dawes kende jouw naam en liet iemand contact met mij opnemen. Ik ben hiernaartoe gekomen, heb de situatie bekeken en jou gebeld.'

Ik draai me om naar Dawes, neem hem aandachtig op. Ik zie een fitte, waakzame, bekwame politieman met een harde blik in zijn ogen, rustige handen en kortgeknipt bruin stekeltjeshaar. Hij is aan de kleine kant, ongeveer een meter vijfenzeventig, maar hij is slank, gespierd en alert. Hij straalt een kalme zelfverzekerdheid uit. Hij is het prototype van een SWAT-agent, iets wat ik altijd bijzonder geruststellend vind. 'Wat is uw oordeel, inspecteur?'

Hij kijkt me even onderzoekend aan. Schokschoudert dan. 'Ze is zestien, special agent Barrett. Een pistool is en blijft natuurlijk een pistool, maar...' Hij schokschoudert nogmaals. 'Ze is zestien.'

Te jong om te sterven, bedoelt hij. Absoluut te jong om te doden zonder dat het mijn dag verpest.

'Is er een onderhandelaar aanwezig?' vraag ik.

Daarmee bedoel ik iemand die over gijzelaars onderhandelt. Iemand die is opgeleid om te praten met labiele personen met een wapen. 'Onderhandelaar' is eigenlijk een onjuiste benaming; meestal werken ze in teams van drie personen.

'Nee,' antwoordt Dawes. 'Momenteel zitten drie van onze onderhandelaarsteams in LA. Een of andere kerel heeft besloten dat vandaag een goede dag was om van het dak van het Roosevelt Hotel in Hollywood te springen – dat is er een. Verder hebben we een vader die op het punt staat de voogdij over zijn kinderen te verliezen en besloot dan maar een geweer tegen zijn eigen hoofd te zetten – dat is twee. Het laatste team is vanochtend op weg naar een trainingscursus op een kruispunt in de flank geramd. Het is toch niet te geloven, hè?' Hij schudt verachtelijk zijn hoofd. 'Ze zijn door een vrachtwagen geraakt. Ze zullen het allemaal overleven, maar liggen wel in het ziekenhuis. We staan er alleen voor.' Hij zwijgt even. 'Ik kan dit op verschillende manieren aanpakken, special agent Barrett. Traangas, niet-dodelijke munitie. Traangas zal echter de mogelijke plaats delict van een moord aardig verkloten. En niet-dodelijke munitie, tja... Ook als ze met een bean-bag is geraakt, kan ze zichzelf nog neerschieten.' Hij glimlacht vreugdeloos. 'Volgens mij is het gewoon het beste dat u naar binnen gaat en met die geschifte, gewapende tiener gaat praten.'

Ik kijk hem met mijn beste citroenzure gezicht aan. 'U wordt bedankt.'

Dan wordt hij serieus. 'U zult met een kogelvrij vest aan en uw pistool in de aanslag naar binnen moeten.' Hij kijkt me schuins aan; in zijn grijze ogen laait belangstelling op. 'U bent toch een superschutter?'

'Annie Oakley in eigen persoon,' antwoord ik.

Hij kijkt weifelend.

'Ze kan met één schot een brandende kaars doven en een gat in een muntstuk schieten, honey-love,' zegt Callie tegen hem. 'Ik heb het zelf gezien.'

'Ik ook,' bromt Alan.

Ik wil niet opscheppen en het is geen stoer gedrag, maar ik heb inderdaad een speciale band met kleine vuurwapens. Ik kan écht de vlam van een brandende kaars met één schot doven en ik heb écht een gat geschoten in muntstukken die in de lucht werden geworpen. Ik weet niet waar die gave vandaan komt – in mijn familie heeft niemand iets met vuurwapens. Mijn vader was zachtaardig en zorgeloos. Mijn moeder had een Iers karakter, maar tijdens gewelddadige filmscènes sloeg ze wel haar handen voor haar ogen.

Toen ik zeven was, nam een vriend van mijn vader ons mee naar een schietterrein. Ik kon met minimale instructies alles raken wat ik wilde, ook toen al. Sindsdien ben ik altijd gek op vuurwapens geweest.

'Goed, goed, ik geloof u wel,' zegt Dawes en hij heft zijn vrije hand op in een gebaar van overgave. Zijn gezicht staat ernstig. Zijn ogen krijgen iets terughoudends. 'Schietschijven zijn één ding. Hebt u weleens een mens neergeschoten?'

Ik voel me niet beledigd door deze vraag. Aangezien ik inderdaad een mens heb neergeschoten en gedood, begrijp ik waarom hij dit vraagt en besef ik dat

dat terecht is. Het is echt iets heel anders, en je weet pas hóé anders wanneer je het hebt gedaan.
'Ja,' antwoord ik.
Volgens mij overtuigt het feit dat ik verder geen details geef hem nog het meest. Hij heeft ook mensen gedood en weet dat dit niet iets is waarover je opschept. Of praat. Of zelfs maar nadenkt, als je het enigszins kunt voorkomen.
'Oké. Kogelvrij vest aan, pistool in de aanslag, en als u moet kiezen tussen uzelf en haar, doe dan wat u moet doen. Hopelijk kunt u haar overreden.'
'Dat hoop ik ook.' Ik kijk Alan aan. 'Enig idee waarom ze naar mij heeft gevraagd?'
Hij schudt zijn hoofd. 'Geen enkel.'
'En zijzelf – is er al iets over haar bekend?'
'Vrijwel niets. De mensen hier hebben als lijfspreuk: "Een verre vriend is beter dan een goede buur." Die oude man, Jenkins, heeft wel gezegd dat ze is geadopteerd.'
'Echt?'
'Jazeker. Ongeveer een jaar geleden. Hij is niet echt bevriend met het gezin, maar de vader en hij maakten van tijd tot tijd een babbeltje met elkaar op de oprit. Daardoor wist hij wie het meisje was.'
'Interessant. Ze zou de dader kunnen zijn.'
'Het is mogelijk. Verder kon niemand ons iets van belang vertellen. De Kingsleys waren goede buren, in die zin dat ze rustig waren en zich met hun eigen zaken bemoeiden.'
Ik zucht diep en kijk naar het huis. Wat als een prachtige dag was begonnen, verandert nu razendsnel in een akelige.
Ik kijk weer naar Dawes.
'Als ik als onderhandelaar optreed, houdt dat ook in dat ik voorlopig de leiding heb. Hebt u daar problemen mee?'
'Nee.'
'Ik wil geen schietgrage handjes, Dawes. Hoe lang het ook duurt. Dus niet achter mijn rug om van het dak abseilen of iets anders bijdehands.'
Dawes kijkt me glimlachend aan. Hij is niet beledigd. Dit is een standaardprocedure. 'Ik heb dit vaker meegemaakt, special agent Barrett. In tegenstelling tot wat er over het algemeen wordt gedacht zitten mijn mannen er niet om te springen om iemand neer te schieten.'
'Ik heb met onze eigen SWAT gewerkt, inspecteur. Ik weet heel goed hoe gemakkelijk mensen opgefokt raken bij een klus.'
'Dan nog.'
Ik kijk hem onderzoekend aan. Geloof hem. Knik.
'Goed. Hebt u misschien een kogelvrij vest dat ik kan lenen?'

'Hebt u er zelf niet een?'
'Ik heb er wel een gehad, maar dat moest ik weer inleveren. Samen met vierhonderd andere uit dezelfde partij – ondeugdelijk fabrikaat, waardoor ze heel broos waren geworden of zo. Ik zit te wachten op een vervangend exemplaar.'
'Pijnlijk. Van hun kant goed opgemerkt, dat wel.'
'Behalve dan dat ik het al drie keer had gebruikt voordat ze erachter kwamen dat het misschien toch geen kogels zou tegenhouden.'
Hij haalt zijn schouders op. 'Een vest kan je toch ook niet tegen een schot op het hoofd beschermen. Het is maar net wat het lot voor je in petto heeft.'
Na die bemoedigende opmerking loopt Dawes weg om een kevlar-vest voor me te halen.
'Hij lijkt me tamelijk rustig,' merkt Alan op.
'Hou de boel toch maar in de gaten.'
'Samen houden we hen wel tegen,' zegt Callie. 'Ik laat hun een stukje bloot been zien, Alan jaagt hen de stuipen op het lijf, probleem opgelost.'
'Bedenk jij nu maar wat je gaat doen wanneer je binnen bent,' zegt Alan. 'Heb je al eens eerder zo'n onderhandeling uitgevoerd?'
'Nee. Ik heb de cursus gevolgd. Verder heb ik nog nooit met zo'n "situatie" te maken gehad.'
'Het belangrijkst is dat je luistert. Geen leugens, tenzij je heel zeker weet dat je ermee wegkomt. Het gaat erom dat je een goede verstandhouding opbouwt en leugens kunnen alles verpesten. Let goed op door welke zaken de emoties hoog oplopen en probeer die te vermijden.'
'Tuurlijk, makkelijk zat.'
'O ja, ga vooral niet dood.'
'Heel grappig.'
Dawes duikt weer op met een vest in de hand. 'Dit is afkomstig van een vrouwelijke politieagent.' Hij houdt het omhoog, kijkt naar mij, fronst zijn wenkbrauwen. 'Het zal wel iets te groot zijn.'
'Dat zijn ze altijd, tenzij ik ze speciaal op maat laat maken.'
Hij grijnst. 'Geen minimumlengte waaraan jullie moeten voldoen, Barrett?'
Ik gris het vest met een stuurse blik uit zijn handen. 'Special agent Barrett voor jou, Dawes.'
De grijns vervaagt. 'Wees voorzichtig daarbinnen, special agent Barrett.'
'Als ik voorzichtig wilde zijn, zou ik helemaal niet naar binnen gaan.'
'Dan nog.'
Dan nog, denk ik bij mezelf. Wat een geweldig zinnetje. Kort en zacht, maar met een beladen (weer zo'n fijn woord) betekenis.
Je kunt daarbinnen sterven.
Dan nog.

8

Ik sta voor de openstaande voordeur van het huis. Ik voel me zweterig en jeukerig in het slecht passende kogelvrije vest dat ik over mijn shirt heen heb aangetrokken. Ik heb mijn Glock in de aanslag. Het begint te schemeren, de schaduwen worden langer en mijn hart gaat tekeer als een drummer die aan de speed is.

Ik kijk over mijn schouder naar de aanwezige wetshandhavers achter me.

Op de straat voor het huis zijn barricaden opgeworpen. Ik tel vier patrouillewagens en het SWAT-busje. Geüniformeerde agenten staan op wacht bij de barricaden met in hun hoofd letterlijk maar één zin die ze hier zullen gebruiken: ga weg. Het SWAT-team staat binnen de begrenzing te wachten: een dodelijke groep van zes man met glimmende zwarte helmen. De lampen op de patrouillewagens zijn allemaal aan en op het huis gericht.

Op mij.

Het handhaven van de wet is een smerig beroep. Het draait om lichaamssappen, verrotting en mensen op hun allerslechtst. Het draait om beslissingen over leven en dood, gebaseerd op te weinig informatie. Zelfs de best opgeleide agent of special agent bezit niet genoeg kennis om alles te kunnen afhandelen. Wanneer er een crisis uitbreekt (en dat gebeurt vaak), wordt die opgelost op de manier waarop we haar nu ook oplossen: een special agent met een cursus van twee weken over het onderhandelen bij gijzelingen achter de boeg, teruggeroepen van haar vakantie, gekleed in een ruim zittend kevlar-vest, twijfelend over haar geschiktheid om te doen wat ze gaat doen. Met andere woorden, we roeien met de riemen die we hebben.

Ik verdring dit alles en tuur door de deur naar binnen.

Er verschijnen een paar zweetdruppels op mijn voorhoofd. Zoute parels.

Het is een van de nieuwere huizen in deze buurt, met een bovenverdieping, een buitengevel van stucwerk en hout met daarboven een dak van stenen pannen. Typisch Zuid-Californisch. Het ziet er goed onderhouden uit, is een jaar of twee geleden waarschijnlijk opnieuw geschilderd. Niet groot – de eigenaren waren niet rijk –, maar heel aardig. Het huis van een gezin uit de middenklasse dat niet probeert beter te zijn dan het is.

'Sarah?' roep ik naar binnen. 'Ik ben Smoky Barrett, meisje. Je wilde me spreken, en hier ben ik dan.'

Geen antwoord.
'Ik kom naar binnen om met je te praten, Sarah. Alleen maar om te praten. Om te horen wat er aan de hand is.' Ik zwijg even. 'Ik weet dat je een pistool hebt, liefje. Ik heb er ook een en dat hou ik in mijn hand. Wees niet bang wanneer je het ziet. Ik zal niet op je schieten.'
Ik wacht even, maar opnieuw komt er geen antwoord.
Ik zucht, vloek en probeer een reden te bedenken om dit huis niet binnen te hoeven gaan. Er wil me niets te binnen schieten. Een deel van me wil dat ook helemaal niet. Dit is geen groot geheim in de wereld der wetshandhavers: dergelijke momenten zijn angstaanjagend, maar het zijn ook de momenten waarop je het meest voelt dat je leeft. Ik voel het nu, de adrenaline en endorfine, de angst en de euforie. Heerlijk, afschuwelijk, verslavend.
'Ik kom nu naar binnen, Sarah. Niet op mij of jezelf schieten, oké?' Het is luchtig bedoeld, maar het klinkt eerder zenuwachtig. Dat ben ik ook.
Ik knijp in de kolf van mijn pistool, haal diep adem en loop door de voordeur naar binnen.
Het eerste wat ik ruik is moord.
Een schrijver heeft me eens gevraagd hoe moord ruikt. Hij was op zoek naar materiaal voor een boek dat hij aan het schrijven was, iets authentieks.
'Het is het bloed,' zei ik tegen hem. 'De dood stinkt, maar wanneer je voornamelijk bloed ruikt, ruik je meestal een moord.'
Daarop vroeg hij me om de geur van bloed te beschrijven.
'Het is alsof je een mond vol muntjes hebt die je niet kunt uitspugen.'
Ik ruik het nu, die doordringende, weeïge, koperachtige geur. Tot op zekere hoogte windt het me op.
Er is hier een moordenaar geweest. Ik jaag op moordenaars.
Ik loop verder. De vloer van de hal bestaat uit rood hardhout op beton, stil, geboend, kraakvrij. Aan mijn rechterhand bevindt zich een ruime woonkamer met laagpolige beige vloerbedekking, een open haard en een gewelfd plafond. Een uit twee delen bestaande, bijpassende beige bank staat in een L-vorm voor de open haard opgesteld. Grote ramen met dubbel glas kijken uit op het gazon. Voor zover ik het kan zien, is alles schoon en netjes, maar fantasieloos. De eigenaren wilden indruk maken door zich aan te passen aan hun omgeving, niet door op te vallen.
De woonkamer loopt aan de rechterkant helemaal door tot de achterkant van het huis en gaat naadloos over in de eetkamer. De beige vloerbedekking doet hetzelfde. Een honingkleurige houten eettafel staat onder een lamp die aan een lange zwarte ketting aan het hoge plafond hangt. Een enkele witte deur achter de tafel leidt naar de keuken. Ook dit is allemaal weinig verrassend. Aangenaam, niet gepassioneerd.

Voor me is de trap, die rechtsaf naar een tussenverdiepinkje zigzagt en vervolgens linksaf naar de plaats van bestemming voert: de eerste verdieping. Hij is bekleed met hetzelfde beige tapijt. De muren langs de trap hangen vol ingelijste foto's. Ik zie een man en een vrouw glimlachend en jong naast elkaar staan. Dezelfde man en vrouw, nu een beetje ouder, met een baby in de armen. De baby – neem ik tenminste aan –, maar nu opgegroeid tot een knappe tiener. Allemaal met donker haar. Ik laat mijn blik vluchtig over de foto's glijden en registreer dat er geen foto's van een meisje bij zijn.
Links van de trap is nog een kamer, een soort televisiekamer, denk ik. Ik zie stevige glazen schuifdeuren die vanuit de kamer naar de nu schemerige achtertuin leiden.
Ik ruik bloed, bloed en nog meer bloed. Hoewel elke lamp in het huis fel brandt, is de sfeer zwaar en rauw. Hier is kwaad geschied. Doodsangst heeft hier de lucht gevuld. Mensen zijn hier een gewelddadige dood gestorven en alles voelt verstikkend aan. Mijn hart bonk-bonk-bonkt. De angst is hier nog steeds aanwezig, bijtend en sterk. De euforie ook.
'Sarah?' roep ik.
Geen antwoord.
Ik loop door naar de trap. De geur van bloed wordt sterker. Wanneer ik in de televisiekamer kijk, begrijp ik waarom. In deze kamer staat ook een bank, die voor een groot televisiescherm is gezet. De vloerbedekking is doorweekt met het rood van bloed. Bloed is hier met liters tegelijk naar buiten gekomen, veel meer dan de vloerbedekking of meubelstof kon opnemen. Ik zie het in plasjes liggen, dik en geronnen. Degene die hier zoveel bloed heeft verloren, is hier overleden.
Ik zie alleen geen lichamen.
Dat houdt in dat ze zijn verplaatst, denk ik bij mezelf.
Ik kijk om me heen, maar zie nergens bloed of andere sporen die erop duiden dat er lichamen zijn versleept. Al het bloed komt her en der in plasjes bij elkaar, afgezien van de brede, ongelijke vlek die het dichtst bij me ligt.
Misschien zijn ze opgetild.
Dan moet het wel een heel sterk iemand zijn geweest. Het kost enorm veel kracht om het lichaam van een volwassene als dood gewicht op te tillen, laat staan te dragen. Dat kan iedere brandweerman of ambulancebroeder je vertellen. Zonder de hulp die iemand die bij bewustzijn is kan bieden, is het dragen van het lichaam van een volwassen man vergelijkbaar met het dragen van een twee meter hoge zak vol bowlingballen.
Tenzij het bloed afkomstig is van een kind, want in dat geval zou het optillen en dragen niet zo moeilijk zijn geweest. Fijne gedachte.
'Sarah?' roep ik. 'Ik loop nu de trap op.' Mijn stem klinkt te hard in mijn eigen oren, behoedzaam.

Ik zweet nog steeds. De airconditioning staat uit, besef ik. Waarom? Ik merk duizend dingen tegelijk op. Angst en euforie, euforie en angst.
Ik hou mijn pistool met beide handen vast en loop over de trap naar boven. Ik kom bij de tussenverdieping en sla linksaf. De geur van bloed is nu zelfs nog sterker. Ik ruik nieuwe geuren. Bekende geuren. Urine en uitwerpselen. Andere, náttere dingen. Ingewanden hebben een geheel eigen geur.
Nu hoor ik iets. Een zacht geluid. Ik hou mijn hoofd schuin en spits mijn oren.
Sarah zingt.
De haartjes in mijn nek staan recht overeind. Mijn maag keert zich eenmaal om wanneer de adrenaline de endorfine overmeestert en me vult met galmende zenuwkriebels.
Dit is geen gelukkig geluid. Het is een afschuwelijk geluid. Het is het soort gezang dat je verwacht 's nachts vanuit de aarde op een kerkhof te horen of misschien uit de beschaduwde hoek van een cel in een gekkenhuis. Het bestaat uit één woord en één toon, en wordt monotoon gezongen: 'Laaaa. Laaaa. Laaaa. Laaaa.'
Steeds opnieuw dat ene woord, die ene toon, met een stem die nauwelijks meer is dan gefluister.
Ik maak me zorgen zoals ik me nog nooit eerder zorgen heb gemaakt, want dit is het geluid van krankzinnigheid.
De laatste treden van de trap neem ik met snelle passen, langs al die glimlachende gezichten op de foto's. Hun tanden lijken te glimmen in het licht.
Kijk eens aan, denk ik bij mezelf wanneer ik boven ben, nog meer beige vloerbedekking.
Ik sta in een korte gang. Aan het uiteinde ervan is een badkamer. Het licht brandt, de deur staat wagenwijd open. Ik zie (verrassing!) een vloer met beige tegels – nog meer bewijs van de ongeïnspireerde goede smaak die ik inmiddels in dit huis verwacht.
De gang maakt bij de badkamer een bocht naar rechts en ik vermoed dat zich voorbij die bocht een slaapkamerdeur bevindt.
Nog meer beige, durf ik te wedden.
Mijn hart hamert en ik zweet als een otter.
Rechts van me is een dubbele witte deur. De toegang – dat weet ik zeker – tot iets verschrikkelijks. De geuren worden sterker. Sarahs akelige gezang schuurt langs mijn huid.
Ik steek een hand uit om de rechterdeur open te doen. Hij blijft bevend boven de koperen deurklink zweven.
Hierachter zit een meisje met een pistool. Een meisje met een pistool, besmeurd met bloed, in een huis dat naar de dood ruikt, zingend als een gek.

Vooruit, denk ik bij mezelf. Het ergst wat ze kan doen is me neerschieten.
Nee, stomme trut. Het ergst wat ze kan doen is me recht aankijken en dan haar hersens aan gort schieten, of glimlachen en dan haar hersens aan gort schieten, of...
Genoeg, zeg ik streng tegen mezelf.
Inwendige stilte. Mijn ziel doet er het zwijgen toe.
Mijn hand beeft niet langer.
Er klinkt een nieuwe stem, een die iedere soldaat, politieagent en slachtoffer kent. Hij biedt geen troost. Hij biedt zekerheid. Hij zegt de hardste woorden en hij liegt echt nooit. De beschermheilige van onmogelijke keuzes.
Red haar als je kunt, maar dood haar als het moet.
Mijn hand zakt omlaag en ik doe de deur open.

9

De kamer is versierd met de dood.
Het is een ruime slaapkamer. Het kingsize bed heeft een flinke houten ombouw met daarboven een spiegel, maar neemt desondanks nog geen derde van de vloeroppervlakte in. Aan de muur is een plasmatelevisie bevestigd. Een ventilator hangt aan het plafond; hij is uit en zijn zwijgen benadrukt de stilte in de kamer. De beige vloerbedekking is ook hier aanwezig, bijna troostend onder de omstandigheden.
Er zit werkelijk overal bloed. Spetters op het plafond, vegen op de zachtgele muren, druppels op de ventilator aan het plafond. De geur is overweldigend; mijn mond loopt vol met nog meer muntjes en ik slik mijn eigen speeksel weg.
Ik tel drie lichamen. Een man, een vrouw en een jongen, zo te zien in zijn tienerjaren. Ik herken hen van de foto's aan de muren langs de trap. Ze zijn alle drie naakt en liggen alle drie op hun rug op het bed.
Het bed zelf is helemaal afgehaald. De dekens en lakens liggen op een hoopje op de vloer en zijn doorweekt met bloed.
De jongen ligt in het midden, de man en de vrouw aan weerszijden van hem. De twee volwassenen zijn van hun ingewanden ontdaan, in de gruwelijkste betekenis van het woord. Iemand heeft hen van keel tot kruis opengereten, een hand in hen gestoken en getrokken. Ze zijn binnenstebuiten gekeerd. Bij alle drie is de keel doorgesneden als die van een varken, een kletsnatte grijns van oor tot oor.
'Laaaa. Laaaa. Laaaa. Laaaa.'
Mijn ogen glijden naar het meisje. Ze zit op de vensterbank en kijkt door het raam in het duister naar wat hoogstwaarschijnlijk de achtertuin is. Ik zie de vage silhouetten van andere daken in de verte. Het is een schemerdonkere wereld, gevangen tussen het wegstervende zonlicht en de ontwakende straatlantaarns. Toepasselijk.
Het meisje heeft een pistool in haar hand en ze houdt de loop tegen haar rechterslaap gedrukt. Ze heeft zich niet omgedraaid bij het geluid van de opengaande deur.
Ik kan het haar niet kwalijk nemen. Dat zou ik ook niet hebben gedaan.
Hoewel mijn hart blijft hameren, slaat mijn zakelijke ik gegevens op.

Het bloed op de muren is daar door de moordenaar aangebracht. Dat weet ik, omdat ik patronen ontwaar. Strepen, cirkels, sierkrullen.
Hij heeft zich echt uitgeleefd. Hun bloed als vingerverf gebruikt om patronen te creëren. Om iets te vertellen.
Ik kijk naar Sarah. Ze blijft uit het raam staren en lijkt zich niet bewust van mijn aanwezigheid.
Zij is niet de dader. Er zit niet genoeg bloed op haar en de lijken zijn allemaal te groot. Die kan ze nooit in haar eentje over de trap naar boven hebben gekregen.
Ik loop verder de kamer in en probeer niet op bewijsmateriaal te gaan staan. Ik geef het op; dan zou ik moeten zweven.
Te veel bloed, maar niet op de juiste plaatsen. Waar is de plek waar de moord is gepleegd?
Elk bloedspoor dat ik zie is doelbewust aangebracht. Niets van dit alles is het gevolg van een keel die wordt doorgesneden.
Concentreer je.
De speurder in me is een emotieloos wezen. Het kan de allerergste dingen koelbloedig bekijken. Dat is echter niet wat ik nu nodig heb. Ik heb inlevingsvermogen nodig. Ik dwing mezelf om op te houden met het onderzoeken van de ruimte, op te houden met het maken van berekeningen en al mijn aandacht op het meisje te richten.
'Sarah?'
Ik zorg dat mijn stem zacht klinkt, niet bedreigend.
Geen reactie. Ze zingt door met die afschuwelijke, monotone fluisterstem.
'Sarah.' Iets luider nu.
Nog steeds geen reactie. Het pistool blijft tegen haar slaap gedrukt. Ze zingt verder.
'Sarah! Ik ben Smoky. Smoky Barrett!' Mijn stem brult nu, harder dan de bedoeling was. Ik schrik er zelf van.
Zij schrikt ook. Het gezang houdt op.
Rustiger: 'Je hebt naar me gevraagd, liefje. Hier ben ik. Kijk me eens aan.'
De plotselinge stilte is bijna net zo erg als het gezang. Ze kijkt nog steeds uit het raam. Het pistool is geen seconde van haar slaap geweken.
Sarah keert zich langzaam naar me toe. Het is een montage van trage, schokkerige bewegingen, een oude deur die op verroeste scharnieren openzwaait. Het eerste wat me opvalt is dat ze mooi is, omdat ze zo scherp contrasteert met de gruwelen om haar heen. Ze heeft iets etherisch, uit een andere wereld. Ze heeft donker, glanzend haar, het onwerkelijke haar dat je bij modellen in shampooreclames ziet. Ze is blank, met een exotische uitstraling die op Europese voorvaderen duidt. Frans, wellicht. Haar gelaatstrekken hebben de vol-

maakte symmetrie waarvan de meeste vrouwen alleen maar kunnen dromen en die veel te veel vrouwen in Los Angeles via operaties proberen te verkrijgen. Haar gezicht is het tegenovergestelde van het mijne: pure perfectie tegenover mijn gebreken.
Ze heeft bloedspatten op haar armen en gezicht, en ook het lange witte nachthemd met korte mouwen dat ze draagt is ermee doorweekt.
Ze heeft volle cupidolippen en hoewel ik ervan overtuigd ben dat die normaal gesproken prachtig roze zijn, zien ze op dit moment zo bleek als het wit van een vissenbuik.
Ik verbaas me over dat nachthemd. Waarom draagt ze dat 's middags?
Haar ogen zijn diepblauw, adembenemend. De verslagen blik die ik erin aantref, gaat zo diep dat ik er beroerd van word.
Tegen al dat moois staat de loop gedrukt van wat ik nu als een 9-mm Browning herken. Dit is geen zwakke .22. Als ze de trekker overhaalt, is ze dood.
'Sarah? Kun je me horen?'
Ze blijft me aanstaren met die verslagen, blauwvlammende ogen.
'Liefje, ik ben het, Smoky Barrett. Ze zeiden dat je naar me had gevraagd en ik ben hier zo snel mogelijk naartoe gekomen. Kun je iets tegen me zeggen?'
Ze zucht. Het is een zucht waaraan haar hele lichaam meedoet, regelrecht vanuit de onderbuik. Een zucht die zegt: nu wil ik liggen, nu wil ik liggen en doodgaan. Nog steeds geen antwoord, maar ze blijft me tenminste wel aankijken. Dat is precies wat ik wil. Ik wil niet dat die ogen gaan ronddwalen en zich de lichamen op het bed herinneren.
'Sarah? Ik heb een idee. Waarom lopen we niet even naar de gang? Verder hoeft niet – we kunnen boven aan de trap gaan zitten, als je wilt. Je kunt dat pistool gewoon zo blijven vasthouden. We gaan gewoon zitten en ik wacht tot je wilt praten.' Ik lik langs mijn lippen. 'Wat zeg je ervan, meisje?'
Ze houdt haar hoofd nu een beetje schuin, een nonchalante beweging die angstaanjagend wordt, omdat ze daarbij de loop van het pistool tegen haar slaap gedrukt houdt. Daardoor is het net alsof ze hol is. Een marionet.
Weer een diepe zucht, die zelfs nog uitgeputter klinkt. Haar gezicht is uitdrukkingsloos. Alleen het gezucht en haar ogen geven aan wat er in haar omgaat.
Ergens op een plekje in de hel, zou ik zeggen.
Er verstrijkt geruime tijd en dan... knikt ze.
Ik ben op dat moment bijna dankbaar voor Bonnies zwijgzaamheid. Daardoor voel ik me op mijn gemak met niet-verbale communicatie, ben ik in staat ook zonder woorden betekenisnuances te begrijpen.
Oké, betekent die knik, maar het pistool blijft en waarschijnlijk zal ik het toch gebruiken.

Haal haar eerst uit deze kamer, denk ik bij mezelf. Dat is de eerste stap.
'Fijn, Sarah,' antwoord ik en ik knik ook. 'Ik stop nu mijn pistool weg.' Haar ogen volgen mijn handen terwijl ik dit doe. 'Nu loop ik achterwaarts de kamer uit. Ik wil dat jij me volgt. Ik wil dat je je ogen op de mijne gericht houdt. Dat is belangrijk, Sarah. Kijk naar mijn ogen. Niet naar rechts of links kijken, niet naar boven of beneden. Kijk alleen naar mij.'
Ik loop kalm in een rechte lijn achteruit. Mijn ogen zijn voortdurend op haar gericht, dwingen haar om hetzelfde te doen. Wanneer ik bij de deuropening ben aangekomen, blijf ik staan.
'Kom, liefje. Ik ben hier. Loop maar naar me toe.'
Een korte aarzeling en dan glijdt ze van de vensterbank. Het is bijna alsof ze ervanaf stróómt, als water.
Het pistool staat nog altijd tegen haar hoofd. Met haar ogen op de mijne gericht komt ze naar de deur. Haar blik dwaalt niet af naar het bed, zelfs niet één keer.
Mooi, denk ik bij mezelf. Eén blik op die ellende is voldoende om jezelf van kant te willen maken.
Nu ze staat, zie ik dat ze ongeveer een meter vijfenvijftig is. Ondanks de shock waarin ze verkeert zijn haar bewegingen gracieus en nauwgezet. Ze zweeft bijna. Te midden van de vermoorde doden ziet ze er klein uit. Haar blote voeten zitten onder het bloed; ze heeft het niet in de gaten, of anders kan het haar niet schelen.
Ik doe een stap achteruit, zodat ze door de deuropening kan komen. Ze sjokt langs me heen, met haar ogen op mijn handen gericht. Een waakzame zombie.
'Ik steek nu mijn arm uit om de deur dicht te doen, goed?'
Ze knikt. Het kan me niet schelen, zegt die knik. Niets kan me nog schelen: of ik nu leef of doodga, of wat dan ook.
Ik doe de deur dicht en sta mezelf toe heel even iets van opluchting te voelen. Ik veeg met een bevende hand het zweet van mijn voorhoofd.
Ik haal diep adem en draai me om naar Sarah. Eens kijken of ik haar nu zover kan krijgen dat ze me dat pistool geeft.
'Weet je wat? Ik ga even zitten.'
Ik ga met mijn rug naar de slaapkamerdeur zitten. Dat doe ik zonder het oogcontact te verbreken. Ik ben hier, ik zie je, al mijn aandacht is voor jou, zeg ik daarmee.
'Het is een beetje moeilijk om te praten als jij daarboven blijft en ik hierbeneden zit,' zeg ik en ik kijk met samengeknepen ogen naar haar op. 'Waarom ga je ook niet even zitten?' Ik bekijk haar gezicht aandachtig. 'Je ziet er moe uit, meid.'

Weer dat griezelige, scheve hoofdgebaar. Ik buig me een stukje voorover en klop op de vloerbedekking.
'Kom, Sarah. Alleen jij en ik. Er komt niemand binnen, totdat ik zeg dat het goed is. Zolang ik hier ben, zal niemand je iets aandoen. Je wilde me spreken.' Ik klop weer op de vloerbedekking, terwijl ik haar blijf aankijken. 'Ga zitten en ontspan je. Ik hou mijn mond en we blijven hier zitten totdat jij eraan toe bent om me te vertellen wat je me wilde vertellen.'
Ze komt plotseling in beweging, doet een stap naar achteren en laat zich dan op de vloer zakken. Dat gebeurt met dezelfde gratie van stromend water waarmee ze ook van de vensterbank gleed. Ik vraag me afwezig af of ze danseres is, of anders misschien turnster.
Ik glimlach haar bemoedigend toe. 'Goed zo, liefje,' zeg ik. 'Heel goed.'
Haar ogen laten de mijne niet los. Het pistool staat nog altijd stevig tegen haar slaap gedrukt.
Terwijl ik nadenk over mijn volgende stap, schiet een van de belangrijkste lessen van de leraar van de cursus onderhandelen me weer te binnen: 'Praten wanneer jij dat wilt, niet praten wanneer jij dat niet wilt. Alles draait om macht,' zei hij. 'Wanneer je iemand voor je hebt die weigert iets te zeggen en je niet weet hoe je hem het best kunt aanpakken – met andere woorden, wanneer je vrijwel niets persoonlijks van hem weet –, moet je je mond houden. Instinctief zul je geneigd zijn om de stilte op te vullen. Verzet je daartegen. Het is hetzelfde als de telefoon laten overgaan; je wordt er stapelgek van, maar vroeg of laat houdt hij op met rinkelen. Datzelfde geldt hier ook. Wacht rustig af en ze zullen de stilte voor je vullen.'
Ik zorg dat mijn gezicht kalm is, hou mijn ogen op haar gericht en zwijg.
Sarahs gezicht is de overtreffende trap van rust, een totale afwezigheid van beweging, als uit was gevormd. Haar mondhoeken vertrekken niet. Ik heb het gevoel dat ik een wedstrijdje 'Wie kan het langste staren' doe met een etalagepop die met haar ogen knippert.
Haar blauwe ogen zijn het 'levendste' deel aan haar en zelfs die lijken glazig en onecht.
Tijdens het wachten bekijk ik het bloed dat op haar zit.
De spatten op de rechterkant van haar gezicht lijken wel een verzameling zijwaarts stromende tranen. Uitgerekt, alsof elke druppel met kracht op haar huid is beland en vervolgens traag verder is gegleden.
Erop gesmeten, misschien? Door vingertoppen die in bloed waren gedoopt?
Haar nachthemd is een zootje. De voorkant is doorweekt. Ik zie vlekken ter hoogte van haar knieën.
Alsof ze geknield heeft gezeten. Misschien heeft ze geprobeerd iemand te beademen?

Mijn gedachtegang ontspoort wanneer ze met haar ogen knippert, zucht en haar blik van me afwendt.
'Ben je echt Smoky Barrett?' vraagt ze. Het is een vermoeide stem, vol verslagenheid en vertwijfeling.
Het is tegelijkertijd verrukkelijk en onwerkelijk om haar te horen praten. Haar stem is hees en mat, ouder dan zijzelf is, een voorbode van de vrouw die ze zal worden.
'Ja,' antwoord ik. Ik wijs naar mijn littekens. 'Die kun je niet vervalsen.'
Ze houdt het pistool nog steeds tegen haar hoofd, maar wanneer ze naar mijn littekens kijkt, verdrijft verdriet een deel van de doodse uitdrukking op haar gezicht.
'Ik vind het heel erg,' zegt ze. 'Wat jou is overkomen. Ik heb erover gelezen. Ik moest ervan huilen.'
'Dank je.'
Rustig afwachten. Geen druk uitoefenen.
Ze staart omlaag. Zucht. Kijkt dan weer naar mij.
'Ik weet hoe het is,' zegt ze.
'Hoe wat is, liefje?' vraag ik zacht. 'Wat bedoel je daarmee?'
Ik zie het verdriet in haar ogen opdoemen, als twee manen die vollopen met bloed.
'Ik weet hoe het is om alles kwijt te raken waarvan je houdt,' zegt ze met een schorre stem, die overgaat in fluisteren. 'Ik raak al vanaf mijn zesde dingen kwijt.'
'Is dat de reden waarom je mij wilde spreken: om me te vertellen wat er toen is gebeurd?'
'Toen ik zes was,' gaat ze verder, alsof ik helemaal niets heb gezegd, 'is het allemaal begonnen, toen hij mijn vader en moeder vermoordde.'
'Wie is "hij," Sarah?'
Ze kijkt me aan en in haar ogen laait even iets op, wat meteen ook weer verdwijnt.
Wat was het, vraag ik me af. Verdriet? Woede?
Het was iets enorms, dat is wel duidelijk. Dit was geen witvisje dat naar de wateroppervlakte zwom voordat het weer naar dieper gelegen wateren dook; dit was een leviathan van de ziel.
'Hij,' zegt ze met vlakke stem. 'De Vreemdeling. Degene die mijn ouders heeft vermoord. Degene die alles doodt waarvan ik hou. De... kunstenaar.' Zoals ze dat laatste zegt, zou ze ook 'kinderverkrachter' of 'stront op een hete stoep' kunnen zeggen. De afkeer is krachtig, intens en tastbaar.
'Heeft de Vreemdeling dit gedaan, Sarah? Is hij hier geweest, in dit huis?'
Haar verdriet en angst worden weggevaagd door een cynische blik die me uit

het veld slaat. Hij is veel te verschrikkelijk en doortrapt voor een meisje van zestien. Die hese stem hoort dan misschien bij een vrouw van vijfentwintig, maar deze blik is die van een door het leven getekende oude feeks.
'Probeer maar niet me te paaien!' krijst ze, haar stem schel en spottend. 'Ik weet best dat je alleen maar naar me luistert vanwege' – ze zwaait even met het pistool – 'dit hier. Je gelooft me helemaal niet!'
Wat is er zo-even gebeurd?
De rustige lucht tussen ons in begint te gonzen.
Je raakt haar kwijt, dringt het tot me door. Een angstscheut boort zich pijlsnel door me heen.
Doe iets!
Ik tuur in die met woede gevulde ogen. Ik denk aan wat Alan heeft gezegd. Niet liegen, denk ik bij mezelf. De waarheid. Alleen de waarheid. Op dit moment ruikt ze een leugen al op een kilometer afstand, en dan is het spel uit.
De woorden komen moeiteloos en spontaan. 'Ik zal je vertellen waarover ik me op dit moment zorgen maak, Sarah,' zeg ik met een heldere stem. 'Ik maak me zorgen over jóú. Ik weet dat jij dit, wat hier is gebeurd, niet hebt gedaan. Ik weet dat je op het punt staat jezelf te doden. Ik weet dat je naar mij hebt gevraagd, en dat houdt in dat ik je misschien iets kan geven, je iets kan vertellen, wat je ervan kan weerhouden om die trekker over te halen.' Ik buig me naar haar toe. 'Liefje, ik weet bij lange na niet genoeg over wat er hier allemaal gaande is om je te kunnen paaien, dat zweer ik. Ik probeer alleen maar het te begrijpen. Help me alsjeblieft om het te begrijpen. Je hebt naar mij gevraagd. Waarom? Waarom heb je om mij gevraagd, Sarah?' Het liefst had ik een hand uitgestoken om haar door elkaar te schudden. In plaats daarvan zeg ik smekend: 'Vertel het me alsjeblieft.'
Niet doodgaan, denk ik bij mezelf. Niet hier, niet op deze manier.
'Alsjeblieft, Sarah. Zeg iets. Zorg dat ik het begrijp.'
De woorden hebben succes: de woede trekt weg uit haar ogen. De vinger om de trekker ontspant zich en ze wendt haar blik af.
Godzijdank, denk ik bij mezelf, en ik onderdruk met moeite de halfhysterische bui die in me opborrelt, een aanval van zenuwkriebels.
Wanneer ze me weer aankijkt, heeft een intens verdriet de plaats van de woede ingenomen.
'Jij bent mijn laatste hoop,' zegt ze. Haar stem klinkt iel en hol.
'Ik luister, Sarah,' moedig ik haar aan. 'Vertel het me maar. Je laatste hoop op wat?'
'Mijn laatste hoop...' zegt ze met een zucht die in haar keel kraakt. 'Om iemand te vinden die gelooft dat ik geen ongeluk breng,' fluistert ze. 'Die gelooft dat de Vreemdeling echt bestaat.'

Ik staar haar ongelovig aan.
'Iemand die je gelooft?' gooi ik eruit. Ik gebaar ruw met mijn duim naar achteren, naar de slaapkamer en wat daarin ligt. 'Sarah, ik weet dat er hier iets is gebeurd waarmee jij niets te maken hebt gehad. Ik ben bereid te luisteren naar wat je me kunt vertellen.'
Ik denk dat ze van haar stuk wordt gebracht doordat mijn reactie in een reflex komt en doordat ik echt verbijsterd ben bij het idee dat ik haar níét serieus zou nemen. In haar ogen licht hoop op, die de strijd aangaat met dat verschrikkelijke cynisme. Haar gezicht vertrekt, haar mond verwringt. Ze is net een vis die verdrinkt in de lucht.
'Echt?' vraagt ze in een gekwelde fluistering.
'Echt.' Ik zwijg even. 'Sarah, ik weet natuurlijk niet wat er tot nu toe met je is gebeurd. Uit wat ik tot dusver heb gezien, blijkt echter wel dat degene die hiervoor verantwoordelijk is beresterk moet zijn geweest. Sterker dan jij. Sterker dan ik, als het eropaan komt.'
Angstige verwondering kruipt in haar ogen. 'Heeft hij...' Haar onderlip trilt. 'Bedoel je dat je kunt zíén dat hij hier is geweest?'
'Jazeker.'
Is dat zo?
Er is toch ook nog een andere mogelijkheid? Misschien heeft ze de vader onder schot gehouden en hem zo gedwongen al het zware sjouwwerk te verrichten. Ze kan het nog steeds hebben gedaan.
Ik verjaag deze gedachte met een denkbeeldig gewapper van mijn hand.
Te gecompliceerd, te duister. Ze is te jong om al zo'n sterk ontwikkelde voorkeur te hebben.
'Misschien,' fluistert Sarah, meer tegen zichzelf dan tegen mij. 'Misschien heeft hij het deze keer verknald.'
Haar gezicht verschrompelt, trekt glad, verschrompelt, trekt glad. Hoop en wanhoop vechten om de positie aan het roer. Ze laat het pistool vallen. Ze slaat haar handen voor haar gezicht. Even later weer dat rauwe, openlijke, intense verdriet. Het knalt uit haar, indringend, primair, verschrikkelijk, puur. Het geluid van een konijn tussen de kaken van een wolf.
Ik gris het pistool van de vloer, zeg eenmaal 'Godzijdank' in mezelf, zet de veiligheidspal erop en prop het wapen tussen de band van mijn spijkerbroek. Ik pak Sarah, die met gierende uithalen huilt, vast en klem haar in de ruimte tussen mijn armen en mijn borst.
Haar verdriet is een wervelstorm. Hij beukt op me in.
Ik hou haar stevig vast en samen zitten we de storm uit.
Ik wieg heen en weer, zing zacht, mompel woordeloze dingen, voel me hulpeloos en ellendig, maar toch ook opgelucht.

Ze kan beter huilen dan dood zijn.
Wanneer het voorbij is, ben ik kletsnat van de tranen. Sarah hangt bijna krachteloos tegen me aan. Ze is uitgeput.
Desondanks verzet ze zich en duwt ze me weg. Haar gezicht is gezwollen van het huilen en bleek.
'Smoky?' vraagt ze. Haar stem klinkt zwak.
'Ja, Sarah?'
Ze kijkt me aan en ik word verrast door de kracht die ik door de uitputting die haar omlaagtrekt heen zie bovendrijven.
'Je moet me beloven dat je iets zult doen.'
'Wat?'
Ze wijst door de gang. 'Mijn slaapkamer is daar. In de la bij het bed ligt mijn dagboek. Alles staat erin, alles over de Vreemdeling.' Ze grijpt mijn arm vast. 'Beloof me dat je het zult lezen. Jíj – niet iemand anders.' Haar stem is fel. 'Beloof het me.'
'Ik beloof het,' zeg ik zonder enige aarzeling.
Momenteel kan echt niets of niemand me tegenhouden.
'Dank je wel,' fluistert ze.
Haar ogen rollen achterover in haar hoofd en ze valt flauw in mijn armen.
Ik ril één keer, een vertraagde reactie. Ik maak de radio los van mijn riem en zet hem aan.
'Alles veilig,' zeg ik, rustiger dan ik me voel. 'Stuur een arts naar binnen voor het meisje.'

10

De avond is officieel gevallen in Canoga Park. Het huis wordt verlicht door patrouillewagens en straatlantaarns, maar de SWAT staat op het punt om te vertrekken en de helikopter is al weg. De rust is weergekeerd in de buurt, hoewel ik het rumoer van de stad slechts een paar straten verderop kan horen. In deze straat zijn ramen verlicht, zitten gezinnen binnen, zijn alle gordijnen dicht. Als ik het nu ging controleren, zouden alle deuren vast en zeker ook op slot zitten, denk ik bij mezelf.

'Vakwerk,' zegt Dawes tegen me, terwijl we toekijken hoe de ambulancebroeders een bewusteloze Sarah achter in de ambulance hijsen. Ze gaan snel te werk; ze ziet al grauw en haar tanden klapperen. Tekenen van shock.

'Bedankt.'

'Ik meen het, special agent Barrett. Dit had veel slechter kunnen aflopen.' Hij zwijgt even. 'Een halfjaar geleden werden we bij een gijzeling geroepen. Een doorgedraaide vader met speed in zijn donder en een pistool in de hand. Hij had zijn vrouw in elkaar geslagen, maar wat ons pas echt zorgen baarde was dat hij met zijn ene hand het pistool in het rond zwaaide en met zijn andere zijn dochtertje van vijf maanden vasthield.'

'Niet best,' zeg ik.

'Helemaal niet best. Daar kwam dus nog bij dat hij stoned was, zo stoned als een garnaal. Ooit een doorgedraaide speedfreak gezien die door het lint gaat? Het is een combinatie van hallucinaties en paranoia. Biedt een onderhandelaar weinig ruimte om zijn werk te doen.'

'Hoe is het afgelopen?'

Dawes wendt heel even zijn blik af, maar dan heb ik al een glimp opgevangen van de pijn in zijn ogen.

'Hij heeft zijn vrouw neergeschoten. Zomaar ineens. Hij wauwelde wat, hield halverwege een zin opeens op met praten, richtte zijn pistool op haar en... schoot haar overhoop.' Hij schudt zijn hoofd. 'Je kon een speld horen vallen in het SWAT-busje. Vanzelfsprekend moesten we toen wel in actie komen.'

'Als hij zonder enige aanleiding zijn vrouw kon neerschieten...'

Dawes knikt. 'Dan kon hij hetzelfde met de baby doen. Onze sluipschutter had hem al in het vizier, kreeg toestemming en schoot. Het was echt supernauwkeurig, precies midden in het voorhoofd, zonder rommel of drukte. Perfect.' Hij zucht. 'Het probleem was alleen dat pa de baby liet vallen; ze kwam op haar hoofd terecht en was dood. De sluipschutter heeft zichzelf een week later een kogel door zijn kop gejaagd.' Deze keer is zijn blik doordringender. 'Zoals ik dus al zei: dit had veel slechter kunnen aflopen, special agent Barrett.'

'Zeg maar Smoky.'

Hij glimlacht. 'Oké, dat zal ik doen. Geloof je in God, Smoky?'

De vraag overrompelt me. Ik geef hem mijn eerlijkste antwoord.

'Dat weet ik niet.'

'Precies. Ik ook niet.'

Hij schudt mijn hand, schenkt me een trieste glimlach, knikt kort en is verdwenen. Zijn relaas, een verhaal over onmogelijke keuzes, blijft echoënd achter in mijn binnenste.

Bedankt dat je me dit hebt verteld, Dawes.

Ik ga op de stoeprand voor het huis zitten en probeer mezelf te kalmeren. Callie en Alan zijn allebei in gesprek op hun mobiele telefoon. Callie verbreekt de verbinding, komt naar me toe en laat zich naast me neervallen.

'Goed nieuws, honey-love. Ik heb Barry Franklin gebeld en na het nodige gemopper heeft hij toegezegd dat hij zou vragen of hij deze zaak kan krijgen. Hij komt zo.'

'Dank je,' zeg ik.

Enkele uitzonderingen daargelaten vallen moorden niet onder Federale Zaken. Ik kan niet zomaar een rechtsgebied binnenlopen en een moordzaak overnemen omdat ik daar nu eenmaal zin in heb. Alles wat we doen vereist openhartige samenwerking en overleg met de lokale sterke arm der wet. Net als de meeste special agents (en lokale politiemensen) regel ik die 'contactpersonen' bij voorkeur zelf. Vandaar Barry. Barry is rechercheur Moordzaken bij de LAPD, een van de weinigen die de rang van adjudant hebben bereikt. Als hij de leiding over een bepaalde zaak wil hebben, dan krijgt hij die.

Ik heb hem leren kennen tijdens mijn allereerste zaak als teamleider in Los Angeles. Een doorgedraaide jonge vent stak daklozen in de fik en nam hun voeten mee als aandenken. Barry had de FBI verzocht hem te helpen met het opstellen van een daderprofiel. We hielden ons geen van beiden bezig met politieke machtsspelletjes of de eer. We wilden die ellendeling gewoon vangen en dat is ons gelukt.

De pragmatische kant van het verhaal: hij is een uitstekende rechercheur, hij zal me nooit de toegang tot een plaats delict ontzeggen en als ik het hem vriendelijk vraag, spreekt hij de magische formule uit: Verzoek om back-up. Deze woorden zetten de deur open voor volledige, ongehinderde inmenging van onze kant. Tot dat moment aanbreekt zijn wij juridisch gezien slechts toeschouwers.

'Hoe gaat het, honey-love?' vraagt Callie.
Ik wrijf met mijn handen over mijn gezicht. 'Ik heb eigenlijk vakantie, Callie. Dat hele gedoe daarbinnen...' Ik schud mijn hoofd. 'Het was onwerkelijk. Volkomen gestoord. De dag was zo heerlijk begonnen. Nu voel ik me klote en... smerig. Te veel akelige zaken achter elkaar.'
Mensen denken vaak dat elke moord een akelige zaak is, maar hoewel ze in theorie gelijk hebben, heb je verschrikkingen en verschrikkingen. Een heel gezin waarvan de ingewanden eruit liggen is een enorme schok.
'Je moet een hond hebben,' zegt ze.
'Ik moet eens een keer flink lachen,' reageer ik troosteloos.
'Eén keer?'
Ik kijk haar met een wrange glimlach aan. 'Nee. Het moet een gewoonte worden. Een reeks flinke lachbuien. Ik moet lachend wakker worden, een dag later weer en de dag daarna ook. Misschien dat dán een vervelende dag niet zo erg aanvoelt.'
'Klopt,' zegt ze peinzend. '"Into every little life a little rain" en zo – maar jij voert dat wel erg ver.' Ze geeft een klopje op mijn hand. 'Neem nou maar een hond.'
Ik lach, wat precies haar bedoeling was.
Quantico, Quantico, zingt een stem in mijn hoofd. Daar zijn geen Sarahs, geen persoonlijke betrokkenheid, geen zenuwkriebels.
Alan komt naar ons toe, nog altijd in gesprek op zijn mobieltje. Wanneer hij naast ons staat, houdt hij het mobieltje een stukje van zijn oor af. 'Elaina wil weten hoe het er vanavond uit gaat zien. In verband met Bonnie.'
Ik denk na. Barry moet komen. Hij moet met zijn forensisch team het huis voor me uitpluizen. Ik moet zelf door het hele huis lopen en de plaats delict op me laten inwerken.
De zaak is officieel nog niet van ons, maar ik kan nu gewoon nog niet weg.
Ik zucht.
'Het zal een latertje worden. Kun je haar vragen of ze het erg vindt om Bonnie vannacht bij haar te houden?'
'Geen enkel probleem.'
'Zeg maar tegen Elaina dat ik haar morgen even bel.'
Hij drukt zijn mobieltje tegen zijn oor en terwijl hij het nieuws doorgeeft, loopt hij weer weg.
'En ik dan?' vraagt Callie.
Ik grijns vermoeid naar haar. 'Jij mag in je vakantie werken, net als ik. We gaan straks met Barry praten, alles goed bekijken' – ik haal mijn schouders op – 'en dan zien we wel verder. Misschien kunnen we daarna onze vakantie voortzetten, misschien ook niet.'

Ze slaakt een diepe zucht, theatraal, lijdzaam. 'Slavendrijver,' mompelt ze. 'Ik wil opslag.'
'Ik wil wereldvrede,' antwoord ik. 'Je bent dus niet de enige die teleurgesteld is. Wen er maar aan.'
'Bonnie is onder de pannen,' zegt Alan wanneer hij terugkomt. 'Hoe gaan we het hier aanpakken?'
Tijd om de leiding op me te nemen.
Dit is mijn allerbelangrijkste taak. Ik sta in feite aan het hoofd van een groep stralende sterren. Elk van hen heeft een gebied waarin hij of zij schittert. Callie is een kei op het gebied van forensische wetenschap. Alans deskundigheid in de verhoorkamer is legendarisch, en wat betreft veldwerk en buurtonderzoek is hij de beste die je kunt hebben. Hij is onvermoeibaar en ziet alles. Mensen als zij volgen je niet omdat ze je aardig vinden. Ze moeten respect voor je hebben. Daarvoor is enige arrogantie nodig. Je moet bereid zijn om je eigen sterke kanten te erkennen, om een ster te zijn in je eigen vakgebied en te weten dat je dat bent.
Mijn sterke kant is mijn inzicht in degenen op wie we jagen. Ik kíjk niet alleen naar een plaats delict, ik zíé hem ook echt. Iedereen kan over de plaats lopen waar een moord heeft plaatsgevonden en een stoffelijk overschot bekijken. Het ware talent ligt echter in het omkeren van het gebeurde. Waarom dit stoffelijke overschot? Waarom hier? Wat zegt dat over de moordenaar? Sommigen zijn er goed in. Anderen zijn er heel goed in. Ik ben begaafd en arrogant genoeg om daar rond voor uit te komen.
Mijn speciale gave is het vermogen om de duistere kant van de mannen op wie ik jaag te begrijpen.
Veel mensen denken dat ze de gedachtegang van een seriemoordenaar kunnen doorgronden. Ze lezen true crime-verhalen, vermannen zich en bekijken bloederige misdaadfoto's zonder met hun ogen te knipperen. Ze hebben het over roofdieren, de psychoseksualiteit van het hele gebeuren en denken dat ze het licht hebben gezien.
Dat is allemaal mooi en prachtig, en er is niets mis mee – maar ze zitten er mijlenver naast.
Ik heb eens geprobeerd dit in een lezing uit te leggen. Quantico organiseerde zijn versie van een beroepskeuzedag en verschillende gastsprekers hielden op verzoek een praatje voor zalen vol intelligente jonge rekruten. Toen het mijn beurt was, keek ik naar hen, naar hun jeugdigheid en hoop, en probeerde ik uit te leggen wat ik bedoelde.
Ik vertelde hun over een beroemde zaak in New Mexico. Een man en zijn vriendin hadden jarenlang jacht gemaakt op vrouwen en hen ontvoerd. Ze brachten de vrouwen naar een speciaal uitgeruste kamer vol touwen en mar-

telwerktuigen. Ze verkrachtten en martelden hun slachtoffers dagen, weken achter elkaar. Ze maakten video-opnames van vrijwel alles wat ze deden. Een van hun favoriete werktuigen was de stroomstok.
'Op één video,' vertelde ik, 'kun je zien dat er rook komt uit de vagina van een jonge vrouw, omdat ze haar met een stroomstok hadden gepenetreerd.'
Alleen dit al, dit kleine stukje informatie – bij lange niet het ergst, wat zich voordoet – leidde tot een diepe stilte in de zaal en een paar van die jonge gezichten werden krijtwit.
'Een van onze special agents, een vrouw, had als taak een serie gedetailleerde tekeningen te maken van alle zwepen, kettingen, zagen, seksspeeltjes en andere perversiteiten waarmee dit stel de vrouwen had bewerkt die ze naar die kamer hadden gebracht. Ze deed wat haar werd opgedragen. Ze was er vier dagen mee bezig. Ik heb de tekeningen gezien en ze waren heel goed. Ze zijn zelfs in de rechtszaal gebruikt. Haar chef prees haar en zei dat ze een paar dagen vrij kon nemen. Om naar huis te gaan, bij haar gezin te zijn, haar hoofd leeg te maken.' Op dat moment zweeg ik even en liet ik mijn ogen langs al die jonge gezichten glijden. 'Ze ging naar huis en bracht de dag door met haar man en dochtertje. Die avond, terwijl zij lagen te slapen, sloop ze naar beneden, pakte ze haar dienstpistool uit de safe en schoot ze zichzelf door het hoofd.'
Hier en daar werd ontzet naar adem gehapt. Verder heerste er vooral een intense stilte.
Ik haalde mijn schouders op. 'Het zou heel makkelijk zijn om die sterke jonge vrouw in een geheim dossier weg te stoppen en er verder niet meer aan te denken. We kunnen zeggen dat ze zwak was, dat ze waarschijnlijk al depressief was, of ervan uitgaan dat er iets anders in haar leven moet hebben gespeeld waarvan niemand op de hoogte was. Dat moet iedereen voor zichzelf beslissen. Ik kan jullie alleen maar vertellen dat ze al acht jaar special agent was. Ze had een smetteloze staat van dienst en had nog nooit last gehad van geestesziekten.' Ik schudde mijn hoofd. 'Ik denk dat ze te goed heeft gekeken, te ver is gegaan en de weg is kwijtgeraakt. Als een boot op zee, met nergens land in zicht. Ik denk dat deze special agent in dat bootje ronddobberde en niet wist hoe ze terug moest komen.' Ik boog me voorover over de lessenaar. 'Dat is precies wat ik doe, wat mijn team doet: we kijken. We kijken en we wenden onze blik niet af, en we hopen dat we er niet aan onderdoor gaan.'
De organisator was niet echt blij geweest met mijn lezing, maar daar trok ik me niets van aan. Het was de waarheid.
Ik kon de daad van die vrouwelijke special agent wel begrijpen. Het zien was niet het probleem, niet echt. Het probleem was het ongedaan maken van het

zien, het ophouden met zien. Je moest in staat zijn om naar huis te gaan en de beelden uit te zetten die zich giechelend een weg wilden banen door je hoofd, op sluipende voetjes, fluisterend. Deze special agent had dat niet gekund. Ze had een kogel door haar hoofd geschoten om het wel te kunnen. Ik kon me dat goed voorstellen.

Ik vermoed dat ik dát probeerde duidelijk te maken aan al die frisse, jonge gezichten: dit is geen lolletje. Het is niet opwindend, uitdagend of achtbaan-achtig spannend.

Het is iets wat moet worden gedaan.

Ik ben gezegend met de gave – of de vloek – dat ik de verlangens van seriemoordenaars begrijp. Dat ik weet waarom ze voelen wat ze voelen. Dat ik voel wat zij voelen, een beetje of een beetje veel. Het is iets wat binnen in me gebeurt, iets wat deels voortkomt uit ervaring en observatie, maar voor het grootste gedeelte uit de bereidheid om vertrouwd met hen te worden. Ze zingen een lied in zichzelf dat alleen zij kunnen horen, en om de melodie te kunnen horen, moet je luisteren zoals zij luisteren. De melodie is belangrijk; die bepaalt de dans.

Het belangrijkste element is dus de onnatuurlijkste handeling: ik wend me niet af. Ik buig me juist voorover om het van dichtbij te kunnen zien. Ik snuif om hun geur op te vangen. Ik raak hen met het puntje van mijn tong aan om hun smaak te proeven. Daardoor heb ik een aantal bijzonder slechte mannen kunnen vangen. Het is tevens de oorzaak van mijn nachtmerries en de momenten waarin ik verbaasd heb stilgestaan bij mijn eigen hunkeringen: waren die echt van mij? Of had ik gewoon te veel begrepen?

'Barry is onderweg,' zeg ik tegen Alan. 'Dit is zijn plaats delict. Misschien wordt het nooit de onze, maar laten we dit voorlopig aanpakken alsof dat wél zo is. Callie, ik wil dat jij met mij de plaats delict doorloopt. Ik heb jouw forensische blik nodig. Alan, ik wil dat jij een nieuw buurtonderzoek uitvoert. Daar zal Barry geen problemen mee hebben. We moeten erachter zien te komen wat de buren weten.'

'Komt voor elkaar,' antwoordt hij. Hij haalt een opschrijfboekje tevoorschijn uit de binnenzak van zijn jas. 'Ned en ik gaan direct aan de slag.'

Alan noemt zijn opschrijfboekje altijd 'Ned'. Hij heeft me ooit verteld dat zijn eerste mentor had gezegd dat het opschrijfboekje de beste vriend van iedere rechercheur was en dat die vriend een naam moest hebben. Hij had van Alan geëist dat hij er een bedacht en zo was Ned ontstaan. De mentor was allang weg, maar de naam was voorgoed gebleven. Volgens mij is het een vorm van bijgeloof, Alans versie van de gelukskousen van een honkballer.

Callie tuurt met samengeknepen ogen naar de zwarte Buick die zojuist door de afzettape is toegelaten. 'Is dat Barry?' vraagt ze.

Ik sta op en herken Barry's ronde, bebrilde gezicht door het autoraam. Ik voel een soort opluchting door me heen trekken. Nu kan ik tenminste iets doen.

'Ik was van plan het je erg lastig te maken, omdat je mijn afspraakje hebt verpest,' zegt Barry wanneer we bijna bij hem zijn, 'maar zo te zien heb je zelf ook een rotavond.'
Barry is begin veertig. Hij is mollig, maar niet dik, hij is kalend, hij draagt een bril en heeft een van de meest alledaagse gezichten die ik ooit heb gezien – het soort alledaags dat in het juiste licht heel aantrekkelijk is. Ondanks deze tekortkomingen heeft Barry altijd afspraakjes met knappe, jongere vrouwen. Alan noemt dit het 'Barry-fenomeen'. Een enorm zelfvertrouwen zonder dat het arrogant is. Hij is grappig, slim en een opvallende aanwezigheid. Volgens Alan vinden veel vrouwen die combinatie van zelfverzekerdheid en een groot hart onweerstaanbaar.
Volgens mij vormt dit er slechts een onderdeel van. Er gaat ook een zekere onverzettelijke kracht van Barry uit die door al die beminnelijkheid heen trekt als een onweersbui in de verte. Hij heeft alles meegemaakt, hij weet dat het kwaad écht bestaat. Barry jaagt op mensen en dat zal, of het nu goed is of slecht, op een bepaalde manier altijd sexy worden gevonden, als een dierlijk geurspoor.
Ik weet dat zijn gemopper puur voor de show is; we zijn inmiddels de tel kwijtgeraakt, weten allang niet meer wie nu eigenlijk aan wie iets verschuldigd is, en dat doet er ook niet toe.
'Goed,' zegt hij en hij haalt een opschrijfboekje – zijn eigen Ned – tevoorschijn, klaar om aan het werk te gaan. 'Wat heb je voor me?'
'Rituele slachting. Ontwijde lichamen. Een zee van bloed. Het gebruikelijke,' zeg ik.
Ik vertel hem wat ik weet. Het is niet veel, maar het vormt het begin van het over-en-weercontact dat bij ons prima werkt. We zullen de plaats delict bespreken terwijl we er samen doorheen lopen, opmerkingen op elkaar afvuren, onze conclusies steeds scherper bijstellen. Op een toeschouwer komt het wellicht doelloos over, maar het is georganiseerd, geen chaos.
'Drie doden?' vraagt hij.
'Ik heb er drie gezien en ik ben er vrij zeker van dat dat het is. Agenten van de patrouilledienst hebben het huis gecontroleerd en ze hebben geen andere stoffelijke overschotten gemeld.'
Hij knikt en tikt met zijn pen op zijn opschrijfboekje. 'Je weet zeker dat het meisje het niet heeft gedaan?'
'Heel zeker,' zeg ik nadrukkelijk. 'Er zat niet genoeg bloed op haar. Je zult wel zien wat ik bedoel wanneer we naar binnen gaan. Het is... een janboel. Ik ben er ook vrij zeker van dat een van hen op de begane grond is vermoord en toen

naar de slaapkamer is gebracht. Gedragen, niet gesleept. Daar is zij niet sterk genoeg voor.'
Hij kijkt nadenkend naar het huis. Schokschoudert. 'Ik had er al geen goed gevoel over,' zegt hij. 'Dat het meisje het zou hebben gedaan. Wat jij daarnet beschreef klinkt als een gevorderde moord. Ik zal niet snel zeggen dat zestienjarigen tegenwoordig geen akelige dingen uithalen, maar...' Hij schokschoudert nogmaals.
'Ik heb Alan eropuit gestuurd om met de buren te praten. Ik dacht dat je dat niet erg zou vinden.'
'Nee hoor. Wat dat betreft is hij de geschiktste persoon.'
'Wanneer mogen we eigenlijk naar binnen?' vraag ik.
Ik sta te popelen, barst van hernieuwde energie. Ik wil een blik werpen op deze moordenaar.
Hij kijkt op zijn horloge. 'De technische recherche kan elk moment arriveren – nog iets waarvoor je bij me in het krijt staat. Dan kunnen we onze papieren overschoentjes aantrekken en aan het werk gaan.'

Ik begin aan de buitenkant van het huis. Barry en Callie blijven geduldig wachten en houden hun oren gespitst.
Ik bekijk de voorkant van het huis. Ik kijk de straat in, naar de huizen aan weerszijden ervan. Ik probeer me voor te stellen hoe het er overdag moet zijn geweest.
'Dit is een wijk vol gezinnen,' merk ik op. 'Veel mensen. Druk. Het was zaterdag, dus veel mensen zullen thuis zijn geweest. Het was een brutale zet om hier vandaag naartoe te komen. Hij heeft bijzonder veel zelfvertrouwen of hij is bijzonder bedreven. Hoogstwaarschijnlijk geen debutant. Ik zou zeggen dat hij al eerder iemand heeft vermoord.'
Ik loop over de oprit naar de voordeur. Ik zie hem voor me, lopend over hetzelfde pad. Misschien deed hij dit terwijl ik met Bonnie aan het winkelen was of Matts kledingkast in onze slaapkamer aan het uitruimen was. Leven en dood, zij aan zij, zich niet bewust van elkaar.
Voordat ik door de voordeur naar binnen ga, blijf ik even staan. Ik probeer me hem hier voor te stellen. Was hij opgewonden? Was hij rustig? Was hij krankzinnig? Mijn hoofd blijft leeg. Ik weet nog niet genoeg van hem.
Ik ga het huis binnen. Barry en Callie komen achter me aan.
Het huis ruikt nog altijd naar moord. Erger nu, omdat er meer tijd is verstreken en de geuren sterker zijn geworden.
We lopen naar de televisiekamer. Ik staar naar de met bloed doordrenkte vloerbedekking. De fotograaf van de technische recherche is druk bezig alles te fotograferen.

'Dat is verdomd veel bloed,' merkt Barry op.
'Hij heeft hun keel doorgesneden,' zeg ik. 'Van oor tot oor.'
'Op die manier.' Hij kijkt om zich heen. 'Precies zoals je al zei: geen bloedsporen.'
'Inderdaad. Maar dat zegt allemaal wel het een en ander over hem.'
'Zoals?' vraagt Barry.
'Hij geniet van wat hij doet. Het gebruik van een mes is persoonlijk. Een daad van woede, dat ook natuurlijk, maar ergens ook een daad van vreugde. De manier waarop je een minnaar zou vermoorden. Het enige wat nog intiemer is, is je blote handen gebruiken. Het kan ook de manier zijn waarop je een onbekende die je bemint doodt. Een teken van respect, een bedankje voor de dood die ze je schenken.' Ik gebaar met mijn hand naar de bloederige kamer. 'Bloedvergieten kan zowel intiem als onpersoonlijk zijn. Bloed is leven. Je steekt de onbekende die je bemint, zodat je dicht bij het bloed kunt zijn wanneer dat begint te stromen. Bloed is ook de weg naar de dood. Op vrijwel dezelfde manier laat je het bloed uit varkens weglopen. Hoe zag hij hen? Als varkens, als geliefden? Betekenden ze niets voor hem, of juist alles?'
'Wat denk jij?'
'Weet ik nog niet. Het punt is: wát ze ook voor hem betekenden, er was geen enkele twijfel. Als je in tweestrijd staat, gebruik je geen mes. Dat doe je namelijk alleen uit volle overtuiging. Een pistool biedt afstand, maar een mes? Een mes kan alleen van dichtbij worden gebruikt. Een mes bewijst ook dat de manier waarop hij hen doodde net zo belangrijk voor hem was als de dood zelf.'
'Hoezo?'
Ik haal mijn schouders op. 'Een pistool is sneller.'
Callie loopt door de kamer, staart naar het bloed en schudt haar hoofd.
'Wat is er?' vraag ik.
Ze wijst naar een donkere plas vlak bij haar voeten. 'Dit klopt niet.' Ze wijst naar een andere plas verder naar links. 'Dat klopt niet.'
'Waarom niet, Rooie?' vraagt Barry.
'Het analyseren van bloedspatten is een mengeling van natuurkunde, biologie, scheikunde en wiskunde. Ik heb geen tijd om er nu gedetailleerd op in te gaan, maar het volstaat om te zeggen dat natuurkunde, de viscositeit van het bloed en de vloerbedekking zelf me duidelijk maken dat deze twee plassen hier waarschijnlijk opzettelijk zijn aangebracht.' Ze doet een paar stappen in onze richting en wijst naar de veel grotere bloedvlek vlak bij de deur van de televisiekamer. 'Let eens op deze strepen hier.' Ze bukt zich en volgt met haar vinger de strook bloed die steeds breder wordt naarmate hij verder van ons wegloopt en uitmondt in een min of meer afgeronde kop met kartelige ran-

den. 'Zien jullie dat deze min of meer de vorm heeft van een reusachtige kikkervis?'
'Ja,' antwoord ik.
'Dat vind je op kleinere schaal overal terug. Rondspattend bloed veroorzaakt een patroon van lange, smalle spetters met een scherpomlijnde, duidelijk waarneembare kop. Het spitsere uiteinde van de spetter, de zogenoemde "staart", wijst altijd in de richting waaruit hij is gekomen. Dit is daar eenvoudigweg een grotere versie van en sluit aan bij het idee dat iemands keel is doorgesneden.' Ze wijst om zich heen. 'Dat zie je hier en hier. Kijk eens naar het bloed op de muur er vlakbij?'
Ik kijk. Ik ontdek nog meer kikkervisjes, kleiner deze keer, en een aantal druppels, groot en klein. 'Ja.'
'Je moet bloed in een lichaam zien als een vloeistof die onder druk staat. Prik een gat in de houder en het stroomt naar buiten. De kracht waarmee de straal naar buiten komt, is bepalend voor de snelheid en afstand, en dus ook voor het patroon van bloedspatten. Het doorsnijden van een slagader produceert heel veel kracht. Met een hamer op een hoofd rammen produceert heel veel kracht. Hoe dan ook, het bloed verlaat het lichaam, vloeit met meer of minder kracht naar buiten, totdat het een oppervlakte bereikt; op dat punt worden snelheid en energie overgedragen aan dat oppervlak, waardoor er zich een patroon op aftekent. Het resultaat zijn deze kikkervisjes, deze druppeltjes met een schulprandje enzovoort, blabla.' Ze wijst nogmaals naar de vloerbedekking en de dichtstbijzijnde muur. 'Hier bij de plint en in de strepen bloed op de vloerbedekking zie je sporen van een slagaderlijk spatpatroon. Een spontane beweging in een richting die wordt bepaald door de achterliggende kracht. Dit duidt op moord. De andere twee niet. Als ik een gok moest wagen, zou ik zeggen dat het bloed op beide plekken is uitgegoten. Uit een soort bak. Dat zijn plassen, geen rondspattend bloed. De richting is van bovenaf bepaald en de grootte van de plassen wijst er net als het ontbreken van spetters aan de randen op dat het rustig is uitgegoten. Daar is heel weinig kracht bij komen kijken.'
Nu ze me erop heeft gewezen, zie ik het ook. De bewuste plassen zijn te netjes, te esthetisch correct, te rond. Als stroop op een pannenkoek.
'Goed, hij heeft dus hierbeneden iemand vermoord,' zegt Barry. 'En dan? Denk je dat hij de kamer niet bloederig genoeg vond of zo?'
Callie haalt haar schouders op. 'Ik kan je niet zeggen waarom hij het heeft gedaan. Ik kan je wél zeggen dat die twee vlekken als laatste zijn aangebracht. Ze zijn vochtiger dan de moordplek zelf en meer gestold.'
'Hmm.' Hij kijkt naar mij. 'Wat denk jij? Was het slachtoffer dat hier is vermoord de laatste die stierf? Of de eerste?'

'Ik denk de laatste,' zeg ik. 'Toen ik aankwam, was het bloed hier nog vers, maar het bloed op de muren boven zag er droog uit.'
Mijn oog valt op de glazen schuifdeur. Ik loop ernaartoe.
'Barry,' zeg ik, 'kijk hier eens.'
Ik wijs naar de klink. De deur is niet op slot en staat op een kier. Moeilijk te zien, tenzij je er vlakbij staat, zoals wij nu.
'Waarschijnlijk is hij hier naar binnen gekomen,' zegt Callie nadenkend.
'Maak hier een aantal foto's van voordat ik de deur opendoe,' zegt Barry tegen de fotograaf van de technische recherche.
De fotograaf – een ijverige man die Dan heet – maakt snel een paar opnames van de klink en de deur.
'Dat zou genoeg moeten zijn,' zegt Dan.
'Dank je,' zegt Callie glimlachend.
Dan loopt rood aan en staart naar de vloerbedekking, glimlachend, maar niet in staat iets te zeggen. Ik besef dat zijn sprakeloosheid wordt ingegeven door de combinatie van zijn eigen aangeboren verlegenheid en Callies overweldigende schoonheid.
'Graag gedaan,' perst hij eruit en hij loopt weg.
'Wat een schatje,' zegt Callie tegen Barry.
'Mm-mm.' Hij klinkt afwezig, omdat hij geconcentreerd de klink en het slot bekijkt. 'Zo te zien kapot,' merkt hij peinzend op. 'Zonder enige twijfel opengebroken. Ik kan aan deze sporen zien dat er een of ander voorwerp is gebruikt.'
Hij recht zijn rug en duwt met zijn gehandschoende handen de deur open. Van binnenuit gezien schuift die van rechts naar links. Wanneer je van buiten naar binnen komt, zou het van links naar rechts zijn.
Een rechtshandige moordenaar zou hem waarschijnlijk met zijn linkerhand hebben opengeschoven, terwijl zijn rechterhand iets moet hebben vastgehouden – maar wat? Een mes? Een rugzak?
We lopen door de deur de achtertuin in. Het is donker, maar ik zie dat het een flinke tuin is en kan de schimmige randen van een vierkant zwembad ontwaren. Eén middelgrote palmboom reikt links van ons naar de nachtelijke hemel.
'Is hier ook ergens een lamp?' vraagt Barry zich hardop af.
Callie tast in de buurt van de glazen schuifdeur langs de muur van de televisiekamer, op zoek naar een lichtknop. Wanneer ze die heeft gevonden en erop drukt, stokt al het luchthartige geklets waarmee we afstand hebben gecreëerd tussen onszelf en deze aanblik.
De lichtknop is niet alleen voor de tuinlampen, maar ook de verlichting van het zwembad.
'Allejezus,' mompelt Barry.

De lichtblauwe bodem van het zwembad vormt in combinatie met de onderwaterverlichting een glinsterend, fel oplichtend eiland in het donker. Het bloed in het water steekt scherp af tegen het heldere licht, als een zwevende, dieprode wolk. Het drijft er op sommige plaatsen bovenop, een mengeling van stolsel, roze schuim en gladde olie.
Ik loop naar de rand van het zwembad en tuur in het water.
'Geen wapen of kleding te bekennen,' zeg ik.
'Wel een hoop bloed,' merkt Barry op. 'Op sommige plekken kun je de bodem niet eens zien.'
Ik kijk om me heen naar de tuin. Die wordt aan alle kanten omringd door een muur van beton en baksteen van minstens twee meter hoog, een zeldzaamheid in de buitenwijken van Los Angeles.
Langs de bovenkant groeit klimop, die samen met de hoge struiken in deze en de aangrenzende tuinen een enorme privacy biedt. Het huis zelf mag dan gebouwd zijn om zo veel mogelijk licht binnen te laten, maar in de achtertuin is alles erop gericht nieuwsgierige blikken buiten te houden.
Ik denk terug aan de kamer boven, besmeurd met bloed.
Hij heeft er alle tijd voor genomen, denk ik bij mezelf. Daar heeft hij naar hartenlust gespeeld en gekliederd en genoten. Dat moet smerig werk zijn geweest.
'De moordenaar heeft het zwembad gebruikt,' zeg ik.
Callie trekt haar wenkbrauwen op. Barry kijkt me vragend. Het schiet me te binnen dat ik een voorsprong op hen heb; ik heb de slaapkamer gezien, zij niet.
'Luister. Hij doet dit midden op de dag. Het is zaterdag, dus de mensen in deze buurt zijn thuis. Wat nog veelzeggender is: het is een prachtige, zonnige zaterdag. Mensen zijn buiten in hun tuin, fietsen, genieten van het weer.' Ik wijs naar het slaapkamerraam. 'In de slaapkamer heeft hij zich uitgeleefd. Overal zit bloed: op het plafond, op de muren – maar het zijn geen bloedspatten van de moorden zelf. Het bloed zit daar, omdat híj het er heeft aangebracht. Hij moet onder het bloed hebben gezeten. Dat moest hij op een of andere manier wegwassen en dat wilde hij hier doen. Hij vond het leuk om dat hier te doen.'
'Waarom niet binnen, in de badkamer?' vraagt Callie. 'Het is nogal een risico om zo de tuin in te lopen. Privacy of niet – hij moet dan wel het huis uit. Terwijl hij hier buiten is, kan er iemand aanbellen of thuiskomen zonder dat hij er erg in heeft.'
'Om te beginnen is het verstandiger,' zegt Barry. 'Hij weet waarschijnlijk dat we de afvoerpijpen van badkamers controleren. Het is een stuk ingewikkelder om in het filtersysteem van het zwembad iets te vinden wat daar door hem is

achtergelaten. Bovendien is chloor de pest voor elk politieonderzoek.'
Ik bekijk het zwembad. Het is ongeveer zeven meter lang en zo te zien overal even diep. Er is één trap. Glanzende tegels vormen er een soort plankier omheen.
'De tegels zijn hier en daar nat,' merk ik op.
'We moeten maken dat we hier wegkomen,' zegt Callie bits. 'Nu meteen.'
Barry en ik kijken haar verrast aan.
'Waarom zijn de tegels nat?' vraagt ze.
Ik snap het. 'Omdat hij hier heeft rondgelopen, waarschijnlijk naakt, waarschijnlijk op blote voeten, en waarschijnlijk heeft hij hier voetafdrukken achtergelaten. Die wij waarschijnlijk ruïneren als we hier blijven rondklossen.'
'Juist ja,' zegt Barry. 'Oeps.'
'Dit hele stuk zal met ultraviolette lampen moeten worden uitgekamd,' zegt Callie. 'Centimeter voor centimeter, hoe lastig het ook is. Godzijdank mag vanavond iemand anders dat doen.'
Sporen, zoals onzichtbare vingerafdrukken, sperma en bloed, kunnen onder ultraviolette lampen oplichten. Callie heeft gelijk. Als hij hier nonchalant in zijn blootje heeft rondgelopen, bevindt zich op deze plek mogelijk heel veel bewijsmateriaal.
We lopen terug door de glazen schuifdeur, met onze blik nog steeds op de tuin gericht.
'Je zei dat je dacht dat het zwembad niet alleen was bedoeld om sporen weg te spoelen,' zegt Barry.
'Volgens mij...' Mijn stem sterft weg. De gedachte komt in me op zoals dat altijd gebeurt: naar boven zwemmend vanuit een of andere duistere plek, een afgerond geheel. 'Volgens mij vond hij het leuk dat hij iets sinisters in de buitenlucht kon doen. Hij heeft dit gezin midden op de dag vermoord, hij baadde vrijwel in hun bloed en vervolgens heeft hij zich helemaal uitgekleed om lekker een tijdje te zwemmen, terwijl hun lichamen in een ongeventileerd huis lagen te bakken. In de tussentijd hielden bewoners in de buurt verjaardagsfeestjes voor hun kinderen, snoeiden ze hun heg en legden ze hun steaks op de barbecue, niet beseffend dat hij hier was en op zijn eigen manier van de dag genoot.' Ik kijk naar Barry. 'Het gevoel van triomf moet overweldigend zijn geweest. Als een vampier die op klaarlichte dag rondloopt. Dit hele tafereel draait om macht en bezit. De zelfverzekerdheid waarmee hij zich hier overdag durfde te vertonen, de zelfverzekerdheid waarmee hij een mes als moordwapen koos. Het klopt allemaal.'
'Gestoorde hufter,' zegt Barry hoofdschuddend. Hij zucht. 'Goed, hij trekt dus een paar baantjes in het zwembad, ligt misschien een tijdje lui naar de buren te luisteren en geeft zichzelf in gedachten een schouderklopje. De vraag is alleen: in welke volgorde is het gebeurd? Jij zegt dat de plaats delict

op de begane grond vers was. Dat neem ik zo aan, maar hoe zit het dan precies? Hij vermoordt twee slachtoffers boven, schildert wat abstracte kunst met hun bloed, komt naar beneden om te zwemmen en vermoordt dan zijn derde slachtoffer? Wat doet Sarah dan terwijl dit aan de gang is?'
Ik haal mijn schouders op. 'Dat weten we nog niet.'
'Ik heb er zo de pest aan wanneer ze me ervoor laten werken,' verzucht hij. 'Hé, Thompson!' buldert hij dan zo hard dat ik schrik. Als bij toverslag duikt de twintigjarige in uniform op die ons eerder vandaag de toegang tot het huis wilde verbieden.
'Ja?' vraagt hij.
'Laat niemand toe in deze achtertuin, tenzij het hoofd van de technische recherche daar toestemming voor geeft.'
'Komt voor elkaar.' Hij gaat bij de glazen schuifdeur staan. Hij is te jong. Nog steeds opgewonden omdat hij hier mag zijn.
'Klaar om de slaapkamer te bekijken?' vraagt Barry aan ons.
Het is een retorische vraag. We snuffelen langs het spoor, zorgen dat er dingen gebeuren, vormen in gedachten een totaalbeeld.
Doe dit wanneer het spoor nog warm is.
We verlaten de televisiekamer en nemen de trap naar boven, Barry voorop, Callie achter me. We komen boven aan. Barry gluurt de kamer in.
'Is het echt nodig dat jullie allebei binnenkomen?' vraagt een kritische stem. 'Dat jullie allebei over alles heen banjeren?'
Die knorrigheid is afkomstig van John Simmons, het hoofd van het dienstdoende team van de technische recherche van de LAPD. Hij is chagrijnig en bot, en vertrouwt letterlijk niemand anders wanneer het aankomt op het inzamelen van bewijsmateriaal in een moordzaak. Deze karaktereigenschappen worden hem vergeven; hij is een van de allerbesten.
'Alle drie zelfs, honey-love,' zegt Callie en ze doet een stap naar voren, zodat hij haar ook kan zien.
Simmons is niet jong meer. Hij doet dit al heel lang, hij is eind vijftig, en dat is hem aan te zien. Een glimlach van hem is als een diamant: zeldzaam en alleen zichtbaar bij de juiste gelegenheden. Callie verdient er blijkbaar een.
'Calpurnia!' roept hij en hij grijnst van oor tot oor. Hij komt naar ons toe en duwt Barry en mij opzij om haar te kunnen omhelzen.
Callie glimlacht en omhelst hem ook, terwijl Barry verdwaasd toekijkt. Ik heb dit gedrag eerder meegemaakt en ben bekend met de achtergrond ervan. Barry niet.
'Ik heb tijdens mijn studie forensische geneeskunde stage gelopen bij Johnny,' legt Callie aan Barry uit.
'Zeer begaafd,' zegt Simmons teder. 'Calpurnia was een van mijn spaarzame

successen. Iemand die de wetenschap werkelijk op waarde schat.'
Dan kijkt Simmons naar mij. Hij bestudeert mijn littekens open en eerlijk, maar het irriteert me niet. Ik weet dat zijn belangstelling wordt ingegeven door oordeelloze nieuwsgierigheid.
'Special agent Barrett,' zegt hij met een hoofdknikje.
'Dag, meneer Simmons.'
Ik spreek John Simmons altijd aan met 'meneer'. Dat is wat hij in mijn ogen is en hij heeft me nog nooit uit die droom geholpen. Callie is de enige die ik ken die hem 'Johnny' noemt, net zoals hij de enige is van wie ik me kan voorstellen dat hij ermee wegkomt haar met 'Calpurnia' aan te spreken, de naam die ze zo verschrikkelijk vindt.
'Goed, Calpurnia,' zegt hij en hij wendt zich weer tot Callie, 'kan ik ervan op aan dat je goed op mijn plaats delict past? Erop let dat er niets belangrijks wordt vertrapt of aangeraakt?'
Callie heft haar rechterhand op en legt haar linkerhand op haar borst. 'Dat beloof ik. Johnny?'
Ze stelt hem op de hoogte van de achtertuin. Hij schenkt haar nogmaals een tedere glimlach.
'Daar zal ik direct iemand op zetten.' Hij werpt Barry en mij een laatste wantrouwende blik toe en doet dan een stap opzij.
We gaan de kamer binnen. Simmons laat ons alleen en loopt naar beneden om zijn mensen aan het werk te zetten. Ondanks zijn gemopper heeft hij begrip voor dit gedeelte: de behoefte om alles op te nemen. Hij heeft me altijd de ruimte gegeven om dit te kunnen doen, heeft me nooit opgejaagd of over mijn schouder staan meekijken.
Nu Sarah mijn aandacht niet opeist, neem ik de tijd om echt te kijken.
Meneer en mevrouw Dean en Laurel Kingsley, zoals ik nu weet dat ze heten, behoren duidelijk tot de categorie 'gezonde veertigers'. Ze hebben een gebruinde huid, aantrekkelijke gezichten en gespierde benen, en stralen een bepaald soort beschaving uit, een vitaliteit die ik nog steeds kan voelen, zelfs onder deze omstandigheden.
'God, hij barstte echt van het zelfvertrouwen,' zeg ik. 'Niet alleen kwam hij hier in het weekend en overdag, maar hij wist ook nog eens twee energieke, gezonde ouders en twee tieners in bedwang te houden.'
Deans ogen zijn wijd opengesperd en veranderen al in de ogen van een dode, grijs, met een waas erover, als achtergebleven schuim in de badkuip. Laurels ogen zijn dicht. Ze hebben allebei hun lippen opgetrokken, wat me doet denken aan een grommende hond of iemand die met een pistool op zich gericht wordt gedwongen te glimlachen. Deans tong steekt naar buiten, maar Laurels kaken zijn op elkaar geklemd.

Voorgoed nu, denk ik bij mezelf. Ze zal haar tanden en kiezen nooit meer van elkaar halen.
Iets in me zegt me dat deze zorgvuldig verzorgde vrouw dat verschrikkelijk zou hebben gevonden.
'Hij moet een wapen hebben gebruikt om hen te intimideren en dat zal geen mes zijn geweest,' zeg ik. 'Dat is niet bedreigend genoeg voor zoveel slachtoffers. Het moet een pistool zijn geweest. Iets groots en engs.'
Vanaf het sleutelbeen omlaag lijkt het wel alsof ze ieder een handgranaat hebben ingeslikt.
'Een enkele, lange snede bij ieder van hen,' zegt Barry. 'Hij heeft iets scherps gebruikt.'
'Waarschijnlijk een scalpel,' mompel ik. 'Niet helemaal foutloos, trouwens. Ik zie kartelranden in de wonden. Zie je die ruwe stukken?'
'Ja.'
Hij heeft hen met een weifelende, bevende hand opengesneden. Toen heeft hij zijn hand in hen gestoken, wat hij daar tegenkwam vastgegrepen en eraan getrokken, als een visser die een vis schoonmaakt. Nu ik over mevrouw Kingsley gebogen sta, kan ik het middelste gedeelte van haar ruggengraat zien; de belangrijkste organen die me het zicht behoren te belemmeren ontbreken.
'De aarzelend aangebrachte sneden zijn vreemd,' mompel ik.
'Hoezo?' vraagt Barry.
'Omdat hij in alle andere opzichten heel zelfverzekerd was.' Ik buig me voorover om beter te kunnen kijken, deze keer de kelen. 'Toen hij hun keel doorsneed, gebeurde dat wel foutloos, zonder aarzelen.' Ik sta op. 'Misschien duidt dit helemaal niet op aarzeling. Misschien zijn de wondranden gekarteld omdat hij opgewonden was. Misschien heeft hij wel een orgasme gehad terwijl hij hen opensneed.'
'Hè, lekker,' zegt Callie.
In tegenstelling tot Dean en Laurel is de jongen – Michael – onaangetast. Hij ziet bleek door het bloedverlies, maar de vernedering van een totale uitholling is hem bespaard gebleven.
'Waarom heeft hij de jongen met rust gelaten?' vraagt Barry zich hardop af.
'Omdat hij minder belangrijk was – of juist de belangrijkste van allemaal,' zeg ik.
Callie loopt langzaam om het bed heen en bekijkt de lichamen aandachtig. Ze werpt regelmatig een blik op de vloer, kijkt met toegeknepen ogen naar het bloed op de muren.
'Wat zie je?' vraag ik.
'De halsaders zijn bij alle drie de slachtoffers doorgesneden. Gezien de kleur

van de huid zijn ze leeggebloed. Dit heeft plaatsgevonden vóórdat de ingewanden werden verwijderd.'
'Hoe kun je dat zien?' vraagt Barry.
'Te weinig bloed in de onderbuik en op de blootgelegde organen. Wat ons bij een algemener probleem brengt: waar is de rest van het bloed? Van één van de slachtoffers is bekend waar hij is overleden: de televisiekamer beneden. Maar de andere twee?' Ze gebaart om zich heen naar de kamer. 'Het bloed hier zit voornamelijk op de muren. Er zitten een paar vlekken op de vloerbedekking, maar dat is niet genoeg. De lakens en dekens van het bed zijn inderdaad bebloed, maar de hoeveelheid lijkt me verwaarloosbaar.' Ze schudt heel beslist haar hoofd. 'In deze kamer is niemands keel doorgesneden.'
'Dat is mij eerder ook opgevallen,' zeg ik. 'Ze zijn ergens anders leeggebloed. Maar waar?'
Het duurt even, maar dan glijden onze blikken door de korte gang die van de grote slaapkamer naar de grootste badkamer voert. Zonder iets te zeggen kom ik in beweging; Barry en Callie volgen me op de voet.
Zodra we de badkamer binnenstappen, wordt alles duidelijk.
'Tja,' zegt Barry somber, 'dat verklaart inderdaad alles.'
De badkuip is groot, ontworpen om lui in te hangen, gebouwd met loomte in het achterhoofd. Hij is voor iets meer dan een kwart gevuld met stollend bloed.
'Hij heeft hen in het bad laten leegbloeden,' mompel ik. Ik wijs naar twee grote, roestkleurige plekken op de vloerbedekking. 'Toen hij klaar was, heeft hij hen eruit gehaald en daar naast elkaar neergelegd.'
Mijn hersens kraken, mijn beeld van de samenhang tussen verschillende dingen breidt uit. Ik draai me zonder iets te zeggen om en loop terug naar de slaapkamer. Ik onderzoek de polsen en enkels van Dean en Laurel Kingsley. Callie en Barry zijn achter me aan gekomen en slaan me met opgetrokken wenkbrauwen gade.
Ik gebaar naar de lichamen. 'Geen verwondingen aan hun polsen of enkels. Je zit met twee volwassenen. Je dwingt hen zich helemaal uit te kleden, je stopt hen een voor een in een badkuip, je snijdt hun een voor een de keel door, je laat hen een voor een leegbloeden – klinkt dat logisch?'
'Ik snap waar je naartoe wilt,' zegt Barry. 'Ze zouden zich ongetwijfeld hebben verzet. Hoe krijgt hij het voor elkaar? Ik denk niet dat een opmerking als "Trek maar een nummertje, dan vermoord ik jou hierna" voldoende was geweest.'
'Ockhams scheermes,' antwoord ik. 'De eenvoudigste oplossing: ze hebben zich dus niet verzet.'
Barry fronst verbluft zijn voorhoofd, maar dan klaart zijn gezicht op en hij

knikt. 'Natuurlijk,' zegt hij. 'Ze waren bewusteloos. Misschien wel verdoofd met een of ander goedje.' Hij maakt een nieuwe aantekening in zijn opschrijfboekje. 'Ik zal vragen of daar tijdens de autopsie op kan worden gelet.'
'Weet je,' zeg ik hoofdschuddend, 'als dit waar is, moest hij drie lichamen versjouwen, inclusief dat ene dat hij van beneden naar boven moest brengen.' Ik kijk Barry aan. 'Hoe lang zou meneer Kingsley zijn? Een meter tachtig?'
'Een meter tachtig of vijfentachtig,' knikt hij instemmend. 'Hij weegt waarschijnlijk zo'n vijfentachtig kilo.'
Ik fluit. 'Hij moest de bewusteloze Kingsley dus in de badkuip hijsen...' Ik schud mijn hoofd. 'Hij moet wel erg lang of sterk zijn, of allebei.'
'Nuttige info,' knikt Barry. 'We zijn dus niet op zoek naar een klein ventje.'
'Ze kunnen natuurlijk ook met z'n tweeën zijn geweest,' merkt Callie met een blik op mij op. 'Het fenomeen van duodaders is ons toch niet onbekend?'
Ze heeft gelijk. Samenwerkende moordenaars zijn niet ongebruikelijk. Mijn team en ik hebben meer dan eens met gestoorde koffiekransjes te maken gehad.
'Geen zichtbare sporen van seksueel geweld,' merkt Barry op, 'maar dat zegt niet zoveel. Dat weten we pas zeker wanneer ze de lichamen serieus kunnen onderzoeken.'
'Laat hen de jongen als eerste doen,' zeg ik.
Barry kijkt me met één opgetrokken wenkbrauw aan.
'Zijn ingewanden zijn intact gelaten.' Ik wijs naar Michaels lichaam. 'Bovendien is hij schoon. Ik denk dat de moordenaar hem heeft gewassen nadat hij was overleden. Het heeft er zelfs veel van weg dat hij zijn haar heeft gekamd. Misschien was het niets seksueels, maar er was beslist iets aan de hand. Minder woede jegens Michael, om wat voor reden dan ook.'
'Begrepen,' zegt Barry, terwijl hij in zijn opschrijfboekje krabbelt.
Ik laat mijn blik door de kamer glijden, langs de bloedvegen op de muren en het plafond. Op sommige plekken is het bloed er zo te zien losjes op gespetterd, als door een kunstenaar die een blik verf op een wit doek gooit. Er zitten echter ook ingewikkelder patronen bij. Krullen en symbolen. Vegen. Het meest opvallende eraan is dat het werkelijk overal zit.
'Het bloed is heel belangrijk voor hem,' mompel ik. 'Het verwijderen van de ingewanden en organen ook. Niets wijst erop dat de slachtoffers zijn gemarteld en ze zijn leeggebloed voordat ze zijn opengesneden. Het ging hem niet om hun pijn. Het was hem te doen om de binnenkant. Vooral het bloed.'
'Waarom?' vraagt Barry.
'Dat kan ik je niet zeggen. Er zijn te veel mogelijkheden wanneer het bloed betreft. Bloed is leven, je kunt bloed drinken, je kunt bloed gebruiken om de

toekomst te voorspellen – kies zelf maar. Het is wel belangrijk.' Ik schud mijn hoofd. 'Vreemd.'
'Wat?'
'Alles wat ik tot nu toe heb gezien, wijst op een ongeorganiseerde dader. De verminkingen, de bloedschilderingen. Ongeorganiseerde daders zijn chaotisch. Het kost hun moeite dingen vooruit te plannen en ze kunnen zich moeilijk beheersen. Ze raken snel de controle kwijt.'
'Ja, en?'
'Waarom heeft die jongen dan zijn ingewanden en organen nog, en waarom leeft Sarah nog? Het klopt niet.'
Barry kijkt me peinzend aan. Haalt dan zijn schouders op.
'Laten we haar kamer maar gaan bekijken,' stelt hij voor. 'Misschien vinden we daar het antwoord.'

11

'Wauw,' merkt Callie op.
De reden voor deze zachte uitroep is tweeledig.
De eerste – en meteen ook de meest voor de hand liggende – zijn de woorden die op de witte muur naast het bed staan gekalkt.
'Is dat bloed?' vraagt Barry.
'Ja,' bevestigt Callie.
De letters zijn enorm. De strepen waarmee ze zijn gevormd, zijn kwaad, stuk voor stuk een teken van haat en razernij.

DEZE PLEK = PIJN

'Wat betekent dat, verdomme?' moppert Barry.
'Geen idee,' antwoord ik. 'Blijkbaar vond hij het belangrijk.'
Net als het bloed en de verwijderde ingewanden en organen.
'Interessant dat hij dit in Sarahs slaapkamer heeft geschreven, vind je ook niet?' vraagt Callie.
'Blabla, puzzels, raadsels, abracadabra,' klaagt Barry. 'Waarom schrijven ze nooit eens iets nuttigs, zoals: "Hallo, ik heet John Smith, je kunt me vinden op Oak Street 222. Ik beken alles."'
De tweede reden voor Callies 'wauw' betreft het interieur. De herinnering aan Alexa's kamer eerder vandaag schiet me te binnen ter vergelijking. Sarahs kamer is in letterlijk alles het tegenovergestelde van supermeisjesachtig.
De vloerbedekking is zwart. De gordijnen voor de ramen zijn zwart en dichtgetrokken. Het bed, een smal tweepersoons hemelbed, is niet zwart – de kussenslopen, lakens en het dekbed die erop liggen echter wel. Alles contrasteert scherp met het wit van de muren.
De kamer zelf heeft het formaat van een aardige kinderkamer. Hij is ongeveer anderhalf keer zo groot als het standaardformaat kinderkamer in de meeste huizen, zo'n drie bij vijf meter. Ondanks het bed, een ladekast, een klein computertafeltje, een boekenkast en een nachtkastje met lades naast het bed blijft er midden in de kamer voldoende ruimte over om er in rond te lopen.
De grootte helpt ook niet. De kamer voelt grimmig en geïsoleerd aan.
'Ik ben geen expert,' zegt Barry, 'maar volgens mij heeft dit kind problemen.

En dan bedoel ik niet alleen die dode mensen in haar huis.'
Ik inspecteer het houten nachtkastje naast het bed. Het heeft ongeveer de hoogte en breedte van een barkruk. Er staat een zwarte wekker op. Mijn belangstelling gaat vooral uit naar de drie laden.
'Kan er iemand komen om dit op vingerafdrukken te onderzoeken?' vraag ik aan Barry. 'Nu meteen, bedoel ik?'
Hij schokschoudert. 'Dat denk ik wel. Hoezo?'
Ik vertel hem over het eind van mijn gesprek met Sarah. Wanneer ik ben uitgesproken, kijkt Barry me ongemakkelijk aan.
'Dat had je niet mogen beloven, Smoky,' zegt hij. 'Ik kan je dat dagboek niet laten meenemen. Punt uit. Dat wéét je.'
Ik kijk hem verrast aan. Hij heeft gelijk, dat weet ik inderdaad. Dat zou de bewijsvoering aantasten en vormt een overtreding van minstens tien andere forensische regels, wat John Simmons ongetwijfeld een rolberoerte zou bezorgen.
'Laten we Johnny er maar even bij roepen,' stelt Callie voor. 'Ik heb iets bedacht.'

Simmons kijkt Sarah Kingsleys kamer rond. 'Goed, Calpurnia. Leg maar eens uit wat precies de bedoeling is.'
'Oké, Johnny. Smoky kan dat dagboek om voor de hand liggende redenen niet meenemen. Ik stel voor dat we door middel van foto's van elke pagina een kopie maken.'
'Je wilt dat mijn fotograaf – nu meteen – tijd uittrekt om een foto te maken van elke pagina uit het dagboek van dat meisje?'
'Ja.'
'Waarom zou ik dit een hoge prioriteit geven?'
'Omdat je dat kunt, honey-love, en omdat het noodzakelijk is.'
'Vooruit dan maar,' zegt hij. Hij draait zich om en loopt naar de deur. 'Ik zal Dan naar boven sturen.'
Ik staar hem na, verbaasd over zijn onmiddellijke, volledige overgave.
'Waarom ging dat zo gemakkelijk?' vraagt Barry.
'Het toverwoord was "noodzakelijk",' zegt Callie. 'Johnny verdraagt geen overbodige handelingen op zijn plaats delict. Maar als zijn team iets moet leveren om een zaak op te lossen, laat hij hen dagenlang keihard werken.' Ze glimlacht wrang. 'Ik spreek uit ervaring.'

Het dagboek is uiteraard zwart. Van glad zwart leer en klein. Het is niet mannelijk of vrouwelijk. Het is functioneel.
Dan, de blozende fotograaf, is gearriveerd met zijn camera in de aanslag.

'Wat we willen, honey-love, is een afdruk van elke pagina, op volgorde, groot genoeg om op leesbaar formaat uit te printen.'
Dan knikt. 'Je wilt het dagboek met de camera kopiëren.'
'Precies,' zegt Callie.
Dan bloost weer. Hij kucht. Callies aanwezigheid lijkt hem te overweldigen. 'Geen, eh... probleem,' weet hij er nog net stamelend uit te brengen. 'Ik heb een reservegeheugenkaart van 1 gigabyte die ik hiervoor kan gebruiken; die kun je dan meenemen.'
'Dan hebben we alleen nog iemand nodig die het dagboek openhoudt.' Ze steekt haar handen in de lucht en toont de latex handschoenen die ze al heeft aangetrokken. 'Dat ben ik dus.'

Dan wordt een stuk rustiger zodra hij zich eenmaal veilig achter de lens van zijn camera bevindt. Barry en ik kijken toe terwijl hij de foto's maakt. Het is stil in de kamer, een stilte die slechts wordt onderbroken door het geluid van de camera en Dans gemompelde aanwijzingen aan Callie om een pagina om te slaan wanneer dat nodig is.
Ik vang een glimp op van Sarahs handschrift en ontdek eindelijk iets vrouwelijks. Nauwgezet zonder dat het nuffig is. Een vloeiend, precies schuinschrift, geschreven in – hoe kan het ook anders? – zwarte inkt.
Het is heel veel. Pagina na pagina na pagina vol. Ik merk dat ik me afvraag waarover een meisje dat zich met de kleur zwart omringt schrijft. Ik merk ook dat ik me afvraag of ik dit echt wel wil weten.
Dit gevecht voer ik al mijn hele leven: de strijd om dingen niet te weten. Ik ben me bewust van de schoonheid van het leven wanneer die zich voordoet. Ik ben me er echter ook nooit niet van bewust hoe verschrikkelijk of monsterlijk het leven kan zijn. Geluk, zo is mijn inschatting, zou gemakkelijker te bereiken zijn als ik die twee tegengestelde krachten niet met elkaar hoefde te verenigen, als ik nooit de vraag hoefde te stellen: 'Hoe kan ik gelukkig zijn wanneer ik weet dat iemand nu, op dit moment, iets verschrikkelijks meemaakt?'
Ik herinner me dat ik een keer samen met Matt en Alexa 's avonds naar Los Angeles vloog. We kwamen thuis van een vakantie. Alexa zat in de stoel aan het raam en toen we door de wolken omlaagvlogen, hapte ze naar adem.
'Kijk, mama!'
Ik boog me over haar heen en keek door het raam. Onder ons lag Los Angeles in een zee van lichtjes die zich van horizon tot horizon uitstrekte.
'Mooi, hé?' riep Alexa uit.
Ik glimlachte. 'Dat is het zeker, liefje.'
Het was inderdaad mooi geweest, maar tegelijkertijd ook angstaanjagend. Ik

wist dat er toen, precies op dat moment, haaien rondzwommen in die zee van licht onder ons. Terwijl Alexa lachte en haar ogen uitkeek, wist ik dat daarbeneden vrouwen werden verkracht, kinderen werden misbruikt, iemand krijste terwijl hij te vroeg overleed.
Mijn vader heeft me ooit gezegd: 'Als hij kon kiezen, zou de gemiddelde mens liever glimlachen dan de waarheid horen.'
Ik had ontdekt dat dat waar was, zowel bij slachtoffers als bij mezelf.
Het was puur wensdenken, die hoop op niet weten. Ik zou het dagboek lezen, ik zou me door dat schuine zwarte handschrift laten meevoeren naar waar het me wilde brengen, en dan zou ik weten wat het me wilde laten weten.
Het geluid van de camera vult de kamer en ik schrik telkens wanneer hij klikt, als een pistoolschot.

Het loopt tegen negenen wanneer ik naar beneden ga. John Simmons ziet Barry en mij, en wenkt ons. Hij heeft een digitale camera in zijn hand.
'Ik dacht dat jullie het wel fijn zouden vinden om te horen,' zegt hij, 'dat we een paar voetafdrukken op de tegels hebben aangetroffen. Loepzuiver.'
'Dat is fantastisch,' antwoord ik.
'Jammer dat er geen databestand bestaat om ze mee te vergelijken,' merkt Barry op.
'Toch zijn de afdrukken de moeite waard.'
Barry fronst zijn voorhoofd. 'Waarom?'
Simmons overhandigt hem de camera. 'Kijk zelf maar.'
Het is een digitale 35-mm SLR-camera met een lcd-scherm aan de achterkant, zodat je de gemaakte foto's alvast kunt bekijken. De resolutie van deze camera's is inmiddels zo aanzienlijk dat ze tegenwoordig het belangrijkste middel vormen om opgespoorde afdrukken mee vast te leggen. De foto op het beeldscherm is klein, maar we zien wat John bedoelt.
'Zijn dat littekens?' vraag ik.
'Volgens mij wel.'
De voetzool is ermee bedekt: lange, dunne, horizontale littekens die van de ene zijkant van de voet naar de nadere lopen, niet één ervan in de lengte.
Barry geeft het toestel terug aan Simmons. 'Ooit eerder zoiets gezien?'
'Eerlijk gezegd wel, ja. Ik heb drie keer als vrijwilliger voor Amnesty International geassisteerd bij de lijkschouwing van mogelijke slachtoffers van martelingen en tevens ook bij het verzamelen van bewijsmateriaal op plaatsen waar mogelijk martelingen hadden plaatsgevonden. Deze littekens zijn vergelijkbaar met littekens die worden veroorzaakt wanneer voetzolen met een Spaans rietje zijn afgeranseld.'

Ik grimas. 'Ik neem aan dat dat pijnlijk is?'
'Verschrikkelijk pijnlijk. Indien ondeskundig uitgevoerd – of deskundig, afhankelijk van je doelstelling, natuurlijk – kan het blijvende kreupelheid veroorzaken, maar over het algemeen is het bedoeld als straf en niet om te verminken.'
'Zitten ze op beide voeten?' vraagt Barry.
'Ja.'
We zwijgen en denken na over deze ontwikkeling. De mogelijkheid dat de dader op een bepaald moment in zijn leven is gemarteld, is in elk geval relevant voor zijn profiel.
'Het past bij het beeld van de ongeorganiseerde dader,' merk ik op.
Ook al geldt dat niet voor een aantal andere dingen.
'Het komt hier zelden voor dat voeten met een Spaans rietje worden afgetuigd,' zegt Simmons. 'Dat is vooral gebruikelijk in Zuid-Amerika, delen van het Midden-Oosten, Singapore, Maleisië en de Filippijnen.'
'Verder nog iets wat we moeten weten?' vraagt Barry.
'Voorlopig niet. We nemen de inhoud van het filtersysteem uiteraard mee, en verder is het dus afwachten.'
De forensische aanpak van een plaats delict is een proces van identificatie en individualisatie. Individualisatie vindt plaats wanneer een stuk bewijsmateriaal afkomstig is van één specifieke bron. Vingerafdrukken worden naar één persoon herleid. Kogels kunnen, in de meeste gevallen, tot één bepaald wapen worden herleid. DNA is het ultieme voorbeeld van individualisatie.
Het overgrote deel van het bewijsmateriaal kan alleen worden geïdentificeerd. Identificatie is het proces waarbij bewijsmateriaal wordt geclassificeerd als zijnde afkomstig van een gemeenschappelijke – maar niet unieke – bron. Stukjes metaal die worden aangetroffen in de verbrijzelde schedel van een slachtoffer. De stukjes worden onderzocht en geïdentificeerd als een metaalsoort die gewoonlijk wordt gebruikt bij de productie van hamers. Identificatie.
De paden kunnen elkaar kruisen. We hebben een verdachte. We zoeken uit of de verdachte een hamer bezit. Dat blijkt zo te zijn. Krassen op de schedel van het slachtoffer komen overeen met de kop van de hamer van de verdachte, en bovendien toont nader onderzoek aan dat er aan de randen van de kop DNA van het slachtoffer aanwezig is. We onderzoeken de steel op vingerafdrukken en treffen daar alleen die van de verdachte aan. Identificatie en individualisatie zweren samen en bezegelen zijn lot.
Het is een inspannend proces, dat niet alleen de juiste technische deskundigheid vereist, maar ook het vermogen om logica toe te passen en verbanden te leggen. Ik had het zichtbare waargenomen, het bloed in het zwembadwater,

en veronderstelde op basis daarvan dat de dader had gezwommen. Callie verwerkte deze informatie, zag de natte vloertegel en voerde ons naar een onzichtbare voetafdruk.
De precisie van Sherlock Holmes is een aardige fantasie. In werkelijkheid zijn we een denkend vacuüm. We zuigen alles op, ontleden het en hopen dat we begrijpen wat we vinden.

Ik sta met Barry op het gazon te wachten tot Callie klaar is met fotograaf Dan. Het is een lange dag geweest en de denkende vacuüms zuigen vanbinnen alles op. Alans werk zou er zo ook op moeten zitten. Ik wil hier zo snel mogelijk weg.
Barry haalt een pakje Marlboro uit de borstzak van zijn overhemd. Mijn oude merk, denk ik weemoedig.
'Jij ook een?' vraagt hij en hij houdt me het pakje voor.
Ik verzet me tegen de sterke aandrang er een te pakken. 'Nee, bedankt.'
'Gestopt?'
'Ik zal het met jouw tweedehands rook moeten doen.'
'Ach,' zegt hij onbaatzuchtig, terwijl hij een lucifer aansteekt. 'Ik wil best wat rook in je gezicht blazen, als je het vriendelijk vraagt.'
Hij houdt de vlam erbij, het puntje gloeit rood op en hij neemt een diepe, genoegzame trek.
Ik kijk toe hoe hij de rook uitblaast. Die vormt een enorme wolk die zonder bries voor ons blijft hangen. Mijn neusgaten sperren zich open. De zoete geur van verslaving – mmm.
'Ik wil morgenochtend naar dat meisje toe,' zegt Barry. 'Het zou goed zijn als jij meeging.'
'Bel me morgenochtend maar op mijn mobieltje.'
'Doe ik.' Hij blaast weer wat rook uit en gebaart met een hoofdknikje naar het huis. 'Wat is jouw indruk tot nu toe?'
'Het is allemaal erg verwarrend. Het enige wat duidelijk is, is dat er een boodschap schuilgaat achter zijn daden. De vraag is alleen: is de boodschap voor ons bedoeld of voor hemzelf? Wil hij dat wij begrijpen wat al dat bloed betekent, heeft hij daarom de woorden op de muur achtergelaten? Was dat een berekenende daad? Of heeft hij het gedaan omdat stemmen in zijn hoofd hem dat opdroegen?' Ik draai me om, zodat ik met mijn gezicht naar het huis sta. 'We weten dat hij zelfverzekerd, schaamteloos en vakkundig is. We weten niet of hij een georganiseerde of ongeorganiseerde dader is. We weten nog niet waarvoor hij bang is.'
Barry fronst zijn wenkbrauwen. 'Waarvoor hij bang is? Wat bedoel je daarmee?'

'Seriemoordenaars zijn narcisten. Ze kennen geen empathie. Ze kiezen hun werkwijze om te doden of martelen niet op basis van wat hun slachtoffers angst inboezemt. Daarvoor is empathie nodig. Ze kiezen hun werkwijze en hun slachtoffers op basis van wat zijzelf vrezen. Een man die bang is om te worden afgewezen door beeldschone blonde vrouwen ontvoert hen en martelt hen met brandende sigaretten, totdat ze hem vertellen dat ze van hem houden, omdat zijn beeldschone blonde mama zijn pikkie schroeide met haar mentholsigaretten. Dat is een heel eenvoudige voorstelling, maar het is in feite wel de waarheid. De werkwijze en het slachtoffer zijn het belangrijkst. De vraag waarop ik nog steeds het antwoord niet heb is: wie was hier het slachtoffer? Sarah, de Kingsleys of allebei? Het antwoord op die vraag zal ons naar al het andere leiden.'

Barry staart me aan. 'Er zit een hoop duistere rotzooi in dat hoofd van jou, Barrett.'

Ik wil net antwoorden wanneer mijn telefoontje overgaat.

'Special agent Barrett?' Een mannenstem die me vaag bekend voorkomt.

'Met wie spreek ik?'

'Al Hoffman, mevrouw. Ik beman de hotline.'

De 'hotline' is de benaming van de FBI in LA voor de dag en nacht bereikbare variant op een antwoordservice. Ze hebben daar de nummers van echt iedereen, tot de adjunct-directeur aan toe. Wanneer bijvoorbeeld iemand van Quantico buiten kantoortijd iemand van hier wil spreken, bellen ze de hotline.

'Wat is er, Al?'

'Ik heb net een bizar anoniem telefoontje voor u gehad.'

Mijn nekharen staan recht overeind.

'Man of vrouw?'

'Man. Zijn stem klonk gedempt, alsof hij iets voor het mondstuk hield.'

'Wat zei hij?'

'Hij zei, en ik citeer: "Vertel die trut met die littekens dat er nog een moord heeft plaatsgevonden en dat deze plek gelijkstaat aan gerechtigheid." Hij heeft me een adres gegeven in Granada Hills.'

Ik zeg niets.

'Special agent Barrett?'

'Heb je het nummer getraceerd, Al?'

De vraag is een formaliteit. Na 11 september heeft de hotline een automatische tracering laten installeren, maar dat is eigenlijk vertrouwelijke informatie.

'Een mobiele telefoon. Waarschijnlijk gekloond, gestolen of een ontraceerbaar wegwerpexemplaar.'

'Geef me het nummer toch maar. En het adres ook, alsjeblieft.'
Hij leest het adres voor. Ik bedank hem en verbreek de verbinding.
'Wat is er aan de hand?'
Ik vertel Barry over het telefoontje.
Hij staart me even aan. 'Fuck en shit nog aan toe!' roept hij uit. 'Dat méén je toch niet? Denk je dat dit serieus is?'
'"Deze plek = gerechtigheid?" Het zit er te dicht bij, is te toevallig. Dit is serieus.'
'Die mafkees weet wel hoe hij een zaterdagavond moet verpesten,' mompelt hij. Hij gooit zijn sigaret op straat. 'Ik ga even tegen Simmons zeggen dat ik wegga. Haal jij Rooie, dan moeten we maar gaan kijken wat volgens deze kerel het verschil is tussen pijn en gerechtigheid.'
Alan is nog steeds nergens te bekennen. Ik bel hem op zijn mobieltje.
'Ik zit drie huizen verderop koekjes te eten met mevrouw Monaghan,' zegt hij. 'Een bijzonder aardige dame, die ook als vrijwilliger actief is bij de buurtwacht.'
Alan heeft een onmenselijk geduld wanneer het aankomt op getuigen interviewen. Onverstoorbaar. Zijn 'aardige dame die als vrijwilliger actief is bij de burgerwacht' kan waarschijnlijk worden vertaald met 'chagrijnige, bemoeizuchtige vrouw die iedereen scherp in de gaten houdt en op nog scherpere toon over hen praat'.
Ik stel hem op de hoogte van het telefoontje aan de hotline.
'Wil je dat ik meega?' vraagt hij.
'Nee, eten Ned en jij jullie koekjes maar op en rond het buurtonderzoek af.'
'Komt voor elkaar, maar bel me om te laten weten wat er is gebeurd. En wees voorzichtig.'
Even overweeg ik hem hetzelfde luchtige antwoord – 'Als ik voorzichtig wilde zijn, zou ik helemaal niet naar binnen gaan' – te geven dat ik ook Dawes had gegeven, maar ik doe het niet. Alans stem klinkt te ernstig.
'Dat zal ik doen,' antwoord ik in plaats daarvan.

12

We rijden in oostelijke richting op snelweg 118. De weg is niet druk en evenmin verlaten, een permanente situatie op de snelwegen van Los Angeles.
Ik ben gespannen, prikkelbaar, somber. Deze dag zakt steeds dieper weg in het konijnenhol.
'Waarom jij?' onderbreekt Callie mijn gezwelg in zelfmedelijden.
'Hoezo?'
'Waarom heeft die slechterik jou gebeld?'
Ik denk even na.
'Het kan natuurlijk zo zijn gepland, maar ik denk het niet. Volgens mij was hij erbij.'
'Hè?'
'Volgens mij was hij erbij. Stond hij te kijken. Hij heeft ons zien aankomen en me herkend.'
Vast bestanddeel van profielschetsen en misdaadonderzoek is dat daders terugkeren naar de plaats delict. De redenen daarvoor lopen enorm uiteen: om te zien hoe het onderzoek vordert, om de gebeurtenis opnieuw te beleven, om zich machtig te voelen.
'Ik denk dat hij al die tijd al van plan is geweest ons over de tweede plaats delict in te lichten. Hij besloot eerst in de buurt te blijven rondhangen om te zien wat er zou gebeuren en het dan te melden. Toevallig waren wij dat.'
'Hij heeft je dus herkend.'
'Helaas wel,' verzucht ik.
'Barry heeft zijn richtingaanwijzer aan voor de afrit.'
Hij kent de buurt waar we naartoe gaan, een flatgebouw.
'Niet direct een krot, maar ook bepaald geen fraaie villa,' had hij gezegd. 'Ik heb daar een jaar of vier geleden een zelfmoordgeval gehad.'
Ik volg hem en we rijden Sepulveda Boulevard op. Het is hier drukker dan op de snelweg. Het is zaterdagavond en mensen gaan ergens naartoe, hebben dingen te doen – de tredmolen des leven.
'Ik vraag me af of deze plaats delict recenter is dan de vorige,' zegt ze. 'Denk je dat hij nu pas op gang komt? Hier de hele avond mee doorgaat?'
'Ik heb echt geen flauw idee, Callie. Die vent stelt me echt voor een volslagen raadsel. Hij beent een heel gezin uit, maar raakt de jongen niet aan en

laat Sarah leven. Hij verft de kamer met hun bloed, maar denkt wel zo ver vooruit dat hij hen verdooft. Aan de ene kant lijkt hij psychotisch en ongeorganiseerd, aan de andere kant is hij heel doelgericht en beheerst. Het is bizar.'

Ze knikt instemmend. 'Die duik in het zwembad was een opwelling.'

Moordenaars zijn mensen, en mensen zitten ingewikkeld in elkaar. In de loop der jaren hebben we echter geleerd dat we naar bepaalde patronen moeten zoeken. Alle seriemoordenaars voelen de aandrang om te moorden. Het achterliggende hoe en waarom kan mijlenver uit elkaar liggen.

Georganiseerde moordenaars, de Ted Bundy's van deze wereld, volgen meestal een plan. Dit zijn koele kikkers, helder van geest. Ze zijn voorzichtig en koelbloedig, tot aan het moment waarop de daad plaatsvindt. Voor hen is het niet per se nodig hun slachtoffers onpersoonlijk te maken en het zijn vaak uitstekende acteurs, die zich onopvallend onder ons mengen en hun ziekte onherkenbaar maken.

Ongeorganiseerde moordenaars zijn anders. Dit zijn de Jeffrey Dahmers, de Son-of-Sams. Het kost hun moeite zich onopgemerkt te mengen onder de mensen om hen heen. Vaak vallen ze hun buren of collega's lastig met hun vreemde gedrag. Het is moeilijk voor hen hun driften onder controle te houden en ze vinden het moeilijk zich aan langetermijnplanning te houden. In de methodologie van de ongeorganiseerde moordenaar kom je gelegenheidsslachtoffers en slachtoffers van extreme verminkingen tegen. Dit is de wereld van spontaan kannibalisme, van vrouwen van wie de borsten of geslachtsdelen zijn weggerukt.

Van een man en zijn vrouw, van hun ingewanden ontdaan als bij herten.

Een dergelijke vergaande daad komt voort uit een vlaag van pure razernij. Het is heel ongebruikelijk dat een moordenaar met zo'n geestesgesteldheid er bewust voor kiest om Sarah te laten leven. Toch heeft hij dat gedaan.

'Blijkbaar volgt hij een plan,' zegt Callie. 'Misschien is alles niet wat het lijkt.'

'Wat Sarah zei, duidt erop dat zij het beoogde slachtoffer was. Waarom dan al dat geweld jegens de anderen? Het klopt gewoon niet.'

'Dat komt nog wel.'

Callie heeft gelijk. Dat komt nog wel, dat gebeurt uiteindelijk namelijk altijd. Misschien worden seriemoordenaars niet altijd gepakt, maar ze zijn nooit – letterlijk nooit – origineel, niet wanneer het aankomt op hun beweegredenen, op wat hen drijft. Ze zijn misschien slimmer dan we gewend zijn, of afschrikwekkender, maar uiteindelijk worden ze allemaal gedreven door een dwangmatig handelen. Een patroon is onvermijdelijk. Dit is een rotsvast gegeven en ze ontkomen er niet aan, hoe rationeel of intelligent ze ook zijn.

'Ik weet het. Hoe zit het nu eigenlijk met die pijn van je en die pijnstillers?' vraag ik. Ik gooi de vraag eruit voordat ik er goed over heb nagedacht.
Callie kijkt me met opgetrokken wenkbrauwen aan. 'Dat is nog eens een abrupte overgang, zeg.' Ik sla rechtsaf, achter Barry aan. 'Volgens de artsen is die het gevolg van een kleine zenuwbeschadiging. Ze zeggen dat het volledig zou moeten herstellen, maar ze zijn minder hoopvol dan ze eerder waren. Het is tenslotte inmiddels een halfjaar geleden.'
'Hoe erg is de pijn?'
'Soms vrij heftig. Dat is het probleem niet, maar wel dat hij er steeds is. Een doffe, zeurende pijn die nooit weggaat is naar mijn nederige mening erger dan af en toe een aanval van ondraaglijke pijn.'
'Helpt de Vicodin echt?'
Ik zie van opzij dat ze glimlacht. 'Smoky, we zijn om heel veel redenen met elkaar bevriend. Een van die redenen is dat we elkaar altijd de waarheid zeggen. Vraag wat je echt wilt weten.'
Ik slaak een zucht. 'Je hebt gelijk. Ik maak me er uiteraard zorgen om dat dat spul verslavend kan zijn. Ik maak me zorgen om jou.'
'Begrijpelijk. De waarheid is dat verslaving onvermijdelijk is. Ik vermoed dat het nu al moeilijk zou zijn om ermee te stoppen. Over nog eens drie maanden is het waarschijnlijk nog erger. Ik zal eerlijk zijn: als hier nooit een oplossing voor wordt gevonden, zal ik de rest van mijn leven een of andere pijnstiller moeten blijven slikken, wat het einde van mijn carrière betekent. Dus, Smoky, lieve vriendin van me, je maakt je terecht zorgen, en je bent niet de enige. Je mag me er één keer per maand naar vragen en ik beloof je dat ik je eerlijk zal zeggen hoe het ervoor staat, zodat je de juiste beslissingen kunt nemen. Afgezien daarvan wil ik het er niet over hebben, oké?'
'Jezus, Callie. Doe je alles wat je van je artsen moet doen?'
'Ja, natuurlijk.' Ze klinkt moe. 'Fysiotherapie is het belangrijkst. Ik wil dit te boven komen, Smoky. Mijn leven draait om vijf dingen: mijn werk, mijn vrienden, mijn dochter, mijn kleinzoon en mijn talrijke, bijzonder bevredigende seksuele ontmoetingen. Daar ben ik best gelukkig mee. Als ik deze baan kwijtraak...' Ze schudt haar hoofd. 'Dan zou er een vrij groot gat ontstaan. Meer wil ik nu niet over mezelf kwijt.'
Ik staar haar aan en zucht. 'Zoals je wilt.'
Ik laat het gaan, maar sla het op onder 'spoed'. Nog een ding dat nooit ver uit mijn gedachten zal zijn. Ik zou hier melding van moeten maken en haar op kantoor moeten laten werken, maar dat kan ik niet, en dat weet ze. Callie gaat net zo meedogenloos met zichzelf om als met de waarheid van bewijsmateriaal. Als ze merkt dat ze een blok aan het been wordt, hoef ik haar niet aan de kant te zetten; dan doet ze dat zelf wel.

Als ik besluit naar Quantico te gaan, dan is de zakelijke kant hiervan natuurlijk mijn probleem niet eens...
Barry slaat linksaf, weer zo'n rustige woonstraat in. Ik rij achter hem aan tot het volgende kruispunt; bij het stopbord slaan we linksaf en onmiddellijk weer rechtsaf, de parkeerplaats van een flatgebouw op.
'Nu begrijp ik wat hij bedoelde toen hij deze plek beschreef,' merkt Callie op en ze kijkt door het raam.
Het is een oud flatgebouw van een type dat in de jaren zeventig veel werd gebouwd: twee woonlagen van ongeveer veertig appartementen rondom een binnentuin. Het is versierd met donkerbruin hout en het gestuukte beton is smerig en zit vol scheuren. Het wegdek van de parkeerplaats is gebarsten en de verfstrepen die de randen van de parkeerplekken moeten aangeven ontbreken. Twee grote, blauwe afvalbakken staan tegen de gevel van het gebouw. Ze zitten allebei stampvol.
We stappen uit de auto en lopen naar Barry toe.
'Leuk, hè?' zegt hij met een gebaar naar onze omgeving.
'Ik heb wel erger gezien,' antwoord ik, 'maar ik zou hier niet willen wonen.'
'Tja, ach, de binnentuin was vroeger best aardig. Wat is het nummer van de flat?'
'20.'
'De eerste verdieping. Kom mee.'

Barry heeft gelijk: de binnentuin is best aardig. Niet fantastisch, maar beter dan de buitenkant. In het midden staan bomen met daaromheen gras, en alles is goed onderhouden. De flatdeuren van beide woonlagen kijken uit op de tuin en vormen samen een groot vierkant. Je kunt de stad horen, maar het ligt vrij geïsoleerd. De tuin was bedoeld als een oase van privacy, maar het ontwerp was te klein, te afgesloten. Hij voelt nu aan als een val of een kooi. Huifkarren in een cirkel opgesteld om het dreigende, onvermijdelijke beleg van de stad af te weren.
'Flat 20 is in de linkerbovenhoek,' zegt Barry.
'Na jou,' antwoord ik.
We trekken onze wapens en lopen via de trap naar boven. Achter de meeste ramen zie ik licht branden. Hier doet iedereen zijn gordijnen dicht; het is de enige manier om wat privacy te hebben. We bereiken de bovenste trede. De deur van flat 20 is de tweede deur rechts van ons.
Barry drukt zich tegen de muur aan en schuift snel naar de deur toe. We volgen hem op de voet. Hij steekt zijn vrije hand uit en klopt hard. Het geklop van een politieman.
'Politie. Doe alstublieft de deur open.'

Stilte.
Eigenlijk heerst overal om ons heen stilte. Zo-even stonden er nog televisies aan, waren er radio's hoorbaar. Nu is alles heel stil. Ik voel dat de andere bewoners staan te luisteren, dat ze om die huifkarren heen draaien.
Barry klopt nogmaals, harder nu.
'Doe alstublieft open. Dit is de politie van Los Angeles. Als u de deur niet opendoet, zijn we gedwongen het pand te betreden.'
We wachten.
Weer geen reactie.
'Het telefoontje geeft ons gegronde reden,' zegt hij schouderophalend. 'Eens kijken of de deur op slot zit. In dat geval moeten we de beheerder opsnorren.'
'Ga je gang,' zeg ik tegen hem.
Hij steekt een hand uit en probeert de deurknop uit. Die geeft mee. Hij kijkt over zijn schouder naar ons.
'Klaar?'
We knikken.
Hij gooit in één vloeiende beweging de deur open en schuift meteen naar rechts. Zijn pistool komt in een tweehandige greep omhoog. Ik neem de lege plaats aan de linkerkant in en doe hetzelfde.
We kijken recht in een kleine woonkamer met een aangrenzende keuken. De lelijke bruine vloerbedekking is laagpolig, oud en vies. Tegen één muur staat een zwartleren bank tegenover een goedkoop televisiemeubel met daarin een kleine televisie. Die staat aan, met het geluid zacht. Een infomercial voor een of andere unieke zakelijke kans mompelt zacht.
'Hallo?' roept Barry.
Geen antwoord.
Voor de leren bank staat een goedkope, sjofele salontafel. Ik zie dat er verschillende pornobladen op liggen en iets wat eruitziet als een pot vaseline. Rechts daarvan staat een asbak boordevol peuken.
'Het ruikt hier naar zweetvoeten en scheten,' moppert Barry zacht.
Hij loopt de flat binnen, met zijn pistool nog steeds in de aanslag. Ik loop achter hem aan. Callie volgt me. Wanneer we bij de keuken aankomen, zien we niets bijzonders, afgezien van een porseleinen gootsteen vol vuile vaat. Een ouderwetse tweedeurskoelkast bromt.
'De slaapkamers zijn achterin,' zegt Barry.
Het is maar een klein stukje door een korte gang naar de slaapkamers. Rechts van ons ligt de enige badkamer. Ik zie witte tegels, een witte badkuip. Hij is klein en smerig, en ruikt naar urine. Niets opvallends op de plank bij de wastafel. De spiegel zit vol vlekken en vuil.
De slaapkamers liggen naast elkaar. De deur van de rechterkamer staat open

en ik zie dat deze ruimte is ingericht als een soort kantoor aan huis. Er staat een oud metalen bureau met daaronder een computer, een plat klein beeldscherm en een boekenkast die is gemaakt van B2-blokken en houten planken van dertig centimeter bij een meter tachtig. De planken zijn vrijwel helemaal leeg, afgezien van een paar paperbacks en pornovideo's. Op een ervan staat een hasjpijp, voor een kwart gevuld met troebel water.
Wat een trieste, vreemde plek is dit, bedenk ik. De enige spullen van waarde die ik heb kunnen ontdekken, zijn de bank, de televisie en de computer. Verder is alles goedkoop, tweedehands en versleten, met een zweem van vervuilde verloedering.
'Ik ruik iets,' zegt Barry zacht en hij knikt naar de deur van de andere slaapkamer, die gesloten is.
Ik loop ernaartoe en daar is het weer: die weeïge, doordringende geur, een mond vol muntjes.
'Ik doe hem open,' zegt Barry.
'Ga je gang,' antwoord ik en ik pak mijn pistool stevig vast. Mijn hart bonst als een bezetene. Barry en Callie zien er net zo gespannen uit als ik me voel. Waarschijnlijk zie ik er ook net zo gespannen uit als ik me voel.
Hij grijpt de deurknop beet, aarzelt even en gooit hem dan wijd open. Tegelijkertijd richt hij zijn pistool.
De stank van bloed golft naar buiten om ons te begroeten, samen met de lucht van zweet, ontlasting en urine. Ik zie de beloofde woorden op de muur boven het bed staan:

DEZE PLEK = GERECHTIGHEID!

Ze komen trots, brutaal en bijna vreugdevol op me over.
Onder de woorden ligt iets wat ooit een man is geweest. Naast de man ligt een meisje; haar huid heeft een onnatuurlijke albasten kleur.
We laten alle drie onze wapens zakken. De dreiging is aanwezig geweest, maar alweer vertrokken.
In deze slaapkamer wordt het leidmotief van de flat voortgezet: klein en treurig. Vieze kleren liggen in een hoek op de vloer. Het bed is tweepersoons en bestaat slechts uit een matras op een boxspring met een metalen onderstel. Geen hoofd- of voetenbord. Geen ladekast.
Op het bed ligt een blote man, wiens ingewanden eruit zijn gerukt. Hij is een latino. Een kleine man – ik schat zijn lengte op ongeveer een meter zeventig – en mager, té mager. Waarschijnlijk de roker. Zijn donkere haar is doorschoten met grijs en ik vermoed dat hij ergens tussen de vijftig en vijfenvijftig jaar moet zijn geweest.

Het meisje is blank en heeft zo te zien nog maar net haar tienerjaren bereikt. Ze heeft een leuk gezichtje en donkerblond haar. Kleine, parmantige borsten. Sproeten op haar schouders. Haar schaamstreek is geschoren. Afgezien van de snee in haar hals heeft ze geen verwondingen. Het valt me op dat haar ogen net als die van Laurel Kingsley dicht zijn. Zo te zien is ze geen familie van de man en ik verbaas me over haar aanwezigheid hier, op deze treurige plek, bij deze oudere man en zijn met blootbladen en vaseline getooide salontafel.
Ik verbaas me ook over iets anders, een subtielere overeenkomst tussen deze plaats delict en die bij de Kingsleys: het feit dat hij beide kinderen intact heeft gelaten, terwijl alle volwassenen van hun ingewanden zijn ontdaan.
Hij vermoordt de kinderen, maar verminkt hen niet. Waarom niet?
'Deze ruimte is te klein,' zegt Callie. 'Het is beter om hier niet naar binnen te gaan voordat de technische recherche is geweest.'
'Akkoord,' zegt Barry en hij stopt zijn pistool weg. 'Beslist dezelfde vent, denk je ook niet, Smoky?'
'Geen twijfel mogelijk.'
Het gezicht van de man is verstard in een kreet, misschien een schreeuw. Het gezicht van het meisje is kalm, passief, wat ik veel enger en deprimerender vind.
'Oké, Smoky, ik ben nu officieel overbelast en ik verzoek officieel om assistentie.'
Ik dwing mezelf mijn hoofd af te wenden van de veel te neutrale gelaatstrekken van het dode meisje. 'Je weet wat dat betekent,' zeg ik tegen Callie.
Ze zucht even, een korte opbolling van haar wangen. 'Ik ga Gene wakker bellen, dan kunnen we hier aan de slag.'
Gene Sykes is het hoofd van het misdaadlab van de FBI in LA. Callie en hij hebben in het verleden al vaker samengewerkt. Ze zullen deze plaats delict ook samen doornemen, en ik weet dat ze alles wat er te vinden is ook zúllen vinden.
'Wacht even,' zeg ik, want ik bedenk opeens iets. 'Hoe verhoudt dit zich qua chronologie tot de Kingsley-moorden?'
'Afgaand op de staat van de lijken zou ik zeggen dat deze plaats delict ongeveer een dag oud is,' zegt ze.
'Hij heeft dus eerst hier toegeslagen en is toen onmiddellijk doorgegaan met de Kingsleys. Vreemd.'
'Hoezo?' vraagt Barry.
'Rituele seriemoorden verlopen volgens een bepaalde cyclus. Eerst vindt de moord plaats. Na de daad volgt een depressieve reactie. Dan heb ik het niet over je een beetje depri voelen – nee, dan bedoel ik een intense, afmattende

inzinking. Maar deze dader heeft eerst deze moorden gepleegd, is de volgende dag opgestaan en heeft de Kingsleys vermoord. Het is niet onmogelijk, maar wel ongebruikelijk.'
'Zwaar klote,' stelt Barry vast.

Terwijl Callie Gene probeert te bereiken, word ik gebeld door Alan.
'Ik ben hier klaar. Gaat alles goed?' vraagt hij.
'Dat hangt ervan af wat je onder "goed" verstaat.' Ik vertel hem over de tweede plaats delict.
'Hij heeft ons een grote gunst bewezen.'
'Een grote gunst' is onze manier om te zeggen dat de dader ons een tweede plaats delict heeft gegeven zonder dat we lang over de eerste hoefden na te denken. Meestal levert een eerste plaats delict eenvoudigweg niet voldoende bewijsmateriaal op om ons naar de dader te leiden. In zulke gevallen kunnen we alleen maar afwachten totdat hij opnieuw toeslaat en hopen dat hij de tweede keer iets nonchalanter is. Of de derde keer. Of de vierde. Het is ontmoedigend en veroorzaakt een enorm schuldgevoel. 'Een grote gunst' is sarcastisch bedoeld – en toch ook weer niet. Hij heeft ons een tweede plaats delict geschonken en we hoeven ons er niet schuldig over te voelen, want het is gebeurd voordat deze zaak onder onze verantwoordelijkheid viel. Van nu af aan ligt dat anders.
'Inderdaad. Wat heb jij ontdekt?'
'Niets. Niemand heeft iets bijzonders opgemerkt. Geen verdachte voertuigen, geen verdachte personen. Zo'n buurt is het nu eenmaal. Het midden van het midden.'
Alan verwijst naar een studie die hij me onlangs heeft gestuurd. Het betrof de toepassing van sociologie op misdaadonderzoek. Daarin werd opgemerkt dat de veranderingen in de technologie en de waargenomen stijging van criminaliteit in combinatie met economische factoren ons werk moeilijker maakten. Buurten waren vroeger op de gemeenschap gericht. Mensen kenden doorgaans al hun buren. Voor het niet-forensische deel van het onderzoek betekende dat een groter aantal oplettende getuigen en een omgeving waarin een buitenstaander opviel.
Maar de tijd stond niet stil en dingen veranderden. Vrouwen gingen werken. Informatie over misdaad en misdadigers werd steeds beter verspreid naarmate het bereik van de televisie toenam. Het drong tot mensen door dat de buurman een kinderverkrachter kon zijn, dat de quarterback van de middelbare school zijn vriendinnetje seksueel kon misbruiken, en ze draaiden en masse rondjes om de huifkarren.
Tegenwoordig, zo constateerde de studie, ontbrak in de meeste door de mid-

denklasse bewoonde buurten – 'het midden van het midden' – die vroegere gemeenschapszin. Het overgrote deel van de bewoners kent misschien de namen van de buren aan weerszijden nog, maar daar houdt het wel zo'n beetje op.

Armere buurten daarentegen zijn vaak veel hechter. Rijke wijken zijn over het algemeen meer gespitst op beveiliging en op hun hoede. De studie concludeerde dat de beste plek voor een misdadiger om toe te slaan 'het midden van het midden' was, waar elk huis een klein eiland is, en dat in deze buurten een misdaad eerder werd opgelost met behulp van de forensische wetenschap dan met getuigen.

'Goed,' gaat Alan verder, 'drie huizen verderop was een verjaardagsfeestje aan de gang. Daar waren veel kinderen en ouders.'

'Dat betekent dus dat hij niet opvalt.' Ik denk na. 'Misschien had hij een uniform aan.'

'Dat denk ik niet. Ik heb het gevraagd, maar niemand kon zich herinneren iemand van het gas, de elektriciteit of een telefoonbedrijf te hebben gezien. In het weekend zou dat toch al geen slimme zet zijn geweest.'

'Omdat hij dan juist zou opvallen.'

'Precies.'

'Hij heeft wel ontzettend veel lef, Alan. Overdag, wanneer iedereen thuis is. Waarom?'

'Jij denkt dat dit iets betekent.'

'Dat denk ik niet, dat wéét ik. Je neemt zo'n risico niet zonder goede reden. Hij wil iets duidelijk maken en doet dat door hen juist op dat tijdstip te grazen te nemen.'

'Wat dan?'

Ik zucht eens diep. 'Dat weet ik nog niet.'

'Je komt er nog wel achter. Wat is onze strategie?'

'Barry heeft officieel onze hulp ingeroepen, dus we mogen meedoen – maar ga jij maar naar huis. We pakken morgen de draad weer op.'

'Zeker weten?'

'Ja. Ik ga zelf ook zo naar huis. Ik heb te veel informatie en niet genoeg antwoorden. Ik heb ruimte nodig om na te kunnen denken en de technische recherche heeft tijd nodig om hun werk te kunnen doen.'

'Bel me morgen.'

Ik verlaat het appartement. Barry staat buiten tegen de balustrade geleund. De hemel is helder vanavond; ik zie meer sterren dan anders. De schoonheid ervan ontgaat me echter.

Wat stinkt er zo? O ja, dat ben ik. Ik ruik naar de dood.

'Al enige logica kunnen ontdekken?' vraagt Barry.

'Geen antwoorden, alleen maar meer vragen.'
'Zoals?'
'Verbanden. Hoe sluiten de Kingsleys aan bij de twee lijken daarbinnen? Wat is er met de kinderen, waarom verminkt hij hen niet? Waarom doet hij alleen de ogen van de vrouwen dicht? Waarom heeft hij Sarah laten leven, en wat is haar connectie met deze plaats delict? Is er wel een connectie?' Ik gooi uit pure frustratie mijn handen in de lucht.
'Oké. Hoe wil je het verder gaan aanpakken?'
'Callie, Gene en hun team nemen de boel hier voor hun rekening. Simmons zit bij de Kingsleys. Morgen gaan we Sarah verhoren, en we hebben het dagboek.' Ik zwijg en kijk hem aan. 'Ik ga naar huis.'
Hij trekt verbaasd zijn wenkbrauwen op. 'Echt?'
'Ja, echt. Mijn hoofd tolt, ik heb een tienermeisje ervan weerhouden zichzelf door het hoofd te schieten en ik heb vijf dode mensen gezien, wat er vijf te veel zijn. Mijn hoofd zit barstensvol grotendeels tegenstrijdige info over de dader. Ik wil douchen en een kop koffie, en dan bekijk ik alles opnieuw.'
Hij steekt zijn handen in de lucht in een gebaar van 'niet schieten'. 'Ik kom in vrede.'
Ondanks mezelf grinnik ik. Barry is hier bijna net zo goed in als Callie. Bijna. 'Het spijt me. Zou je nog één ding voor me willen doen vanavond?'
'Natuurlijk.'
'Probeer erachter te komen wie ze zijn. De man en het meisje. Misschien helpt dat me om een paar dingen uit te pluizen.'
'Geen probleem. Ik bel je wel op je mobieltje. Ik zal ook een paar mensen van de uniformdienst laten komen om te assisteren.'
'Bedankt.'
Callie komt het appartement uit gelopen.
'Gene en zijn mensen zijn onderweg, slaperig en chagrijnig.'
Ik vertel haar wat Barry en ik hebben besproken.
'De vakantie is zeker voorbij, hè?'
'Een hele tijd geleden al.'

13

Hoeveel leven kun je in één dag leven?

Ik ben nu thuis, alleen. Bonnie blijft vannacht bij Elaina en Alan slapen. Het zou niet eerlijk zijn geweest om haar wakker te maken alleen maar om mij gezelschap te houden. Ik heb net gedoucht en zit nu op de bank, tegenover de televisie, die niet aanstaat, met mijn voeten op de salontafel, in het niets te staren.

Het kost me moeite om de dag achter me te laten.

Het is een truc die ik mezelf vroeg in mijn carrière heb moeten aanleren: hoe ik een plaats delict achter me moest laten wanneer ik thuiskwam. Hoe kun je die twee werelden, die van de doden en die van de levenden, van elkaar gescheiden houden? Hoe voorkom je dat ze in elkaar overlopen? Dat zijn vragen die iedere politieagent en iedere FBI-agent voor zichzelf zal moeten beantwoorden. Dat is me niet altijd even goed afgegaan, maar ik heb me erdoorheen geslagen. Het begon er gewoonlijk mee dat ik mezelf dwong te glimlachen. Als ik kon glimlachen, kon ik ook blijven glimlachen. Als ik kon blijven glimlachen, kon ik ook lachen. Als ik kon lachen, kon ik de doden laten liggen waar ze lagen.

Mijn mobieltje gaat over. Barry.

'Hallo,' zeg ik.

'Ik heb wat gegevens voor je van de slachtoffers in de flat. Ik weet niet hoe het bij de rest aansluit, maar het is wel interessant.'

Ik graai een opschrijfboekje en een pen van de salontafel.

'Kom maar op.'

'De naam van de man is Jose Vargas. Hij is achtenvijftig en komt oorspronkelijk uit het zonnige Argentinië. Geen voorbeeldige burger. Hij heeft gezeten voor inbraak, geweld, poging tot verkrachting en verkrachting.'

'Leuke vent.'

'Precies. Hij is ook opgepakt omdat hij als pooier optrad, voor kinderverkrachting en misbruik van dieren, maar het is nooit tot een veroordeling gekomen.'

'Misbruik van dieren?'

'Van seksuele aard, blijkbaar.'

'O. Getver.'

'Aan het eind van de jaren zeventig hadden ze het vermoeden dat hij wellicht bij mensenhandel betrokken was, maar dat heeft nooit iets concreets opgeleverd. Dat is alles wat ik tot nu toe over meneer Vargas heb ontdekt. Niemand zal hem missen.'

'En het meisje?'

'Over haar is nog niets bekend. Geen identificatiebewijs in het appartement. Ik heb wel een tatoeage gevonden op haar linkerarm, een paar cyrillische letters, voor wat het waard is.'

'Russisch?'

'Zo te zien wel. Dat wil natuurlijk niet zeggen dat ze ook Russisch is. Nog één ander ding: ze heeft littekens op haar voetzolen. Dezelfde die we ook bij de Kingsleys hebben aangetroffen. Recenter, maar toch.'

Een korte stoot adrenaline schiet door me heen.

'Dat is belangrijk, Barry. De littekens zijn de sleutel.'

'Ja. Dat ben ik met je eens. Meer heb ik tot nu toe helaas niet gevonden. Callie en Sykes leven zich hier helemaal uit. Ik ga nu terug naar het huis van de Kingsleys. Ik bel je morgenochtend.'

'Bedankt.'

Ik leun met mijn hoofd achterover en tuur naar het plafond. Dat is bedekt met geluidswerende platen die vroeger heel gewoon waren en tegenwoordig worden verafschuwd. Matt en ik waren van plan ze te laten weghalen, maar zijn er nooit aan toegekomen.

Littekens, zeg ik in mezelf. Littekens en kinderen. Die dingen zijn belangrijk. Waarom?

Zonder ooggetuige, bekentenis of video-opname van de dader terwijl hij de misdaad begaat, rest ons slechts één route: alles verzamelen, alles zo snel als menselijkerwijs gesproken mogelijk is verzamelen en dan onderzoeken, verbanden leggen en proberen het te doorgronden. Het onderzoeksgebied hoort niet steeds groter te worden, maar juist kleiner.

Ik laat me omlaagzakken, zodat ik op de vloer voor de salontafel zit in plaats van op de bank. Ik scheur pagina's uit het opschrijfboekje en leg ze horizontaal naast elkaar.

Het is tijd om mijn gedachten te ordenen. Ik moet alles opschrijven en voor me neerleggen, zodat ik de verbanden in deze zaak daadwerkelijk voor me zie.

Boven aan pagina 1 schrijf ik: dader.

Ik kauw op de pen en denk na. Ik schrijf verder:

> Methodologie: hij snijdt de keel van zijn slachtoffers door. Een intieme handeling. Hij laat hen leegbloeden; bloed is belangrijk voor hem, symbo-

lisch. Wanneer de dood is ingetreden, verwijdert hij bij de volwassenen ingewanden en organen. Mogelijk verdooft hij hen eerst, om hen in bedwang te kunnen houden.
Gedrag: verminkt de kinderen niet, alleen de volwassenen. Waarom?
Minder woede jegens vrouwen dan jegens mannen, getuige het feit dat hij hun ogen dichtdrukt. Hij wil dat de mannen alles zien, maar de vrouwen niet. Waarom?
Is hij homoseksueel?

Hier denk ik even over na. Het is nog veel te vroeg en we hebben te weinig feiten om nu al iets definitief vast te stellen. Het feit dat hij vrouwen minder zwaar aanpakt dan mannen is echter veelzeggend. Rituele seriemoorden bevatten vrijwel altijd een seksueel element en de sekse van de slachtoffers wordt over het algemeen bepaald door de seksuele voorkeur van de dader. Dahmer was homoseksueel, dus vermoordde hij homoseksuele mannen. Heteroseksuele mannen vermoorden vrouwen. Enzovoort.
'Je vermoordt degenen die woede en frustratie bij je oproepen,' merkte een docent eens op. 'Wie is nu beter in staat om woede en frustratie op te wekken dan het lijdend voorwerp van jouw verlangen? Platter gezegd,' ging hij verder, 'wanneer hij zijn ogen dichtdoet en masturbeert, welke sekse ziet hij dan voor zich: man of vrouw? Dát is de sekse van zijn slachtoffers.'
Ik knik. Iets om over na te denken. Ik ga verder met aantekeningen maken:

Dader sloeg overdag toe. Waarom nam hij zoveel risico? Daar moet een bepaalde reden voor zijn.
Dader heeft Sarah laten leven.
Communiceert met wetsdienaren. Plant vooruit.
Hij wil iets duidelijk maken.
Boodschap achtergelaten in Sarahs slaapkamer op de PD bij de Kingsleys: Deze plek = pijn. Boodschap achtergelaten op de PD bij Vargas: Deze plek = gerechtigheid.
(Kanttekening voor mezelf: waarom 'pijn' voor Sarah en 'rechtvaardigheid' voor Vargas? Dit is belangrijk.)
Lijkt ongeorganiseerd.

Ik staar naar deze zin. Tik met de pen tegen mijn tanden. Neem een besluit. Ik leg er nadruk op en voeg er enkele woorden aan toe:

Líjkt ongeorganiseerd – maar is dat niet.
(Theorie: het weghalen van ingewanden en organen wijst in dit geval niet

op verlies van zelfbeheersing. Het maakt deel uit van zijn allesomvattende boodschap, net als het bloed en het feit dat hij overdag toeslaat.)
Conclusie: dader = georganiseerd. Zaken die ongeorganiseerd overkomen, maken slechts deel uit van zijn boodschap.

Ockhams scheermes slaat weer toe. Een georganiseerde moordenaar kan af en toe ongeorganiseerd overkomen. Het omgekeerde is niet het geval. Hij hield zich aan het script, en toonde daarmee geordendheid, zelfbeheersing en vastberadenheid.
Georganiseerd.

Bekende kenmerken: voetzolen zitten vol littekens. Mogelijk als gevolg van martelingen (Spaans rietje), wat voorkomt in Zuid-Amerika, het Midden-Oosten, Singapore, Maleisië, de Filippijnen.
(Kanttekening: Vargas komt uit Argentinië. Toeval?)

Ja hoor, denk ik sarcastisch bij mezelf. Toeval. Vast en zeker.

(Kanttekening: ongeïdentificeerd meisje, tiener, op de PD bij Vargas had vergelijkbare littekens op haar voeten. Wat is het verband?)

Er schiet me iets anders te binnen over de PD bij de Kingsleys. Ik ga terug naar de regel waar ik 'methodologie' heb geschreven en voeg eraan toe:

Sporen die duiden op aarzeling bij de sneden toegebracht bij meneer en mevrouw Kingsley. Gevolg van seksuele opwinding?

Weifeling duidt op een groentje, een jager die nog niet is gekalmeerd of zijn tempo nog niet heeft bepaald. Dit past niet bij de man die ik in gedachten voor me zie. Ik geloof niet dat hij aarzelde; volgens mij trilde zijn hand omdat hij te geil was om het te onderdrukken.

Hij beschermt de vrouwen door hun ogen dicht te doen, ook al vermoordt hij hen wel en snijdt hij hun ingewanden en organen eruit. Hij vermoordt de kinderen, maar doet hun ogen niet dicht en snijdt hen niet verder open.

Ik lees deze alinea nogmaals door. En nogmaals. Er klopt iets op de deur in mijn hoofd, iets wat naar binnen wil worden gelaten. Het is een vertrouwd gevoel, dus ik weet dat ik stil moet zijn en het moet laten komen.

Waarom die nuances? Mannen zijn slechter dan vrouwen, maar vrouwen zijn slechter dan kinderen.
Het geklop houdt op en de deur zwaait open.

> Mannen hebben hem pijn gedaan. Vrouwen hebben hem niet direct iets aangedaan, maar hebben hem ook niet beschermd. Deze twee dingen zijn hem als kind overkomen.

Er is geen bewijs voor deze conclusies, niets om onder een microscoop te leggen of op een beeldscherm te laten zien, maar ik weet dat ik het bij het rechte eind heb. Ik voel het. Ik voel hem.
Mannen zijn het doelwit van zijn angst en zijn woede. Hij laat hun ogen open, zodat ze alles zien wat hun overkomt. Vrouwen sterven, verdiend, maar in het dichtdoen van hun ogen schemert enige tederheid door.
Een moeder, misschien? Die hem niet beschermde tegen een vader met losse handjes? Als zij ook door de vader werd mishandeld, zou de moordenaar tegelijkertijd haat en medeleven voor haar voelen.
De kinderen worden niet verminkt, maar hun ogen blijven open, zodat ze het kunnen zien.
Zie je wat ik hem heb aangedaan, zie je wat de wereld ons aandoet?
Het meisje in Vargas' flat was een mengeling van de twee: dichte ogen, maar niet opengereten en leeggeplukt. Was dit een weerspiegeling van haar leeftijd? Bijna een vrouw, maar nog steeds overwegend een kind? Bracht dit hem in verwarring?
Waar gaat het allemaal om? Twee reeksen moorden op twee opeenvolgende dagen. Haat jegens mannen, woede jegens vrouwen, empathie jegens kinderen. Deze plek = pijn. Deze plek = gerechtigheid...
Er doemt een inzicht op, een windvlaag in mijn hoofd. Ik knipper met mijn ogen bij dit inzicht.
Ik schrijf het op:

> Het gaat om wraak. Wraak om daadwerkelijk geleden onrecht, niet om denkbeeldig misbruik.

Pijn voor sommigen, gerechtigheid voor anderen. Beide leiden naar wraak.
Het past bij zijn slachtoffers en methodologie.
Opgewonden denk ik na.

> Daarom komt hij overdag. Hij zegt tegen zijn slachtoffers, het lijdend voorwerp van zijn wraakzucht: 'Je bent nergens veilig. Zelfs wanneer de

zon schijnt, zelfs in een huis omgeven door onbekenden kan ik gerechtigheid bij je komen halen.'

Want gerechtigheid is rechtvaardig en rechtvaardigen zijn onoverwinnelijk.
Misschien is hij homoseksueel, misschien ook niet, maar het seksuele element komt niet voort uit het heden, maar uit het verleden. Hij is uit op wraak voor misbruik dat vrijwel zeker seksueel van aard was.
Misbruik door mannen.
Mijn groeiende opwinding ontspoort wanneer die op iets onverklaarbaars stuit.
En Sarah dan? Waarom laat hij haar leven en pijn lijden, in plaats van haar te vermoorden? Relevanter nog: wraak is persoonlijk. Wat is Sarahs connectie met hem?
Ik accepteer dat ik deze vragen niet kan beantwoorden. De rest voelt nog steeds goed aan.
Wraak. Dat is zijn motief, dat is de reden achter de keuze van zijn slachtoffers en de manier waarop hij hen doodt. Sarah is gewoon een puzzelstukje waarvoor ik de juiste plek nog niet heb gevonden.
Ik denk nog even verder en besluit dan dat ik voorlopig niets meer aan deze pagina kan toevoegen.
Bekijk zijn slachtoffers.
Ik pak de volgende pagina en schrijf bovenaan:

Slachtoffer Jose Vargas:
Achtenvijftig, oorspronkelijk afkomstig uit Argentinië.
(Kanttekening: probeer te achterhalen hoe lang hij in de VS is en hoe hij hier is gekomen.)
Gedrag: ex-bajesklant. Veroordeeld voor geweldsmisdrijven, onder andere tegen kinderen.

Ik denk na over het voor de hand liggende verband. Heeft Vargas de dader misbruikt?

In de jaren zeventig verdacht van mensensmokkel.
Doodsoorzaak: keel doorgesneden. Na zijn dood zijn ingewanden en organen verwijderd.
Vraag: bestond er op een of andere manier een band tussen Vargas en Sarah of de Kingsleys? Of bestond er alleen maar een verband tussen Vargas en de moordenaar?

Het ontbreken van een band tussen de twee groepen slachtoffers zou erop kunnen wijzen dat de moordenaar eindelijk was begonnen aan iets wat hij al een tijd van plan was en dat snel werkte.
Een lijst opstellen, die twee keer nalopen...

> Vargas is blijkbaar doorgegaan met het misbruiken van minderjarigen. (Gevonden in het gezelschap van een onbekende, minderjarige vrouw.)

Ik bestudeer de pagina, leg hem dan weg. Ik pak een nieuw vel papier en schrijf bovenaan:

> Sarah Kingsley:
> Geadopteerde dochter van Dean en Laurel Kingsley (hoe luidt dan haar echte achternaam?)
> Zestien jaar.
> In leven gelaten door de dader. (Waarom?)
> Zegt dat haar biologische ouders zijn vermoord. (Controleren.)
> Toevoeging: zegt dat haar biologische ouders óók door deze dader zijn vermoord.
> Opmerkelijk: beweert dat de dader haar al jaren stalkt.

Ik richt mijn blik weer naar het plafond. Sarah is heel belangrijk, zoveel is wel duidelijk. Ze is de enige levende getuige en ze beweert dat ze dingen over de dader weet. Ook vertegenwoordigt ze een veelzeggende afwijking in het gedrag van de dader: hij heeft haar niet gedood. Hij heeft haar laten leven, als onderdeel van zijn wraakactie.
Als datgene wat Sarah zegt waar is, is hij hier al heel lang mee bezig. Hij lijdt niet aan waandenkbeelden, hij is in staat verschillende verlangens van elkaar te onderscheiden en hij is heel, heel slim. Allemaal bijzonder vervelend voor ons. Moordenaars die hun wraakactie plannen, zijn moeilijker te vangen dan seksueel sadisten of rituele moordenaars. Ze zijn niet gek genoeg.
Waarom dan de intimiteit?
Bij mensen die moorden uit wraak kom je vaker kwaadheid tegen dan vreugde. Het draait om verwoesting. Wat ik bij de Kingsleys had gezien, hield elkaar bijna volmaakt in evenwicht. De teksten op de muren, de opengereten lichamen: die waren ingegeven door woede, ze klopten. De bloedschilderijen niet. Die hadden een seksueel karakter. Een herinnering om bij te masturberen.
Pure afleiding, besef ik nu. Voor het onderzoek is het wraakmotief het allerbelangrijkst. Het andere is een afwijking, maar daar zit het menselijk gedrag nu eenmaal vol mee. Interessant, maar het bewijst niets.

Ik kijk weer naar het papier.

> Sarah heeft op de plaats delict bij de Kingsleys om mij gevraagd, maar was al van plan contact met me op te nemen voordat het gebeurde. (Waarom ik?)
> Ze heeft een dagboek geschreven dat volgens haar als bewijsmateriaal dient.

Ik merk dat mijn aandacht verslapt. Ik wil verder, maar zit er voor vandaag bijna doorheen.
Concentreer je. Hoe kunnen de beschikbare mensen morgen worden ingezet?

> Barry en ik gaan Sarah Kingsley ondervragen.
> Callie en Gene ronden hun onderzoek op de plaats delict bij Vargas af.
> Iedereen moet een kopie van het dagboek krijgen met de opdracht het te lezen.
> Dit zal tot maandag moeten wachten, maar de achtergrond van Sarah en alle slachtoffers moet grondig worden nagetrokken. Zoek de verbanden!

Ik lees wat ik heb geschreven en knik tevreden bij mezelf. We hebben nog een lange weg te gaan, maar ik zie hem nu voor me. Ik begin hem te voelen, en dat is slecht voor hem. Een gedempte tevredenheid gonst door me heen.
Ik ben minder dan een dag bezig en ik weet nu al waarom je doet wat je doet.
Ik leg de pen neer en ontspan mijn spieren.
God, wat ben ik moe. En niet alleen fysiek.
Mijn mobieltje gaat over. Ik kijk naar de nummermelder. Tommy. Iets in me veert op.
Tommy Aguilera is meer dan een vriend, maar minder dan een echtgenoot. Niet alleen een minnaar, maar ook niet iemand die ik elke nacht naast me nodig heb. Kort gezegd: Tommy is een mogelijkheid.
Hij is een voormalig agent van de geheime dienst die nu als zelfstandig beveiligingsadviseur werkt. We hebben elkaar leren kennen toen hij nog bij de geheime dienst werkte. Ik was bezig met een zaak rond de zoon van een senator uit Californië die een voorliefde had voor verkrachting en moord. Tommy was ingezet om de senator te beschermen, die tegen abortus was en een hele stapel doodsbedreigingen had gekregen. Tijdens de gebeurtenissen die volgden was Tommy gedwongen dit rijkeluiszoontje neer te schieten. Mijn getuigenis behoedde Tommy voor de politieke storm die het einde zou hebben betekend van zijn carrière.
Tommy had me verteld dat ik hem altijd kon bellen wanneer ik iets nodig

had. Een halfjaar geleden heb ik gebruikgemaakt van zijn aanbod en na afloop was er iets interessants gebeurd: ik had hem gezoend en hij had mijn zoen beantwoord. Beter zelfs: hij had me uitgekleed en me begeerd, ondanks mijn littekens. Ik moest ervan huilen en het heeft me geholpen te genezen. Matt was mijn grote liefde. Hij maakte me compleet. Hij was onvervangbaar. Ik had echter behoefte aan een man die me vertelde dat ik mooi was en dat bewees met zweet, niet met woorden. Tommy had zich enthousiast van deze taak gekweten.
We slapen drie of vier keer per maand bij elkaar. Ik heb het druk, hij heeft het druk; het is wel prettig zo. Voorlopig is dit een prima oplossing.
Ik neem op. 'Hallo, Tommy.'
'Hallo. Ik dacht: ik bel je even. Het is toch niet te laat?'
Tommy geeft het woord 'laconiek' een geheel nieuwe betekenis. Niet dat hij niet gemakkelijk met mensen praat of geen woordenschat heeft. Zo is hij nu eenmaal. Hij luistert liever.
'Nee, hoor. Ik ben eigenlijk pas net thuis. Ik ben naar een plaats delict geroepen.'
'Ik dacht dat je vrij had. Om op te ruimen en zo.'
Tommy wist wat ik dit weekend wilde doen en wist ook dat hij uit de buurt moest blijven zolang ik daarmee bezig was. Dat hij dat soort dingen begrijpt geeft wel aan hoe diepzinnig hij onder dat stoïcijnse uiterlijk van hem is.
'Dat was ook zo, maar er was een jong meisje op de PD. Ze had een pistool tegen haar slaap gezet en wilde me spreken. Ik moest er wel naartoe.'
'Alles goed afgelopen?'
'Het was niet prettig, maar het meisje leeft nog.'
'Mooi.' Een lange stilte. 'Ik wist wat je vandaag ging doen. Ik wilde me niet opdringen, maar vroeg me af hoe het met je ging.'
Ja, denk ik bij mezelf, hoe gaat het met je?
Ik zucht diep. 'Het gaat niet echt lekker. Kun je hiernaartoe komen?'
'Ik ben al onderweg.'
Hij verbreekt de verbinding.
Geen woorden, maar daden – typisch Tommy.

Tommy klopt op de deur en ik laat hem binnen. Hij werpt één blik op me en trekt me dan zonder een woord te zeggen mee naar de bank. Hij gaat zitten en slaat zijn armen om me heen; ik leun met een diepe zucht tegen hem aan. Bij Tommy geen aai over je bol of troostende woorden. In plaats daarvan zijn er kracht en zekerheid, alsof hij wil zeggen: 'Je kunt alles krijgen, ook als je alleen dit maar wilt.'
Ik blijf waar ik ben, mijn hoofd tegen zijn borst gedrukt, en verbaas me er-

over hoe hij aanvoelt. Het is alsof je tegen een in fluweel gehuld rotsblok ligt. Tommy houdt het midden tussen ruig en knap, een donkerharige latino met het soepele, gespierde lichaam van een danser en de ruwe handen van een moordenaar. Hij is een mannelijke versie van Callie; vrouwen voelen zich tot hem aangetrokken als lemmingen tot de rand van een klif en verlangen ernaar in die donkere, behoedzame ogen te springen. Hij is geen model – hij heeft een flink litteken op zijn linkerslaap, een onvolmaaktheid die zijn aantrekkingskracht alleen maar vergroot –, maar hij is vanbinnen én vanbuiten knap.

Hij duwt me voorzichtig een stukje weg.

'Wil je erover praten?'

Dan begin ik. Over de ochtend en middag, over Sarah en de opengereten lichamen van Dean en Laurel Kingsley, de badkuip vol bloed, de moord op Vargas en zijn tot nu toe onbekende vriendin.

'Akelig,' zegt hij.

'Inderdaad. Het heeft me erg aangegrepen.'

Hij gebaart naar de pagina's op de salontafel. 'Gaan die over de zaak?'

'Mm-mm.'

'Mag ik even kijken?'

'Ga je gang.'

Hij pakt de pagina's op en leest ze vluchtig door. Legt ze dan weer neer en schudt zijn hoofd.

'Ziet er ingewikkeld uit,' stelt hij vast.

'Zo gaat het in het begin altijd.' Ik kijk hem aan, glimlach. 'Dank je wel dat je bent gekomen. Ik voel me al beter. Een beetje.'

'Graag gedaan.' Hij kijkt om zich heen. 'Waar is Bonnie eigenlijk?'

'Ze slaapt vannacht bij Alan en Elaina.'

'Hmm.'

Ik kijk hem aan, zie dat er een glimlachje rond zijn lippen speelt. Ik grijns en stomp hem tegen zijn borst. 'Jeetje! Ik zeg alleen maar dat ik me een beetje beter voel en jij ziet me in gedachten meteen al zonder kleren voor je!'

Weer een glimlachje. 'Eigenlijk zie ik jou in gedachten altijd zonder kleren voor me,' zegt hij.

Scherts en spel, maar wanneer ik hem aankijk, zie ik dat er meer achter zit dan aan de buitenkant zichtbaar is. Tommy luistert graag, en niet alleen naar wat er wordt gezegd. Hij luistert met zijn ogen en zijn hoofd, en hij heeft goed naar mij geluisterd. Hij biedt me seks aan, omdát hij heeft geluisterd en weet dat ik lichamelijk contact, troost en afleiding nodig heb.

Ik hou mijn hoofd schuin omhoog, hij buigt het zijne schuin omlaag en onze lippen vinden elkaar. Mijn wanhoop geeft de aanraking iets elektrisch en ver-

langen stroomt door me heen – emotioneel, geestelijk, lichamelijk, onmogelijk van elkaar te scheiden. Ik grijp zijn slapen vast en steek mijn tong in zijn mond. Ik proef Tommy, met een vleugje bier.
Ik draai me naar hem toe, zodat ik schrijlings op zijn schoot zit. Hij laat in één vloeiende beweging een hand onder mijn shirt glijden, onder mijn beha. Het gevoel van zijn eeltige vingers op mijn tepel is intens. Ik kreun en voel dat hij hard wordt.
Een van de redenen waarom ik altijd een fan ben geweest van seks is dat je een soort oerinstinct kunt combineren met tederheid, je kunt een beetje ruw zijn, een beetje dierlijk – en toch kan het uiteindelijk fijn aflopen. Wanneer je je al smerig en verscheurd en een beetje woest voelt, zoals ik nu, kan seks daar gemakkelijk in meegaan.
Ik trek mijn gezicht weg bij dat van Tommy, maar blijf zijn hoofd met beide handen vasthouden. Zijn vingers kneden mijn tepel, zijn pik klopt heftig en uit zijn ogen straalt lust.
'Neuk me,' zeg ik hees. 'Ruk mijn kleren van mijn lijf, buig me over de bank en neuk me.'
Hij houdt even op, zijn vingers bewegen niet en zijn ogen boren zich speurend in de mijne. Blijkbaar vindt hij de op gezond verstand gebaseerde toestemming die hij zoekt.
Hij tilt me van zijn schoot, zet me op de bank, grijpt mijn shirt en trekt het met een ruw gebaar omhoog, waardoor mijn armen zich boven mijn hoofd uitstrekken. Het shirt is uit, wordt opzijgegooid, en zonder te vertragen strekt hij zijn handen achter me uit, haakt mijn beha los en rukt die van mijn schouders.
Hij blijft even staan, staart naar mijn borsten en duwt me dan op mijn rug; zijn handen grijpen en knijpen, ruw zonder dat het pijn doet – heerlijk – en ik gooi mijn hoofd achterover en hap naar adem. Hij beroert mijn borsten een voor een met zijn mond, zuigt en likt tot ik bijna niet meer kan wachten, en doet dan een stap naar achteren.
Nu maakt hij de knoop van mijn spijkerbroek los, hij trekt de rits omlaag en rukt de broek samen met mijn slipje langs mijn heupen, langs mijn benen omlaag. Ik lig met mijn benen gespreid voor hem, helemaal naakt, nat, als een Izebel in het kwadraat.
Zijn mond zakt tussen mijn benen en ik kom onmiddellijk schreeuwend klaar; huiveringen trekken door mijn buik, mijn dijen. De tijd lijkt van elastiek, de wereld wordt vaag en ik rol schaamteloos rond in dit gevoel – Eva met de appel, een krolse kat.
Zijn mond verlaat me, hij staat op en ik kijk verdwaasd toe hoe hij zich uitkleedt. Wanneer zijn pik tevoorschijn springt, grom ik, Izebel in viervoud, en

ik strek mijn armen naar hem uit, terwijl hij een condoom omdoet. Hij pakt mijn polsen vast, trekt me naar zich toe, grijpt me dan vast bij mijn middel, tilt me in de lucht, draagt me naar de leuning van de bank en legt me daar neer, met mijn buik op de leuning, handen tegen de kussens, kont in de lucht.

Ik voel dat hij achter me komt staan en dan is hij in me, zijn ene hand op mijn heup, de andere stevig om mijn schouder, pompend, op mijn verzoek. Het is dierlijk, het is oergedrag. Het is wat ik nodig heb: een onweerstaanbare kracht, een vloedgolf, iets dat over me heen spoelt, me verdrinkt, en de lijken mee naar zee sleurt wanneer het zich terugtrekt.

Ik geef me er helemaal aan over en neem aan wat hij me biedt: schuldeloze sublimatie. Ik krijg meer dan één orgasme, terwijl hij naar de zijne toewerkt; wanneer hij dat bereikt en zijn hele lijf zich spant, graven zijn vingers diep in me, niet hard genoeg om blauwe plekken te veroorzaken, maar wel om een klein beetje pijn te doen, een korte, zoete pijn.

Dan is het voorbij en we laten elkaar los, laten ons op de bank vallen en kruipen tegen elkaar aan – uitgeput, voldaan, een beetje rillerig.

Dan kijkt Tommy me aan. 'Wauw,' zegt hij.

'Ook wauw,' glimlach ik. Ik kijk hem recht in zijn ogen. 'Dank je wel, Tommy.'

'Graag gedaan.' Ik zie die glimlach weer rond zijn lippen kruipen. 'En dan bedoel ik ook écht graag gedaan.'

Ik grinnik, kus hem op zijn wang.

Het rillen is opgehouden. Ik kan de doden nog steeds horen fluisteren, maar sta er nu verder van af.

Tommy maakt zich voorzichtig los en loopt naar de keuken. Ik tuur bewonderend naar zijn achterkant wanneer hij wegloopt en naar zijn voorkant wanneer hij terugkomt, met een biertje in de hand voor zichzelf en een flesje water voor mij. Hij gaat weer zitten en we kruipen weer tegen elkaar aan.

Ik neem een slok water. Snuif de lucht op. 'Het ruikt hier naar seks.'

'Hoe ruikt seks dan?'

'Naar...' Ik hou mijn hoofd een beetje schuin en glimlach wanneer de woorden zich aandienen. 'Naar vers zweet en een schone pik.'

Hij neemt een teug bier. 'Ondeugend en intellectueel tegelijk.' Hij kust me in mijn nek. 'Sexy.'

'Geef je toe dat je van me houdt om mijn intellect?'

'Nee, hoor. Ik hou van je om je achterste. Ik mag je graag om je intellect.'

'Kont.'

'Wat?'

'Je zei "achterste". Zo klink je als een kleuter van vier. Zeg eens "kont".'

'Kan ik niet.'
Ik draai me om en kijk hem met opgetrokken wenkbrauwen aan. 'Dat is toch zeker een grapje, hè?'
'Nee.'
Ik tuur onderzoekend in zijn ogen, besef dan dat hij echt geen grapje maakt. Ik kruip weer tegen hem aan. Giechel dan.
'Wat ben je toch een brave padvinder, Tommy. Dat had ik echt niet achter je gezocht.'
'Luchtscout, om precies te zijn.'
Ik kan het niet helpen; wanneer ik dit hoor, barst ik in lachen uit. De beweging die mijn gelach veroorzaakt gaat over in iets anders en Tommy bewijst dat hij zijn seksbrevet in elk geval heeft gehaald.

Een uur later. We liggen allebei naakt op onze rug op de vloerbedekking, met onze voeten op de salontafel.
'Dit is het wat mij betreft wel zo'n beetje voor vandaag,' zegt Tommy. Het klinkt alsof hij daar trots op is.
'Een slechte dag moet ergens goed voor zijn.'
'Nu je het zegt,' zegt hij. 'Ik heb iets bedacht. Twee dingen, eigenlijk.'
Ik keer me op mijn zij, zodat ik hem van opzij kan aankijken.
'Wat dan?'
'Jouw beschrijving van de PD. Lichamen die in het bad waren leeggebloed. Je weet toch dat de slachtoffers nog in leven moeten zijn geweest, hè?'
'Mm-mm.'
Bloed stroomt niet wanneer je dood bent. Het hart staat stil.
'Hij moest hen natuurlijk wel op de een of andere manier in bedwang houden. Jij opperde de mogelijkheid dat hij een verdovend middel had gebruikt. Volgens mij heb je gelijk. Ik durf te wedden dat hij een of andere spierontspanner heeft gebruikt. Daardoor waren ze zich bewust van wat er gaande was. Nog opwindender voor hem.' Hij haalt zijn schouders op. 'Het is maar een idee.'
Ik laat een vinger door de krulletjes in zijn borsthaar glijden. Hij is niet ontzettend behaard; er zit net genoeg haar om zichtbaar en voelbaar te zijn wanneer dat nodig is.
Tommy heeft gelijk, besef ik. Ik had hem niet meer dan een korte samenvatting van de dag gegeven, maar toch had hij daaruit een indruk van de dader afgeleid, van diens hunkeringen en de manier waarop hij hunkerde. Ik had aan een verdovend middel gedacht, maar een specifieke spierontspanner... de moeite waard om over na te denken.
Wanneer heb je dit precies bedacht, lieve Tommy? Voordat we seks hadden of erna? Tijdens?

Ik ben alweer uitgerust en vraag me heel even af hoe dat kan. De meeste mensen die ik vandaag heb ontmoet, waren dood. Ik niet. Seks is een manier om te voelen dat je leeft.
Ik laat mijn hand verder omlaagzakken en grijp iets vast.
'Dat idee zal ik morgen natrekken,' zeg ik. 'Nu wil ik dat je heel diep graaft, je de training van de geheime dienst herinnert en je plicht doet.'
Hij knijpt in een van mijn tepels, zet zijn bier neer en we bewijzen nog ongeveer een uur lang dat we leven.

Uitgeput. Hondsmoe. Gelukkig.
'Ik heb nog iets bedacht,' zegt Tommy, die daarmee de aangename stilte doorbreekt.
'Jij denkt wel heel veel na terwijl we seks hebben.'
'Ik krijg altijd de beste invallen wanneer ik naakt ben.'
'Wat dan?'
'Er bestaat een motief dat zowel pijn als gerechtigheid omvat.'
'Ja, dat weet ik.'
Hij trekt een wenkbrauw op. 'Echt?'
'Het oudste motief ter wereld,' zeg ik. 'Wraak.'
'Ik dacht echt dat ik je een stap voor was.'
Ik kus hem op zijn wang. 'Trek het je niet aan. Wanneer is die gedachte eigenlijk precies bij je opgekomen?'
Hij kijkt me grijnzend aan. 'Van een orgasme ga je helderder denken.'
'Wat je dus eigenlijk wilt zeggen is dat dit idee spontaan záád bij je heeft geschoten?'
Hij rolt met zijn ogen.
Plotseling dringt het tot me door dat ik me beter voel. Veel beter. Ik had me ellendig gevoeld, ik had hem gebeld, hij was gekomen. We hadden seks gehad, over ons werk gepraat en...
Een inwendige schok wanneer er een gloednieuwe gedachte bij me opkomt.
O mijn god – zijn we een stel?
Het idee is raar en ongewoon, maar tegelijkertijd troostend en vertrouwd. Wanneer je jarenlang getrouwd bent, ontstaat er een gevoel van veiligheid, de zekerheid dat er altijd iemand aan jouw kant staat. Als verder iedereen je laat barsten, doodgaat of je verraadt, heb je altijd die ene persoon nog. Je bent nooit echt alleen. Wanneer je dat kwijtraakt, raak je een deel van jezelf kwijt. De lege plek in bed jeukt 's nachts als fantoompijn.
Zijn we die grens overgestoken? De grens tussen 'los-vast' aan de ene kant en 'stel' aan de andere?
'Wat is er?' vraagt Tommy.

'Gewoon...' Ik schud mijn hoofd. 'Ik zat over ons na te denken. Laat maar.'
'Dat moet je niet doen.'
'Wat niet?'
'Je moet niet iets denken en dan zeggen dat het niet belangrijk is. Je hoeft me niet te vertellen wat het is, maar zeg niet dat het niet belangrijk is.'
Ik kijk hem onderzoekend aan. Zie geen woede in zijn ogen, alleen oprechtheid, bezorgdheid.
'Het spijt me,' zeg ik. 'Ik zat me gewoon af te vragen...' Ik slik even iets weg. Waarom is het zo moeilijk om dit hardop te zeggen? 'Tommy – zijn wij een stel?'
Hij kijkt me glimlachend aan. 'Is dat alles? Natuurlijk zijn we een stel.'
'O.'
'Moet je horen, Smoky, ik bedoel heus niet dat het tijd is om te gaan samenwonen of te trouwen, maar we zijn wel samen. Zo zie ik dat.'
'O. Wauw.'
Hij schudt geamuseerd zijn hoofd. 'Je bent heel lang getrouwd geweest. Voor jou betekent "samen" liefde en een huwelijk. Ik hou niet van je.'
Mijn maag keert zich om en ik voel me misselijk. 'N-niet?'
Hij steekt een hand uit en streelt mijn wang. 'Sorry, zo bedoelde ik het niet. Ik bedoel dat ik dat alleen maar zeg wanneer ik het ook meen, en daar ben ik nog niet aan toe. Maar ik verwacht wel dat er een moment komt dat ik dat wél doe. Als we doorgaan zoals we nu bezig zijn, word ik op een mooie dag wakker en dan hou ik van je. Dat is waar we nu naartoe gaan. We zijn samen.'
Nog meer vlinders, maar deze keer word ik niet misselijk.
'Meen je dat echt?'
'Echt.' Hij kijkt me met samengeknepen ogen aan. 'Wat vind je daarvan?'
Ik kruip dichter tegen hem aan. 'Ik vind het prettig,' zeg ik, en ik besef dat ik het meen.
Ik vind het echt prettig. Zonder schuldgevoel nog wel. Ik voel geen afkeuring van Matts geest.
Maar Quantico dan? Maak je hem eerst verliefd op je en laat je hem dan zitten?
Nog een factor om rekening mee te houden, antwoord ik koppig in mezelf. Nog meer keuzes. Keuzes zijn goed.
Behalve dan dat het niet zo eenvoudig ligt, en dat weet ik best. Met mijn beslissing kan ik Tommy kwetsen. De eenvoud van een 'nieuwe start' is een veel te gemakkelijke versimpeling van mijn leven. Ik weet dat Alan en Callie en Elaina me volledig zouden steunen, mocht ik besluiten de baan aan te nemen. Iedereen zou verdrietig zijn, maar de banden met hen zijn te oud en te sterk. We zouden elkaar niet kwijtraken.

Met vrienden en familie kun je een langeafstandsrelatie hebben. Met een man die van je houdt niet.
Vergeet vooral ook je zwijgende pleegdochter niet, en je vriendin met haar pillen, en 1forUtwo4me! Vergeet het rusteloze huis niet dat je nog steeds niet hebt leeggeruimd, je vriendin die net kanker heeft overwonnen en de grafstenen van Matt en Alexa, die hier liggen en niet in Virginia. Wie moet er dan bloemen bij leggen?
'Weet je wat ik zou willen?' fluister ik en ik verjaag mijn spoken voorlopig.
Hij schudt zijn hoofd.
'Ik wil dat je me naar boven brengt en me helpt om te slapen.'
Hij tilt me zonder een woord te zeggen op en draagt me naar boven. We komen langs Alexa's kamer, maar daar denk ik nu even niet aan, en dan liggen we in mijn bed; hij houdt me vast, hij is er en het lukt me om langzaam in te dutten, terwijl hij zorgt dat ik veilig ben, mijn bewaker tegen de doden.

14

'Ik heb vanochtend het ziekenhuis gebeld,' zegt Barry wanneer we over het parkeerterrein lopen. 'Ze zeggen dat het meisje is behandeld voor shock en dat ze een paar kneuzingen had rond haar polsen en enkels, maar dat ze lichamelijk verder niets mankeert.'

'Tja, dat is dan tenminste iets, zou ik denken.'

Ik vertel hem wat ik gisteravond heb bedacht, inclusief mijn theorie over wraak als motief.

'Interessant. Alleen past Sarah niet in dat plaatje. Als we haar en de Kingsleys erbuiten laten, is het allemaal logisch. Vargas heeft een voorliefde voor kinderen, al een hele tijd. Misschien vindt hij het ook wel leuk om hen te martelen, met een rietje tegen hun voeten te slaan. Een van de kinderen wordt volwassen, zoekt hem op en vermoordt hem. Dat verklaart zelfs waarom hij het meisje minder hard heeft aangepakt. Haar ogen heeft dichtgedaan. Haar niet heeft opengereten.'

'Precies.'

'Maar Sarah en de Kingsleys? Ik zie nog steeds niet hoe zij in het plaatje passen.' Hij schokschoudert. 'Toch zie ik wraak als motief wel zitten.'

'Misschien kan Sarah ons iets meer vertellen.'

'Wacht,' zegt Barry zenuwachtig wanneer we bij de ingang staan. 'Even een sigaret voordat we naar binnen gaan.'

Ik glimlach. 'Moet jij ook niets van ziekenhuizen hebben?'

Hij schokschoudert en steekt een sigaret op. 'De laatste keer dat ik er een vanbinnen zag, zag ik mijn vader overlijden. Geen goede herinneringen dus.'

Barry heeft bloeddoorlopen ogen. Ik zie dat hij dezelfde kleren draagt die hij gisteravond ook aanhad.

'Ben je eigenlijk wel thuis geweest?' vraag ik.

Hij blaast een paar wolkjes rook uit en schudt dan zijn hoofd. 'Nee. Simmons was pas tegen zeven uur vanochtend klaar. Ik heb er ook een paar software-experts bij moeten halen. Die zijn er nog steeds.'

'Waarom?'

'Die knul – Michael? Op zijn computer was een of ander super-beveiligingsprogramma geïnstalleerd. Ze hebben de technische kant voor me samengevat, maar het gaat me compleet boven mijn pet. Als je het verkeerde wacht-

woord intypt, wordt de hele harde schijf gewist. Dat begreep ik nog wel.'
Hé, probeer 1forUtwo4me eens. Je weet maar nooit!
Ik onderdruk een trillinkje van mijn oogspier. 'Interessant.'
'Het wordt nog beter. Volgens hen is het een speciaal ontworpen programma, heel geavanceerd, en – luister goed – zij geloven niet dat die knul het zelf op zijn computer heeft geïnstalleerd.'
'Waarom niet?'
'Veel te geavanceerd. Het heeft te maken met het niveau van de codering dat ervoor nodig is. Die is nog zwaarder dan de beveiliging die het leger gebruikt.'
'Misschien is het er wel door de dader op gezet.'
'Dat had ik ook al bedacht.'
'Dat zou best logisch zijn. Hij wil ons iets duidelijk maken. Daarom is er op beide PD's op de muren geschreven, daarom belde hij me om me over Vargas te vertellen. Hij wil ons iets vertellen, maar doet dat in zijn eigen tempo.'
'Heerlijk wanneer ze zo bijdehand gaan doen. Dat houdt in dat ze de boel elk moment kunnen verkloten.'
'Is er verder nog iets gevonden?'
'We hebben de voetafdrukken en de computer. Geen vingerafdrukken, geen haren, geen vezels. Dat van die voeten is een meevaller. Als we hem te pakken krijgen, kunnen we absoluut bewijzen dat ze van hem zijn. Zoals ik dus al zei: hij kan de boel elk moment verkloten. De stoffelijke overschotten zijn naar de patholoog gebracht, we zullen moeten afwachten of dat wat oplevert. Heb je al iets van Callie gehoord?'
'Ik heb haar nog niet gesproken. Ik bel haar zodra we hier klaar zijn.'
'Misschien is hij daar ook dom geweest.' Hij neemt een flinke trek van zijn sigaret. 'Even over dat meisje. Ik heb nog niet veel info: ze woont iets langer dan een jaar bij de Kingsleys en haar echte naam is Sarah Langstrom.'
Sarah Langstrom, herhaal ik bij mezelf om de klank uit te proberen.
'Ik heb gekeken of ze een strafblad heeft,' vervolgt Barry. 'Op haar vijftiende is ze opgepakt voor het bezit van drugs – ze zat op klaarlichte dag een joint te roken op een bankje bij een bushalte. Verder niets ontdekt. Morgen laat ik haar dossier van de sociale dienst komen.'
'Ze zei dat haar ouders zijn vermoord. Toen ze zes was.'
'Fijn. Ik ben gek op goed nieuws.' Hij zucht. 'Hoe wil je haar aanpakken?'
'Open en eerlijk. Dat meisje...' Ik schud mijn hoofd. 'Als ze het idee krijgt dat we niet eerlijk tegen haar zijn of haar niet serieus nemen, dan vertrouwt ze ons helemaal niet meer. Volgens mij vertrouwt ze ons toch al niet echt.'
'Oké.' Hij neemt nog een laatste trekje van zijn sigaret en gooit die dan op de parkeerplaats. 'Geef jij het goede voorbeeld maar.'

Sarah ligt in een privékamer op de kinderafdeling van het ziekenhuis. Barry heeft een bewaker voor de deur gezet. De jonge Thompson weer. Hij ziet er vermoeid uit, maar is nog steeds opgewonden.
'Nog bezoek gehad?' vraagt Barry hem.
'Nee, rechercheur. Niemand.'
'Noteer onze namen maar.'

Voor een ziekenhuiskamer is het lang niet slecht, wat naar mijn idee hetzelfde is als zeggen dat het de beste kamer in het Bates-motel is. De muren zijn in een warme beige tint geverfd en de vloer is van een of ander soort namaakhout. Beter dan wit linoleum en vaalgroene muren, moet ik toegeven. Er is een groot raam en de gordijnen zijn opengetrokken, zodat het zonlicht naar binnen stroomt.
Sarah ligt in een bed vlak bij het raam. Ze draait haar hoofd om wanneer we binnenkomen.
'Jezusmina,' hoor ik Barry zachtjes zeggen.
Ze ziet er klein, bleek en moe uit. Barry is ontzet. Dat is een van de redenen waarom ik hem graag mag: hij is niet afgestompt.
Ik loop naar de zijkant van haar bed. Ze glimlacht niet, maar gelukkig staan haar ogen niet zo doods meer.
'Hoe voel je je?' vraag ik.
Ze haalt haar schouders op. 'Moe.'
Ik knik naar Barry. 'Dit is Barry Franklin. Hij is rechercheur van de afdeling Moordzaken en heeft de leiding over deze zaak. Hij is een vriend van me en ik heb hem gevraagd om jouw zaak op zich te nemen, omdat ik hem vertrouw.'
Sarah kijkt naar Barry. 'Hallo,' zegt ze ongeïnteresseerd. Ze kijkt weer naar mij. 'Ik snap het al,' zegt ze met een zucht; haar stem klinkt berustend en somber. 'Je wilt me dus niet helpen.'
Ik knipper verrast met mijn ogen.
'Ho ho, meisje. De lokale politie wordt er altijd bij betrokken. Zo werkt dat nu eenmaal. Dat wil niet zeggen dat ik er niet aan meewerk.'
'Sta je nu tegen me te liegen?'
'Nee.'
Ze staart me een paar seconden met halfdichtgeknepen, achterdochtige ogen aan en probeert het waarheidsgehalte van mijn woorden te peilen. 'Goed dan,' zegt ze onwillig. 'Ik geloof je.'
'Mooi,' antwoord ik.
Haar gezicht verandert. Hoop vermengd met wanhoop. 'Heb je mijn dagboek gevonden?'

Ik kies mijn woorden zorgvuldig. 'Ik mocht het dagboek zelf niet meenemen. Er gelden bepaalde regels over de behandeling van voorwerpen op een plaats delict. Wél heb ik' – ik ga op iets luidere toon verder wanneer ik haar gezicht zie betrekken – 'een foto laten maken van elke pagina. Iemand gaat die foto's vandaag voor me uitprinten en dan kan ik de tekst lezen. Net alsof het de pagina's uit je echte dagboek zijn.'
'Vandaag?'
'Dat beloof ik.'
Sarah onderwerpt me nogmaals aan een lange, achterdochtige blik.
Dit meisje heeft geen vertrouwen in anderen, denk ik bij mezelf. Geen enkel vertrouwen.
Wat was er allemaal gebeurd waardoor ze zo is geworden? Wilde ik dat echt weten?
'Sarah,' zeg ik, en ik zorg dat mijn stem neutraal en vriendelijk klinkt, 'we moeten je een paar vragen stellen. Over wat er gisteren bij jou thuis is gebeurd. Denk je dat je dat aankunt?'
De blik die ze me schenkt is die van iemand die te veel heeft meegemaakt, een soort holle onverschilligheid die ik al eerder bij slachtoffers ben tegengekomen. Het is makkelijker om onverschillig te zijn dan om ergens om te geven.
'Vast wel.' Haar stem klinkt vlak.
'Vind je het goed dat Barry hier blijft tijdens dit gesprek? Ik ben degene die de vragen stelt. Hij gaat een stukje bij ons vandaan zitten en luistert alleen maar.'
Ze wuift met een hand. 'Ik vind alles best.'
Ik zet een stoel naast haar bed. Barry neemt plaats op een stoel vlak bij de deur. Weer een paar passen van onze vertrouwde dans. Hij kan alles volgen, maar blijft onopvallend op de achtergrond. Het zal Sarah geen enkele moeite kosten om te vergeten dat hij er is.
Een slachtoffer dat herinneringen ophaalt heeft iets intiems. Het is persoonlijk. Geheimen die worden gedeeld. Barry weet dat en hij weet ook dat Sarah het het makkelijkst zal vinden om deze geheimen met mij te delen.
Ze heeft haar gezicht naar het raam gewend. Weg van mij, naar de zon toe. Haar handen zijn gevouwen. Ik zie dat haar nagels zwart zijn gelakt.
Vooruit, zegt mijn innerlijke ik.
'Sarah – weet je wie dit heeft gedaan?' De kernvraag. 'Weet je wie de Kingsleys heeft vermoord?'
Ze blijft uit het raam turen. 'Niet op de manier zoals jij het bedoelt. Ik weet zijn naam niet, weet niet hoe hij eruitziet, maar hij is wél eerder in mijn leven geweest.'
'Toen hij je ouders vermoordde.'

Ze knikt.
'Je zei dat je zes was toen dat gebeurde.'
'Het was 6 juni,' zegt ze. 'Mijn verjaardag. Van harte gefeliciteerd, meid.'
Ik slik iets weg, aarzel inwendig even bij deze onthulling.
'Waar is dat gebeurd?'
'Malibu.'
Ik werp een blik op Barry. Hij knikt en noteert zwijgend iets in zijn opschrijfboekje. Als deze eerdere moord inderdaad heeft plaatsgevonden, kunnen we de gegevens opvragen.
'Kun je je nog herinneren wat er toen precies is gebeurd? Toen je zes was?'
'Ik herinner me alles nog.'
Ik wacht even, in de hoop dat ze uit zichzelf verdergaat. Dat doet ze niet.
'Hoe weet je dat de man die gisteren de Kingsleys heeft vermoord dezelfde man is die tien jaar geleden je ouders vermoordde?'
Ze draait zich om en kijkt me aan met een uitdrukking vol berusting en onderdrukte woede op haar gezicht. 'Dat is een heel domme vraag.'
Ik kijk haar even onderzoekend aan. 'Goed – wat is dan wel een goede vraag?'
'Waaróm is het dezelfde man?'
Ik knipper met mijn ogen. Ze heeft gelijk. Dat is de belangrijkste van alle vragen.
'Weet je waarom?'
Ze knikt.
'Wil je het me vertellen?'
'Ik zal je er een deel van vertellen. De rest moet je lezen.'
'Oké.'
'Hij...' Ze voert even strijd met zichzelf. Misschien probeert ze de juiste woorden te vinden. 'Hij heeft eens tegen me gezegd: "Ik vorm jou naar mijn eigen voorbeeld." Hij legde niet uit wat hij bedoelde, maar dat zei hij. Hij zei dat hij naar mij en mijn leven keek zoals een kunstenaar naar klei, dat ik zijn beeldhouwwerk was. Hij had zelfs een naam voor het beeld, een titel.'
'Wat was die naam?'
Ze doet haar ogen dicht. *'Een verwoest leven.'*
Het gekras van Barry's pen houdt even op. Ik staar naar Sarah en probeer te verwerken wat ze net heeft gezegd.
Georganiseerd, denk ik bij mezelf. Georganiseerd, maar gedreven en geobsedeerd door iets specifieks. Wraak is het motief en haar kapotmaken is er een onderdeel van. Een belangrijk onderdeel.
Ze praat verder. Haar stem klinkt een beetje vaag en veraf. 'Hij doet dingen om mijn leven te veranderen. Om me verdrietig te maken, om me te leren wat haat is, om ervoor te zorgen dat ik alleen ben. Om me te veranderen.'

‘Heeft hij je weleens verteld waarom?’
‘Toen het allemaal begon, zei hij: “Hoewel het niet jouw schuld is, is jouw pijn toch mijn gerechtigheid.” Ik snapte het toen niet. Ik snap het nu nog steeds niet.’ Ze kijkt me aan, onderzoekend, vragend. ‘Jij wel?’
‘Niet echt. We denken dat dit een soort wraakoefening voor hem is.’
‘Waarvoor?’
‘Dat weten we nog niet. Je zei dat hij dingen doet om jouw leven te veranderen. Om jou te veranderen. Wat voor dingen?’
Een lange, lange stilte. Ik weet niet wat voor uitdrukking er in haar ogen ligt. Ik weet alleen dat die bedroefd en veelomvattend is, en dat die niet nieuw voor haar is.
‘Het gaat om mij,’ zegt ze zachtjes. ‘Hij vermoordt iedereen die vriendelijk en goed voor me is, of zou kunnen zijn. Hij vermoordt degenen van wie ik hou en die van mij houden.’
‘Is er echt niemand die dit ooit heeft opgemerkt?’
Ze schakelt in één tel over van de rustige toon naar een harde brul die me laat schrikken. Haar blauwe ogen spuwen vuur. ‘Het staat allemaal in mijn dagboek. Léés dat nou. Hoe vaak moet ik het je nog zeggen? Mijn god! Mijn god! Mijn god!’
Ze wendt zich weer af, terug naar de zon, trillend, met zenuwachtige spiertrekkingen en boordevol woede. Ik voel dat ze zich terugtrekt, zich in zichzelf opsluit.
‘Het spijt me,’ zeg ik sussend. ‘Ik beloof je dat ik het zal lezen. Echt. Elke pagina. Wat ik nu moet weten is wat er gisteren is gebeurd. In dat huis. Alles wat je je kunt herinneren.’
Weer een lange stilte. Ze is niet boos meer. Ze ziet er vermoeid uit, tot in het diepst van haar wezen.
‘Wat wil je weten?’
‘Begin maar bij het begin. Voordat hij in het huis was. Wat was je aan het doen?’
‘Het was halverwege de ochtend. Een uur of tien. Ik was bezig mijn nachthemd aan te trekken.’
‘Je nachthemd? Waarom?’
Ze glimlacht en de oude feeks die zich in Sarah ophoudt, keert op volle sterkte terug, gniffelend en afzichtelijk.
‘Omdat Michael me dat had gezegd.’
Ik frons mijn voorhoofd. ‘Waarom had Michael je dat gezegd?’
Ze kijkt me met een schuin hoofd aan.
‘Nou, omdat hij me wilde neuken, natuurlijk.’

15

'Hadden Michael en jij seks met elkaar?'
Ik ben trots op mezelf. Het is me gelukt om mijn stem vast en neutraal te houden bij deze onthulling.
'Nee, nee, nee. Seks is iets wat tussen twee mensen gebeurt die elkaars gelijken zijn. Ik néúkte Michael. Zodat hij niet tegen Dean en Laurel zou liegen, en zij me niet zouden wegsturen.'
'Dwong hij je?'
'Niet met geweld. Hij chanteerde me wel.'
'Waarmee? Wat had je dan gedaan?'
Ze kijkt me ongelovig aan. 'Gedaan? Ik had helemaal niets gedaan. Dat deed er helemaal niet toe. Michael was de volmaakte zoon. Goede cijfers, captain van het atletiekteam. Deed nooit iets verkeerds.' De verbittering in haar stem is bijtend als zuur. 'Wie was ik nou helemaal? Een of ander zwerfstertje dat ze in huis hadden genomen. Hij zei dat hij wiet in mijn kamer zou verstoppen als ik niet met hem neukte. Dean en Laurel waren aardige mensen, en ze behandelden me goed – maar ze verdroegen geen... ongebruikelijke dingen. Ze zouden me zo hebben weggestuurd. Ik ging ervan uit dat ik het wel twee jaar kon volhouden, tot ik achttien was; dan was ik volwassen en kon ik vertrekken.'
'Je had dus... seks met hem wanneer hij je daarom vroeg.'
'Ik moest tenslotte ook leven.' Haar stem druipt van sarcasme en ook een vleugje zelfverachting, waardoor mijn hart ineenkrimpt. 'Hij wilde alleen maar dat ik hem pijpte en hij neukte me graag.' Ze tuurt omlaag naar haar handen. Ze trillen, in schril contrast met het hardvochtige gezicht dat ze me toont. 'Ach, ik ben al zo lang geen maagd meer. Wat maakt dat nou uit?'
'Hadden de Kingsleys helemaal niets in de gaten?'
Sarah rolt met haar ogen. 'Alsjeblieft, zeg. Ik zei het net toch al: ze behandelden me goed – maar het liefst van alles wilden ze dat hun leven perfect was.' Ze aarzelt even. 'Bovendien... behandelden ze me écht goed. Ik wilde niet dat ze dat van Michael te weten zouden komen. Dat zou hen hebben gekwetst. Ze verdienden beter.'
'Oké, je was dus bezig je nachthemd aan te trekken. Wat gebeurde er toen?'
'Hij verscheen in de deuropening van mijn slaapkamer.'

'Michael?'
'Nee – de Vreemdeling. Hij dook plotseling op. Zonder waarschuwing vooraf. Hij droeg een panty over zijn gezicht, zoals hij dat vroeger ook had gedaan.' Ze bijt even op haar onderlip, verzonken in de herinnering. 'Hij had een mes in zijn hand. Hij was blij, hij glimlachte, was ontspannen. Hij zei hallo, deed heel vrolijk en gewoon, en toen... zei hij dat hij een cadeau voor me had.' Ze zwijgt even. 'Hij begon te vertellen: "Er was eens een man die het verdiende om te sterven. Hij was een amateurdichter, deze man, en heel getalenteerd. Hij schiep mooie woorden, maar binnen in hem heerste het duister. Op een dag ging ik naar de man toe. Ik ging naar hem toe, zette een pistool tegen het hoofd van zijn vrouw en droeg hem op een gedicht voor haar te schrijven. Ik vertelde hem dat dit het laatste was wat ze ooit zou horen, voordat ik haar een kogel door haar kop zou jagen. Hij deed wat ik zei en toen heb ik hen allebei gedood, geprezen zij de Heer. Toen ze eenmaal dood waren, sneed ik hen van onder tot boven open en rukte ik hun ingewanden eruit, zodat de hele wereld hun duisternis kon zien."'
De boodschap, denk ik bij mezelf. Hij rijt hen open en trekt alles naar buiten, zodat we zien wie ze werkelijk zijn.
Het religieuze facet ontgaat me evenmin. Fanatisme bij seriemoordenaars is vrijwel altijd een teken van krankzinnigheid.
In dit geval echter niet. Zijn geloof werd niet ingegeven door zijn behoefte aan wraak. Het is iets waarmee hij is opgegroeid.
'Heeft hij je soms dat gedicht gegeven?' vraag ik. 'Was dat zijn cadeau aan jou?'
'Ja, een kopie ervan. Hij zei dat hij het voor me had overgetypt. Ik moest het van hem lezen en daarna heb ik het in de zak van mijn nachthemd gestopt.' Ze gebaart naar het nachtkastje naast haar bed. 'Het ligt in de la. Toe maar. Hij had gelijk, het is best goed, zeker gezien de omstandigheden.'
Ik steek een hand uit en trek de la open. Er ligt een opgevouwen stukje onopvallend wit schrijfpapier in. Ik vouw het open en lees:

Jij bent het

Wanneer ik ademhaal
Ben jij het
Wanneer mijn hart klopt
Ben jij het
Wanneer mijn bloed stroomt
Ben jij het
Wanneer de zon opkomt

Wanneer de sterren stralen
Ben jij het
Ben jij het

Ik lees zelden poëzie en ben niet de aangewezen persoon om een oordeel te vellen over wat ik zojuist heb gelezen. Ik weet alleen dat ik de eenvoud prachtig vind en ik sta verbaasd stil bij het moment waarop het is geschreven.
'Het is echt waar, hoor,' zegt Sarah.
Ik kijk op. 'Wat is echt waar?'
'Als hij zegt dat het zo is gebeurd... dan is het zo gebeurd.' Ze doet haar ogen dicht. 'De Vreemdeling vertelde me dat de inkt op het origineel was gaan vlekken omdat de dichter huilde toen hij het schreef. Het bloed van zijn vrouw zit er ook op. "Fraaie speldenpuntjes," zei hij, "omdat het bloed als een nevel uit haar hoofd spoot toen ik haar neerschoot."'
'Ga verder,' zeg ik. 'Wat gebeurde er toen?'
Ze wendt haar hoofd af; haar stem klinkt zwak.
'Hij vroeg me wat ik van dat gedicht vond. Hij klonk oprecht geïnteresseerd. Ik gaf geen antwoord. Dat vond hij blijkbaar niet erg. "Het is fijn om je weer te zien," zei hij. "Jouw pijn is mooier dan ooit."'
'Sarah – hoe nauwkeurig is jouw herinnering aan de manier waarop hij praat en wat hij zegt? Dat is niet beledigend bedoeld, hoor.'
'Ik heb een talent voor stemmen en wat mensen zeggen. Geen fotografisch geheugen of zoiets. Ik kan het me niet precies herinneren, niet woord voor woord, zo is het niet. Maar ik ben wel goed. Wanneer hij praat, concentreer ik me helemaal op hem. Op de manier waarop hij praat. De dingen die hij doet.'
'Dat is heel nuttig om te weten,' zeg ik bemoedigend tegen haar. 'Hoe lang is hij?'
'Ongeveer een meter tachtig, misschien iets langer.'
'Is hij blank of zwart?'
'Blank en gladgeschoren.'
'Is het een grote man? Ik bedoel: is hij dik of mager? Gespierd of slap?'
'Hij is niet dik, hij is niet dun. Hij is erg sterk. Hij heeft een prachtig lichaam. Prachtig. Geen smetje te bekennen. Hij traint vast als een bezetene. Hij is goed gebouwd, maar heeft geen opgepompte spieren.'
Ik hoor Barry's pen krassen.
'Vertel verder,' zeg ik. 'Wat gebeurde er toen?'
'"Mijn beeldhouwwerk van jou is bijna klaar, Sarah," zei hij. "Tien lange jaren vol pieken en dalen, veranderingen, tegenslagen en verdriet. Ik heb je zien buigen en barsten. Interessant, vind je ook niet? Dat een mens zo vaak

kapot kan gaan en toch blijft doorgaan? Je bent niet langer het kleine meisje dat je was toen we aan deze reis begonnen. Ik zie de barsten, de plekken waar je jezelf weer aan elkaar hebt moeten lijmen."' Sarah schuift rusteloos heen en weer op het bed. 'Dit is natuurlijk niet letterlijk, oké? Niet woordelijk, maar het komt er wel op neer, het is min of meer wat hij zei en hoe hij klonk.'
'Je doet het uitstekend,' verzeker ik haar. Ze gaat verder.
'Hij had een tas bij zich. Hij deed hem open en haalde er een kleine videocamera uit, die hij op mij richtte.'
'Dat had hij toch al eens eerder gedaan?' vraag ik.
Ze knikt. 'Ja. Hij zegt dat hij mijn ondergang vastlegt. Dat dit belangrijk is, omdat er anders geen gerechtigheid is.'
Moordenaars verzamelen aandenkens. Voor hem is dat de video.
'Wat deed hij toen?'
'Hij zoomde in op mijn gezicht en zei: "Ik wil dat je aan je moeder denkt."'
Ze kijkt me aan. 'Wil je zien wat hij toen zag?'
Voordat ik kan antwoorden dat ik dat echt helemaal niet wil, veranderen haar ogen en ik vergeet adem te halen.
Ze vullen zich met een intens verdriet en verlangen, fel als een zonsopgang. Ik zie onvervulde hoop, een ingrijpend verlies van moed.
Ze wendt haar blik af. Ik krijg weer lucht.
Geldt dat voor haar ook?
'En toen?' gooi ik er aarzelend uit.
'Hij bleef een tijdje zo naar me zitten kijken door de lens van de camera. Toen begon hij tegen me te praten. "Weet je wat ik hier het spannendst aan vind, Sarah? De dingen waarover ik geen controle heb. Neem nu dit huis, bijvoorbeeld. Een gezin dat vriendelijk tegen je is zonder dat ze echt hartelijk zijn. Een zoon die aan de buitenwereld een volmaakt gezicht toont, maar intussen jou chanteert, zodat je aan zijn pik zuigt. Wonderbaarlijk. Aan de ene kant geheel en al toeval. Ik heb deze omgeving niet gecreëerd. Aan de andere kant zit je hier louter en alleen vanwege mij. Heb je daar weleens aan gedacht wanneer je Michaels pik in je mond had? Dat je hier was en in zijn ogen keek door wat ik had gedaan?"'
Sarah glimlacht boosaardig, spottend. 'Het antwoord is ja. Soms dacht ik inderdaad aan de Vreemdeling.' Ik zie dat haar hand nog steeds beeft.
'Ga verder,' moedig ik haar aan.
Hoe wist hij dat Michael haar misbruikte? Een mentale aantekening die ik voorlopig even voor mezelf hou. Ik wil haar vertelritme niet onderbreken.
'Toen werd hij vuil.' Ze staart in de verte bij die herinnering. 'Hij zei: "Weet je wat Michael van je heeft gemaakt, Sarah, op het moment dat je op je knieën ging zitten in ruil voor zijn zwijgen? Hij maakte een hoer van je."'

Sarahs handen vliegen naar haar gezicht en ik schrik ervan. Ze bedekt haar ogen en haar schouders schokken.
'Gaat het?' vraag ik zachtjes.
Ze gooit er één diepe ademteug uit, bijna een snik. Een ogenblik verstrijkt en dan laat ze haar handen weer in haar schoot vallen.
'Het gaat best,' zegt ze toonloos.
Ze gaat verder met haar beschrijving van de man die ze de Vreemdeling noemt.
'"Toeval, maar toch ook weer niet," zei hij. "Het enige wat ik hoefde te doen, was je in de juiste richting duwen, zoals God me dat opdroeg. Ik wist dat ik erop kon rekenen dat de menselijke natuur jouw reis zou bemoeilijken, zolang ik maar in de buurt was om vriendelijke personen te verwijderen. Mensen die echt om hun medemens geven zijn een zeldzaamheid, Kleine Pijn. Een regendruppel in een storm."' Ze kijkt me aan. 'Hij heeft gelijk. Hij heeft misschien de kaarten geschud en mijn leven uit het lood geslagen, maar de mensen die me zo akelig behandelden?' Ze wrijft over haar armen alsof ze het koud heeft. 'Hij heeft hen niet gedwongen akelig tegen me te zijn. Dat deden ze uit zichzelf.'
Ik wil haar troosten, haar vertellen dat niet iedereen slecht is, dat er ook goede mensen op de wereld zijn. Ik heb geleerd die neiging te onderdrukken. Slachtoffers hebben geen behoefte aan meelevende woorden. Ze willen dat ik de tijd terugdraai, ervoor zorg dat het niet is gebeurd.
'Ga verder,' zeg ik.
'Hij praatte maar door. Hij hoort zichzelf graag praten. "Onze tijd samen zit er binnenkort op. Ik sta op het punt mijn werk af te ronden. Ik heb de laatste paar stukken waarnaar ik op zoek was gevonden en binnenkort zal ik mijn meesterwerk onthullen." Hij stopte de camera terug in de tas en stond op. "Het is tijd om aan de volgende etappe van je reis te beginnen, Kleine Pijn. Kom mee."'
'Waarom noemt hij je "Kleine Pijn"?' vraag ik.
'Dat is zijn koosnaam voor me. Zijn "Kleine Pijn".' De uitdrukking in haar ogen is woest. 'Ik háát het!'
'Dat geloof ik graag,' mompel ik. 'Wat gebeurde er toen?'
'Ik wilde al naar de deur lopen, zoals hij had gevraagd, maar toen bleef ik staan. Nutteloos, dat besef ik ook wel, maar ik vond dat hij me moest dwingen door die deur naar buiten te lopen. Alsof het ertoe deed dat ik niet uit mezelf was gegaan. Dwaas.'
Misschien wel, denk ik bij mezelf, maar dan is er nog hoop voor je.
'En toen?'
'"Nu niet lastig doen," zei hij en hij greep me vast bij mijn arm. Hij had dik-

ke handschoenen aan, maar toch voelde ik hoe hard en sterk zijn handen waren. Hij nam me mee door de gang naar de slaapkamer van Dean en Laurel.' Ze kijkt me weemoedig aan. 'Dat raam waar ik zat toen jij binnenkwam? Ik weet nog dat ik dat zag en dacht wat een prachtige dag het was.'
'Ga verder,' spoor ik haar zacht aan.
'Hij duwde me door de gang naar hun badkamer.' Ze huivert. 'Dat is waar hij hen naartoe had gebracht. Dean en Laurel.'
'Leefden ze nog?'
Haar blik is vaag. 'Ja, natuurlijk. Ze waren naakt en ze leefden nog. Ze bewogen zich niet. Ik wist niet waarom, totdat hij het me vertelde. "Verdoofd," zei hij. "Ik heb hun een injectie gegeven." Miva-nog-iets-chloride, zo noemde hij het. De precieze naam kan ik me niet herinneren. Hij zei dat ze bij bewustzijn waren, dat ze pijn konden voelen en ons konden horen, maar dat ze zich vrijwel niet konden bewegen.'
Eén punt voor mij voor het verdovende middel en één voor Tommy voor de spierontspanner, denk ik bij mezelf.
Er schiet me iets te binnen. 'Sarah, zijn stem – zou je die herkennen wanneer je hem hoorde? Niet alleen de woorden of de manier waarop hij praat, maar de klank?'
Ze knikt somber. 'Ik kan hem maar niet vergeten. Ik droom er soms zelfs van.'
'Ga verder.'
'Hij had Dean met zijn gezicht naar beneden gelegd. Laurel lag op haar rug. Hij zette zijn camera op een statief en drukte op RECORD. Toen tilde hij Dean op alsof hij een baby was, moeiteloos, en legde hij hem in de badkuip. "Kom hier, Kleine Pijn," zei hij tegen me. Ik liep naar het bad. "Kijk in zijn ogen," droeg hij me op. Dat deed ik.' Sarah slikt moeizaam iets weg. 'Ik kon zien dat hij de waarheid had gesproken. Dean was... aanwezig. Hij wist wat er gaande was. Hij was zich van alles bewust.' Ze huivert. 'Hij was ook doodsbang. Dat kon je aan zijn ogen zien. Hij was ontzettend bang.'
'Wat gebeurde er toen?'
'De Vreemdeling zei dat ik achteruit moest gaan. Hij boog Deans hoofd naar voren, zodat zijn kin vooruitstak.' Ze strekt haar hals uit om het me te laten zien. '"Wanneer je het moment van je eigen dood herkent, herken je de betekenis van zowel waarheid als angst, meneer Kingsley," zei hij. "Je vraagt je af wat daarna komt: de glorie van de hemel of het vuur van de hel. Niet lang geleden heb ik een student filosofie, een slechte, gemene man, gemarteld. Ik heb hem gesneden, verbrand, elektrische shocks toegediend. Ik wachtte. Voordat ik begon had ik tegen hem gezegd: als hij één originele opmerking over het leven kon bedenken, zou ik een eind maken aan de pijn. Op de ochtend van de tweede dag krijste hij, terwijl ik hem castreerde: 'We leven allemaal in het mo-

ment vóór onze dood!' Ik heb mijn belofte gehouden en hem verlossing geschonken. Aan die waarheid denk ik voordat ik iemand vermoord."'
Sarah slikt even. 'Toen sneed de Vreemdeling Deans hals door. Zomaar ineens.' Haar stem klinkt afstandelijk en verbaasd. 'Zonder te waarschuwen. Heel snel. Het bloed spoot naar buiten. De Vreemdeling draaide Deans nek zo dat het bloed in de badkuip belandde. Ik weet nog dat ik bijna niet kon geloven dat het zoveel was.'
Ongeveer vijf of zes liter in het gemiddelde menselijk lichaam. Minder dan een halve keukengootsteen vol, maar bloed hoort aan de binnenkant te zitten, dus zes liter kan best zestig liter lijken.
'Wat gebeurde er toen?'
'Het duurde een tijdje. In het begin spoot het bloed eruit, daarna druppelde het. Toen hield het op. "Kijk nog eens in zijn ogen," zei hij tegen me. Dat deed ik.' Ze doet haar ogen dicht. 'Dean was weg. Niemand thuis.'
Ze is even stil, in gedachten terug in de tijd.
'Hij tilde Dean uit het bad en legde hem op de vloer.'
Een lange stilte.
'En toen?' dring ik aan.
'Ik weet wat je denkt,' fluistert ze.
Haar stem is vol zelfverachting en ze durft me niet aan te kijken.
'Wat, Sarah? Wat denk ik dan?'
'Waarom ben ik blijven staan terwijl hij dit deed en heb ik niet geprobeerd te ontsnappen?'
'Kijk me eens aan.' Ik leg de nodige kracht in mijn stem en dwing haar om me aan te kijken. 'Dat dacht ik helemaal niet. Ik snap het wel – hij bewoog zich heel snel. Hij had een mes. Je dacht dat het je toch niet zou lukken om weg te komen.'
Haar gezicht vertrekt. Ze rilt heftig, van top tot teen, over haar hele lichaam.
'Dat is waar, maar... het is niet de enige reden.'
Weer kan ze zich er niet toe zetten me aan te kijken.
'Wat is de andere reden dan?' Mijn stem klinkt vriendelijk, neutraal.
Een triest, zacht schouderophalen. 'Ik wist dat hij me niet zou vermoorden. Ik wist dat hij me niets zou doen, zolang ik daar maar bleef staan en toekeek, zolang ik deed wat hij zei en niet probeerde te ontsnappen. Zo wil hij me hebben: levend en verdrietig.'
'Uit ervaring durf ik wel te zeggen,' zeg ik na een korte stilte voorzichtig, 'dat levend en verdrietig beter is dan dood.'
Ze kijkt me onderzoekend aan. 'Geloof je dat echt?'
'Ja.' Ik wijs naar mijn littekens. 'Ik zie deze elke dag, herinner me elke dag waar ze voor staan. Dat doet me verdriet. Toch leef ik liever.'

Een verbitterd glimlachje. 'Misschien zou je daar anders over denken als je het om de paar jaar steeds opnieuw moest meemaken.'
'Misschien wel,' zeg ik. 'Het belangrijkst is dat jij er nu, op dit moment, ook zo over denkt.'
Ik zie aan haar dat ze dit laat bezinken. Ik kan niet zien welke conclusie ze eruit trekt.
'Goed,' gaat ze verder, 'hij bleef even over Laurel gebogen staan om naar haar te kijken. Haar lichaam bewoog niet, ze knipperde zelfs niet met haar ogen – maar ze huilde.' Sarah schudt haar hoofd; op haar gezicht ligt een gekwelde uitdrukking. 'Een spoor van tranen uit elke ooghoek. De Vreemdeling glimlachte, maar het was geen vrolijke glimlach. Hij spotte niet met haar of zo. Hij leek zelfs een beetje bedroefd. Hij boog zich voorover en duwde met zijn vingers haar ogen dicht.'
Tot op dit moment hadden we niet geweten dat hij hun ogen dichtdeed vóórdat de dood intrad. Het bevestigt mijn vermoeden dat mannen zijn belangrijkste doelwit zijn. Hij deed Laurels ogen dicht, omdat hij niet wilde dat ze zag wat er ging gebeuren.
Lekker belangrijk – hij heeft haar wel vermoord.
Ik zet deze gedachte in de ijskast – voorlopig, tenminste.
'En toen?' vraag ik.
Sarah wendt haar hoofd af. Haar gezicht verandert, net als haar stem: ze worden doods, mechanisch. Wanneer ze verdergaat, komt het er hortend en stotend uit. 'Hij stond op. Tilde haar op, zette haar in het bad. Hij sneed haar keel door. Liet haar leegbloeden, legde haar op het vloerkleed.' Ze probeert door deze herinnering heen te jagen. Het duurt even voordat ik begrijp waarom.
'Je had een betere band met Laurel dan met Dean, is het niet?' vraag ik zachtjes.
Ze huilt niet, maar ze knijpt haar ogen even stijf dicht.
'Ze was aardig tegen me.'
'Ik vind het heel erg voor je, Sarah. Wat gebeurde er toen?'
'Ik moest hem helpen hun lichamen naar de slaapkamer te brengen. Hij had mijn hulp niet echt nodig. Ik denk dat hij me gewoon bezig wilde houden, zodat ik niet kon weglopen. Eerst droegen we Dean ernaartoe en toen Laurel. Hij pakte hen onder hun armen beet, ik bij hun voeten. Ze zagen heel bleek. Ik heb nog nooit iemand gezien die zo wit was. Net melk. We legden hen op het bed.'
Ze zwijgt.
'Wat is er, Sarah?'
Ik zie dezelfde leegte die me de vorige avond ook bij haar is opgevallen. Iets

van het meisje bij het raam, dat met een pistool tegen haar hoofd een eentonig deuntje zingt.
'Hij had een lang, leren kistje in zijn zak. Hij maakte het open en haalde er een scalpel uit. Hij gaf het aan mij en vertelde me... Hij vertelde me... Hij vertelde me... hoe ik hen moest opensnijden. "Van keel tot navel," zei hij. "Eén snede, zonder te stoppen. Ik laat jou dit doen, Sarah. Laat jou blootleggen hoe ze vanbinnen werkelijk zijn."' Er hangt een waas over haar ogen. 'Het was alsof ik er niet echt was. Alsof ik niet in mezelf zat. Ik weet alleen nog dat ik dacht: doe wat je moet doen om in leven te blijven. Dat ik dat steeds bleef denken, toen ik het scalpel aanpakte en naar Laurel liep en haar opensneed; toen ik naar Dean liep en hem opensneed; toen ik hun huid wegtrok, omdat de Vreemdeling zei dat ik dat moest doen en hun spieren zag, die ik van hem ook moest doorsnijden en wegtrekken; toen botten en darmen, en ik moest mijn hand erin steken en trekken, trekken, trekken, en het was net gelatinepudding van rubber en het was nat en het stonk en toen was het...' Haar hoofd zakt voorover. '... voorbij.'
De woorden stroomden uit haar, onhoudbaar, als een vloedgolf. Nu is zij helemaal leeg en ik ben vol, rioolwater, een dodenrivier, gruwelen van hoogwater. Ik wil opstaan en wegrennen en nooit meer naar Sarah kijken of luisteren of aan haar denken.
Dat kan niet. Ze moet me nog meer vertellen.
Ik kijk naar Sarah. Ze tuurt omlaag naar haar handen.
'Doe wat je moet doen om in leven te blijven, dat dacht ik steeds maar weer opnieuw,' fluistert ze. 'Hij glimlachte alleen maar en filmde alles. Doe wat je moet doen om in leven te blijven. Om in léven te blijven.'
'Wil je soms liever ophouden?' vraag ik.
Ze kijkt me met dromerige ogen aan, verward.
'Hè?'
'Wil je soms liever dat we ophouden? Wil je even pauzeren?'
Ze staart me aan. Ze lijkt zichzelf te hervinden. Ze klemt haar lippen op elkaar en schudt haar hoofd.
'Néé. Ik wil dit afmaken.'
'Zeker weten?'
'Heel zeker.'
Misschien wel, misschien ook niet. Het is belangrijk dat ik de rest hoor en volgens mij is het belangrijk dat zij haar verhaal aan iemand kwijt kan.
'Goed. Wat gebeurde er toen?'
Ze wrijft met haar handen over haar gezicht. 'Hij zei dat ik met hem mee moest komen naar beneden. Ik liep achter hem aan naar de televisiekamer. Daar zat Michael op de bank, naakt. Hij was ook verlamd.

De Vreemdeling lachte en aaide Michael over zijn hoofd. "Je bent een ondeugende knul. Dat wist jij natuurlijk allang, hè, Kleine Pijn? Michael is een vieze jongen. Toen jij op je knieën zat, heeft hij een videocamera laten meelopen. Ik heb de banden tijdens een van mijn eerdere verkenningstochten gevonden. Maak je maar geen zorgen, hoor, die neem ik mee. Dat is dan ons geheimpje." Hij trok Michael met een ruk van de bank en sleurde hem over het vloerkleed.' Ze fronst haar wenkbrauwen. 'Ik had het scalpel nog steeds in mijn hand. Hij had het me niet afgepakt. Zo zeker was hij ervan dat ik niets zou proberen.' Ze haalt moedeloos haar schouders op. 'Goed. Hij sleepte Michael naar me toe en zei dat het mijn beurt was. "Vooruit," zei hij. "Je hebt boven gezien hoe ik het deed. Van oor tot oor: een brede, rode grijns." Ik weigerde.' Ze schudt in een wanhoopsgebaar haar hoofd. 'Alsof dat zin had. Alsof het ook maar iets uitmaakte.' Haar glimlach is gepijnigd, scheef, vol zelfhaat. 'Uiteindelijk kun je bij mij altijd van één ding op aan: ik doe wat nodig is om te overleven. "Doe het," zei hij. "Anders snij ik de tepels van je borsten en voer ik ze je."' Ze zwijgt, tuurt naar haar schoot. 'Natuurlijk deed ik het,' zegt ze met een iel stemmetje. Ze kijkt naar mij, bang voor wat ik denk. 'Ik wilde niet dat hij stierf,' zegt ze met een trillende stem. 'Ook al had hij me gechanteerd en me tot seks gedwongen en al die andere dingen, ik wilde niet dat hij stierf.'

Ik steek mijn arm uit en pak haar hand vast. 'Dat weet ik.'

Ze staat toe dat ik haar hand even vasthou, maar trekt hem dan weg.

'Mijn god. Michael hield maar niet op met bloeden. Mijn god. Daarna moest ik de Vreemdeling helpen zijn lichaam naar boven te dragen. Hij legde hem op het bed, tussen Dean en Laurel in. "Het is niet jouw schuld," zei hij. Ik dacht eerst dat hij het tegen mij had, maar toen begreep ik dat hij tegen Michael praatte. Ik was bang dat hij me zou dwingen hem ook open te snijden, maar dat gebeurde niet.' Ze zwijgt even. 'Ik draaide langzaam maar zeker een beetje door. Volgens mij had hij dat in de gaten en dacht hij dat ik misschien toch iets zou proberen, want hij zei dat ik het scalpel moest laten vallen. Ik heb even overwogen hem te steken. Echt waar. Maar ten slotte deed ik wat hij zei.'

'En nu ben je hier, en je leeft nog,' zeg ik, in een poging haar een hart onder de riem te steken.

'Ja.' Weer vermoeid.

'Wat gebeurde er toen?'

'Ik moest met hem mee naar de badkamer. Hij liep naar het bad en stak zijn hand in het bloed. Hij bespatte mij ermee en zei: "In naam van de Vader en de dochter en de Heilige Geest." Er zat bloed op mijn gezicht en op andere delen van mijn lichaam.'

De traanvormige druppels die ik de vorige avond had gezien, denk ik bij mezelf.
'Zei hij het echt zo: "In naam van de Vader en de dochter en de Heilige Geest"? Niet "de Vader en de Zoon"?'
'Dat is wat hij zei.'
'Vertel verder.'
'Toen zei hij dat hij nodig aan de slag moest. Hij zei dat hij zich creatief moest uiten. Hij trok zijn kleren uit.'
'Heb je iets opvallends aan hem gezien?' vraag ik. 'Moedervlekken, littekens, wat dan ook?'
'Een tatoeage. Op zijn rechterdijbeen, waar niemand het ooit zou kunnen zien, tenzij hij naakt was.'
'Een tatoeage van wat?
'Een engel. Geen leuke engel. Deze had een wreed gezicht en een vlammend zwaard. Een beetje eng, wel.'
Een wraakengel misschien? Ziet hij zichzelf zo of is het slechts een symbool voor wat hij doet?
'Als ik een politietekenaar naar je toe stuur, kun je de tatoeage dan voor hem beschrijven?'
'Ja, hoor.'
Ik denk niet dat deze dader een ontwerp uit een boek heeft gekozen. Hij zal de tatoeage eerder speciaal naar zijn eigen specifieke wensen hebben laten ontwerpen. Er bestaat een kansje dat we de kunstenaar kunnen opsporen.
'Verder nog iets bijzonders?'
'Toen hij bloot voor me stond, zag ik dat hij zijn hele lijf scheert. Oksels, borst, benen, zijn pik, alles.'
Dit is niet ongebruikelijk bij een slimme, georganiseerde dader. De meesten lezen alles over forensisch onderzoek en doen hun best om de kans dat ze sporen achterlaten zo klein mogelijk te maken. Het wegscheren van al het lichaamshaar is iets wat de meeste serieverkrachters ook doen.
'Hoe zit het met moedervlekken? Littekens?'
'Alleen de tatoeage.'
'Goed, Sarah. Wanneer we hem vinden, zal dat ons helpen om zijn schuld vast te stellen.'
'Oké.'
'Hij trok dus zijn kleren uit. En toen?'
'Hij was stijf.'
'Je bedoelt dat hij een erectie had?'
'Ja.'
Ik bijt op mijn onderlip, stel de vraag waartegen ik als een berg opzie: 'Heeft hij... jou aangeraakt?'

'Nee. Hij heeft me nooit geneukt, het ook nooit geprobeerd.'
'Wat deed hij toen?'
'Hij haalde twee sets handboeien uit de kontzak van zijn broek. "Ik moet je nu even vastbinden," zei hij, "zodat ik mijn werk kan doen zonder dat ik bang hoef te zijn dat jij ertussenuit knijpt." Hij boeide mijn handen achter mijn rug en toen boeide hij ook mijn enkels. Hij droeg me naar de slaapkamer en zette me neer op de vloer. Ik verzette me niet.'
'Ga verder.'
'Hij liep naar beneden en kwam terug met een grote pot.'
'Een pan?'
'Ja. Die liet hij vollopen met bloed uit de badkuip en toen...' Ze schokschoudert. 'Je hebt de slaapkamer gezien.'
Hij heeft een feestje gebouwd. De muren onder gespetterd, vingerverfschilderijen uit de hel.
'Hoe lang duurde dat?'
'Ik heb geen flauw idee,' zegt ze toonloos. 'Toen hij klaar was, zat er overal bloed. Dat weet ik wel. Hij was er zelf ook van top tot teen mee bedekt.' Ze grimast. 'God, hij was zo trots op zichzelf! Toen hij klaar was, ging hij even voor het raam staan om naar buiten te kijken. "Een prachtige dag," zei hij. "Een dag die God heeft geschapen." Hij schoof het raam open en bleef zo staan, naakt en bedekt met bloed.'
'Daarna is hij gaan zwemmen, hè?'
Ze knikt. 'Hij liet me daar achter, in die kamer, en een paar minuten later hoorde ik hem in het zwembad rondplonzen.' Ze kijkt me aan. 'Ik begon een beetje duf te worden. Soms was ik even weg. Ik draaide door.'
Wie zou dat niet doen?
'Tja.' Ze slaakt een diepe zucht. 'Ik weet dus niet hoeveel tijd er verstreek. Ik weet alleen nog dat ik daar lag en het gevoel had dat ik steeds in slaap viel en dan weer wakker werd, maar ik viel niet echt in slaap – ik weet het niet zo goed. Het was alsof ik steeds flauwviel. Op een gegeven moment kwam hij terug.' Ze rilt even. 'Hij was schoon, er zat geen bloed meer op zijn lichaam. Hij keek op me neer. Ik raakte weer bewusteloos. Toen ik wakker werd, lag ik beneden en was hij weer aangekleed. Hij had de pan in zijn handen. "Een beetje hier," zei hij. Hij hield de pan schuin en goot wat bloed op het kleed in de televisiekamer. Toen zei hij: "Een beetje daar", en hij liep de achtertuin in en gooide de rest van het bloed in het zwembad.'
'Weet je waarom hij dat deed?' vraag ik haar.
De harde, veel te oude ogen zijn terug. 'Ik denk dat hij vond dat... dat het afmaakte. Net een schilderij. De vlek op het kleed, het water in het zwembad, met iets meer rood was het pas echt perfect.'

Ik staar haar even aan en schraap dan mijn keel. 'Goed. Wat gebeurde er toen?'
'Hij ging voor me zitten met de camera en richtte die op mij. "Je bent heel veel dingen geweest, Kleine Pijn. Wees, leugenaar, hoer. Mijn pijnengel. Nu ben je een moordenaar. Je hebt net een ander mens gedood. Denk daar eens goed over na." Hij zweeg, maar hield de camera op mijn gezicht gericht. Ik weet niet hoe lang het doorging. Ik was bewusteloos.
Hij maakte de boeien los en zei dat hij wegging. "We zijn er bijna, Sarah. Aan het eind van onze reis. Ik wil dat je onthoudt dat het niet jouw schuld is, maar dat jouw pijn mijn gerechtigheid is."
Toen was hij verdwenen.' Ze kijkt me aan. 'Ik heb een tijdje zitten suffen, half slapend, half wakker. Alles werd zwart. Het volgende dat ik weet is dat ik met jou zat te praten in de slaapkamer.'
'Je herinnert je niet dat je om mij hebt gevraagd?'
'Nee.'
Ik kijk haar met een schuin hoofd aan. 'Waarom heb je dat gedaan?'
Ze kijkt me nadenkend aan met een blik die me, heel even, aan Bonnie doet denken.
'Sinds mijn zesde duikt er regelmatig een man op in mijn leven die me alle dingen en alle mensen die ik liefheb afneemt. Niemand gelooft dat hij echt bestaat.' Haar ogen glijden over mijn gezicht, dansen over mijn littekens. 'Ik had gelezen over wat jou was overkomen en ik dacht: misschien gelooft zij me wél. Ik begreep dat jij wist hoe het was. Om alles kwijt te raken. Om er steeds aan te worden herinnerd, elke dag opnieuw. Om je af te vragen of doodgaan misschien wel beter is dan leven.' Ze zwijgt even. 'Een paar maanden geleden heb ik een dagboek gekocht en alles opgeschreven. Elk akelig detail. Ik was van plan op een of andere manier contact met je te zoeken en het aan jou te geven.' Ze schokschoudert somber. 'Dat is me dus gelukt.'
Ik glimlach. 'Inderdaad.' Ik bijt op mijn onderlip. 'Sarah, wat hij tegen je zei – dat je een moordenaar bent... je weet toch wel dat dat niet waar is?'
Ze huivert. De huivering gaat over in heftige rillingen, over haar hele lichaam; haar ogen zijn wijd open, haar gezicht is bleek, haar lippen wit en strak op elkaar geperst.
'Barry – haal de verpleegster!' zeg ik geschrokken.
'N-n-nee!' zegt Sarah.
Ik kijk haar aan. Ze schudt nadrukkelijk haar hoofd, slaat haar armen over elkaar, klemt ze om zichzelf heen en wiegt heen en weer. Ik sla haar gade met een hand in de aanslag om op de alarmknop te drukken. Er verstrijkt een halve minuut. De rillingen nemen af, verdwijnen dan. Er verschijnt weer wat kleur op Sarahs gezicht.

'Gaat het?' vraag ik een beetje dommig. Het is een machteloze vraag.
Ze strijkt een lok haar weg van haar voorhoofd.
'Dit gebeurt wel vaker,' zegt ze met een verbazingwekkend heldere stem. 'Het duikt zomaar uit het niets op, als een toeval.' Haar hoofd draait zich met een ruk om, haar ogen zoeken de mijne en ik word verrast door de helderheid en kracht die ik daarin zie. 'Ik ben bijna klaar, snap je? Dit is het keerpunt. Jullie vinden hem en houden hem tegen, of ik neem datgene weg waarnaar hij het meest verlangt.'
'En dat is?'
Haar blik is ferm, maar gekweld. Vastberaden en toch verloren. 'Mij. Het liefst van alles wil hij mij hebben. Dus als jullie hem niet vangen, neem ik mezelf voorgoed weg. Heb je me gehoord?'
Ze keert zich weer om naar het raam, naar de zon; ik zou tegen haar in kunnen gaan en protesteren, maar ik besef dat ze tijdelijk niet meer bij ons is.
'Ja,' antwoord ik zacht. 'Ik heb je gehoord.'

'Wat maak jij er allemaal van?' vraagt Barry.
We staan buiten op het parkeerterrein. Hij rookt en ik zou het liefst hetzelfde doen.
'Wat een afgrijselijk verhaal.'
'De spijker op de kop,' mompelt hij. 'Als ze tenminste de waarheid spreekt.'
'Wat denk jij?'
'Ik heb al heel wat bizarre verhalen gehoord. Een heleboel leugens voorgeschoteld gekregen. Dit voelde anders aan.'
'Ben ik helemaal met je eens.'
'Wat vind je van die dreiging met zelfmoord?'
'Ze meent het echt.'
Meer zeg ik niet, meer hoef ik niet te zeggen. Ik voel dat Barry het met me eens is.
'En de dader?'
'Dat is allemaal nog vaag. Wraak is met aan honderd procent grenzende zekerheid het motief. Dat is heel belangrijk voor hem. Hij was bereid het verminken van de lichamen deze keer aan zich voorbij te laten gaan, zodat hij Sarah kon dwingen het te doen. Haar pijn bezorgen was belangrijker, bevredigender, dan hen zelf opensnijden.'
'Het moorden zelf echter niet,' merkt Barry op.
'Afgezien van de jongen dan. Ook hier was het feit dat zij het onder dwang deed, terwijl hij toekeek hoe zij leed, voldoende voor hem. Van moorden via haar krijgt hij een erectie. Spelen met bloed... Dat is een ritueel, het heeft iets seksueels. Toekijken terwijl zij het doet is op de een of andere manier te intel-

lectueel.' Ik wrijf met mijn handen over mijn gezicht, probeer iets van normaliteit op te roepen. 'Sorry, je hebt niet echt veel aan me.'
'Ach, we hebben al eerder zaken als deze gehad. Zo werkt het nu eenmaal bij jou.'
Hij heeft gelijk, zo werkt het nu eenmaal. Observeren, observeren, observeren, nadenken, verbanden leggen, voelen en dat alles blijven herhalen, totdat het beeld van de moordenaar van vaag in gedetailleerd verandert. Het is chaotisch, verward en tegenstrijdig, maar zo werkt het nu eenmaal.
'Kun je een politietekenaar laten komen?' vraag ik. 'De tatoeage moet opvallend zijn, uniek.'
'Ik zal ervoor zorgen.'
'Ik zal Callie bellen om te vragen wat er op de PD van Vargas is gebeurd – ik zal haar ook vragen om jou te bellen en je op de hoogte te brengen. Afgezien van een enorme forensische doorbraak is het uitspitten van het verleden van alle betrokkenen, met speciale aandacht voor Vargas, volgens mij de productiefste aanpak. Daar ligt het antwoord. Gezien het wraakmotief en de manier waarop hij met de lichamen van kinderen omgaat, gaat mijn belangstelling vooral uit naar de invalshoek van mensensmokkel.'
'Dan is het er een voor jullie.'
'Hoezo?'
'Blijkbaar was de aanklacht voor mensensmokkel een federale aangelegenheid. FBI zelfs.'
'Hier?'
'Californië. Ik duik wel in het leven van de Kingsleys en dat van Sarah. Ik zal haar ouders natrekken, kijken of ze echt zijn vermoord. O ja, ik zal ook navraag doen bij de patholoog. Verdorie, ik heb het er maar druk mee.'
'Ik zal ervoor zorgen dat Callie je een kopie van het dagboek stuurt.'
We blijven allebei staan om na te denken. Gaan na of we alles hebben besproken.
'Dat is het dan wel, denk ik zo,' zegt Barry. 'Je hoort binnenkort van me.'

'Die flat was een walgelijke varkensstal, honey-love.'
'Dat weet ik. Wat heb je gevonden?'
'Even kijken, waar zal ik beginnen? Doodsoorzaak was dezelfde als bij de Kingsleys. De keel doorgesneden en het bloed in de badkuip in de badkamer laten lopen. Meneer Vargas was opengesneden, zijn ingewanden verwijderd. Bij hem echter geen haperingen bij het opensnijden.'
Ik vertel haar over Sarah.
'Hij heeft háár gedwongen hen open te snijden?'
'Ja.'

Stilte. 'Tja, dat verklaart een hoop. Laten we verdergaan. De jongedame was niet verminkt – zoals je zelf hebt gezien. We hebben haar identiteit nog niet achterhaald, maar ze was jong. Tussen de twaalf en de zestien, schat ik. We hebben een tatoeage gevonden van een kruis met daaronder een cyrillische tekst die kan worden vertaald als: "Dank God, want God is liefde".'
'Vreemd, een Amerikaans meisje met een tatoeage in cyrillisch schrift. Ze moet Russisch zijn of een Russische achtergrond hebben. Wat wel weer logisch is.'
De Russische maffia is tegenwoordig een belangrijke speler in de handel in mensen, onder anderen minderjarigen voor de seksindustrie.
'De littekens op haar voeten zijn vergelijkbaar met wat we op de afdrukken bij de Kingsleys hebben gezien, behalve dat het er ditmaal beduidend minder zijn. Ook lijken ze relatief recent. De patholoog schatte op basis van kleur en verbleking dat ze een maand of zes oud zijn.'
'Raar toeval, vind je ook niet – dat de dader en zij hetzelfde soort littekens hebben?'
'Nee, want volgens mij is het geen toeval. Alle afdrukken die we hebben verzameld, kwamen overeen met die van de twee slachtoffers. We hebben een heleboel haren en vezels verzameld. Ook hebben we spermavlekken gevonden, maar die zijn allemaal oud en droog. Je weet wel – schilferig.'
'Bedankt voor die gedetailleerde omschrijving.'
'Ik heb de computer eenmaal vluchtig bekeken en gezien dat er e-mail en verschillende documenten op staan, evenals porno. Heel veel porno. Ik laat de computer meenemen, zodat ik hem grondig kan onderzoeken. Had ik al gezegd dat er heel veel porno op staat? Vargas was geen aardige man.'
'Heeft de dader met hun bloed gespeeld?'
'Als je bedoelt of hij hier ook heeft lopen vingerverven, is het antwoord nee.'
De Kingsleys liet hij door Sarah verminken. Misschien was het vingerverven een plaatsvervanger. Een soort troostprijs.
'Hoe staat het met het dagboek?'
'Ik ga zo terug naar kantoor. Daar zal ik het printen.'
'Bel me zodra je dat hebt gedaan.'

Ik bel James op zijn mobiele telefoon.
'Wat moet je?' antwoordt hij.
Een dergelijke begroeting verbaast me allang niet meer. Dit is typisch James, het vierde en laatste lid van mijn team. Hij is de olie op het vuur van anderen, de zaag die tegen de nerf in gaat. Hij is irritant, onsympathiek en maakt mensen razend. Achter zijn rug noemen we hem Damien, naar het personage uit *Het omen*, de zoon van Satan.

James zit in mijn team omdat hij briljant is. Zijn intelligentie is verbluffend. Hij deed op zijn vijftiende eindexamen op de middelbare school, haalde prachtige cijfers voor zijn toelatingsexamens, studeerde op zijn twintigste af in criminologie en kwam op zijn eenentwintigste bij de FBI, een doel waarnaar hij al sinds zijn twaalfde streefde.
James had een oudere zus, Rosa. Rosa stierf toen James twaalf was door toedoen van een seriemoordenaar met een soldeerbout en een glimlach. James hielp zijn moeder Rosa te begraven en besloot bij haar graf wat hij met de rest van zijn leven ging doen.
Ik weet niet wat James naast zijn werk verder nog heeft. Ik weet niets over zijn privéleven, weet niet eens of hij dat wel heeft. Ik heb zijn moeder nooit ontmoet. Ik heb nooit gehoord dat hij weleens naar de film gaat. De keren dat ik als passagier meereed in zijn auto zette hij de radio altijd uit en verkoos hij stilte boven muziek.
Wat betreft de emoties van anderen is hij de onverschilligheid zelve. Hij wisselt bittere vijandigheid af met een achteloosheid die de ultieme belichaming is van 'ik hoef niet te weten hoe jij je voelt, want het kan me echt he-le-maal niets schelen'.
Hij is echter wel briljant. Een niet te ontkennen briljantheid, verblindend als een zoeklicht. Hij heeft nog een gave, een die we met elkaar gemeen hebben, die ons bindt, hoezeer ook tegen onze zin. Hij kan zonder met zijn ogen te knipperen in het hoofd van een moordenaar kijken. Hij kan het kwaad recht in het gezicht staren en vervolgens een vergrootglas oppakken om het nog beter te kunnen zien.
Op die momenten is hij van onschatbare waarde, een kameraad, en komen we samen als boten en water, rivieren en regen.
'We hebben een klus,' zeg ik.
Ik breng hem van alles op de hoogte.
'Wat heeft dit met mijn zondag te maken?' vraagt hij.
'Callie laat het dagboek vandaag per koerier bij je bezorgen.'
'En?'
'En,' zeg ik geërgerd, 'ik wil dat je het leest. Ik doe dat ook. Zodra we klaar zijn, wil ik het met je bespreken.'
Een lange stilte, gevolgd door een nog langere, vermoeide zucht. 'Best.'
Hij verbreekt zonder verder nog een woord te zeggen de verbinding. Ik staar even naar de telefoon en schud dan mijn hoofd, verbaasd over mijn verbazing.

16

'Hoe gaat het, liefje?' vraag ik aan Bonnie.
Op de parkeerplaats was het tot me doorgedrongen dat iedereen bezig was, dat al het noodzakelijke werd gedaan. Dat betekende dat ik een tijdje alleen maar moeder hoefde te zijn. Dit was iets wat je als wetshandhaver moest leren: hoe je tijd kon vrijmaken. De zaken waarvoor je verantwoordelijk bent, zijn belangrijk. Letterlijk kwesties van leven of dood. Toch moet je af en toe op tijd thuis zijn voor het avondeten.
We zitten in de woonkamer van Alan en Elaina. Alan is weg om wat klusjes voor Elaina te doen. Ik heb hem in grote lijnen van alles op de hoogte gesteld, maar heb op dit moment geen taak voor hem. Elaina is druk in de weer in de keuken en haalt iets te drinken. Bonnie en ik zitten op de bank en staren elkaar zonder enige aanleiding aan.
Ze glimlacht en knikt. Goed, zegt ze.
'Blij om dat te horen.'
Ze wijst naar mij.
'Hoe het met mij gaat?'
Ze knikt.
'Met mij gaat het uitstekend.'
Ze kijkt me fronsend aan. Niet liegen.
Ik grijns. 'Ik mag best een paar geheimpjes hebben, lieverd. Ouders hoeven hun kinderen niet alles te vertellen.'
Ze haalt haar schouders op. Een eenvoudig gebaar met een bijzondere betekenis: Ja, maar wij zijn anders.
Bonnies lichaam is tien jaar oud, maar daar houdt het dan ook wel mee op. Ik heb vaak het gevoel dat ik met een tiener samenwoon in plaats van met een jong meisje. In het begin schreef ik dit toe aan wat ze allemaal heeft meegemaakt, de dingen die ze heeft doorstaan. Inmiddels weet ik wel beter.
Bonnie heeft een gave. Niet in de zin van geniaal wonderkind, maar in de zin van het vermogen zich te concentreren, te observeren, te doorgronden. Wanneer zij zich iets voorneemt, houdt ze tot het einde vol; ze onderzoekt dingen op een diepgaande, gelaagde wijze.
Een paar maanden geleden had ik het onderwerp school ter sprake gebracht. Ze maakte me toen duidelijk dat ik me geen zorgen hoefde te maken. Dat ze

terug zou gaan naar school en dat ze alles zou inhalen. Ze had mijn hand vastgepakt en me meegenomen naar de televisiekamer. Matt en ik hadden daar een aardige bibliotheek aangelegd. We geloofden in lezen, in de macht van boeken. We waren van plan geweest deze liefde en wijsheid aan Alexa door te geven. We hadden een aannemer in de arm genomen om kamerhoge boekenkasten te installeren en we deden nooit een gelezen boek weg.
Matt en ik namen elke maand een paar uur de tijd om samen titels uit te kiezen om eraan toe te voegen. Shakespeare. Mark Twain. Nietzsche. Plato. Als we dachten dat een boek iets waardevols te vertellen had, kochten we het en zetten we het op een plank.
Het was een verzameling, maar ook een bibliotheek om te gebruiken. Het had niets met ijdelheid te maken. Dat was onze regel: nooit een boek kopen om de goedkeuring van anderen te krijgen.
Matt en ik waren niet arm, maar we waren evenmin rijk. We zouden geen enorme materiële erfenis nalaten. We hadden gehoopt Alexa de gebruikelijke dingen na te kunnen laten: een huis dat was afbetaald, herinneringen aan liefhebbende ouders, misschien een beetje spaargeld. Ook wilden we haar iets meegeven wat specifiek van ons was. Iets wat alleen haar ouders haar zouden nalaten, een erfenis uit het hart. Deze bibliotheek als nalatenschap, een kleine steekproef van de verzamelde werken der mensheid. Die droom was iets wat Matt en ik deelden, iets wat we werkelijkheid konden laten worden, rijk of niet.
Alexa begon net interesse te tonen voor deze kamer toen ze stierf. Ik heb er sinds die tijd niets meer aan toegevoegd. Ik heb een paar keer gedroomd dat ik wakker werd en ontdekte dat hij in brand stond, dat de boeken gillend verbrandden.
Bonnie had me meegesleurd naar deze vergeten (vermeden) plek. Ze had een boek gepakt en het aan me gegeven. *Leren tekenen*, van een onbekende, maar duidelijk getalenteerde schrijver. Ze had naar zichzelf gewezen. Het had even geduurd voordat ik begreep wat ze bedoelde.
'Heb je dit gelezen?'
Ze had glimlachend geknikt, blij dat ik het begreep. Ze had een ander boek gegrepen, *Aquarelleren voor beginners*. En nog een: *Kunst en landschappen*.
'Allemaal?' had ik gevraagd.
Ze had geknikt.
Bonnie had naar zichzelf gewezen, een bedachtzaam gezicht getrokken en vervolgens met een zwaai van haar hand naar de bibliotheek om zich heen gebaard.
Ik had haar peinzend aangestaard. Toen drong het tot me door. 'Je bedoelt dat je hiernaartoe gaat om een boek te lezen wanneer je ergens iets over wilt weten?'

Hoofdknik, brede grijns.
Ik kán lezen en leren, en wíl het ook, had ze me duidelijk gemaakt. Is dat niet genoeg?
Ik wist niet zeker of dit inderdaad genoeg was. Het draaide in het onderwijs tenslotte om lezen, schrijven én rekenen. Toegegeven, 'lezen' was dus geen probleem, maar dan had je dus die andere twee nog. Verder waren er het sociale aspect, leeftijdgenoten en jongens en leren nee te zeggen. De ingewikkelde dans waarin je leerde hoe je de wereld met anderen moest delen.
Dit schoot allemaal door mijn hoofd. Het feit dat Bonnie boeken las over kunst en schilderen, en zelf ook regelmatig – en goed – schilderde, had me tot op zekere hoogte gerustgesteld, een deel van mijn vrees verdreven en me in staat gesteld het probleem voor me uit te schuiven.
'Oké, liefje,' had ik gezegd. 'Vooruit dan maar. Voorlopig.'
Haar geestelijke vroegrijpheid bleek ook uit andere dingen; niet alleen uit haar schilderijen, maar ook uit haar gave om met volledige aandacht en een enorm geduld te luisteren, uit haar veel te volwassen talent om direct tot de kern van emotionele zaken door te dringen.
In veel opzichten was ze weliswaar nog een kind, maar in andere opzichten was ze veel scherpzinniger dan ik.
Ik zucht. 'Vandaag ben ik bij een meisje geweest dat Sarah heet.'
Ik vertel haar een ingekorte versie van Sarahs verhaal. Ik zeg haar niet dat Sarah gedwongen was om seks te bedrijven met Michael, geef geen kleurrijke details over de dood van de Kingsleys prijs. Ik vertel haar wel de belangrijke dingen: dat Sarah wees is, dat ze het gevoel heeft dat ze achterna wordt gezeten door iemand die ze de Vreemdeling noemt, dat ze een jonge vrouw is die het toppunt van wanhoop heeft bereikt en nu klaarzit om omlaag te tuimelen, in vrije val, voorgoed de duisternis in.
Bonnie luistert vol belangstelling en met bedachtzame intensiteit. Wanneer ik ben uitverteld, wendt ze peinzend haar blik af. Dan kijkt ze me weer aan; ze wijst op zichzelf, vervolgens op mij en knikt. Het duurt even voordat onze telepathische stenografie in werking treedt.
'Ze is net als wij, bedoel je?'
Ze knikt bevestigend, aarzelt even en gebaart dan nadrukkelijk naar zichzelf.
'Meer als jij,' antwoord ik wanneer ik het doorheb.
Een knikje.
Ik kijk haar aan.
'Omdat ze heeft gezien hoe de mensen om wie ze gaf werden vermoord, lieverd? Zoals jij hebt gezien hoe jouw moeder werd vermoord?'
Ze knikt, schudt dan haar hoofd. Ja, zegt ze, maar dat niet alleen. Ze bijt nadenkend op haar onderlip. Ze kijkt mij aan, wijst op zichzelf en duwt me weg.

Nu is het mijn beurt om op mijn onderlip te bijten. Ik kijk haar aan – en plotseling begrijp ik het.
'Ze is zoals jij zonder mij zou zijn.'
Ze knikt met een triest gezicht.
'Alleen.'
Knikje.
Communiceren met Bonnie is alsof je pictogrammen leest. Niet alles is letterlijk. Symbolisme speelt een rol. Ze zegt niet dat Sarah en zij een en dezelfde zijn. Sarah is een jong meisje dat alles en iedereen is kwijtgeraakt van wie ze houdt en – hier houdt de gelijkenis op – dat nu alleen op de wereld is. Bonnie zegt: zij is wat ik zou kunnen zijn als er geen Smoky was, als mijn leven alleen bestond uit pleeggezinnen en herinneringen aan de dood van mijn moeder.
Ik slik iets weg. 'Ja, liefje. Dat is een goede omschrijving.'
Bonnie heeft haar eigen littekens. Ze is stom. Ze heeft nog steeds af en toe last van nachtmerries, waardoor ze in haar slaap schreeuwt.
Ze is echter niet alleen.
Ze heeft mij en ik heb haar, en dat maakt een wereld van verschil.
Ik had nu een beter beeld van Sarah: Sarah schreeuwde 's nachts, maar er was niemand die haar vasthield wanneer ze wakker werd. Dat was al een hele tijd zo.
Zo'n leven kan een aanleiding zijn om jezelf met de kleur zwart te omringen, bedacht ik peinzend. Waarom niet? Als alles duister is, kun je er maar beter voor zorgen dat je dat niet vergeet, dat je niet tegen beter weten in blijft hopen.
Het gerinkel van glas haalt me uit mijn overpeinzingen. Elaina is terug met onze drankjes.
'Sinaasappelsap voor jullie, water voor mij,' zegt ze glimlachend, en ze gaat zitten.
'Dank je,' zeg ik; Bonnie knikt en we drinken ons sap.
'Ik heb gehoord wat je Bonnie vertelde,' zegt Elaina na een tijdje. 'Over dat meisje, Sarah. Wat afschuwelijk.'
'Ze is er niet best aan toe.'
'Wat gaat er nu met haar gebeuren?'
'Ik neem aan dat ze na haar ontslag uit het ziekenhuis tijdelijk op een veilig adres wordt ondergebracht. Wat er na het onderzoek gebeurt, hangt ervan af. Ze is zestien. Misschien moet ze naar een tehuis of een pleeggezin tot ze volwassen is, of wordt ze vrijgesteld van voogdij.'
'Zou je iets voor me willen doen?'
'Natuurlijk.'

'Kun je het me laten weten? Voordat ze uit het ziekenhuis wordt ontslagen?'
Ik verbaas me over dit onbegrijpelijke verzoek, maar niet lang. Dit is tenslotte Elaina. Haar redenen zijn vrij eenvoudig te doorgronden. Vooral in het licht van haar eerdere onthulling dat ze wees is. 'Elaina, het lijkt me geen goed idee dat jij je over dit meisje ontfermt. Afgezien van het meest voor de hand liggende bezwaar – er zwerft ergens een psychopaat rond die door haar is geobsedeerd – is ze ook nog eens volslagen in de war. Ze is inderdaad gekwetst, maar ze heeft ook een bijzonder harde kant. Ik weet niets over haar achtergrond, of ze drugs gebruikt, of ze steelt... wat dan ook.'
Elaina glimlacht naar me, een toegeeflijk, liefhebbend glimlachje. Een glimlach die zegt: Je bent een schat, maar nu gedraag je je wel heel dom.
'Ik waardeer je bezorgdheid, Smoky, maar dit is iets tussen Alan en mij.'
'Maar...'
Ze schudt haar hoofd. 'Beloof me dat je me belt wanneer ze het ziekenhuis uit mag.'
Discussie gesloten, het spel is uit. Als je weet wat goed voor je is geef je je over – maar ik hou wel van je. Ik moet lachen, ik kan het niet helpen. Elaina maakt je aan het lachen, dat is iets wat haar aangeboren is.
'Ik beloof het.'
Elaina past overdag (en vaak 's avonds) op Bonnie. Alan en zij maken ook deel uit van Bonnies familie. Het gaat goed. Ze wonen niet ver bij ons vandaan, er is niemand die ik meer vertrouw en Bonnie is gek op hen allebei. Bonnies zwijgzaamheid is een probleem, en ik weet – ik wéét – dat ik binnenkort het onderwerp 'school' moet aanpakken. Voorlopig gaat het echter goed.
Ze vonden het zelfs geen probleem om aan mijn angst tegemoet te komen, zonder vragen te stellen of me het gevoel te geven dat ik dwaas deed. Hun huis is beveiligd (aan alle kanten en van boven tot onder, net als het mijne) en Tommy heeft een eenvoudig video-surveillancesysteem geïnstalleerd. Verder is er uiteraard Alan nog, een reus met een pistool, die hier ook slaapt.
Ik ben hun allebei veel verschuldigd.
'Ik beloof het.'

Alan is terug. Hij is hard op weg met schaken van Bonnie te verliezen. Elaina staat in de keuken voor iedereen een late lunch klaar te maken en ik praat via de telefoon met Callie.
'Alle pagina's zijn uitgeprint, honey-love. Wat nu?'
'Print nog eens zes kopieën uit. Een voor Barry, een voor James, een voor Alan, een voor adjunct-directeur Jones, een voor dokter Child en een voor jezelf. Laat de exemplaren voor Barry, James, dokter Child en AD Jones per

koerier bij hen thuis bezorgen. Ik zal hen bellen om te zeggen dat het eraan komt. Ik wil dat iedereen dit leest. Zodra we dit allemaal hebben gedaan, bespreken we het.'
'Oké. Wat moet er gebeuren met de exemplaren voor Alan en jou?'
Ik werp een blik op de keuken en glimlach.
'Heb je trek?'
'Waait de wind? Cirkelt de maan rond de aarde? Is de wortel van een priemgetal...'
'Kom nu maar gewoon hiernaartoe.'

Ik heb AD Jones aan de telefoon. Ik heb hem thuis gebeld om hem de stand van zaken door te geven. Een van de eerste dingen die je in elke bureaucratie leert: de baas nooit in het duister laten tasten.
'Wacht even,' onderbreekt hij me. 'Wat was de naam van die vent op de tweede plaats delict?'
'Jose Vargas.'
Hij fluit.
'Het is beter dat je morgen even bij me komt, Smoky,' zegt hij.
'Waarom?'
'Omdat ik je het nodige over Vargas kan vertellen. Die aanklacht wegens mensensmokkel? Ik heb aan die zaak meegewerkt.'
'Meent u dat?'
Barry had me verteld dat het een federale aangelegenheid was. Dat AD Jones er deel van had uitgemaakt, komt onverwacht. En is wellicht in ons voordeel.
'Echt wel, om met de kinderen te spreken. Kom morgen even bij me langs.'
'Dat zal ik zeker doen.'
'Mooi. Heb je al nagedacht over die andere kwestie waarover we het hebben gehad?'
Dat is toch zeker een geintje, hè?
'Een beetje.'
Een korte stilte. Ik denk dat hij wacht tot ik de stilte verbreek, mijn summiere antwoord uitbreid. Wanneer ik dat niet doe, verandert hij van onderwerp.
'Ik wil regelmatig worden gebrieft. En ik wil dat dagboek zien.'
'Dat komt binnen een uur naar u toe.'

Vlak nadat mijn gesprek met AD Jones is afgelopen, arriveert Callie. Bonnie schaakt met Alan, die haar de fijne kneepjes van het spel bijbrengt. Callie gaat naast Bonnie zitten en ze spannen samen tegen Alan, die hard moet knokken om zijn stukken op het bord te houden.
Tijdens de revanchepartij van dit dubbelspeltoernooi weet Elaina me behen-

dig op haar eigen resolute, maar zachtaardige wijze naar de keuken te manoeuvreren.
'Zeg,' zegt ze, 'gaan we datgene waarmee we zaterdag een begin hebben gemaakt nog afmaken?'
1forUtwo4me?
Ik stop net een cracker in mijn mond wanneer ze het vraagt en ik verstijf halverwege mijn hap. Ik kauw verder en slik door; ik voel me schuldig, heb het gevoel dat ik haar ontwijk, maar weet niet waarom.
'Smoky,' zegt ze bestraffend. Ze pakt mijn kin vast en tilt mijn gezicht op. 'Hier ben ik.'
Ik kijk haar aan en laat een vleug van die typische Elaina-goedheid, die oermoederlijke warmte, door me heen stromen. Ik zucht. 'Ik weet het. Sorry.' Ik schokschouder. 'Wil je een eerlijk antwoord? Natuurlijk maken we dat af. Wanneer?' Ik schud mijn hoofd. 'Dat weet ik nog niet.'
'Oké. Je laat het me wel weten, hè?'
'Ja, hoor,' mompel ik als een kind om mijn cracker heen. 'Best.'
'Het gaat juist zo goed met je, Smoky, en het huis opruimen was een goed idee. Ik wil er gewoon zeker van zijn dat je het ook afmaakt, dat is alles.'
Dan glimlacht ze, kaal als ze is, een echte Elaina-glimlach die verdere woorden overbodig maakt.

Het is nog vroeg op de avond, maar het is een lange dag geweest en Bonnies gegaap maakt me duidelijk dat het tijd is om te vertrekken.
Ik ben langer gebleven dan de bedoeling was, maar ik had dit even nodig. Callies grappen, Alans gespeelde woede over zijn verloren schaakpartijen tegen Bonnie, Elaina's altijd voelbare warmte en Bonnies triomfantelijke grijns hebben er gezamenlijk voor gezorgd dat een deel van wat dit weekend had moeten zijn, een normaal leven, is hersteld.
Kun je dit allemaal opgeven? Moet het? Is Quantico echt de oplossing?
Stil, zeg ik tegen mezelf.
'Ik ga terug naar kantoor,' zegt Callie bij de deur tegen me. 'De computer van Vargas binnenstebuiten keren. Ik weet zeker dat ik daar heel veel smakeloze zaken zal tegenkomen.'
'Blijf niet te lang,' zeg ik. 'We hebben morgenochtend vroeg een bespreking op kantoor.'
Elaina en Alan worden omhelsd, net als Callie, eerst door Bonnie en dan door mij. Ik werk met mijn familie, mijn familie is mijn werk, zo zit mijn leven tegenwoordig in elkaar.
Dat krijg je wanneer je met je pistool bent getrouwd.
Ik ben in een te goed humeur om toe te happen.

17

'Ik wil dit graag lezen, lieverd,' zeg ik tegen Bonnie. 'Kun je zo wel slapen?'
Ik heb haar dit al heel vaak gevraagd. Het antwoord is altijd ja. Bonnie zou zelfs door een luchtaanval heen slapen, zolang ze maar niet alleen hoeft te liggen. Ze knikt, glimlacht, kust me op mijn wang.
'Welterusten, liefje,' zeg ik en ik kus haar terug.
Nog een glimlach en ze draait zich om, weg van mij, naar de koele schaduw toe. Ze laat mij alleen in mijn kleine lichtcirkel om na te denken en te lezen.
Ik heb de pagina's met mijn eerdere aantekeningen voor me liggen. Ik zet er een paar dingen bij die we sindsdien te weten zijn gekomen. Bij 'Dader' voeg ik onder 'methodologie' toe:

> Gesprek met Sarah Langstrom bevestigt dat hij zijn slachtoffers verdooft. Hij dwong haar de volwassen Kingsleys van hun ingewanden te ontdoen en Michael Kingsleys keel door te snijden. (Zijn gedrag jegens haar is kenmerkend. Waarom?)

Onder 'gedrag' schrijf ik:

> Het verwijderen van ingewanden en organen is een manier om de innerlijke 'ware aard' van zijn slachtoffers te onthullen. Ondersteunt nog steeds de theorie dat wraak als motief dient.
> Hij sluit de ogen van zijn vrouwelijke slachtoffers voordat de dood intreedt, maar snijdt hen wel open om hen leeg te halen. Misschien verdienen ze een minder zware straf, maar naar zijn mening hebben ze wél straf verdiend.
> Dader spreekt over eerdere slachtoffers, onder wie een getrouwde dichter en een filosofiestudent.
> Het kunstwerk van bloed is merkwaardig. Onbeduidend en onnodig. Waarom dan toch doen? Een substituut omdat hij Sarah de slachtoffers heeft laten opensnijden?
> Moord geeft hem een erectie, maar geen zichtbaar misbruik van de lichamen, en Sarah rept er evenmin over.

Het zou natuurlijk kunnen, bedenk ik, dat zijn scalpel zijn pik is. Het snijden kan voor hem een seksuele handeling zijn.

Religieuze ondertoon. Krijgt hij opdrachten van God?
Onder 'bekende kenmerken' voeg ik toe:
Blank of ziet er blank uit.
Ongeveer 1 meter 80 lang.
Scheert al zijn lichaamshaar af.
In goede conditie, gespierd. 'Een prachtig lichaam.' Doet aan fitness (narcist).
Belangrijk: tatoeage op zijn rechterbovenbeen van een engel met een vlammend zwaard. Deze heeft hij hoogstwaarschijnlijk zelf ontworpen.

Ik noteer een aantal zaken over het programma dat op Michael Kingsleys computer is aangetroffen. Als dit door de dader is geïnstalleerd, duidt dit op technische kennis of een bekende met technische kennis.
Ik denk na over de tatoeage van de engel. Het is een symbool voor zijn daden óf voor hemzelf. Hij komt intelligent over, dus het zou het eerste kunnen zijn, maar de bloedschilderingen vallen onder waanzin, wat bizar en verontrustend is.

Heeft bij hem de desintegratie ingezet?

In de eenvoudigste zin van het woord is desintegratie de overgang van een stabiele toestand naar een onstabiele. Het treedt niet bij alle seriemoordenaars op, maar is wel een veelvoorkomend fenomeen. Ted Bundy heeft jarenlang als voorzichtige, slimme, charismatische sluipmoordenaar zijn gang kunnen gaan. Tegen het eind van zijn 'carrière' draaide hij echter door, wat ertoe leidde dat hij werd opgepakt.
Ik heb eens met dokter Child, een van de weinige *profilers* voor wie ik een diep respect heb, over dit onderwerp gesproken en wat hij toen zei, schiet me nu te binnen.
'Ik geloof dat alle gewelddadige misdadigers tot op zekere hoogte gestoord zijn,' zei hij. 'Dat bedoel ik niet in de juridische zin van krankzinnig. Ik ben van mening dat plezier beleven aan andere mensen vermoorden niet de manier is waarop een weldenkend mens zich gedraagt.'
'Dat ben ik met u eens,' zei ik. 'Schuldig wegens krankzinnigheid, zogezegd.'
'Inderdaad. Het plegen van seriemoorden is gedrag dat is voorafgegaan door een leven vol stressveroorzakende factoren. Het is een handeling die tot nog meer stress leidt. Het vereist paranoia, het is altijd obsessief en de belangrijk-

ste factor: de persoon in kwestie heeft het niet in de hand. Ongeacht de mogelijke gevolgen – de waarschijnlijkheid dat hij uiteindelijk wordt gepakt – zal hij niet ophouden, zal hij niet kúnnen ophouden. Niet in staat zijn bepaald gedrag een halt toe te roepen, zelfs wanneer je weet dat je met dit gedrag jezelf te gronde richt, dat is toch een vorm van psychose?'
'Jazeker.'
'Daarom komen we naar mijn idee desintegratie tegen bij zoveel seriedaders, of ze nu georganiseerd zijn, niet-georganiseerd of iets daartussenin. De druk – inwendig, van buitenaf, denkbeeldig, reëel – wordt steeds groter en vernietigt uiteindelijk de al aangetaste geest.' Hij glimlachte, maar het was geen blijde lach. 'Ik denk dat dezelfde razende krankzinnigheid in hen allemaal aanwezig is, sluimerend, wachtend op een kans om tot bloei te komen. Bij voldoende stress wordt die tot leven gewekt.' Hij slaakte een diepe zucht. 'Wat ik eigenlijk wil zeggen, Smoky: wees erop bedacht dat je deze monsters niet te gemakkelijk in een bepaald hokje stopt. Er zijn in dezen geen regels, alleen richtlijnen.'
Vertaald naar het heden betekent dit: de bloedschildering is niet belangrijk. Wraak als motief is logisch en zal ons naar hem toe leiden. De manier waarop hij de kinderen behandelt, is belangrijk en zal ons naar hem toe leiden. De tatoeage? Puur iets voor het forensisch onderzoek. Ik hoef de betekenis ervan niet te achterhalen, maar moet me erop richten de kunstenaar te vinden. Of hij nu denkt dat hij op de engel lijkt of de engel ís, is op dit moment slechts mentale ruis.
Ik pak de pagina met mijn aantekeningen over Sarah. Ik corrigeer haar naam.

Sarah Langstrom:
Woonde ongeveer één jaar bij het gezin Kingsley.

Verder sta ik voor een raadsel.
Wat zijn we nu verder echt over haar te weten gekomen?
Er schieten me twee dingen te binnen. Ik schrijf ze op, omdat ze waar zijn, ook al hebben ze geen van beide bijzonder veel betekenis:

Ze is een overlever.
Ze wordt langzaam maar zeker gek. Ze lijdt aan zelfmoordneigingen.

Dat is in elk geval een sterke drijfveer.
Nog meer vraagtekens, maar dat geeft niet. Alles draait om een continue voorwaartse beweging. Kijken, onderzoeken, afleiden, stellen, bewijzen, profielschets. We hebben een beschrijving van het uiterlijk van de dader en we

denken te weten wat zijn motief is. We hebben een levende getuige. We hebben een voetafdruk. We weten dat deze dader videobanden bewaart bij wijze van trofeeën, en wanneer we hem oppakken, zal die video hem de das omdoen.

Ook hebben we Sarahs dagboek. Ik moet het lezen en kijken waar het me naartoe voert. Zijn slachtoffers vormen de sleutel en voor zover ik kan zien is zij zijn favoriet. Degene om wie het allemaal gaat.

Ik leg de pagina's uit het opschrijfblok weg en bekijk wat Callie me heeft gegeven aandachtig.

De kopieën zijn wit, uitvergroot, groter dan het origineel, gemakkelijk te lezen. Sarahs vloeiende, zwarte handschrift wenkt me en ze spreekt me persoonlijk aan:

> Beste Smoky Barrett,
> Ik ken jou.
> Wat ik natuurlijk eigenlijk bedoel is dat ik weet wie je bent. Ik heb je bestudeerd zoals je iemand bestudeert die je laatste en enige hoop kan zijn. Ik heb naar jouw foto zitten turen tot mijn ogen bloeddoorlopen waren en elk litteken in mijn geheugen stond geprent.
> Ik weet dat je bij de FBI in Los Angeles werkt. Ik weet dat je op slechte mannen jaagt en dat je daar goed in bent. Dat is allemaal belangrijk, maar dat is niet de reden waarom je me hoop geeft.
> Je geeft me hoop, omdat jij ook slachtoffer bent geweest.
> Je geeft me hoop, omdat je bent verkracht en verminkt, en dingen bent kwijtgeraakt waarvan je houdt.
> Als íémand me gelooft, denk ik – hoop ik –, ben jij het wel.
> Als íémand ervoor kan zorgen dat het ophoudt –, wil dat het ophoudt –, ben jij het wel.
> Is dat ook echt zo? Of zit ik gewoon te dromen en kan ik net zogoed meteen mijn polsen doorsnijden?
> Daar komen we snel genoeg achter. Ik kan mijn polsen tenslotte altijd later nog doorsnijden.
> Ik noem dit een dagboek, maar dat is het niet.
> Nee.
> Dit is een zwarte bloem. Dit is een dromenboek. Dit is een pad naar de waterpoel waar duistere wezens drinken.
> Hoe klinkt dat? Wat ik eigenlijk bedoel is: het is een verhaal. Hier, op dit papier, zul je me zien rennen. Het is de enige plek waar je me zult zien rennen. Hier op het wit tussen de regels kan ik me echt bewegen. Ik ben eerder een sprinter dan een langeafstandloper, zoals je denk ik wel kunt zien,

maar het punt is: als je me vraagt om hardop uit te leggen wat ik heb opgeschreven, is dat veel te moeilijk voor me, maar als je me pen en papier geeft, of een computer en toetsenbord, weet ik niet van ophouden.
Ik denk dat dit deels komt door het heldere licht van mijn moeders ziel. Ze was kunstenaar, en blijkbaar heb ik daar iets van meegekregen. De rest komt, denk ik, doordat ik vanbinnen gek aan het worden ben. Zo gek als een deur. Op het wit tussen de regels komt al die gekte eruit, ongecensureerd en met gierende banden. Een enorme zwerm zwarte gedachtekraaien.
Ik heb er een rijmpje over gemaakt (een gekkenrijmpje, natuurlijk): 'Een klein beetje duisternis, een klein beetje gloed, schud het van je af en alles komt goed.'
Met andere woorden, ik denk na over wat ik voel en ik schrijf voor jou een pad naar de waterpoel.
Ik ben twee jaar geleden begonnen met schrijven, op een van de scholen waarop ik heb gezeten. Mijn leraar Engels, een heel fatsoenlijke man die meneer Perkins heette (je zult zo wel begrijpen waarom ik weet dat hij een fatsoenlijke man was) las het eerste verhaal dat ik ooit heb geschreven en vroeg me om na de les even te blijven. Toen we alleen waren, vertelde hij me dat ik talent had. Dat ik misschien zelfs wel een wonderkind was.
Om de een of andere reden maakte dat compliment de Gek in me los. De Gek, donkere huid, enorme ogen en volslagen geschift, is een van de wezens die bij de waterpoel drinken. De Gek is woedend. De Gek is gemeen. De Gek is... nou ja – gek.
Dus ik greep meneer Perkins in zijn kruis en zei: 'Bedankt! Zal ik u nu even pijpen, meneer P.?'
Zomaar ineens.
De twee dingen die toen gebeurden, zal ik nooit vergeten. Zijn gezicht betrok en zijn pik werd hard. Allebei op hetzelfde moment. Hij rukte zich los, sputterde iets en liep het lokaal uit. Volgens mij was hij bang, en dat kan ik hem niet echt kwalijk nemen. Ik begrijp ook dat de eerste van de twee (het gezicht dat betrok, de ontzetting) de ware meneer P. was. Zoals ik al zei: een heel fatsoenlijke man.
Ik liep het lokaal uit, verhit, grijnzend en met een bonzend hart. Ik liep de school uit en om het gebouw heen naar de achterkant; ik haalde een aansteker tevoorschijn, stak het verhaal in de fik en keek huilend toe hoe het brandde en in de bries wegwaaide.
Ik heb sinds die tijd heel veel geschreven en ik heb het allemaal verbrand.
Ik ben nu, terwijl ik dit schrijf, bijna zestien en hoewel ik merk dat ik dit eigenlijk ook wil verbranden, zal ik dat niet doen.
Waarom vertel ik je dit? Om twee redenen.

De eerste is niet gering. Je moet weten dat mijn geestelijke gezondheid iets is geworden wat ik in mezelf kan zien, als een witte streep of een lichttrilling. Vroeger was die sterk en constant, maar nu is zij zwak en knippert aan en uit. Duistere spikkels vliegen eromheen, als een zwerm trage *killer*-bijen. Als er niets verandert, zullen de duistere spikkels het licht binnenkort verdrijven en dan ben ik er geweest. Dan zal ik voorgoed blijven zingen en nooit een woord horen.
Dus als ik soms even haper, als mijn naald blijft hangen, bedenk dan dat ik krampachtig probeer me staande te houden. Ik zit heel vaak naar die witte streep licht te staren; ik ben bang dat als ik mijn blik heel even afwend, hij opeens weg zal zijn en dat ik me dan niet herinner dat hij er ooit is geweest.
De Gek staat bij de waterpoel en het is voor mij maar een kleine stap van dat slechte water naar iets zeggen of doen wat niet hoort, oké?
Oké.
De tweede reden is wat hierna op het wit tussen de regels volgt. Ik had best een dagboek kunnen schrijven, een fijne, droge opsomming van de feiten. Maar kom op, zeg – ik heb talent. Ik ben een wonderkind.
Waarom zou ik in plaats daarvan niet een verhaal vertellen?
Dat heb ik dus gedaan.
Is het allemaal echt waar? Dat hangt af van je definitie van waarheid. Kon ik de gedachten van mijn ouders lezen? Weet ik echt wat ze dachten toen de Vreemdeling hen te grazen nam? Nee.
Maar ik kende hen wel. Ze waren familie van me. Misschien dachten ze zo, misschien ook niet – maar daardoor is het nog niet onwaar, want het waren typisch dingen die ze hadden kunnen denken. Daar gaat het tenslotte om, snap je?
De waarheid is dat ik het niet weet.
De waarheid is dat ik het wel weet.
Dat is precies wat geschreven geschiedenis is: drie delen waarheid op één deel fictie. De waarheid zit in tijd, plaats en gewone gebeurtenissen. De fictie zit in beweegredenen en gedachten. Geschiedenis bestaat alleen wanneer wij ons die herinneren; is het dan echt zo erg dat we haar aanvullen met een beetje menselijkheid, ook al is die menselijkheid denkbeeldig?
Ze waren mijn ouders en ik hield van hen, dus heb ik hen als personages beschreven en hun gedachten, hoop en gevoelens gegeven; toen ik las wat ik had geschreven, huilde ik en ik zei:
Ja.
Zo waren ze.
Laat iemand maar eens zeggen dat het anders was. Of eigenlijk ook niet,

want als iemand dat deed, zou de Gek meteen aan komen hollen, daar kun je donder op zeggen. Waarschijnlijk zou ik die persoon tot bloedens toe slaan, en tegen hem krijsen tot hij doof was en ik geen stem meer had. Nee, natuurlijk hebben ze me nooit over hun seksleven verteld, maar fuck zeg, het waren mensen, míjn ouders, en ik wil dat je voelt hoe ze leefden en zweetten en lachten, zodat je ook voelt hoe ze pijn leden en schreeuwden en doodgingen.
Oké?
Sommige dingen ben ik achteraf te weten gekomen door vragen te stellen. Ik heb Cathy bijvoorbeeld een paar dingen gevraagd en ze was eerlijk tegen me. Ik denk niet dat ze moeite zou hebben met wat ik over haar heb geschreven. Ik hoop het niet.
Soms beschrijf ik een echte herinnering: hoe ik me voelde of wat ik dacht. Hoewel ik de herinneringen van mijn jongere ik door het hoofd van mijn oudere ik zeef, blijft de kern van die herinneringen, de goede én de slechte, waar. Nu, op mijn zestiende, kan ik de dingen onder woorden brengen die ik dacht toen ik zes was en negen enzovoort.
Soms beschrijf ik dingen die het monster me heeft verteld.
Wie zal zeggen wat daarvan waar is?
Goed, goed, ik weet het: ik probeer tijd te rekken.
Hoe zal ik beginnen? Er was eens?
Waarom niet? Er is geen enkele reden waarom je een horrorverhaal niet op dezelfde manier kunt laten beginnen als een sprookje. Hoe het ook begint, we eindigen uiteindelijk toch op dezelfde plek: bij de waterpoel, naast de duistere wezens met veel te grote ogen en het geluid van water dat op de kust slaat en klinkt als een reus die met zijn lippen smakt.
Het helpt wanneer je het tijdens het lezen als een droom beschouwt. Dat doe ik ook. Een zwarte bloem. Een dromenboek. Een middernachtelijke wandeling naar de waterpoel. Kom en droom met me mee, beleef met open ogen en alle lampen aan een nachtmerrie.
Er was eens een jongere Sarah, een Sarah die de witte lichtstreep niet in de gaten hield en de Gek nog niet had ontmoet.
Nee, nee. Het is wel waar, maar daar wil ik niet beginnen.
Dus: Er was eens een engel en zij was mijn moeder.
Mijn eerste herinnering aan mijn moeder is dat ze dol was op het leven. Het tweede wat ik me herinner is haar glimlach. Mijn moeder glimlachte altijd.
Het laatste wat ik me herinner is dat ze niet glimlachte toen hij haar vermoordde.
Dat herinner ik me nog het best van alles.

Sarahs verhaal, deel 1

18

Sam Langstrom schudde verbaasd zijn hoofd en keek zijn vrouw aan.
'Even kijken of ik het nou goed heb begrepen,' zei hij en hij onderdrukte een glimlach. 'Ik vraag jou wanneer we moeten vertrekken voor Sarahs afspraak bij de tandarts, en om daarop antwoord te kunnen geven, wil jij eerst weten hoe laat het nu is?'
Linda keek hem met gefronste wenkbrauwen aan. 'Ja – nou en?'
'Luister eens, schat – die afspraak, daarvan staat het tijdstip al vast. We weten hoe lang het duurt om van hier bij de tandarts te komen – wat heeft de wetenschap hoe laat het nu is dan voor invloed op ons vertrek?'
Linda ergerde zich een beetje. Ze keek haar man aan. In zijn ogen zag ze het olijke lichtje dat haar altijd aan het lachen maakte. Zijn ogen zeiden: 'Ik vermaak me, maar niet ten koste van jou. Ik koester gewoon een eigenaardig karaktertrekje van je.'
Hij was dol op haar excentrieke eigenschappen en ze wist best dat ze die had, dat leed geen enkele twijfel. Zij was een verschrikkelijk slechte huisvrouw; hij was erg netjes. Zij was een gezelschapsmens; hij bleef liever thuis. Zij werd snel boos; hij was geduldiger. Ze waren in heel veel opzichten elkaars tegenpool, maar niet in de dingen die er echt toe deden. Hun verschillen vulden elkaar aan, zoals verschillen tussen stellen dat al sinds mensenheugenis doen. Op de belangrijke momenten in het leven vormden ze een eenheid, dachten ze hetzelfde. Elkaar liefhebben totdat ze stierven. Elkaar trouw blijven, onder alle omstandigheden. Van Sarah houden, altijd, eeuwig, onophoudelijk.
Hun dochter vertegenwoordigde het principe dat hen het meest van al met elkaar verbond: de ander liefhebben en door de ander worden liefgehad.
Hun zielen sloten op de juiste plekken op elkaar aan, maar op andere plekken waren ze totaal verschillend. Zoals op dit moment, waarin Sams geordende geest op haar onconventionele stuitte en er met een glimlach tegen afketste.
'Het is een kwestie van controleren en zeker stellen,' zei ze met een brede grijns. 'Als we hier om halfeen moeten vertrekken om op tijd te zijn, maar het is al kwart over twaalf en ik weet dat ik nog twintig minuten nodig heb, dan' – ze haalt haar schouders op – 'vertrekken we om vijf over halfeen en zullen we iets harder moeten rijden.'
Hij schudde zogenaamd verbijsterd zijn hoofd. 'Er is iets goed mis met jou.'

Ze drukte zich tegen hem aan en zoende hem op zijn neus. 'Precies wat je zo leuk vindt aan me: mijn perfecte gebreken. Dus nog een keer: hoe laat is het nu?'
Hij keek op zijn horloge. 'Het is tien over twaalf.'
'Kijk, zie je nu wel, sufferd? We vertrekken om halfeen. Dat was toch helemaal niet zo moeilijk?'
Hij kon zijn lachen niet inhouden.
'Best,' zei hij hoofdschuddend. 'Ik zal de wilde beesten er even uit laten en zorgen dat onze ukkepuk klaar is.'
De 'wilde beesten' waren hun twee zwarte labrador-retrievers, ook wel liefkozend de 'zwarte vernietigingswapens' genoemd of zoals Sarah hen vaak noemde 'puppy-guppy's'. Het waren twee spierbundels van vijfentwintig kilo elk, boordevol overenthousiaste liefde en trouw, halve wilden en volkomen ongeschikt voor beschaafd gezelschap.
Sam maakte het kinderhekje open dat hij had geïnstalleerd om de honden uit de rest van het huis te houden en werd onmiddellijk beloond met een duw van een snuit tegen zijn achterste.
'Dank je, Buster,' zei hij tegen de reu, de kleinste van de twee.
Graag gedaan, antwoordde Buster. Hij zwaaide met zijn staart en grijnsde met zijn openstaande bek.
Het grote teefje, Doreen, draaide als een dolleman of anders een haai om hem heen en stelde woordeloos steeds opnieuw dezelfde, voor de hand liggende vraag: Is het al tijd? Is het al tijd? Is het al tijd?
'Het spijt me, Doreen,' zei hij toen ze om hem heen bleef draaien. 'De lunch is vandaag iets later. Maar...' Hij zweeg even en keek haar met een theatrale, verwachtingvolle blik aan. 'Als jullie naar buiten gaan, krijgen jullie misschien wel een... hondenkoekje van me!'
Bij het woord 'hondenkoekje' sprong Doreen als een Pogo-stick in de lucht; alle vier de poten kwamen van de grond en haar hele lijf straalde van vreugde. Hoera! leek ze te roepen. Hoera, hoera, hoera!
'Ik weet het,' zei Sam grinnikend. 'Papa is lief, papa is geweldig.'
Hij liep naar het keukenkastje en pakte een paar kauwbotten. Doreen bleef in de lucht springen, nu echt helemaal door het dolle heen. Buster was geen springer, hij gedroeg zich liever met iets meer waardigheid – maar ook hij keek bijzonder vrolijk.
'Kom maar mee, jongens,' zei Sam en hij liep naar de glazen schuifdeur die toegang gaf tot de achtertuin.
Hij schoof hem open en stapte naar buiten. De 'wilde beesten' volgden hem op de voet. Hij deed de deur dicht en bleef staan, met in elke hand een kluif.
'Zit,' zei hij.

Ze gingen zitten. Hun ogen zoomden doelzoekend in op het lekkere hapje. 'Zit' was een van de weinige dingen die ze hadden geleerd. Ze deden het alleen wanneer hun eten in het vooruitzicht werd gesteld.
Hij liet zijn handen zakken, zodat ze op dezelfde hoogte hingen als de hondenkoppen. 'Wachten,' waarschuwde hij. Als ze probeerden de kluif te pakken voordat dat 'wachten' helemaal was uitgesproken, zou hij hen nog langer laten 'wachten', iets wat niet echt werd gewaardeerd. 'Wachten,' zei hij nog een keer. Doreen trilde helemaal en had een enigszins verwilderde blik in haar ogen. Sam kreeg medelijden met haar en sprak het woord uit waarop ze zaten te wachten: 'Oké.'
Twee muilen vol tanden sprongen naar het lekkers in zijn handen en wisten de kauwbotten op een of andere manier vast te grijpen zonder zijn vingers eraf te bijten. Sam maakte van de gelegenheid gebruik om de schuifdeur te openen, naar binnen te gaan en hem achter zich dicht te trekken.
Buster had het als eerste in de gaten. Hij hield op met knagen en keek met een trieste blik door het glas naar Sam.
Laat je ons nu in de steek, leek hij te vragen.
'Tot straks, knul,' mompelde Sam glimlachend.
Tijd om op zoek te gaan naar het andere wilde beest dat in dit huis woonde. Hij was ervan overtuigd dat ze zich had verstopt. Sarah moest niets van de tandarts hebben. Sam gaf haar in stilte gelijk.Hij voelde zich altijd een beetje schuldig wanneer ze haar meenamen voor een medische afspraak, omdat hij wist dat het onveranderlijk op een huilbui zou uitdraaien. Hij had bewondering voor Linda's onverstoorbaarheid en praktische inslag wat dit soort dingen betreft. Pijn om bestwil van het kind, dat was mama's terrein. Niet iets waar de meeste vaders goed in waren.
'Ukkepuk?' riep hij. 'Ben je klaar?'
Geen antwoord.
Sam liep naar Sarahs kamer. De deur stond open. Hij stak zijn hoofd om de hoek en zag dat zijn dochter op haar bed zat. Ze had meneer Knuffel stevig in haar armen geklemd.
'Liefje?' vroeg hij.
Het kleine meisje keek hem aan en stal ogenblikkelijk zijn hart. Wat treurig, wat treurig, zeiden die ogen, die net zo expressief waren als de ogen van een pasgeboren zeehondje. Wat treurig om ouders te hebben die je dwingen om naar de tandarts te gaan...
Meneer Knuffel, een van sokken gemaakte aap, staarde Sam met beschuldigende ogen aan.
'Ik wil niet naar de tannarts, papa,' zei Sarah verdrietig.
'Tand-arts, meisje,' antwoordde hij. 'Niemand gaat graag naar de tandarts.'

'Waarom dóén ze het dan?'
De typische logica van een kind.
'Omdat je je tanden kunt verliezen als je er niet goed voor zorgt. Geen tanden hebben is niet leuk.'
Hij zag dat zijn dochter hierover nadacht, er echt serieus over nadacht.
'Mag meneer Knuffel mee?' vroeg ze toen.
'Natuurlijk.'
Sarah slaakte een diepe zucht; ze was nog steeds niet blij, maar verzoende zich met haar lot. 'Goed, papa,' zei ze.
'Mooi zo, kindje.' Hij wierp een blik op zijn horloge. Perfecte timing wat betreft het einde van de onderhandelingen. 'Kom, dan gaan jij, ik en meneer Knuffel mama zoeken.'

In tegenstelling tot het drama dat eraan was voorafgegaan, was het bezoekje aan de 'tannarts' kort en saai geweest. Onder meneer Hamiltons overweldigende, onophoudelijke vrolijkheid had Sarahs waakzame achterdocht ten slotte plaatsgemaakt voor gegiechel. Hij had zelfs meneer Knuffel onderzocht. Dit had het hele gezin in een feestelijke stemming gebracht, wat tot ijsjes en een tochtje naar het strand had geleid. Toen ze 's middags thuiskwamen, was het al bijna drie uur. De 'wilde beesten' vergaten ongelukkig te zijn omdat ze zo laat te eten kregen, omdat ze gewoon zo verdraaid blij waren dat ze nú te eten kregen.
Vervolgens kregen ze een plichtmatige aai, werd de post opgehaald en volgde het briljante technische kunstje waardoor de programma's van die avond werden opgenomen. Sam noemde dit de 'aankomstdans'. Het was een lijst van dingen die je altijd deed wanneer je langer dan een paar uur weg was geweest en weer thuiskwam. De details van het dagelijkse leven. Sommige mannen klaagden erover, wist hij. Hij vond het heerlijk. Het was geruststellend, het voelde goed, het was van hem.
'Ben je helemaal klaar voor morgen, Sarah?' hoorde hij zijn vrouw vragen.
Morgen was Sarahs verjaardag. De vraag was retorisch.
Hij kromp in elkaar bij de hoge gil die uit zijn dochters mond kwam. Een oorverdovend, bijna buitenaards gekrijs.
'Cadeautjes, feestje, taart!' riep ze en ze sprong opgewonden op en neer. Het deed heel erg denken aan Doreen eerder die dag, bedacht Sam peinzend. De hond en zijn dochter vertoonden soms een onrustbarende gelijkenis.
'Niet op de bank springen, ukkepuk,' mompelde hij, terwijl hij de post bekeek.
'Sorry, papa.'
De stilte die volgde riep een onbestemd gevoel bij hem op en hij keek op.

Toen hij de blik in haar ogen zag, zette hij zich schrap. Uitbundig en ondeugend. De belofte dat er elk moment iets verwoestends kon plaatsvinden.
'Mag ik dan,' giechelde ze als een psychotisch kaboutertje, 'wel op jóú springen?'
Ze slaakte een gil die veel weg had van het geluid van een varken dat wordt gekeeld, maakte een sprong in de lucht en kwam als een kussen vol dons en stenen op hem neer.
Er ontsnapte een 'oef' aan zijn mond. Iets harder dan een jaar geleden, dacht hij bij zichzelf. Binnenkort waren zijn dagen als menselijke trampoline voorgoed geteld. Hij zou het missen.
Nu was Sarah nog klein genoeg. Hij grijnsde en sloeg zijn armen om haar heen.
'Ach zo...' zei hij onheilspellend met een overdreven Duits accent, 'zje veet wat diet betekent... ja?'
Hij voelde dat ze verstijfde. Ze begon huiverend van verrukking en angst te giechelen. Ze wist wat er ging gebeuren.
'Diet betekent dat uns niets anders restiert dan... de kietelkwelling!'
Hij stortte zich op haar en er volgde nog meer gegil. Doreen sprong luid blaffend om hen heen en Buster keek als gewoonlijk lijdzaam toe.
Gekke mensen en een domme hond, leek hij te zeggen.

'Niet zo hard,' waarschuwde Linda Langstrom glimlachend en ze keek naar haar man en dochter, die nu speels en druk over de grond rolden. Het klonk niet echt overtuigend. Hou op met waaien, wind, had ze net zo goed kunnen zeggen.
In werkelijkheid genoot ze van hun uitgelaten gedrag. Sam was altijd zo vredig en praktisch, de kalme rust naast haar storm. Niet dat hij saai was – Sam had een droog gevoel voor humor waarmee hij haar altijd aan het lachen wist te krijgen, een bijzondere manier om de komische kanten van het leven te zien –, maar hij bezat een zekere... ingetogenheid. Hij had nogal eens de neiging om zichzelf niet zozeer serieus te nemen als wel zich serieus te gedragen. Toch was hij altijd bereid dat opzij te schuiven voor zijn gezin.
Hij heeft het in elk geval opzijgeschoven toen hij mij ten huwelijk vroeg.
Ze studeerden allebei: hij computerwetenschap, zij beeldende kunsten. Op sommige dagen botsten hun schema's. Vaak had zij 's avonds college en moest ze een uur nadat zijn laatste college van die dag was afgelopen beginnen; soms moest hij 's avonds werken – ze moesten er in die tijd echt moeite voor doen om tijd met elkaar door te kunnen brengen.
Sam had besloten dat hij haar ten huwelijk zou vragen en dat hij dat in een smoking zou doen. Dat was typisch iets voor hem: wanneer hij eenmaal had

bedacht dat hij iets op een bepaald tijdstip en op een bepaalde manier zou doen, dan moest het ook zo gebeuren. Het was een eigenschap die, afhankelijk van de omstandigheden, zowel vertederend als irritant kon zijn.
Het was zo'n dag geweest waarop ze één uur bij elkaar konden zijn. Het was voor hem onmogelijk om naar hun flat te gaan (ze woonden toen een jaar samen), zijn smoking aan te trekken en op tijd terug te zijn om haar een aanzoek te doen voordat hij naar zijn werk moest.
Sams oplossing? Hij had de smoking de hele dag gedragen, tijdens al zijn colleges, ondanks het warme weer en het gepest van zijn medestudenten.
Hun ene gezamenlijke uur brak aan en daar stond hij dan, en hij benam haar de adem. Meer dan een jongen, maar nog net niet helemaal een man, dwaas en knap en op één knie, en natuurlijk zei ze ja, en hij spijbelde van zijn werk en zij spijbelde van haar colleges en de hele avond lang rookten ze wiet en vrijden ze, met op de achtergrond de muziek heel hard. Het lukte hun niet om al hun kleren uit te krijgen; toen ze de volgende ochtend wakker werd, hing de vlinderdas van Sams smoking nog steeds om zijn nek.
Een jaar later waren ze getrouwd. Twee jaar daarna hadden ze allebei hun studie afgerond. Sam vond meteen een baan bij een softwarebedrijf, waar hij het uitstekend deed. Zij schilderde, beeldhouwde en maakte foto's, en wachtte geduldig en vol zelfvertrouwen op het moment dat ze werd 'ontdekt'.
Twee jaar later begon Linda, nog steeds onbekend, ernstig te twijfelen. Van de eerdere zelfverzekerdheid was rond haar vijfentwintigste weinig meer over. Sam had haar twijfels volledig overtuigd weggewuifd, wat haar alleen maar had gesterkt in haar liefde voor hem.
'Je bent een fantastische kunstenares, schat,' had hij gezegd en hij had haar recht aangekeken. 'Het komt echt allemaal goed.'
Drie weken later was hij na zijn werk de tango dansend haar atelier in gekomen – letterlijk: hij kwam draaiend en wervelend naar haar toe met een bloedserieuze uitdrukking op zijn gezicht en een denkbeeldige roos tussen zijn tanden.
'Kom mee,' zei hij en hij stak zijn hand uit.
'Wacht even,' zei zij, al haar aandacht gericht op de streken van haar penseel. Het was een schilderij van een baby, alleen in een bos, en ze vond het móói.
Hij had gewacht en was in zijn eentje blijven tangoën.
Toen Linda klaar was, had ze met over elkaar geslagen armen glimlachend naar de dansende Sam gekeken. 'Wat is er dan, mallerd?'
'Ik heb een verrassing voor je,' zei hij. 'Kom maar mee.'
Ze trok een wenkbrauw op. 'Een verrassing?'
'Inderdaad.'
'Wat voor verrassing?'

'Een die je zal verrassen, natuurlijk.' Hij tikte ongeduldig met zijn voet op de vloer en gebaarde met zijn handen naar de deur. 'Hortsik. In de benen. Na jou.'
'Zeg,' zei ze quasiverontwaardigd. 'Ik ben geen paard. Bovendien moet ik me eerst omkleden.'
'Geen sprake van. Tarzan zegt: Jane nú mee.'
Ze giechelde (Sam was de enige die haar zo aan het giechelen kon maken) en verzette zich niet toen hij haar het huis uit sleepte en naar de auto bracht. Hij reed naar de plaatselijke snelweg en nam de afrit die naar het nieuwe winkelcentrum voerde dat net was geopend. Hij zette de auto op het parkeerterrein stil.
'Is de verrassing in het winkelcentrum?'
Hij keek haar aan en bewoog zijn wenkbrauwen op en neer. Dit leidde tot nog meer gegiechel.
Het was een overdekt winkelcentrum en Sam nam haar mee naar binnen, tussen de menigte slenterende mensen door, verder, steeds verder – totdat hij bleef stilstaan.
Ze stonden voor een middelgroot, leeg winkelpand.
Ze fronste haar wenkbrauwen. 'Ik begrijp het niet.'
Sam wees met een weids gebaar naar de leegstaande ruimte.
'Dit is voor jou, schat. Je eigen winkel. Bedenk een naam, breng je kunst en foto's hiernaartoe en zorg er zélf voor dat het publiek je ontdekt.' Hij stak een hand uit en raakte haar gezicht aan. 'Mensen moeten je werk gewoon zíén, Linda. Als ze het eenmaal hebben gezien, weten zij wat ik allang weet.'
Ze had het gevoel alsof alle lucht uit haar longen werd weggezogen. 'Maar – maar... is dit niet te duur, Sam?'
Zijn glimlach had iets spijtigs. 'Het is niet goedkoop. Ik heb een tweede hypotheek op het huis afgesloten en geld van onze spaarrekening gehaald. Je kunt het ongeveer een jaar lang volhouden zonder winst te maken. Daarna wordt het een beetje link.'
'Is dit...' Ze keek hem aan. 'Is dit wel verstandig?' vroeg ze fluisterend. Ze wilde niets liever dan zijn aanbod aannemen, maar betwijfelde of ze kon voorkomen dat ze hierdoor het schip in zouden gaan.
Sam grijnsde breeduit. Het was een prachtige grijns, vol geluk en kracht. Helemaal man nu, absoluut geen jongen meer. 'Het gaat er niet om of dit verstandig is of niet. Het gaat om ons.' De glimlach maakte plaats voor een ernstige blik. 'We zetten alles op jou, schat; dit is iets wat we moeten doen, of we nu winnen of verliezen.'
Ze hadden de gok gewaagd en ze hadden gewonnen. De plek was perfect gekozen en hoewel ze niet rijk werd, boekte ze een flinke winst. Wat nog

belangrijker was: ze deed iets wat ze leuk vond en haar man had dat mogelijk gemaakt. Ze ging er niet méér door van hem houden, dat was onmogelijk. Wél voegde het een nieuwe laag bestendigheid en zekerheid toe. Dat was het geheim van hun liefde: de hoge prioriteit die die voor hen had. Ze zorgden ervoor dat hun liefde het belangrijkst bleef, belangrijker dan geld, trots of de goedkeuring van anderen.
Ze bleven elkaar liefhebben, in het dagelijks leven en in de slaapkamer. Twee jaar later werd Sarah geboren.
Sam grapte graag dat Sarah een 'schoonheid met een rood gezicht en een punthoofd' was. Linda had vol verbazing toegekeken hoe dat kleine mondje met doelgerichte overtuiging haar tepel had gevonden. Het leven trok met een siddering door Linda heen, iets ondefinieerbaars, gigantisch, nieuw en tegelijkertijd oeroud. Ze had geprobeerd dat gevoel met verf op doek te zetten. Het was elke keer mislukt. Zelfs de mislukkingen waren schitterend.
Linda keek toe hoe haar man en dochter hun kieteloorlog uitvochten, terwijl Doreen op haar eigen wanhopige hondenmanier probeerde mee te doen.
Sarah was bijzonder. Het punthoofd was uiteraard binnen enkele uren verdwenen en door de jaren heen was Sarah alleen maar mooier geworden. Ze leek het rupsstadium over te slaan en zonder cocon meteen voor vlinder door te gaan. Linda wist niet zeker van wie ze dit had.
'Misschien hebben we geluk,' grapte Sam soms. 'Misschien wordt ze wel een lelijke tiener en hoef ik geen jachtgeweer aan te schaffen.'
Linda gaf hem weinig kans. Ze wist vrij zeker dat haar ukkepuk iemand zou worden naar wie iedereen zou kijken.
'Volgens mij bestaat ze gewoon uit de beste delen van ons tweeën,' had Sam ooit eens gezegd.
Die verklaring beviel Linda wel.

19

Sarah had tijdens het avondeten aan één stuk door over haar verjaardag gepraat, met ogen die straalden van opwinding en energie. Linda vroeg zich af hoe ze haar in vredesnaam rustig moest krijgen, zodat ze kon slapen. Een veelvoorkomend probleem voor ouders, het 'kerstsyndroom'.
Met Kerstmis kon ze Sarah tenminste nog wijsmaken dat de kerstman niet zou komen als ze niet ging slapen. Met verjaardagen ging dat niet zo gemakkelijk.
'Denk je dat ik een heleboel cadeautjes krijg, mama?'
Sam keek zijn dochter vragend aan. 'Cadeautjes? Wie zegt dat je cadeautjes krijgt?'
Sarah schonk geen aandacht aan haar vader. 'En een grote taart, mama?'
Sam schudde spijtig zijn hoofd. 'In elk geval geen taart,' zei hij. 'Dat kind is niet goed bij haar hoofd. Ze heeft ze niet op een rijtje.'
'Papa!' zei Sarah bestraffend.
Linda glimlachte. 'Heel veel taart en cadeautjes, lieverd. Alleen zul je wel nog even moeten wachten,' waarschuwde ze. 'Het feestje begint pas na de lunch, dat weet je.'
'Jaha. Ik wilde maar dat het Kerstmis was, want dan krijg je de cadeautjes 's ochtends al!'
Bingo, dacht Linda. Onopvallend en toch zo voor de hand liggend. Waarom ben ik er zelf niet op gekomen?
'Luister eens, Sarah,' zei ze. 'Als je vanavond op tijd en zonder te zeuren naar bed gaat, mag je morgenochtend een cadeautje openmaken. Wat zeg je daarvan?'
'Echt?'
'Echt. Als...' Ze hield een vinger omhoog. 'Als je op tijd naar bed gaat.'
Sarah knikte enthousiast, zoals kleine kinderen dat doen: het hoofd helemaal naar achteren, vervolgens van kin naar borst, en nog een keer.
'Dat is dan afgesproken.'

Sam bracht zijn dochter naar bed. Buster liep als altijd achter hen aan. Doreen was meer een allemansvriendje. Zij zou een inbreker waarschijnlijk kwispelend door het huis leiden, blij dat ze gezelschap had en in de hoop dat

ze iets lekkers zou krijgen omdat ze zo behulpzaam was. Buster was ook aanhankelijk, maar zijn liefde was spaarzaam en zijn mening over de wereld werd meer gekenmerkt door achterdocht. Hij hield maar van een paar mensen, maar die mensen waren wél van hem en hij hield met zijn hele wezen van hen.
Het meest hield hij van Sarah en hij sliep elke nacht bij haar in bed.
Sarah was ingestopt. Buster sprong op het bed en vlijde zich naast haar, met zijn kop op haar buikje.
'Lig je goed, ukkepuk?'
'Kus!' zei ze en ze stak haar armen naar hem uit.
Sam boog zich voorover, drukte een kus op haar voorhoofd en liet zich stevig door haar omhelzen.
'Nu wel?' vroeg hij.
Haar ogen vlogen open. 'My Little Pony!' riep ze.
'My Little Pony' was een wezen uit een kinderboek, waarin sprookjes werden vermengd met ponyverhalen, met als eindresultaat ongelooflijk lichtblauwe pony's met roze manen. Sarah had er een pop van, die ze altijd meenam naar bed.
'Hmm...' zei Sam en hij keek om zich heen. 'Waar kan dat ezeltje nou toch zijn?'
'Papa!' zei Sarah luid, met een mengeling van ergernis en vreugde.
Vaders plagen hun dochters op allerlei manieren; dit was er een van Sam. Hij was een jaar geleden begonnen met 'pony' te vervangen door 'ezel'. In het begin was Sarah echt van slag geweest, maar na verloop van tijd werd het een traditie van hen beiden, iets waar ze later, wanneer ze ouder was, met veel plezier aan zou terugdenken.
Het dier lag op de vloer naast haar bed en hij legde het in haar uitgestoken handen. Ze klemde het stevig tegen zich aan en kroop dieper onder de dekens. Door de beweging werd Buster gedwongen zijn kop te verleggen. Hij keek boos en slaakte een diepe hondenzucht. Ik word hier totaal niet gewaardeerd, leek hij te zeggen.
'Nu dan?' vroeg Sam.
'Je moet weg, papa,' droeg Sarah hem op. 'Ik moet slapen, want ik wil wakker worden en mijn cadeautje openmaken.'
'Je madeautje copenmaken?' vroeg hij niet-begrijpend.
Ze giechelde. Sarah vond het prachtig wanneer Sam woorden vervormde door een paar letters te verwisselen, zoals 'de lork en de vepel'. Dat vond ze gelemaal te hek.
''t Witte wief, ukkepuk.'
''t Witte wief, papa.'

Weer zo'n dwaze gewoonte. Als je met je mond geluidloos ''t witte wief' zei, leek het vanuit de verte net of je ''k vind je lief' zei. Sam had Sarah dit eens laten zien toen ze vier was. Ze had het geweldig gevonden, zo geweldig dat ze het een paar duizend keer had herhaald. Nu zeiden ze het elke avond tegen elkaar.
Hij kon absoluut niet weten dat dit de op één na laatste keer was dat hij het ooit zou zeggen.

Sarah kneep haar ogen stevig dicht, aaide Buster en probeerde haar hoofd leeg te maken.
Morgen was ze jarig! Dan werd ze zes, bijna volwassen, wat óók interessant was, maar de cadeautjes, dat vond ze het állerspannendst.
Ze keek om zich heen naar de muren, die werden verlicht door het peertje in de gang dat door de halfopenstaande deur in haar kamer scheen. Ze hingen vol schilderijen die haar moeder had gemaakt. Haar ogen zochten en vonden haar lievelingsschilderij: de baby die alleen in het bos was.
Als iemand die het niet kende erover hoorde, vond hij het misschien wel een eng schilderij. Dat was het niet, helemaal niet.
De baby, een meisje, lag vredig met gesloten ogen op een bedje mos. Links van haar stonden bomen, rechts van haar stroomde een beekje. De zon scheen, aan de hemel stonden een paar wolken, en als je goed keek, zag je tussen die wolken een glimlachend gezicht dat neerkeek op het baby'tje.
'Past het gezicht soms op haar, mama?'
'Heel goed, liefje. Ook al is ze alleen in het bos, ze is nooit echt alleen, want de vrouw in de wolken past op haar.'
Sarah had naar het schilderij gestaard en het prachtig gevonden.
'De baby, dat ben ik, hè mama? En die mevrouw in de wolken – dat ben jij.'
Toen had haar moeder geglimlacht, de glimlach waarop Sarah zo dol was. Hij had geen geheimen, geen verborgen betekenissen. Het was net de zon, oogverblindend en blij en warm op je gezicht.
'Heel goed, meisje. Dat is inderdaad zo, voor jou en mij en iedereen die ernaar kijkt.'
Sarah had verbaasd gekeken. 'Zien andere mensen ook dat jij het bent?'
'Nee, andere mensen zien ook "mama". Misschien zijn ze volwassen, zijn ze heel ergens anders, ver bij hun mama vandaan, maar ze zijn nooit alleen, want mama is er altijd.' Ze had haar dochter vastgepakt, haar zo spontaan omhelsd dat Sarah hardop had gelachen. 'Zo zijn mama's en dat is wat ze doen. Ze passen altijd en overal op je.'
Het schilderij was een cadeau geweest voor haar vijfde verjaardag. Het hing aan de muur tegenover het voeteneind van haar bed, als een talisman.

Haar moeder kocht nooit cadeautjes voor haar verjaardag. Ze maakte ze zelf. Sarah vond alles even mooi. Ze kon bijna niet wachten op het cadeau van morgen.
Ze kneep haar ogen weer dicht, aaide Buster, die haar hand likte, en probeerde haar hersens te dwingen uit te gaan.
Zodra ze dat niet langer probeerde te forceren, viel ze met een grote glimlach op haar gezicht in slaap.

Het eerste wat tot Sarah doordrong toen ze wakker werd, was dat Buster weg was. Dat was vreemd; de hond ging altijd tegelijk met haar slapen en stond ook tegelijk met haar op, elke dag opnieuw.
Het tweede wat haar opviel was dat de zon niet scheen. Ook dat was vreemd. Het was altijd donker wanneer ze haar ogen dichtdeed en licht wanneer ze ze weer opendeed. Zo hoorde het.
Er was iets met dit donker. Iets zwaars en engs. Het voelde niet hetzelfde aan als het donker voor haar verjaardag. Dit voelde aan als het donker van een kast waarin je zit opgesloten. Benauwd, warm, drukkend.
'Mammie?' fluisterde ze. Een deel van haar vroeg zich af waarom ze niet harder praatte. Als ze echt wilde dat haar moeder haar zou horen, waarom fluisterde ze dan?
Haar zesjarige hersentjes gaven antwoord: omdat ze bang was dat iets ánders het ook zou horen. Datgene – wat het ook het was – wat dit enge donker had veroorzaakt.
Haar hart klopte heel snel, haar ademhaling ging nog sneller en ze was hard op weg flink in paniek te raken, op weg naar de plek waar je na een nachtmerrie wakker wordt, behalve dan dat ze die keren altijd Buster bij zich had gehad, en nu was Buster er niet...
Kijk naar het schilderij, sufferd, hield ze zichzelf voor.
Haar ogen zochten haar moeders schilderij in het duister. De baby lag op het mos te slapen, vredig en veilig. Ze keek naar het gezicht in de wolken. Het gezicht dat 'mama' betekende, dat deze enge duisternis wegduwde, dat zei dat Buster in de achtertuin was, dat hij door het hondenluik was gekropen omdat hij zo nodig moest, dat ze alleen maar wakker was geworden omdat hij er niet was, dat hij straks zou terugkomen en dat ze dan weer in slaap zou vallen en morgenochtend wakker zou worden, en dan was ze jarig.
Toen ze dit allemaal had bedacht, hield haar hart op met bonzen. Haar ademhaling werd rustiger en ze was niet zo bang meer. Ze vond zichzelf zelfs een beetje dom.
Bijna een groot mens en dan als een kleine baby bang worden voor het donker, sprak ze zichzelf streng toe.

Toen hoorde ze een stem en ze wist dat het de stem van een vreemdeling was, hier in haar huis, in het donker. De angst keerde terug en haar hart sloeg een slag over. Ze verstarde en sperde haar ogen open.
'"Geen angst, geen angst, in de woeste woestenij",' zong de stem, die steeds dichter bij haar deur kwam. '"Een wild dier heeft je lief, totdat het je moet opeten".'
De stem klonk niet laag of hoog, maar ergens daartussenin.
'Hoor je me, Sarah? Een dode dichter heeft die woorden geschreven.'
Hij stond voor haar deur. Haar tanden klapperden, maar daar was ze zich niet van bewust.
Dit was erger dan heel bang zijn. Dit was alsof je wakker werd uit een nachtmerrie en tot de ontdekking kwam dat het ding uit de nachtmerrie je was gevolgd en nu door de gang naar jouw kamer schuifelde om je te omhelzen, om je stevig vast te houden, lachend en kreunend, terwijl jij gilt en gek wordt.
'We kunnen veel leren van wilde dieren. Medelijden, met jezelf of met anderen, is nutteloos. Het leven gaat verder, of je nu leeft of sterft, of je nu gelukkig of ongelukkig bent. Het leven maalt er niet om. Meedogenloosheid, dat is nog eens een zinvolle emotie. God is meedogenloos. Dat maakt deel uit van Zijn schoonheid en macht. Doen wat juist is, ongeacht de gevolgen of de dood van onschuldigen.'
Hij zweeg. Sarah kon hem bijna horen ademen. Ze kon ook haar eigen hart horen, zo luid dat ze dacht dat haar trommelvliezen zouden knappen.
'Buster had geen medelijden met zichzelf, Sarah. Ik wil dat je weet dat hij recht op me af kwam. Zonder enige aarzeling. Hij wist dat ik hier was voor jóú en hij rende op me af zonder zich te bedenken. Hij wilde me doden om jou te redden.'
Weer een stilte. Dan gegrinnik, zacht en lang.
'Ik wil dat je dit weet, zodat je het begrijpt: Buster is dood, omdat hij van jou hield.'
De deur vloog open. Daar stond de vreemdeling en hij gooide iets op Sarahs bed.
Het licht uit de gang scheen op het voorwerp: Busters afgesneden kop met de tanden nog steeds ontbloot en ogen die groot waren van woede.
Sarahs spieren spanden zich. Ze begon te gillen.

20

'Ik wil dat je kijkt, Sarah, en ik wil dat je luistert. Dit is het begin van iets.'
Ze waren in de woonkamer. Mama en papa zaten op een stoel met handboeien om hun polsen en enkels. Ze waren bloot. Sarah vond het erg pijnlijk om haar vader in zijn blootje te zien en werd nog banger. Doreen lag op de vloer naar iedereen te kijken en besefte duidelijk niet dat er iets ergs aan de hand was.
Wees alsjeblieft stil, puppy-guppy, dacht Sarah bij zichzelf, want misschien maakt hij jou dan niet dood, zoals Buster.
Sarah zat in haar nachtpon op de bank en had ook handboeien om.
De Vreemdeling, zoals ze de man in gedachten noemde, stond midden in de kamer. Hij hield een pistool in zijn hand. Hij had een panty over zijn hoofd getrokken. De panty vertrok en vervormde zijn gelaatstrekken, waardoor het net leek alsof zijn gezicht door een soldeerbout was verbrand.
Haar angst was nog steeds aanwezig, nog altijd sterk, maar een eindje bij haar vandaan. Het was als een gil in de verte. Het wachten was verschrikkelijk, als de bijl van de beul die op het hoogste punt blijft hangen.
Haar ouders waren doodsbang. Hun mond was dichtgeplakt met tape, maar in hun ogen was duidelijk hun angst te lezen. Sarah voelde dat ze banger waren om haar dan om zichzelf.
Hij liep naar haar papa toe en boog zich voorover, zodat hij Sam recht kon aankijken.
'Ik weet wat je denkt, Sam. Je wilt weten "waarom". Geloof me, ik wilde dat ik het je kon vertellen. Dat zou ik maar wat graag doen. Maar ja, Sarah luistert mee, zie je, en straks vertelt zij het door aan anderen. Ik wil niet dat mijn verhaal wordt verteld voordat ik er klaar voor ben.
Ik kan jullie twee dingen zeggen: het is niet jouw schuld, Linda, maar jouw dood is mijn gerechtigheid. Het is niet Sarahs schuld, maar haar pijn is mijn gerechtigheid. Ik weet dat jullie dat niet begrijpen. Dat geeft niet. Jullie hoeven het ook niet te begrijpen, jullie hoeven alleen maar te weten dat deze dingen wáár zijn.'
Hij stond op.
'Laten we het eens over pijn hebben. Pijn is een vorm van energie. Pijn kan worden opgewekt, net als elektriciteit. Pijn kan vloeien, als stroom. Pijn kan

vast zijn of trillen. Pijn kan krachtig en bijtend zijn, of zwak en gewoon irritant. Pijn kan een man dwingen tot praten. Wat een heleboel mensen niet weten is dat pijn een man ook kan dwingen tot nadenken. Pijn kan een man vormen, creëren, hem maken tot wie hij is.
Ik kén pijn. Ik begrijp pijn. Ik heb er dingen van geleerd. Een van de dingen die ik heb geleerd is dat mensen bang zijn voor pijn, maar ook heel veel kunnen verdragen, veel meer dan ze zelf denken. Als ik je bijvoorbeeld vertel dat ik een naald in je arm ga steken, word je bang. Als ik het ook daadwerkelijk doe, is de pijn ondraaglijk. Als ik het echter regelmatig herhaal, elk uur op het hele uur, een jaar lang – dan leer je je eraan aan te passen. Je zult het nooit leuk vinden, maar je zult er ook niet meer bang voor zijn. Dat is waar het hier allemaal om te doen is.'
De Vreemdeling keek naar Sarah.
'Ik ga een figuurlijke naald in Sarah steken. Telkens opnieuw, jaar in jaar uit. Ik ga pijn gebruiken om haar te beeldhouwen, als een kunstenaar. Ik zal haar vormen naar mijn eigen voorbeeld en ik zal haar vernoemen naar wat ze zal worden: "Een verwoest leven".'
'Doe mijn mama en mijn papa alstublieft geen pijn,' zei Sarah. Ze reageerde verbaasd toen ze haar eigen stem hoorde. Die klonk vreemd, van heel ver weg, veel te rustig voor wat zich hier afspeelde.
De Vreemdeling keek ook verbaasd. Toen knikte hij goedkeurend en hij glimlachte met zijn gesmolten gezicht. 'Mooi! Daar heb je het: liefde. Ik wil dat je je dit moment later herinnert, Sarah. Ik wil dat je eraan terugdenkt en dan beseft dat dit de laatste keer was dat je geen echte pijn voelde. Neem maar van mij aan dat je daar de komende jaren kracht uit zult putten.' Hij zweeg en bekeek haar gezicht aandachtig. 'Nu stil zijn en goed opletten.'
Ze keek toe hoe hij zich tot haar ouders wendde. Alles voelde nog steeds dromerig aan, vaag en onduidelijk. Er was angst, er was afschuw, er waren tranen, maar het waren speldenprikken in de verte. Dingen die vanaf de horizon naar haar schreeuwden. Ze moest zich inspannen om ze te horen en de tegenzin waarmee ze dat deed, was zwaar, verpletterend, een last die ze niet kon tillen.
Ze had in Busters dode ogen gekeken, ze had gekrijst en toen was haar hart weggegaan. Niet voorgoed en niet heel ver, maar wel zo ver dat ze het niet hoorde huilen.
Buster...
In die naam lag intens verdriet verborgen, pijn die sterk genoeg was om een ziel voor eeuwig op te zuigen. Ergens wist ze dat Buster nog maar het begin was. De Vreemdeling was meer dan een zwart getijde; hij was een oceaan van duisternis. Een enorme, holle leegte in een menselijke gedaante met een zui-

gende kracht die sterk genoeg was om lichtgolven, gelach en goedheid om te buigen.
In een beschaafde samenleving leeft het terechte instinct om de jongen te beschermen tegen kwaad, maar daardoor verlies je soms een eenvoudige waarheid uit het oog: een kind is altijd bereid in het bestaan van monsters te geloven.
Sarah wist dat de Vreemdeling een monster was. Ze had dit al als vaststaand feit aanvaard toen hij Busters afgesneden kop op haar bed gooide.
'Sam en Linda Langstrom,' zei de Vreemdeling. 'Luister alsjeblieft goed. Jullie moeten begrijpen dat de dood onvermijdelijk is. Ik zal jullie allebei vermoorden. Jullie moeten elke hoop die jullie wellicht koesteren dat jullie dit zullen overleven opgeven. In plaats daarvan moeten jullie je concentreren op datgene waarop jullie nog wel invloed hebben: wat er met Sarah gebeurt.'
Linda Langstroms hartslag versnelde toen de man zei dat hij hen zou vermoorden. Ze kon er niets aan doen: het verlangen om te leven zat diep. Toen hij hun vertelde dat Sarahs lot nog niet vaststond, was haar hartslag echter weer trager geworden. Ze had bezorgd naar Sarah gekeken en slechts met een half oor naar de man geluisterd. Nu richtte ze haar blik weer op hem en dwong ze zichzelf haar aandacht erbij te houden.
De Vreemdeling glimlachte. 'Ja. Dat is het. Het soort liefde dat anders is dan de liefde voor God en heel dicht tegen echte macht aan zit: de liefde van een moeder voor haar kind. Moeders zijn in staat om te doden, te martelen en te verminken om hun kind te redden. Ze zullen liegen, stelen en hun lichaam verkopen om hun kind eten te kunnen geven. Dat heeft een bepaalde goddelijkheid. Maar niets is zo sterk als de kracht die je krijgt wanneer je jezelf overgeeft aan God.'
Hij boog zich voorover totdat zijn gezicht vlak voor dat van Linda hing. 'Ik heb die kracht. Daarom mag ik jou doden. Daarom mag ik aan mijn werk met Sarah beginnen. Daarom hoef ik me nooit te verontschuldigen. Degenen met kracht hoeven geen spijt te hebben. Ze hoeven alleen maar door te gaan met ademhalen.' Hij rechtte zijn rug. 'Goed, wat doet een dergelijke kracht wanneer hij door een mindere liefde wordt getart? Hij toont zijn macht door keuzes af te dwingen. Ik ga jou nu een paar mogelijkheden aanbieden, Linda. Ben je er klaar voor?'
Linda keek naar het gezicht van de Vreemdeling en bestudeerde de door de panty vervormde gelaatstrekken. Ze besefte dat onderhandelen met deze man even nutteloos was als onderhandelen met een rots, een blok hout, een ratelslang. Ze betekende niets voor hem, helemaal niets. Ze beantwoordde zijn vraag met een knikje.
'Mooi,' antwoordde hij.

Verbeeldde ze het zich of ademde hij nu sneller? Raakte hij opgewonden?
'Dit is het plan. Sam, luister jij ook even.'
Hij had niet om Sams aandacht hoeven vragen; Sam had zijn blik geen seconde van de man afgewend. Sam staarde naar de Vreemdeling met een hart zo boordevol pure haat dat het bijna ondraaglijk was. Hij wilde niets liever dan deze man doden.
Wacht maar tot ik deze handboeien los heb, raasde hij vanbinnen, dan ruk ik je aan stukken. Dan ram ik je kop tegen de vloer tot je schedel barst en ik je hersens kan zien...
'Sarah blijft leven. Jullie zullen allebei sterven, maar Sarah blijft leven. Als jullie je daar zorgen over maken, zou dit jullie gerust moeten stellen. Ik zal haar niet doden.' Hij zweeg even. 'Ik kan natuurlijk wel besluiten om haar pijn te doen.'
Hij nam het pistool over in zijn linkerhand, tastte met de andere in zijn kontzak en haalde een aansteker tevoorschijn. Het was een opzichtig geval, een combinatie van verguldsel en parelmoer met aan één kant een ingelegde afbeelding van een dominosteen, het stuk met twee en drie stippen.
Hij klapte de aansteker open en draaide met zijn duim aan het wieltje. Een kleine vlam dook op, blauw aan de onderkant.
'Ik kan haar verbranden,' mompelde de Vreemdeling, terwijl hij in de vlam tuurde. 'Ik kan haar gezicht in de fik zetten. Haar neus in een klont gesmolten was veranderen, haar wenkbrauwen eraf branden, haar lippen zwart blakeren.' Hij tuurde glimlachend in de vlam. 'Ik kan haar letterlijk beeldhouwen in plaats van figuurlijk, met de vlam als beitel. Vuur is sterk en meedogenloos. Het kent geen liefde. Een levend symbool van de macht van God.'
Met een abrupt gebaar klapte hij de aansteker dicht en stopte hem terug in zijn zak. Hij nam het pistool weer over in zijn rechterhand.
'Ik kan haar dagenlang met vuur bewerken. Neem dat alsjeblieft van me aan. Ik weet hoe het moet. Hoe ik het zo lang mogelijk kan rekken. Ze zal niet sterven, maar al in het eerste uur zal ze om de dood smeken en lang voordat het bedtijd is zal ze haar verstand verliezen.'
Zijn woorden en de overtuiging waarmee hij ze uitsprak beangstigden Linda. Een rauwe, ruwe angst. Ze twijfelde niet aan wat hij zei. Nog geen seconde. Hij zou haar kleine meid glimlachend en fluitend verbranden. Ze besefte dat ze hiervoor banger was dan voor de dood en even (héél even) voelde ze opluchting. Ouders geloven graag dat ze hun leven zouden geven voor hun kinderen als het moest – maar was dat ook echt zo? Zouden ze echt voor hun kind springen wanneer er met een pistool werd gezwaaid? Of zou een beschamend, primitief instinct de overhand krijgen?

Ik zou voor haar sterven, wist Linda. Ondanks alles wat er nu speelde, voelde ze zich trots. Het was bevrijdend. Het gaf haar iets om zich op te concentreren. Ze luisterde aandachtig naar de Vreemdeling. Wat moest ze doen om te voorkomen dat hij haar dochter zou verbranden?
'Jij kunt dit voorkomen,' ging de Vreemdeling verder. 'Het enige wat je daarvoor hoeft te doen is je man wurgen.'
Sam werd met een schok wakker uit zijn woedende dagdroom.
Wat zei hij daar?
De Vreemdeling pakte een tas die naast de bank stond en haalde daar een kleine videocamera met opvouwbaar statief uit. Hij zette de camera erop en richtte die op Sam en haar. Hij drukte op een knop, er klonk een riedeltje en Linda begreep dat ze werden gefilmd.
Wat zei hij daar?
'Ik wil dat je jouw handen om zijn nek legt, Linda; ik wil dat je je man recht aankijkt en hem wurgt. Ik wil dat je ziet hoe hij sterft. Als je dat doet, wordt Sarah niet verbrand. Als je weigert, hou ik de vlam zo dicht bij haar dat de rook ervan af slaat.'
Sams razende woede was verdwenen, was ver, heel ver weg. Was hij er eigenlijk wel echt geweest? Zo voelde het niet voor Sam. Hij was versuft. Hij had het gevoel alsof iemand hem zojuist met een hamer in zijn gezicht had geslagen.
Het was alsof zijn begripsvermogen omhoog was geschoten tot een bovenmenselijk niveau. Hij dacht in fractals en de onderlinge samenhang werd in lichtflitsen duidelijk. Waarheden drongen als oplichtende pistoolschoten tot hem door.
Dit leidt tot dat en leidt tot dat... en de uitkomst is steeds hetzelfde.
Linda en hij zouden sterven. Dat besefte hij met een plotselinge helderheid.
Te plotseling?
Nee. Deze man was onvermurwbaar. Hij was hen niet aan het uitproberen. Hij haalde geen grap met hen uit, dit was geen truc. Hij was hier om hen te doden. Sam zou zich niet kunnen loswurmen om zijn gezin te redden. Er zou geen onverwachte verlossing plaatsvinden, zoals in Hollywood-films. De slechteriken zouden winnen en ermee wegkomen.
Dit leidt tot dat en leidt tot dat...
Slechts één ding, het belangrijkst, stond nog niet vast: wat er met Sarah zou gebeuren.
Hij keek naar zijn dochter. Hij werd overvallen door droefheid.
Wat zou er met Sarah gebeuren? Hij begreep dat hij dat nooit zou weten. Als zijn kleine meid dit overleefde, zou ze verdergaan. Sam zou hier ophouden. Hij zou nooit weten of hun offer haar had gered of niet.

Ze zag er zo klein uit. De bank stond nog geen meter bij hem vandaan, maar het had net zogoed een lichtjaar kunnen zijn. Een nieuwe golf van verdriet, verstikkend en wanhopig. Hij zou zijn kleine meid nooit meer kunnen aanraken! De kus die hij haar gisteravond had gegeven, de omhelzing, dat was de laatste keer geweest.

Hij keek naar Linda. Ze luisterde naar de Vreemdeling met haar ogen strak op hem gericht. Sam nam het beeld van haar kastanjebruine haar en haar bruine ogen gretig in zich op, deed zijn eigen ogen dicht en herinnerde zich haar zo intens dat hij haar bijna kon ruiken, de geur van zeep en vrouw, net zo uniek voor Linda als haar DNA.

Hij zag haar chic gekleed voor zich en hij zag haar naakt voor zich, onder hem in haar atelier, onder de verf en bezweet.

Hij zag ook zijn dochter voor zich. Hij herinnerde zich dat de liefde die in hem was opgeweld toen hij haar voor het eerst hoorde huilen zo sterk was dat die hem dreigde te verteren. Het was heftig en reusachtig, groter dan hij ooit in zijn eentje zou zijn.

Hij dacht terug aan haar lach, haar tranen, haar vertrouwen.

Het laatste beeld was van hen samen, zijn vrouw en zijn dochter. Sarah als baby, slapend in Linda's armen na een lange, door buikkrampjes verstoorde nacht.

Hij herinnerde het zich en hij werd bedroefd, hij werd kwaad, hij wilde vechten, maar...

De uitkomst is altijd hetzelfde.

Hij deed zijn ogen open en keek Linda aan; deze keer keek ze terug. Hij probeerde met zijn ogen te glimlachen, probeerde haar alles wat er in hem omging duidelijk te maken en toen – knipperde hij met zijn ogen, eenmaal, en hij knikte.

Het is al goed, lieverd, zei hij tegen haar. Doe het maar, het is al goed.

Linda wist wat haar man bedoelde. Natuurlijk wist ze dat – ze hadden al zo vaak zonder woorden gepraat. In sommige opzichten verschillen we misschien van elkaar, zei hij, maar op de belangrijke momenten in het leven vormen we een eenheid.

Uit haar rechterooghoek gleed één traan.

'Ik zal de tape voor zijn mond weghalen en jouw polsen losmaken. Jij legt je handen om zijn nek en dan knijp je tot hij dood is. Je doodt hem, terwijl Sarah toekijkt, en het zal verschrikkelijk voor je zijn, dat weet ik – maar wanneer ik klaar ben met jullie twee zal ik Sarah niets doen.'

Hij hield zijn hoofd schuin en het viel hem blijkbaar nu pas op dat er iets tussen Sam en Linda was gebeurd.

'Jullie hebben de beslissing al genomen, hè? Jullie allebei.' Het bleef even stil.

'Heb je dat gehoord, dreumes? Mama gaat papa vermoorden, zodat ik jou niet verbrand. Weet je wat je daarvan kunt leren?'
Geen reactie.
'Hetzelfde wat je eerder vanavond ook hebt geleerd. Mama gedraagt zich meedogenloos en daardoor word jij gered. Heb je me gehoord, Sarah? Mama's meedogenloosheid zal jou redden. Haar bereidwilligheid om voor jou pijn te lijden zal jou redden. Eindelijk kracht om die moederliefde te ondersteunen.'
Sarah hoorde wel wat de Vreemdeling zei, maar het waren geen echte woorden voor haar. Ze geloofde dat monsters bestonden, maar op het laatst verloren monsters altijd.
Ja toch?
God zorgde ervoor dat goede mensen niets slechts overkwam. Deze keer zou het niet anders zijn. Het was eng, het was angstaanjagend, het was afschuwelijk dat Buster dood was, maar zolang zij de moed niet opgaf, zou de Vreemdeling niet winnen. Papa zou hem tegenhouden, of God zou hem tegenhouden, of misschien zelfs mama wel.
Ze weigerde te geloven wat hij zei, en wachtte geconcentreerd op het moment waarop alles voorbij zou zijn en alles weer goed kwam met mama en papa en Doreen.
Linda Langstrom luisterde naar de woorden die de Vreemdeling tegen haar dochter zei. Woede en wanhoop raasden brullend in haar binnenste. Wie was deze man? Hij was midden in de nacht zonder enige angst of aarzeling hun huis binnengelopen. Hij was met een pistool hun slaapkamer in gekomen en had hen fluisterend wakker gemaakt. 'Geen kik, anders zijn jullie er geweest. Doe wat ik zeg, want anders zijn jullie er geweest.'
Hij had hen van het begin af aan volledig in zijn macht gehad. Hij was zowel de onweerstaanbare kracht als het onbeweeglijke voorwerp, en nu had hij hen in een hoek gedreven en was er slechts één uitweg. Ze moest Sam doden, want anders zou de man Sarah martelen. Welke keus had ze met zulke onverbiddelijke opties? De Vreemdeling manipuleerde hen, dat besefte ze heel goed. Hij kon Sarah alsnog iets aandoen. Haar doden, zelfs.
Misschien wel – misschien ook niet. Met die mogelijkheid, tja... viel er echt iets te kiezen?
Haar woede was machteloos, daar was ze zich terdege van bewust. Haar wanhoop was verstikkend. Sam zou sterven. Zij zou sterven. Sarah zou misschien blijven leven. Wie zou haar dan opvoeden? Wie zou er van haar houden?
Wie zou vanuit de wolken op haar kleine meid passen?
'Ik haal nu bij jullie allebei de tape weg. Sam, je mag twee laatste zinnen zeggen – een tegen je vrouw, een tegen je dochter. Linda, jij mag één zin zeggen

tegen Sam. Als jullie die limiet overschrijden, zal Sarah branden. Hebben jullie dat begrepen?'
Ze knikten allebei.
'Uitstekend.'
Hij maakte eerst de tape voor Linda's mond los en deed vervolgens hetzelfde bij Sam.
'Jullie hebben één minuut. Eén zin is niet veel wanneer het je laatste kans is om iets te zeggen. Spring er alsjeblieft niet lichtzinnig mee om.'
Sam keek naar zijn dochter en zijn vrouw. Hij keek naar Doreen, die naar hem kwispelde – stomme, lieve hond.
Tot zijn verbazing merkte hij dat hij geen angst voelde. Aan de ene kant was alles helder en duidelijk omlijnd, aan de andere kant was het één grote, zwevende onwerkelijkheid. Shock? Misschien.
Hij concentreerde zich. Wat zouden zijn laatste woorden zijn? Wat moest hij zeggen tegen Linda, die zo dadelijk werd gedwongen hem te doden? Wat wilde hij zijn dochter van dit moment meegeven?
Er schoten allerlei dingen door zijn hoofd, zinnen van vijftig woorden, verontschuldigingen, afscheidsgroeten. Uiteindelijk liet hij de woorden spontaan uit zijn mond vloeien en hij hoopte maar dat het de goede waren.
Hij keek zijn vrouw aan. 'Je bent een kunstwerk,' zei hij tegen haar.
Hij keek zijn dochter aan. ''t Witte wief,' zei hij en hij glimlachte.
Sarah keek hem even verbaasd aan en glimlachte toen de glimlach die zijn hart in het begin al had gestolen. ''t Witte wief, pappie,' zei ze.
Linda keek haar man aan en probeerde uit alle macht niet te stikken in haar verdriet. Wat moest ze tegen deze man zeggen? Tegen haar Sam, die haar in zoveel opzichten had gered? Hij had haar gered van haar gebrek aan zelfvertrouwen, van een leven zonder hem en zijn liefde. Eén zin? Ze kon een jaar lang aan één stuk door praten en dan was het nog niet genoeg.
'Ik hou van je, Sam.' Ze gooide de woorden eruit en eerst wilde zij ze schreeuwend terugnemen, want dat was niet genoeg, dat kon niet het laatste zijn wat ze ooit tegen haar man zei.
Toen zag ze echter zijn ogen en zijn glimlach, en hoewel het misschien geen ideale zin was, was het wel de enige, begreep ze. Ze was met haar eerste liefde getrouwd, de liefde uit haar jeugd. Ze had op vrolijke en boze momenten van hem gehouden, met kussen en gekrijs. Met liefde was alles begonnen, met liefde zou alles eindigen.
Ze had verwacht dat de Vreemdeling iets zou zeggen om de spot te drijven met deze laatste woorden, maar dat deed hij niet. Hij stond zwijgend te wachten. Hij leek zelfs respectvol.
'Dank jullie wel voor jullie inschikkelijkheid,' zei hij. 'Ik wil Sarah echt liever

niet verbranden.' Een korte stilte. 'Mooi, dan beginnen we nu met de wurging. Het is niet zo gemakkelijk als je misschien denkt, dus luister alsjeblieft goed naar wat ik zeg.'
Linda en Sam luisterden naar hem, maar bleven elkaar aankijken. Ze spraken zonder woorden. De Vreemdeling praatte verder en vertelde Linda zakelijk hoe ze haar man moest doden.
'Het hoeft van mij niet pijnlijk te zijn of lang te duren. Als hij snel sterft, is dat prima. Zolang het maar gebeurt. De plekken waar je je op moet concentreren, zijn hier en hier...' Hij raakte Sams nek aan weerszijden aan, vlak bij de kaaklijn. 'De halsslagaders. Door de bloedtoevoer op deze plekken af te knijpen zal hij het bewustzijn verliezen voordat hij aan ademnood overlijdt. Tegelijkertijd zul je met beide handen een voorwaartse druk moeten uitoefenen om zo de luchtstroom in zijn luchtpijp af te snijden.' De Vreemdeling deed het voor zonder Sams hals daadwerkelijk aan te raken. 'Dat hou je vol totdat hij niet meer ademhaalt. Simpel. Ik zal nu zijn handen op zijn rug boeien, zodat hij ze niet kan opheffen om jouw handen weg te trekken.' De Vreemdeling schokschouderde. 'Dat komt weleens voor, zelfs bij mensen die zelfmoord plegen. Een man had eens een plastic zak over zijn hoofd getrokken, die met tape om zijn nek dichtgeplakt en zijn eigen handen op zijn rug vastgebonden. Ik vermoed dat hij van gedachten veranderde toen het moeilijk werd om adem te halen. Hij rukte bijna allebei zijn duimen eraf toen hij probeerde zijn handen uit de handboeien te trekken. Dat willen we hier niet.'
Sam was ervan overtuigd dat de Vreemdeling gelijk had. Hij kon zijn eigen angst voelen, ver weg, maar volhardend. Kloppend op zijn deur.
Biggetje, biggetje, laat me erin...
Nee. Hij wilde niet dood, dat was waar. Toch moest het. Dit leidt tot dat en leidt tot dat, en de uitkomst is steeds hetzelfde. Je moet Sarah redden. Je kunt niet altijd krijgen wat je wilt. Het leven is geen lolletje... en op het laatst ga je nog dood ook.
Sam zuchtte. Hij keek nog één keer om zich heen. Eerst naar de kamer, de keuken en de schemerige ruimte daarachter. Zijn thuis, waar hij zijn vrouw had liefgehad en zijn kind had opgevoed, waar hij had geprobeerd een goed mens te zijn. Vervolgens naar Sarah, het levende, ademende resultaat van de liefde tussen Linda en hem. Ten slotte keek hij in de ogen van zijn vrouw. Een doordringende, dralende blik, waarmee hij probeerde haar alles te zeggen; hij hoopte maar dat ze het allemaal, of een deel ervan, begreep. Toen deed hij zijn ogen dicht.
O, Sam, nee... Linda had door wat hij deed, wat hij zojuist had gedaan. Hij had afscheid genomen. Hij had zijn ogen dichtgedaan en ze wist dat hij niet van plan was ze weer open te doen. Logica vormde een groot deel van Sams

persoonlijkheid. Het was een van de dingen waarom ze van hem hield, een van de dingen aan hem die haar gek maakten. Hij bezat de gave om dingen drie stappen vooruit te kunnen zien, ergens al begrip voor te hebben, terwijl zij er nog over nadacht.
Sam had waarschijnlijk al lang voordat de Vreemdeling het hun vertelde geweten dat ze zouden sterven. Hij had de situatie van alle kanten bekeken, de mogelijke beweegredenen van de man afgetast en begrepen dat het onvermijdelijk was. Alles wat daarna volgde was voor hem afwachten geweest. En voelen.
'Rot toch op!'
De woorden waren haar mond al uit voordat ze ze kon tegenhouden, ingegeven door emotie, niet door logica. De Vreemdeling bleef even staan en keek haar met een schuin hoofd aan.
'Sorry – wat zei je daar?'
'Ik zei dat je kunt oprotten,' snauwde ze. 'Ik doe het niet.'
Ze keek naar Sam. Waarom had hij zijn ogen niet opengedaan?
De Vreemdeling boog zich over haar heen. Hij staarde haar heel lang aan en deed haar denken aan een standbeeld. Steen, gevoelloos, onwrikbaar.
'Dat denk je maar,' zei hij.
Hij plakte de tape weer voor haar mond en die van Sam. Hij maakte geen boze indruk toen hij dat deed. Zonder iets te zeggen liep hij naar Sarah. Hij plakte haar mond dicht, greep haar geboeide polsen vast en trok haar handen met een ruk naar voren. Hij stak het pistool tussen zijn broekband, voelde in zijn kontzak en haalde de opzichtige vergulde aansteker tevoorschijn. Linda's hart versteende bij de *tik* waarmee hij openging. Zijn duim draaide één keer aan het wieltje en er was vuur.
Hij lette er goed op dat Linda keek en hield Sarahs handpalm drie seconden lang boven de vlam.
Linda en Sarah schreeuwden van begin tot eind. De Vreemdeling deed wat volgens hem de plicht van degenen met kracht was: hij ging door met ademhalen, rustig en zelfverzekerd.

21

Sarah kon bijna niet geloven dat het zoveel pijn deed. Ze had moeten ophouden met huilen, zodat ze door haar neus kon ademen.

Alle dingen van ver weg waren nu dichtbij. Haar emoties – angst, verdriet, afschuw – stormden als verblindende witte bliksemschichten in haar binnenste. Ze kon niet aan het monster ontsnappen. Dat wist ze nu. Die wetenschap maakte haar kapot.

Toen Sarah werd verbrand, was haar moeder als een razende tekeergegaan. Linda had zo hard aan de boeien om haar polsen gerukt dat ze het vlees tot op het bot zou hebben afgeschuurd als de boeien aan de binnenkant geen beschermlaag hadden gehad. Mama was nog steeds mama, maar ze straalde nu een knetterende, dreigende energie uit die Sarah nog niet eerder bij haar had gezien.

Zelfs de Vreemdeling was onder de indruk.

'Schitterend,' had hij gezegd. 'Je bent het angstaanjagendste wat ik ooit heb gezien.'

Dat had Sarah ook gevonden.

'Het probleem is alleen, Linda, dat ik nog angstaanjagender ben.' Hij had met zijn hoofd geschud. 'Begrijp je het dan niet? Je kunt niet winnen. Je kunt mij niet verslaan. Ik ben kracht. Ik ben zekerheid. Jouw keuzes zijn onveranderd: doe wat ik zeg of kijk toe hoe ik Sarah verbrand tot ze op een misvormde kermisattractie lijkt.'

Toen was haar moeder gekalmeerd. Sarah wilde haar vader aankijken, maar zijn ogen waren nog steeds gesloten.

'Ik geef je even de tijd om jezelf weer onder controle te krijgen. Eén hele minuut. Daarna vertel je me dat je er klaar voor bent en gaan we verder, anders steek ik Sarah écht in brand.'

Sarah rilde angstig bij de gedachte aan nog meer vuur, nog meer pijn. Wat bedoelde hij trouwens met 'gaan we verder'? Ze was op haar plek ver weg geweest, waar ze had gewacht tot de monsters zouden weggaan. Al die tijd was hij blijven praten, had hij iets belangrijks gezegd. Ze deed haar best zich te herinneren wat dat was geweest.

Iets over papa en mama...

Mama die papa moest vermoorden...

Ze wist het weer; haar ogen vlogen open en de plek ver weg wenkte haar opnieuw.

Linda probeerde uit alle macht zichzelf te beheersen. Ze zat vol witte ruis en statisch geknetter, één grote kortsluiting van de ziel. Haar woede had de overhand gekregen. Ze had zich niet kunnen inhouden. Ze had een rood waas voor ogen gehad, en de kwaadheid en zinloosheid waren voor haar opgedoemd en hadden het kleine beetje evenwicht dat ze nog had verdreven. Haar polsen deden pijn, door de adrenaline had ze te veel zuurstof in haar bloed en ze voelde zich misselijk.
Sam, die verdomde Sam, had zijn ogen nog steeds dicht. Ze wist waarom en haatte hem erom. Ze haatte hem, omdat hij gelijk had. Omdat hij besefte dat het voorbij was, besefte dat er geen andere keus was en dit accepteerde.
Nee, nee, ze hield van Sam, ze haatte hem niet. Dit was Sam, dit was wie hij was. Zijn geest was een van de dingen aan hem waarvan ze het meest hield. Zijn helderheid, zijn zuiverheid. Hij was op dit moment ontzettend moedig. Hij had afscheid genomen, zijn ogen gesloten en zijn hals blootgelegd, klaar voor haar wurgende handen.
WZSD?
Het zinnetje kwam spontaan in haar op: Wat Zou Sam Doen?
Het was een mantra die ze gebruikte wanneer haar emoties in een gevecht verwikkeld waren met haar gezonde verstand. Sam was rustig, Sam dacht logisch na, Sam was kalm-aan-dan-breekt-het-lijntje-niet. Tot enorme woede in staat wanneer het moest, maar bereid om kleine dingen schouderophalend te laten gaan.
Wanneer iemand haar op de snelweg sneed en ze op het punt stond waar Sarah bij was keihard te gaan schelden, haalde ze diep adem en vroeg ze: WZSD? Wat Zou Sam Doen?
Het werkte niet altijd, maar had zich met haar hele wezen verweven en dook nu op het moment waarop ze het hardst nodig had op.
Sam zou de feiten tegen elkaar afwegen. Linda haalde diep adem en deed haar ogen dicht.
Feit: ontsnappen is onmogelijk. Hij heeft onze handen geboeid en de boeien geven niet mee. We zitten in de val.
Feit: er valt niet met hem te onderhandelen.
Feit: hij zal ons doden.
De laatste twee waren ook echt vaststaande feiten. De kalme vastberadenheid van de Vreemdeling en de vakkundige manier waarop hij alles deed, inclusief het verbranden van Sarahs hand, lieten er geen twijfel aan bestaan over wat hij was en wat hij zou doen. Hij zou doen wat hij had gezegd.

Zal hij Sarah echt met rust laten als we doen wat hij vraagt?
Feit: we zullen nooit zeker weten dat hij dat doet.
Feit: we zullen nooit zeker weten dat hij het niet doet.
Dit alles bij elkaar was de reden waarom Sam zijn ogen had dichtgedaan: dit leidt tot dat en leidt tot dat... en de uitkomst is steeds hetzelfde.
Feit: de mogelijkheid dat hij haar met rust zal laten, is het enige wat overblijft. Het enige waar we misschien nog invloed op hebben.
Ze deed haar ogen open. De Vreemdeling sloeg haar aandachtig gade.
'Heb je een besluit genomen?' vroeg hij.
Ze had één keer bevestigend met haar ogen geknipperd. Hij haalde de tape voor haar mond weg.
'Ik doe het,' zei ze.
Opnieuw die glimp van opwinding, een schaduw die in zijn ogen opdook en weer verdween.
'Uitstekend,' zei hij. 'Ik zal eerst Sams handen achter zijn rug boeien.'
Dat deed hij met snelle, geoefende gebaren. Sam hield zijn ogen dicht en verzette zich niet.
'Goed, Linda, dan maak ik nu de boeien om jouw polsen los. Nu kun je natuurlijk besluiten het nog een keer op je heupen te krijgen.' Hij schudde zijn hoofd. 'Doe dat maar niet. Je schiet er niets mee op en ik zal Sarahs hand in dat geval verbranden tot hij één grote samengesmolten klont is. Heb je dat begrepen?'
'Ja,' antwoordde ze met een stem waarin diepe haat doorklonk.
'Mooi.'
Hij maakte de handboeien los. Ze overwoog heel even om hem aan te vallen. Ze zag al voor zich hoe haar handen naar voren schoten, zich om zijn hals sloten en knepen met alle woede en droefheid in haar hart, knepen tot zijn ogen uit zijn oogkassen stuiterden.
Ze begreep echter heel goed dat dit pure fantasie was. Hij was een ervaren jager, bedacht op rare streken van zijn prooi.
Haar polsen klopten pijnlijk. Het was een doffe, intense pijn. Ze was er blij om. Het deed haar denken aan Sarahs geboorte. Een prachtige, verschrikkelijke kwelling.
'Doe het,' zei de Vreemdeling gebiedend met een vlakke, gespannen stem.
Linda keek naar Sam, Sam die zijn ogen nog steeds gesloten had, haar prachtige man, haar prachtige jongen. Hij was sterk op punten waarop zij zwak was, hij bezat tederheid, hij kon harteloos en arrogant zijn, hij was verantwoordelijk geweest voor haar langste lachbuien en haar diepste verdriet. Hij had door haar uiterlijke schoonheid heen gekeken en haar lelijkere kanten gezien, en was toch van haar blijven houden. Hij had haar nooit uit woede

aangeraakt. Ze hadden momenten van seks vol liefde en tederheid gekend, en ze hadden tijdens een felle regenbui buiten geneukt, rillend van het kille water dat op hun blote huid roffelde, terwijl zij boven de wind uit schreeuwde.
Linda besefte dat de lijst eindeloos was.
Ze stak haar handen uit. Ze trilden. Toen ze zijn hals aanraakten, snakte ze naar adem.
Emotioneel geheugen.
Nu ze Sam aanraakte, ontbrandde de herinnering aan duizenden andere momenten. Een miljoen kleine sneetjes in haar ziel die allemaal bloedden.
Hij deed zijn ogen open en de miljoen sneetjes smolten samen tot één schroeiende pijn.
Van al zijn uiterlijke kenmerken hield Linda het meest van Sams ogen. Ze waren grijs, intens, omlijst door lange wimpers waarom iedere vrouw hem zou benijden. Er sprak enorm veel gevoel, enorm veel emotie uit.
Ze herinnerde zich hoe hij met die ogen over de tafel naar haar had gekeken tijdens een van hun trouwdagen. Hij had naar haar geglimlacht.
'Weet je wat een van de dingen is die ik het mooist vind aan jou?' had hij gevraagd.
'Wat dan?'
'Je schitterende gestoordheid. Jij kunt orde scheppen in de chaos van een beeld of schilderij, maar een la met ondergoed opruimen kun je niet, al hing je leven ervan af. Je houdt met hart en ziel van Sarah en mij, ook al gaat dat met vallen en opstaan. Je onthoudt letterlijk elke tint blauw die er bestaat, maar denkt er nooit aan om de telefoonrekening te betalen. Je brengt een wildheid in mijn leven en zonder dat zou ik verloren zijn.'
Sam had haar nu lief, dat voelde ze. Die ogen, die intense grijze ogen, straalden een en al emotie uit: liefde, verdriet, woede, pijn en vreugde. Ze liet zich erdoor opslokken en hoopte dat hij begreep wat zij nu voelde, elk stukje ervan.
Hij knipoogde één keer en ze moest lachen – een verstikte lach, maar toch een lach – en toen deed hij zijn ogen weer dicht, en ze wist dat hij er klaar voor was, dat zij er nooit klaar voor zou zijn, maar dat het moment was aangebroken.
Ze begon te knijpen.
'Als je niet harder knijpt, duurt het heel lang voordat hij dood is,' zei de Vreemdeling.
Linda kneep harder. Ze voelde Sams hartslag onder haar vingers, voelde zijn levenskracht, en begon te huilen. Harde, slijmerige snikken, losgewrikt uit dat onnoembare deel van haar waar de pijn het sterkst voelbaar was.

Sam hoorde zijn vrouw huilen. Hij voelde haar handen verstrakken om zijn hals. Ze had hem op de juiste plek vastgepakt; de bloedtoevoer naar zijn hersens werd afgesneden. Daardoor ontstond er een enorme druk in zijn hoofd, samen met een koortsig gevoel en een lichte pijn op zijn borst. Zijn longen begonnen te branden.

Hij hield zijn ogen dicht en staarde naar het donker. Hij bad dat het hem zou lukken ze gesloten te houden terwijl hij stierf. Hij wilde niet dat Linda hem hoefde aan te kijken, zou moeten toekijken hoe het leven uit hem wegstroomde.

Het brandende gevoel nam toe en paniek maakte zich langzaam van hem meester; hij voelde die in de verte aankomen.

Verzet je ertegen, Sam, droeg hij zichzelf op. Hou vol, het duurt nu niet lang meer, je kunt elk moment het bewustzijn verliezen.

Dat was zo, wist hij. Hij voelde het, de zwarte randjes rondom zijn bewustzijn. Vonken. Zodra hij zich eenmaal in dat duister bevond, was het gebeurd. Die vonken waren het laatste beetje van zijn wezen. Eerst zou hij door het donker worden omsloten en dan zou hij het donker worden.

Oeps...

Hij was zojuist even een momentje weg geweest. In plaats van vonken was er een flits geweest, niet van licht, maar van duisternis. Het drong tot hem door dat het niet iets was wat hij bewust zou meemaken; het zou hem stiekem besluipen. Er zou op een gegeven ogenblik een duistere flits komen die voorgoed bleef.

Weer een flits, maar deze was helder en stralend, verblindend, ondraaglijk in al zijn schoonheid. Linda en hij, naakt tijdens een felle regenbui, de regendruppels krachtig en ontzettend koud. Ze huiverden en neukten, en zij zat boven op hem en bliksem verlichtte de hemel rond haar hoofd toen hij kwam, zo heftig...

... Sarah brullend in de verloskamer, en hij kreeg geen adem en zijn knieën waren slap en hij voelde zo'n enorme triomf...

... Sarah die naar hem toe kwam gerend, haar haren wapperend in de wind, met gespreide armen, lachend naar de wereld, Linda die naar hem toe kwam gerend, haar haren wapperend in de wind, met gespreide armen, lachend naar de wereld...

Wittewiefwittewiefwittewief...

De laatste flits en Sam Langstrom stierf.

Hij glimlachte.

22

Linda's hoofd was leeg.

Sam hing slap voorover in de stoel. Ze had gevoeld dat zijn hartslag onder haar vingers versnelde, ze had gevoeld dat hij zwakker werd en ten slotte had ze gevoeld dat hij stopte.

Ze voelde Sams bloed aan haar handen. Het zat er niet echt, maar toch voelde ze het. Eén woord vloog door haar hoofd, telkens opnieuw, een gigantische zwarte vleermuis die alle sterren verduisterde: gruwelijk. Gruwelijk, gruwelijk, gruwelijk...

'Dat heb je heel goed gedaan, Linda.'

Waarom verandert zijn stem nooit, vroeg ze zich in stilte af. Hij klinkt steeds hetzelfde. Rustig en opgewekt, terwijl er verschrikkelijke, verschrikkelijke, verschrikkelijke dingen...

Ze huiverde even en onderdrukte een snik.

Misschien is hij er niet echt, daarbinnen. Hij is net een golem, een brok klei die moet rondlopen zonder een ziel om hem te leiden.

Linda keek naar haar dochter. Het werd haar zwaar te moede. Sarahs ogen waren open, maar ze zagen niets. Ze staarden voor zich uit. Een 'ik ben er niet'-blik. Ze wiegde heen en weer. Haar lippen waren zo strak op elkaar geklemd dat ze wit waren.

Ik weet hoe je je voelt, kind, dacht Linda wanhopig bij zichzelf.

'Ik weet dat je verdriet hebt,' zei de Vreemdeling. Zijn stem klonk troostend. 'We zullen ervoor zorgen dat het voorgoed ophoudt, al dat verschrikkelijke, ellendige verdriet.'

Hij wierp een blik op Sarah, die nog steeds heen en weer wiegde. In een mondhoek had zich een sliertje speeksel verzameld, dat nu omlaag –, omlaag –, omlaagviel.

'Ik zal woord houden, hoor. Zolang je doet wat ik vraag en daar niet van afwijkt, zal ik haar geen pijn doen.'

Je hebt haar al voorgoed pijn gedaan, dacht Linda bij zichzelf. Misschien maakt ze echter nog een kans, zolang ze maar niet doodgaat. Van een emotioneel trauma kon je herstellen; uit de dood kwam je nooit terug.

De Vreemdeling liep naar Sam toe. Hij haalde sleutels uit een jaszak, knielde op de vloer neer en maakte de boeien om Sams enkels en polsen los. Sam viel

voorover en kwam als een zandzak met een doffe klap op de vloer terecht.
'We gaan het volgende doen,' zei de Vreemdeling tegen Linda. 'Ik geef jou de sleutels.' Hij voegde de daad bij het woord. 'Maak alsjeblieft de boeien om je enkels los.' Linda deed wat hij zei. Hij tastte met zijn linkerhand achter zijn rug en haalde uit zijn broekband een pistool tevoorschijn. 'Ik leg dit pistool hier op de vloer neer.' Dat deed hij. Hij ging achter Sarah staan en zette zijn eigen pistool tegen haar achterhoofd.
'Zo meteen begin ik te tellen. Voordat ik bij vijf ben, heb jij jezelf met dat pistool door het hoofd geschoten. Zo niet, dan schiet ik Sarah door haar achterhoofd. Daarna zal ik jou urenlang verkrachten en dagenlang martelen. Heb je dat begrepen?'
Linda knikte lusteloos.
'Mooi. Pistolen zijn trouwens krachtige wapens. Als je dat wapen aanraakt, kan er een vonk overspringen en krijg je misschien het gevoel dat het zijn macht op jou heeft overgedragen. Misschien besluit je wel iets dappers en onzinnigs uit te halen. Doe dat niet. Zodra de loop naar mij draait, dood ik Sarah. Zodra de loop op iets anders dan jouw hoofd is gericht, dood ik Sarah. Begrepen?'
Linda staarde hem zonder iets te zeggen aan.
'Linda,' zei hij geduldig. 'Heb je gehoord wat ik zei?'
Ze knikte moeizaam. Dat kostte haar al haar kracht. Ze was ontzettend moe. Sam is weg, dacht ze bij zichzelf. Ik heb het gevoel alsof ik al dood ben.
Ze tuurde naar het wapen op de vloer. Het wapen dat zij zo dadelijk zou vasthouden. Het wapen dat een eind zou maken aan deze situatie, dat haar weer bij Sam zou brengen, dat Sarah zou redden (hoopte ze).
Tijger, tijger, glanzend fel...
'Ik geef jou hetzelfde wat ik je man ook heb gegeven. Eén zin. Dit is je laatste kans om iets tegen Sarah te zeggen.'
Linda keek naar haar bleke, bevende, o zo mooie dochter.
Zal ze onthouden wat ik heb gezegd?
Linda kon alleen maar hopen dat dit zo zou zijn. Ze kon alleen maar hopen dat haar woorden ergens in Sarahs onderbewustzijn zouden doordringen en later weer kwamen bovendrijven om haar te troosten.
Misschien komen ze wel in haar dromen bij haar terug.
'Ik hou je vanuit de wolken in de gaten, Sarah, altijd.'
Sarah bleef kwijlend heen en weer wiegen.
'Dat was heel lief,' zei de Vreemdeling. 'Dank je wel dat je zo goed meewerkt.'
Daar was het weer, die razende woede. Witheet en blauw gevlamd, stromende lava, ontploffende zonnen.

'Op een dag zul je sterven,' fluisterde ze met trillende stem. 'Het zal geen fraaie dood zijn. Door dit alles. Door de dingen die je doet.'
De Vreemdeling staarde Linda aan en glimlachte.
'Karma. Een interessant gegeven.' Hij schokschouderde. 'Misschien heb je gelijk. Dat zie ik dan wel weer. Dit is nú, en in het nu begin ik af te tellen.' Hij zweeg even. 'Ik tel langzaam en regelmatig, als een trage hartslag. Je hebt de tijd tot ik bij vijf ben.'
'Jij bent het laatste waaraan ik zal denken. Jij die een vreselijke dood sterft.'
De woorden hadden geen waarde, ze zouden niets veranderen, maar ze vormden het laatste beetje verzet dat ze kon bieden. De Vreemdeling had haar zo te zien niet eens gehoord.
'Eén,' telde hij.
Linda dwong zichzelf haar woede achter zich te laten en naar het pistool te kijken dat hij op de vloer had gelegd.
Dit is het dus.
Alles om haar heen vervaagde. Het was alsof iemand de volumeknop van haar leven zachter had gezet. Ze hoorde het kloppen van haar eigen hart en het langzame tellen van de Vreemdeling.
Eén was al geweest. Daarna zou twee komen. Dan drie. Vervolgens vier. En dan...? Mocht ze vijf nog horen? Of moest ze vóór vijf de trekker overhalen?
Waarom zou je wachten, aarzel niet...
'Eén,' galmde het nog steeds door haar hoofd toen ze naar het wapen liep. Ze kon het in de lucht horen trillen. Ze bevond zich in een vertraagde tijd, waarin elke seconde een leven lang vol scherpe randjes leek die allemaal tegelijk tegen haar aan schuurden.
Het leven kent meer pijn dan vreugde. Dat was iets wat ze als kunstenares wist, een geheim ingrediënt dat ze aan de potpourri van haar schilderijen of beelden toevoegde.
Door die scherpe randjes weten we dat we nog steeds meedoen.
Ze knielde neer op de vloer en raapte het pistool op. Ze lette er goed op dat de loop niet in de richting van de Vreemdeling wees.
'Twee.'
Het woord kwam als een schok, een klap in haar gezicht.
De felle pijn zakte weg.
Linda verbaasde zich over de kilheid van het staal. Het gladde oppervlak. De dreigende, wrede belofte die van het ding uitging.
Dit deel richt je op de vijand, dacht ze, terwijl ze naar de loop keek.
Iemand had dit ding uitgevonden. Erover gedroomd, het geschetst, er slapeloze nachten van gehad. Je neemt een stuk staal, vult het met in staal gehulde kogels en die stuur je met een naar buiten toe gerichte explosie naar andere mensen.

'Drie.'
Deze keer was haar bewustzijn van het getal zakelijker.
Er zat een geluiddemper op het pistool. Het was een wapen dat hoorde bij sluipschutters, huurmoordenaars en stiekeme dood.
Het was trouwens maar een stuk metaal. Niet meer, niet minder. Het had niets menselijks. Je vermenselijkte een pistool niet; je richtte het en vuurde.
Wat zeiden mariniers ook altijd weer? Dit is mijn geweer. Er zijn er een heleboel die erop lijken, maar dit is van mij...
'Vier.'
De tijd stond stil. Hij vertraagde niet meer – hij verstarde. Ze was bedekt met ijs. Gevangen in amber.
Toen een lichtflits.
Sam op de vloer.
Lichtflits.
Sam in haar armen.
Lichtflits.
Sam die de hoorn van de telefoon ophing. Zijn gezicht bleek. Starend naar haar. 'Mijn opa is overleden.' Tranen, en Sam opnieuw in haar armen.
Lichtflits.
Sam boven haar, in zijn ogen een mengeling van liefde en lust, zijn gezicht verwrongen van genot. Ze vroeg hem dwingend nog even vol te houden, nog een seconde, nog één seconde, één extra seconde...
Het moment was aangebroken, besefte ze verwonderd. Het gevoel dat je had wanneer je je op de messcherpe rand van een bijna-orgasme bevond, tot het uiterste gespannen, en de uitnodigende explosie en het verblindende licht nog even op afstand probeerde te houden. De plek waar je stopte met ademhalen, waar je hart stopte met kloppen, een moment van leven en dood.
Lichtflits.
Sarah.
Sarah die lachte.
Sarah die huilde.
Sarah die leefde.
O.
God.
Sarah.
Tijdens deze laatste lichtflits besefte Linda dat ze dit nog het meest van alles zou missen: haar dochter liefhebben. Ze werd doorboord door een verlangen dat de optelsom was van alle verlangens die ze ooit had gevoeld of gebeeldhouwd of geschilderd.
Als pijn regen kon zijn, was dit een oceaan vol.

Die ontsnapte in een gierende uithaal uit haar lichaam. Het was iets waarover ze geen controle had. Hij schoot naar buiten. Een krijs vol dierlijke pijn die vogels in hun vlucht kon tegenhouden.
Zelfs de Vreemdeling grimaste bij dit geluid, heel even maar. Het was een fysieke kracht.
SarahSamSarahSamSarahSam.
Lichtflits.
Het pistoolschot galmde door de kamer en loste op, een gedempte donderslag.
Sarah hield even op met heen en weer wiegen.
De linkerkant van Linda's hoofd was uit elkaar gespat.
Linda had het bij het verkeerde eind gehad.
Haar laatste gedachte ging niet over de dood.
Haar laatste gedachte ging over de liefde.

Hoi, hier ben ik. De Sarah in het hier en nu. Ik schrijf over het verleden, maar neem hier en daar even een pauze om over het heden te schrijven. Dat is voor mij de enige manier om me hierdoorheen te slaan.
Wat betreft mijn moeder – misschien ging haar laatste gedachte over angst, misschien wel over niets, dat weet ik niet. Dat kán ik ook niet weten. Zij was er, papa was er, ik was er en hij was er; deze dingen zijn echt waar. Hij dwong hen elkaar te doden terwijl ik toekeek; ook dat is echt waar. Is het echt waar dat mijn moeder op het laatst zo edelmoedig was, dat ze alleen en in gedachten leed? Ik weet het niet.
Maar ach, jij weet dat ook niet.
Ik weet wél dat mijn moeder heel veel liefde had. Ze zei vaak dat haar gezin deel uitmaakte van haar kunst. Dat ze zonder mijn vader en mij wel zou schilderen, maar dat alle kleuren dan donker zouden zijn.
Ik denk graag dat ze in dat allerlaatste moment een bepaalde overtuiging voelde dat wat zij deed echt mijn leven zou redden, want dat was ook zo, ongeacht wat er later gebeurde.
Ik weet niet zeker of haar laatste gedachte over liefde ging.
Haar laatste daad in elk geval wel.

23

Ik sla Sarahs dagboek met een bevende hand dicht en kijk op de klok. Het is drie uur 's nachts.
Ik moet even pauzeren. Ik ben pas net begonnen aan Sarahs beproeving, maar voel me er nu al rillerig en rusteloos onder. Ze had gelijk; ze heeft talent. Haar manier van schrijven is veel te levendig. De vreugde over haar vroegere leven contrasteert scherp met de verbitterde humor in haar voorwoord. Ik voel me verdrietig en vies. Uitgeknepen.
Hoe noemde ze het ook alweer? Een wandeling naar de waterpoel.
In gedachten zie ik het voor me. Een obsceen volle maan aan de hemel, duistere wezens die slecht water drinken...
Ik huiver, omdat ik ook angst in mezelf voel opkomen. De akelige dingen die Sarah zijn overkomen, zijn slechts een kleine stap verwijderd van de akelige dingen die Bonnie zijn overkomen...
Ik kijk naar Bonnie. Ze is diep in slaap, haar gezicht staat zorgeloos en ze heeft één arm over mijn buik gelegd. Ik maak me voorzichtig uit haar omarming los en til haar arm op met dezelfde behoedzame bezorgdheid waarmee ik ook een lieveheersbeestje zou oppakken om het vrij te laten in de tuin. Haar mond zakt even open, maar ze rolt zich op en slaapt verder.
In het begin werd ze bij de minste of geringste verandering of beweging wakker. Nu slaapt ze door, wat mijn zorgen om haar een beetje verlicht. Ze gaat vooruit. Ze praat nog steeds niet, dat klopt, maar ze gaat wél vooruit. Nu moet ik er alleen voor zorgen dat ze in leven blijft...
Ik glip het bed uit en sluip op mijn tenen de kamer uit, de trap af en de keuken in. Ik reik naar het kastje boven de koelkast en vind daar mijn geheime zonde, mijn zwakke plek. Een fles tequila. Jose Cuervo, een trouwe vriend van me, net als in het lied.
Ik kijk ernaar en denk bij mezelf: ik ben geen alcoholist.
Ik heb een tijdlang over die opmerking nagedacht, in de trant van: iedereen die gek is, zegt dat hij niet gek is. Ik heb mezelf onder de loep genomen zonder mezelf het voordeel van de twijfel te gunnen en ben tot de ondubbelzinnige conclusie gekomen dat ik géén alcoholist ben. Ik drink twee of drie keer per maand. Ik drink nooit twee dagen op rij. Ik krijg altijd een aangename roes, maar ik ben nooit straalbezopen.

Eén waarheid staat echter als een enorme, brullende olifant in de kamer: ik heb nooit gedronken om mezelf te troosten, totdat Matt en Alexa stierven. Nooit, niet één keer, absoluut niet.

Dat zit me dwars.

Ik had aan vaderskant een oudoom die dronk. Hij was niet zo'n grappige, vriendelijke, charmante oom-die-dronk. Hij was ook geen kunstzinnige, gekwelde, meelijwekkende oom-die-dronk. Hij was gênant, gewelddadig en gemeen. Hij stonk naar drank en soms naar iets ergers. Tijdens een familiebijeenkomst heeft hij me eens zo hard bij mijn arm vastgegrepen dat ik er een blauwe plek aan overhield; hij hing met zijn drankkegel een paar centimeter van mijn doodsbange gezicht (ik was pas acht) en zei toen iets verwards, pesterigs en walgelijks dat ik nooit helemaal heb begrepen.

Dingen die we als kind meemaken, laten een blijvende indruk achter. Dat beeld van de alcoholist is me altijd bijgebleven. Telkens wanneer ik iets dronk en merkte dat ik dreigde door te schieten naar 'te veel', dook het ongeschoren gezicht van oudoom Joe met zijn troebele ogen voor mijn geestesoog op. Ik herinnerde me meteen de geur van whisky en tandbederf, en de sluwe blik in zijn ogen weer. Ik zette datgene wat ik op dat moment aan het drinken was neer en dat was het dan.

Kort nadat mijn gezin was gestorven, stond ik in de supermarkt in het gangpad met alcoholische dranken. Het drong tot me door dat ik nog nooit iets anders had gekocht dan een fles wijn, zeker niet in een supermarkt en al helemaal niet midden op de dag. Mijn oog viel op de tequila en het lied kwam spontaan in me op.

Verrek ook allemaal maar, dacht ik bij mezelf.

Ik griste de fles van de plank, betaalde zonder de caissière aan te kijken en ging op een holletje naar huis. Daar heb ik zo'n tien minuten lang met mijn kin in mijn hand naar de fles zitten staren, me afvragend of ik op het punt stond in een heus cliché te veranderen. Of ik op het punt stond oudoom Joe te worden, een appel die niet ver van de boom valt.

Welnee, dacht ik toen. Met oom Joe had niemand medelijden. Met jou zullen ze wel medelijden hebben.

Het ging er vlot in, het voelde goed aan, het smaakte me best.

Ik werd niet dronken. Ik werd... een beetje zweverig. Verder dan dat ben ik nooit gegaan.

Het probleem is, denk ik nu, terwijl ik twee vingers (nooit méér) in een glas schenk, dat ik deze gewoonte heb voortgezet toen het verdriet over het verlies van mijn gezin minder werd. Nu helpt het me wanneer ik bang ben of onder druk sta. Daarin schuilt het gevaar: niet in drinken omdat ik het wil, maar omdat ik het nodig heb. Ik weet dat dit betekent dat deze

gewoonte van me niet bepaald gezond is.
'Op rationalisatie,' mompel ik en ik hef mijn glas in de lucht.
Ik giet de inhoud in één keer naar binnen en het voelt alsof ik verfoplosser of vuur heb ingeslikt, maar het is een fijn gevoel dat de druk achter mijn ogen opvoert en vrijwel onmiddellijk een sensatie van tevredenheid oproept. Daar is het me nu net om te doen. Tevredenheid is veel moeilijker te bereiken dan vreugde, heb ik altijd gedacht. Voor mij werkt één glas tequila het best.
'Jose Cuervo, da doe doe doe da da,' zing ik half fluisterend.
Ik overweeg een tweede glas te nemen, maar besluit het niet te doen. Ik draai de dop op de fles en zet die terug in het keukenkastje. Ik spoel het glas om en zorg ervoor dat alle geursporen weg zijn. Nog meer zacht rinkelende alarmbellen, ik weet het: stiekem in je eentje drinken. Uiteindelijk zal ik moeten accepteren dat mijn drankgebruik, rationeel of niet, niet de spuigaten uit mag lopen, en hopen dat ik het doorheb zodra dit wel het geval is.
Ik denk even na. Waarom ben ik zo van slag door Sarahs verhaal? Waarom nu die behoefte om naar meneer Cuervo te hollen? Het is een afschuwelijk verhaal, maar ik heb wel eerder afschuwelijke verhalen gehoord. Verdomme, ik heb zelf afschuwelijke verhalen beleefd. Waarom komt dit dan zo hard aan?
Bonnie heeft de spijker al op de kop geslagen: omdat Sarah Bonnie is en Bonnie Sarah. Bonnie schildert, Sarah schrijft; ze hebben allebei hun ouders verloren, ze zijn allebei duister en beschadigd. Als Sarah verdoemd is, houdt dat dan in dat Bonnie het ook is? De overeenkomsten stoken mijn angst op. Met angst worstel ik tegenwoordig het meest.
Toen ik Elaina sprak, bagatelliseerde ik mijn angst om Bonnie. Wanneer de angst toeslaat, gaat die veel dieper dan onrust. Ik heb gehyperventileerd. Ik heb de badkamerdeur op slot gedaan en in elkaar gedoken op de vloer gezeten met mijn armen om mijn knieën geslagen, trillend van paniek.
Posttraumatische stress zou waarschijnlijk de diagnose van een zielenknijper luiden. Ik neem aan dat dat wel klopt. Ik heb er echter geen behoefte aan hier al pratend uit te komen. Ik zal op mijn eigen, pijnlijke wijze wel een uitweg vinden en hoop maar dat ik Bonnie in de tussentijd niet de vernieling in help.
Ik heb gemerkt dat ik op momenten als deze mezelf het best kan afleiden door aan iets anders te denken, aan wat dan ook. Wat me nu te binnen schiet, werkt helaas niet echt.
1forUtwo4me, meid.
Waarom, Matt? Ik heb vrede gesloten met Alexa. Waarom kan ik met jou geen vrede sluiten? Waarom kan ik het niet gewoon vergeten?
Hij schudt zijn hoofd.
Omdat jij jij bent. Je moet het weten. Zo zit je nu eenmaal in elkaar, zo heeft God of wie dan ook je gemaakt.

Natuurlijk heeft hij gelijk. Het is een waarheid die op alles van toepassing is: Sarahs dagboek, 1forUtwo4me, de toekomst. Het is een van de dingen die me voortdrijven, die me helpen me een weg te banen door mijn angsten: het verlangen om te zien hoe het verhaal afloopt. Bonnies verhaal, het verhaal van het volgende slachtoffer. Wat dan ook.
En mijn verhaal dan?
Quantico. De tweede olifant midden in mijn persoonlijke ruimte. Hij duikt op zodra ik eraan denk, wijs en met droevige ogen. Ik streel zijn grijze huid en begrijp dan opeens wat me aan hem dwarszit.
Dat hij me niet genoeg dwarszit.
Hier zit ik dan, besef ik; ik krijg het neusje van de zalm aangeboden, omdat mijn gezicht het niet zo goed zou doen op een poster. Hier zit ik dan en ik overweeg een verandering die me zal scheiden van de enige familie die ik nog heb, die een eind zal maken aan een nieuwe relatie vol mogelijkheden met Tommy, en die dit huis en alle bijbehorende herinneringen voorgoed uit mijn leven zal wissen – en het enige waaraan ik denk zijn de kansen die dit me biedt.
De gedachte dat ik mijn vrienden en mijn huidige leven zal verlaten, zou me inwendig moeten verscheuren. In plaats daarvan sta ik in dubio. Waarom?
Het gaat toch al iets beter? De spullen van Matt en Alexa opruimen is vooruitgang. Geen last meer hebben van nachtmerries is vooruitgang. Een stukje van mezelf, hoe klein ook, delen met een andere man dan Matt is vooruitgang. Waarom doet het me dan allemaal zo weinig?
Het antwoord ontgaat me op dit moment, maar ik besef dat ik het ongemakkelijke gevoel waarnaar ik op zoek was eindelijk heb gevonden. Misschien heb ik mezelf voor de gek gehouden. Misschien was het geen emotionele groei, zoals ik dacht, maar leerde ik eenvoudigweg ondanks mijn belemmeringen lopen.
Misschien is het deel van me waarmee ik het diepst zou moeten voelen wel onherstelbaar beschadigd.
Dat verklaart echter nog steeds de drank niet.
Nu wordt het tijd om de olifant weg te jagen. Hij vertrekt stilletjes, maar staart me aan met droevig-wijze ogen die zeggen: 'Wij olifanten hebben naast een ijzersterke slurf inderdaad ook een ijzersterk geheugen, maar deze keer geen slagtanden, ook al bijten herinneringen zich wel heel lang in je vast.'
Ik laat mijn tong nogmaals over mijn tanden glijden en zoek naar dat tevreden gevoel, maar weet nu al dat het me, net als slaap, deze keer zal ontglippen.
Tevredenheid...
Wacht even, olifant, roep ik. Kom terug.

Dat doet hij, want hij is tenslotte mijn olifant. Hij staart me met die geduldige ogen van hem aan.
Ik weet opeens waarom: het komt doordat ik ondanks alle vooruitgang die ik heb geboekt nog steeds niet... gelukkig ben. Snap je?
Hij raakt me aan met zijn slurf. Kijkt me met die droevig-wijze ogen aan. Hij snapt het.
Ik ben niet verdrietig, heb geen zelfmoordneigingen, maar dat wil nog niet zeggen dat ik gelukkig ben.
Precies, zeggen zijn droevig-wijze ogen, herinneringen bijten zich heel lang in je vast.
Inderdaad, denk ik bij mezelf, en blije herinneringen het langst van allemaal. Dat is het probleem: ik weet wat echt geluk is. Oprecht, vreugdevol, tot op het bot voelbaar, in de ziel nestelend geluk. 'Me goed voelen' is niet goed genoeg meer. Het is alsof ik pillen slikte waardoor de wereld helemaal ging gloeien, en nu ik ermee ben gestopt, nu ik last heb van ontwenningsverschijnselen, is de wereld weliswaar niet per se slecht, maar hij gloeit verdomme ook niet meer.
Ik durf er niet van uit te gaan dat Tommy, Elaina, Callie, mijn W-E-R-K of zelfs Bonnie me op dezelfde manier gelukkig zal maken. Ik koester hen allemaal, durf er niet op te vertrouwen dat ze in staat zijn dit gat op te vullen en de gloed terug te brengen. Lelijk en egoïstisch, maar waar.
Daarom spreekt de gedachte aan Quantico me zo aan. Een nucleaire omwenteling, een paddenstoelvormige wolk vol met 'iets anders', misschien is dat wel wat ik echt nodig heb. Een rauwe, wrede breuk om me van nok tot fundering door elkaar te schudden.
De olifant slentert ongevraagd weg. Blijkbaar kan ik tijdens een tequilasessie zonder enige schaamte met mijn metaforen praten.
Olifant, denk ik bij mezelf, jouw naam is 'Niet-Gelukkig'. Of misschien 'Zonder-Gloed'.
Zal Quantico daar een eind aan maken?
Wie zal het godverdomme zeggen? Ik moet een sigaret hebben.
Ik zucht diep en leg me neer bij mijn slapeloosheid. Tijd om het persoonlijke opzij te zetten en mezelf in het professionele onder te dompelen. Een oude, vertrouwde oplossing. Die gloeit misschien niet echt, maar verjaagt gegarandeerd alle olifanten die je lastigvallen.
Ik sjok met tegenzin weer naar boven, pak de pagina's met mijn aantekeningen en loop terug naar de woonkamer. Ik ga op de bank zitten en probeer mijn gedachten te ordenen.
Ik pak de pagina met de kop 'Dader', en zet erbij: 'Dader alias "de Vreemdeling".'

Ik denk na over wat ik tot dusver in het dagboek heb gelezen. Ik schrijf verder, maar mijn aantekeningen zijn nu minder gestructureerd en meer voor de vuist weg.

> Hij heeft door toedoen van anderen pijn geleden = hij zorgt ervoor dat anderen pijn lijden. Wraak.
> De vraag blijft alleen: waarom Sarah?

Het ligt voor de hand om aan te nemen dat hij Sarah laat boeten voor iets wat haar ouders hebben gedaan. Tegen Sam en Linda heeft hij echter gezegd dat het niet hun schuld was: 'Het is niet jouw schuld, maar jouw dood is mijn gerechtigheid.' Is Sarah dan puur willekeurig gekozen?
Ik schud mijn hoofd. Nee. Er is een verband en dat is niet denkbeeldig. Ik heb het gevoel dat een bepaald aspect ervan recht voor mijn neus staat. Het heeft iets te maken met degene tegen wie hij sprak...
De energie suist plotseling door mijn lijf en ik ga rechtop zitten.
Als Sarahs verhaal klopte, had de Vreemdeling het tegen Línda toen hij zei: 'Het is niet jouw schuld, maar jouw dood is mijn gerechtigheid.'
Speciaal tegen Linda.
Een zin die ik eerder vandaag heb gehoord, duikt weer op in mijn hoofd: De Vader en de dochter...
Wraak is niet willekeurig en hij geeft graag hints. Dit was geen verspreking.
Ik schrijf verder.

> Stel dat de reden voor wraak een generatie teruggaat? Gisteren zei hij tegen Sarah, terwijl hij haar met bloed bespatte: 'De Vader en de dochter en de Heilige Geest.' Tegen Linda Langstrom zei hij: 'Het is niet jouw schuld, maar jouw dood is mijn gerechtigheid.' Kan het zijn dat we het over Linda's vader hebben? Sarahs grootvader?

Ik lees mijn aantekening nog eens door en voel de stroom energie weer kolken.

Ik zit in mijn werkkamer thuis en fax de pagina's met mijn aantekeningen naar James. Ik heb hem niet gebeld; James hoort de fax wel en wordt vanzelf wakker. Hij zal pissig zijn en erover mopperen, maar hij zal ze wél lezen. Hij moet weten wat ik weet.
De grootvader.
Het is misschien niet helemaal zeker, maar op z'n minst heel goed mogelijk.
Het apparaat piept ten teken dat het klaar is en ik ga weer naar beneden. Ik

kijk op de klok. Vijf uur in de ochtend. De tijd marcheert verder.
Ik wil dat het dag wordt en wel nu meteen, verdomme!
Er komt een gedachte bij me op.
Sarah zei dat niemand haar wilde geloven – over de Vreemdeling. Waarom niet? Op basis van wat ik tot dusver heb gelezen, is dat volkomen onverklaarbaar.
Ik kijk naar de dagboekpagina's die op de salontafel liggen te wachten. Ik werp een blik op de klok en tel de uren die ik nog te gaan heb. Er is maar één manier om daarachter te komen.

Sarahs verhaal, deel 2

24

Wat vind je tot nu toe van het verhaal? Niet slecht voor iemand van bijna zestien, hè? Zoals ik al zei: ik ben eerder een sprinter dan een langeafstandsloper en dat eerste deel hebben we naar mijn idee inderdaad sprintend afgelegd. Even samenvatten: gelukkige ik, slechte man arriveert, dode Buster, dode mama, dode papa, ongelukkige ik.
Ik vind mijn versie beter. Die bevat iets meer 'zet het van je af' en 'alles komt goed'. Volg je me nog?
Nu slaan we een stukje over. We maken een sprongetje naar het volgende begin. Eerst een stukje achtergrond: na alles wat er was gebeurd, was ik een beetje wazig en gek, en op de een of andere manier waren Doreen en ik in de achtertuin beland. Doreen, die arme, domme hond, had dorst of honger, of allebei, en omdat ze mij niet wakker kreeg (ik had het veel te druk met op het terras liggen en op het beton kwijlen) zette ze het op een janken. God, wat kon ze janken.
De buren, John en Jamie Overman, belden dus de politie vanwege al die herrie; ze zullen ook wel over de schutting hebben gekeken en mij toen kwijlend hebben zien liggen en ze dachten vast: goh, da's gek.
Er kwamen twee agenten opdraven (wegwezen!), een vent die Ricky Santos heette en een groentje, ene Cathy Jones. Cathy is een 'belangrijk personage' in mijn verhaal.
Door de jaren heen kon mijn lot haar, in tegenstelling tot de meeste andere mensen, wel degelijk iets schelen.
Straks meer over haar. Dit was de opsomming van dertig seconden. Nu gaan we terug naar de versie in de derde persoon.
Tijd voor een nieuwe wandeling naar de waterpoel. Ben je er klaar voor?
1-2-3: af!
'Er was eens een tijd waarin alles helemaal verrot was...'

Sarah nam door een rietje een slok water en probeerde te vergeten dat ze zich doodmoe voelde.
Er was een hele week voorbijgegaan. Een week waarin ze door de medicijnen die ze haar gaven op marshmallows had gezweefd. Een week waarin sluwe stemmen in haar hoofd hadden gefluisterd. Een week vol pijn.

Op een dag was ze wakker geworden zonder het meteen op een krijsen te zetten. Dat had het einde betekend van haar bezoekjes aan Marshmallowland. Ze droomde nog wel steeds. In die dromen waren haar ouders
(niets ze waren nietsen helemaal niets)
En Buster was een
(puppy-guppy-kop?)
(niets nietsen niets)
Uit deze dromen ontwaakte ze rillend en ontkennend, rillend en ontkennend.
Nu was ze echter klaarwakker. Een vrouwelijke politieagent zat in een stoel naast het bed en stelde Sarah allerlei vragen. De vrouw heette Cathy Jones en ze leek best aardig, maar haar vragen waren verwarrend.
'Sarah,' vroeg ze, 'weet je waarom jouw mama jouw papa pijn heeft gedaan?'
Sarah keek Cathy fronsend aan.
'Omdat dat moest van de Vreemdeling,' antwoordde Sarah.
Er verscheen een diepe rimpel op Cathy's voorhoofd. 'Welke Vreemdeling, liefje?'
'De Vreemdeling die Buster heeft doodgemaakt. Die mijn hand heeft verbrand. Hij zei dat mama papa pijn moest doen en zichzelf ook. Hij zei dat hij mij pijn zou doen als ze dat niet deden.'
Cathy staarde Sarah verbijsterd aan.
'Bedoel je dat er iemand in jullie huis was, lieverd? Iemand die jouw mama dwong de dingen te doen die ze heeft gedaan?'
Sarah knikte.
Cathy leunde opgelaten achterover in haar stoel.
Wat had dit verdomme te betekenen?
Cathy wist dat het forensische team het huis van de Langstroms had doorzocht en niets had gevonden wat op iets anders wees dan moord en zelfmoord. Er was een briefje van de moeder waarin stond: 'Het spijt me, zorg goed voor Sarah'. Daarnaast waren Linda's vingerafdrukken op diverse belastende plekken gevonden, waaronder de ijzerzaag waarmee de hond was onthoofd, de hals van haar man en het pistool waarmee ze zichzelf had doodgeschoten.
Verder had je nog het feit dat de moeder blijkbaar antidepressiva slikte, dat niets erop duidde dat iemand zich met geweld toegang tot het huis had verschaft, en dat Sarah nog leefde – als het eruitzag als een hond en blafte als een hond, dan was het waarschijnlijk... De rechercheurs die de leiding hadden over deze zaak hadden Cathy gevraagd om een verklaring uit Sarah los te krijgen ter bevestiging. Een losse draad, meer niet.
Wat moet ik nu dus doen?

Ze hoorde Ricky's stem weer.
Je hoeft alleen haar verklaring af te nemen. Dat is de reden waarom je hier bent. Neem die verklaring af, geef die aan de rechercheurs en ga verder. De rest is jouw probleem niet.
'Vertel me alles maar wat je nog weet, Sarah.'

Sarah keek de vrouwelijke politieagent na toen die de kamer uit liep.
Ze gelooft je niet.
Dit was iets wat ongeveer halverwege haar verhaal tot Sarah was doorgedrongen. Volwassenen dachten altijd dat kinderen niets wisten. Dat hadden ze mis. Sarah wist best wanneer iemand haar probeerde te paaien. Cathy was aardig, maar Cathy geloofde niet wat ze over de Vreemdeling zei. Sarah dacht met een diepe rimpel op haar voorhoofd na. Nee, dat was niet helemaal waar. Het was meer alsof ze... wat? Sarah piekerde even over de nuanceverschillen.
Ze denkt niet dat ik lieg, ze denkt alleen dat wat ik zeg niet waar is.
Alsof ik
(gek ben).
Sarah liet zich achteroverzakken in het ziekenhuisbed en deed haar ogen dicht. Ze voelde dat de pijn als een horde zwarte paarden kwam aanstormen. De paarden galoppeerden haar ziel binnen, steigerden en hinnikten, en hun hoeven veroorzaakten zwarte vonken die van haar hart afketsten.
Soms was de pijn die ze voelde heel helder. Het was geen zeurderig pijntje of een achtergrondgeluid. Het was een rauwe open wond, met uiteinden van zenuwen en vuur. Het was een zwarte duisternis die over haar heen gleed en haar deed denken aan doodgaan. Op die momenten lag ze in het donker in haar bed en probeerde ze haar hart zover te krijgen dat het ophield met kloppen. Mama had haar hierover eens een verhaal verteld. Over wijze mannen in het oude China die een graf groeven, ernaast gingen zitten en zichzelf konden dwingen te sterven. Hun hart hield er gewoon mee op en dan vielen ze voorover in de wachtende aarde.
Sarah probeerde dat ook, maar hoezeer ze zich ook concentreerde, hoe graag ze het ook wilde, het lukte haar niet om dood te gaan. Ze bleef ademhalen en haar hart bleef kloppen en – het ergst van alles – de pijn bleef ook. Het was een soort pijn die maar niet wilde weggaan, die niet minder werd of afnam.
Doodgaan ging niet, dus kroop ze helemaal in elkaar op het bed en huilde ze geluidloos. Ze huilde, huilde, huilde, urenlang. Omdat ze het nu begreep, omdat ze begreep dat mama, papa en Buster weg waren en niet terugkwamen. Nooit meer.
Na het verdriet volgden woede en schaamte.
Je bent zes! Wees niet zo'n huilebalk!

Er was geen volwassene meer die haar vertelde dat je als je zes was best mocht huilen, dus krulde ze zich in het donker op, deed ze haar best om dood te gaan en huilde ze, en sprak ze zich bestraffend toe voor elke traan.
Dat Cathy haar niet geloofde, dat Cathy dacht dat ze achterlijk was, veroorzaakte een geheel nieuw verdriet.

Cathy zat in de patrouillewagen en tuurde uit het raam. Haar partner Ricky Santos goot een milkshake naar binnen en nam haar tegelijkertijd aandachtig op.
'Zit het verhaal van dat kind je dwars?' vroeg hij.
'Ja. Hoe je het ook wendt of keert, het blijft slecht nieuws. Als wij gelijk hebben, dan is ze gek. Als we ongelijk hebben... loopt ze gevaar.'
Ricky zoog aan het rietje en keek nadenkend naar de binnenkant van de glazen van zijn zonnebril.
'Je moet het loslaten, partner. Zo werkt dat nu eenmaal voor politiemensen in uniform. Het is niet aan ons om dingen tot het eind na te trekken, niet vaak tenminste. We worden ergens aan een parachute gedropt, stellen alles veilig en overhandigen de boel vervolgens aan de recherche. Erin, eruit, en dat was het dan. Als je over dingen blijft piekeren waaraan je in jouw positie niets kunt doen, draai je door. Dat is precies waarom zoveel agenten aan de drank raken of aan de verkeerde kant in hun dienstpistool kijken.'
Cathy keek hem aan. 'Wat je dus eigenlijk wilt zeggen is... Ja, wat eigenlijk? Dat ik me er niet zo druk om moet maken?'
Santos glimlachte triest.
'Je mag je erover opwinden zolang het jouw probleem is. Dát bedoel ik. Je zult nog honderd Sarahs tegenkomen. Misschien wel meer. Doe voor hen wat je kunt zolang het jouw werk is, maar laat het daarna gaan en ga verder met de volgende. Het is een uitputtingsoorlog, Jones. Niet maar één gevecht.'
'Misschien,' zei ze.
Ik durf alleen te wedden dat jij ook een zaak hebt die je niet kunt loslaten. Ik denk dat Sarah de mijne wordt.
Toen ze dit eenmaal voor zichzelf had toegegeven, voelde Cathy zich iets beter.
De mijne.
'Ik ben zo terug,' zei Cathy.
Santos keek haar aan. Zijn blik was ondoorgrondelijk. Een sfinx met een zonnebril.
'Oké,' antwoordde hij en hij lurkte aan zijn rietje.
Ze stonden op de parkeerplaats van een Jack In The Box naast het ziekenhuis. Cathy stapte uit de politieauto en stak de straat over. Ze liep door de hoofd-

ingang naar binnen en zocht haar weg door de gangen naar Sarahs kamer.
Sarah zat rechtop in bed en staarde uit het raam. Ze keek uit op het parkeerterrein van het ziekenhuis.
Wat deprimerend. Prima manier om genezing te bespoedigen, mensen.
'Hoi,' zei Cathy.
Sarah keek om en glimlachte. Opnieuw viel het Cathy op hoe mooi het jonge meisje was.
Ze liep naar Sarahs bed.
'Ik wilde je dit graag geven.'
Tussen haar vingers hield Cathy een visitekaartje.
'Mijn naam en telefoonnummer staan erop. En mijn e-mailadres. Als je ooit hulp nodig hebt, kun je me altijd bereiken.'
Sarah pakte het kaartje aan en bekeek het aandachtig. Toen keek ze Cathy weer aan.
'Cathy?'
'Ja, liefje?'
'Wat gaat er nu met me gebeuren?'
Het verdriet dat Cathy op een armlengte afstand had weten te houden, probeerde nu door haar keel naar boven te kruipen. Ze slikte om het tegen te houden.
Wat er met jou gaat gebeuren, meid?
Cathy wist dat Sarah geen familie had. Ongebruikelijk, maar het kwam wel vaker voor. Dat hield in dat de staat de voogdij over haar kreeg.
'Er komt iemand die voor je zal zorgen, Sarah.'
Hierover dacht Sarah even diep na.
'Vind ik die aardig?'
Cathy kromp inwendig ineen.
Misschien niet.
'Ja, vast wel. Maak je maar geen zorgen, Sarah.'
Man, die ogen. Ik moet maken dat ik hier wegkom.
'Zorg dat je dat kaartje niet kwijtraakt, oké? Bel me wanneer het nodig is. Altijd.'
Sarah knikte. Ze glimlachte zelfs even, en Cathy was het liefst de kamer uit gerend, omdat die glimlach hartverscheurend was (als een pijnlijke steek in je maag).
'Dag, liefje,' stamelde ze, en ze draaide zich om en liep naar de deur.
'Dag, Cathy,' riep Sarah haar na.

Terug in de auto nam Santos – inmiddels zonder milkshake – haar peinzend op.

'Voel je je nu iets beter?'
'Niet echt, Ricky.'
Hij staarde haar nog even aan. Zo te zien dacht hij over iets na.
'Jij wordt een prima agent, Cathy.'
Hij draaide de sleutel om in het contact en zette de auto in zijn achteruit; Cathy keek hem intussen verbaasd aan.
'Dat is het liefst wat iemand ooit tegen me heeft gezegd, Santos.'
Hij keek haar glimlachend aan, schakelde en reed het parkeerterrein af.
'Dan moet je nodig eens nieuwe vrienden zoeken, Jones. Graag gedaan, trouwens.'

25

Sarah zat in de auto en zag hoe de vrouw veranderde.
Karen Watson was naar het ziekenhuis gekomen, en ze had aan Sarah uitgelegd dat ze van het maatschappelijk werk was en dat zij voor haar zou zorgen. Karen leek vriendelijk en glimlachte veel. Sarah was heel hoopvol geweest.
Toen ze eenmaal buiten het ziekenhuis stonden, was Karen veranderd. Ze ging sneller lopen en trok Sarah ruw mee.
'Instappen, meid,' zei ze toen ze bij de auto aankwamen.
Haar stem klonk gemeen.
Sarah dacht verwonderd na over die verandering en probeerde er wijs uit te worden.
'Ben je boos op me?' vroeg ze aan Karen.
Karen keek haar even aan en startte toen de auto. Sarah nam de doffe ogen, het onverzorgde bruine haar en het grove gezicht in zich op. De vrouw zag er moe uit. Sarah dacht dat ze er waarschijnlijk altijd moe uitzag.
'Om je de waarheid te zeggen, prinses, kan ik me echt niet druk maken om jou. Het is mijn werk om ervoor te zorgen dat je een dak boven je hoofd krijgt, maar ik hoef niet van je te houden of je vriendin te zijn of wat dan ook. Begrepen?'
'Ja,' antwoordde Sarah met een zacht stemmetje.
Ze reden weg.

De Parkers woonden in een sjofel huis in Canoga Park, dat in San Fernando Valley lag. Het vertoonde veel overeenkomsten met zijn bewoners: in afwachting van werkzaamheden die nooit zouden worden uitgevoerd.
Dennis Parker was monteur. Zijn vader was een goede vent geweest die gek was op sleutelen aan auto's en hij had Dennis het vak geleerd. Dennis had een hekel aan het werk – aan alle vormen van werk eigenlijk – en liet dat altijd en overal blijken.
Hij was een grote man, ruim een meter tachtig lang, met brede schouders en gespierde armen. Hij had onverzorgd donker haar, altijd en eeuwig een stoppelbaardje en wrede, modderkleurige ogen.
Dennis zei altijd tegen zijn vrienden dat er drie dingen waren die hij graag had: 'Sigaretten, whiskey en kutjes.'

Rebecca was een stereotiepe Californische blondine met te veel scherpe lijntjes om echt knap te zijn. Ze was ongeveer vier jaar mooi geweest, van haar zestiende tot haar twintigste. Ze maakte haar verleppende uiterlijk goed in de slaapkamer – niet dat er veel voor nodig was om Dennis te plezieren. Gewoonlijk had hij zich tegen de tijd dat hij in haar onderbroek probeerde te komen al volgegoten met drank. Ze had een paar flinke borsten, een nog altijd slanke taille en wat Dennis graag aanduidde als 'een strakke, kleine slipjeshamster'.
(Kanttekening van Sarah: dit is waar. Theresa vertelde me dat hij dat inderdaad één keer heeft gezegd. Charmant, hè? O, je wilt weten wie Theresa is? Lees maar door, dan kom je er vanzelf achter.)
Rebecca's werk was eenvoudig: zij zorgde voor de drie pleegkinderen, het maximumaantal dat ze wettelijk gezien in huis mochten nemen. Ze kregen voor ieder kind een vergoeding en die vormde een groot deel van hun inkomen.
Het was Rebecca's taak ervoor te zorgen dat de kinderen te eten kregen en naar school gingen, en erop te letten dat Dennis en zij geen zichtbare sporen op de kinderen achterlieten wanneer ze een pak slaag uitdeelden. De truc was om net genoeg aandacht aan de kinderen te schenken zodat de maatschappelijk werkster niet kwaad werd, maar niet zoveel dat het ten koste ging van haar eigen vrije tijd of – het belangrijkst – hun portemonnee.
Karen klopte op de deur van het huis van de Parkers. Sarah stond naast haar. Ze hoorde voetstappen dichterbij komen en toen ging de deur open. Rebecca Parker tuurde door de hordeur naar buiten. Ze had een hemdje en korte broek aan, en in haar hand had ze een sigaret.
'Ha, Karen,' zei ze. Ze duwde de hordeur open. 'Kom binnen.' Ze glimlachte. 'Jij bent natuurlijk Sarah.'
'Hallo,' antwoordde Sarah.
Sarah vond dat die mevrouw aardig keek en klonk, maar ze had inmiddels wel door dat dat uiterlijke schijn kon zijn. Bovendien rookte ze – getver!
Karen en Sarah liepen het huis van de Parkers in. Het was er min of meer schoon. Er hing een muffe sigarettenlucht.
'Jesse en Theresa zijn zeker naar school?' vroeg Karen.
'Jazeker,' antwoordde Rebecca. Ze ging hun voor naar de woonkamer en gebaarde dat ze op de bank konden gaan zitten.
'Hoe gaat het met hen?' vroeg Karen.
Rebecca haalde haar schouders op. 'Ze staan nergens onvoldoende voor. Ze eten goed. Ze zijn geen van beiden aan de drugs.'
'Zo te horen wel goed dus.' Karen knikte naar Sarah. 'Zoals ik je aan de telefoon al heb verteld, is Sarah zes. Ik moet haar snel ergens onder zien te bren-

gen en dacht direct aan Dennis en jou. Ik weet dat jullie er graag een derde bij willen hebben.'
'Ja, dat klopt. Al vanaf dat Angela was weggelopen, eigenlijk.'
Angela was een knap meisje van veertien, wier moeder was overleden aan een overdosis heroïne. Ze was altijd een moeilijk kind geweest en Karen had haar bij de Parkers ondergebracht, omdat ze wist dat zij haar wel aankonden. Twee maanden geleden was Angela weggelopen. Karen ging ervan uit dat ze waarschijnlijk dezelfde kant op ging als die hoer van een moeder van haar had gedaan.
'De gebruikelijke procedure. Je moet haar op een school inschrijven, haar inentingen bijhouden enzovoort.'
'Dat weten we.'
Karen knikte goedkeurend. 'Dan laat ik haar maar bij jou. Ik heb haar tas meegebracht, ze heeft meer dan genoeg kleding, ondergoed en schoenen, dus daar hoef je je geen zorgen over te maken.'
'Prima.'
Karen stond op, schudde Rebecca's hand en liep naar de voordeur. Sarah maakte aanstalten om achter haar aan te lopen.
'Jij blijft hier.' Ze keek naar Rebecca. 'Ik neem binnenkort contact met je op.'
Toen was ze weg.

'Ik zal je even laten zien waar je kamer is, liefje,' zei Rebecca.
Sarah liep versuft achter haar aan.
Wat gebeurde er allemaal? Waarom moest ze hier blijven? Waar was Doreen? Wat hadden ze met haar puppy-guppy gedaan?
'Hier is het.'
Sarah keek door de openstaande deur in de kamer. Hij was klein, zo'n drie bij drie meter. Er stonden één ladekast en twee smalle bedden. De muren waren kaal.
'Waarom staan er twee bedden?' vroeg ze.
'Je deelt de kamer met Theresa.' Rebecca wees op de ladekast. 'Je kunt je kleren in de onderste la opbergen. Pak je spullen maar meteen uit, dan kun je daarna bij mij in de keuken komen zitten.'

Het was Sarah gelukt om al haar kleren in de onderste la van de kleine ladekast te proppen. Haar schoenen had ze op een rij onder het bed gezet. Tijdens het uitpakken had ze een vleugje van een bekende geur opgesnoven, de geur van de wasverzachter die haar moeder altijd gebruikte. Het had haar overvallen en voelde als een stomp in haar maag. Ze had het shirt tegen haar gezicht gedrukt, zodat haar gehuil niet hoorbaar was.

Tegen de tijd dat ze de kleine tas die Karen had achtergelaten had uitgepakt, waren haar tranen opgedroogd. Ze ging op de rand van het bed zitten, overmand door verbijstering en een doffe pijn.
Waarom ben ik hier? Waarom kan ik niet in mijn eigen kamer slapen?
Ze begreep er helemaal niets van.
Misschien wist die mevrouw, Rebecca, het wel.

'Daar ben je weer,' zei Rebecca toen Sarah de keuken binnenkwam. 'Heb je al je spullen opgeborgen?'
'Ja.'
'Ga maar aan de tafel zitten. Ik heb een boterham met boterhamworst voor je klaargemaakt en melk voor je ingeschonken – je lust toch wel melk, hè? Je bent er toch niet allergisch voor of zoiets?'
'Ik vind melk lekker.' Sarah ging op een stoel zitten en pakte de boterham. Ze had echt honger. 'Dank je wel,' zei ze tegen Rebecca.
'Graag gedaan, hoor meisje.'
Rebecca ging aan het andere uiteinde van de tafel zitten en stak een sigaret op. Ze staarde door de rook heen naar Sarah, die zat te eten.
Verdrietig, bleek en klein. Jammer. Iedereen leert echter vroeg of laat hetzelfde: het leven is keihard.
'Ik zal je even een paar van onze huisregels uitleggen, Sarah. Dingen waaraan je je moet houden zolang je bij ons woont, oké?'
'Oké.'
'Om te beginnen zijn wij hier niet om jou bezig te houden, begrepen? We geven je een dak boven je hoofd, kleding en eten, we zorgen ervoor dat je naar school gaat en dat soort dingen – maar verder zul je jezelf moeten vermaken. Dennis en ik hebben ons eigen leven en onze eigen bezigheden. We hebben geen tijd om jouw speelkameraadje te zijn. Begrepen?'
Sarah knikte.
'Goed. Dan het volgende: je zult moeten helpen met klusjes in huis. Zolang je dat doet, is er niets aan de hand. Doe je het niet, dan zwaait er wat. Om tien uur is het bedtijd. Geen uitzonderingen. Dat betekent: licht uit en onder de dekens. De laatste regel is eenvoudig, maar heel belangrijk: niet brutaal zijn. Je doet wat wij zeggen. Wij zijn grote mensen en wij weten wat het beste is. We bieden je een plek aan om te wonen en we verwachten van je dat je ons met respect behandelt. Begrepen?'
Weer een knikje.
'Mooi. Heb je nog vragen?'
Sarah keek neer op haar bord. 'Waarom woon ik hier? Waarom mag ik niet gewoon terug naar huis?'

Rebecca keek haar verbaasd en met gefronste wenkbrauwen aan.
'Omdat je mama en je papa dood zijn, schatje, en niemand anders jou wil hebben. Dennis en ik nemen kinderen in huis die nergens anders naartoe kunnen. Heeft Karen je dat dan niet uitgelegd?'
Zonder haar blik van het bord af te wenden schudde Sarah haar hoofd. Ze voelde zich verdoofd.
'Dank je wel voor de boterham,' zei ze zacht. 'Mag ik nu naar mijn kamer?'
'Ga maar, lieverd,' zei Rebecca. Ze drukte haar sigaret uit en stak een nieuwe op. 'Nieuwelingen huilen de eerste dagen meestal veel, en dat is niet erg. Je moet alleen wel snel leren om harder te worden. Het leven gaat verder, snap je?'
Het kleine meisje keek Rebecca aan en liet dit bezinken. Toen betrok haar gezicht en rende ze van de tafel weg.
De blonde Rebecca staarde haar na. Ze nam een flinke trek van haar sigaret.
Knap ding. Jammer dat dit haar is overkomen.
Rebecca wuifde de gedachte met een handgebaar weg, ook al was ze alleen. In haar ogen, die door een veel te dikke laag mascara werden omlijst, schemerden boosheid en ellende.
Tja, jammer dan. Het leven is nu eenmaal keihard.

Sarah ging op het vreemde nieuwe bed in het vreemde nieuwe huis liggen en rolde zichzelf helemaal op. Ze probeerde zichzelf zo klein mogelijk te maken.
Zodat ze helemaal
(Zou verdwijnen)
Want als ze kon
(Verdwijnen)
Zou ze misschien weer thuis zijn, met mama en papa. Misschien – bij deze gedachte fleurde ze helemaal op, welde er hoop in haar op – was dit allemaal gewoon een lange, nare droom. Misschien was ze op de avond voor haar verjaardag in slaap gevallen en was ze nooit echt wakker geworden.
Haar voorhoofd trok zich nadenkend samen. Als dat waar was, hoefde ze alleen maar in haar droom in slaap te vallen.
'Ja!' fluisterde ze in zichzelf.
Dat was het! Ze zou gewoon hier (in haar droom) gaan slapen en dan zou ze in de echte wereld wakker worden. Buster zou daar zijn, dicht tegen haar aan gekropen, en haar moeders schilderij zou daar bij het voeteneind van het bed aan de muur hangen. Het zou er ochtend zijn. Ze zou opstaan en naar beneden gaan, en papa zou plagend tegen haar zeggen dat er geen cadeautjes of taart waren, maar natuurlijk waren er wel cadeautjes en taart...
Sarah sloeg blij haar armen om zichzelf heen. Dit was beslist de oplossing voor – ze keek om zich heen – voor dit alles.

Gewoon je ogen dichtdoen en gaan slapen, en wanneer je wakker wordt, is alles weer prima in orde.
Omdat ze uitgeput was en pas zes jaar, viel Sarah zonder problemen in slaap.

26

'Wakker worden.'
Sarah bewoog zich even. Iemand schudde haar heen en weer. Iemand met een zachte, vrouwelijke stem.
'Hé, meisje, word eens wakker.'
Sarahs eerste gedachte was: het is gelukt! Dat was mama die zei dat ze moest opstaan op haar verjaardag!
'Ik heb heel naar gedroomd, mama,' mompelde ze.
Stilte.
'Ik ben je mama niet, meisje. Vooruit, word eens wakker. Het is bijna tijd om te gaan eten.'
Sarah deed verbaasd haar ogen open. Het duurde even voordat haar ogen het meisje hadden gevonden dat tegen haar praatte. Het meisje had de waarheid gesproken: ze was mama niet.
Het is geen droom. Het is allemaal echt waar.
Aanvaarding stak de kop weer op, pijnlijk en definitief.
Mama is dood. Papa is dood. Buster is dood en Doreen is weg. Ik ben helemaal alleen en er komt helemaal niemand terug, nooit meer.
Iets van wat ze voelde moest van haar gezicht af te lezen zijn, want het meisje dat tegen haar praatte, fronste haar wenkbrauwen.
'Hé, gaat het een beetje?'
Sarah schudde haar hoofd. Ze kon niets zeggen.
De blik van het meisje verzachtte.
'Dat begrijp ik best. Nou ja, hoe dan ook, ik ben Theresa. Je pleegzus, zal ik maar zeggen.' Ze zweeg even. 'Hoe heet jij?'
'Sarah.' Haar stem klonk zwak, kwam van heel ver weg.
'Sarah. Dat is een mooie naam. Ik ben dertien – hoe oud ben jij?'
'Zes. Ik ben net jarig geweest.'
'Leuk.'
Sarah nam het onbekende, vriendelijke meisje aandachtig op. Theresa was erg knap. Ze had iets Latijns-Amerikaans; haar ogen waren bruin en ze had dik, donker haar dat tot net over haar schouders viel. Vlak bij haar haargrens zat een littekentje. Haar volle, sensuele lippen gaven haar ernstige gezicht iets zachts. Ze was knap, maar Sarah vond dat ze er ook erg moe uitzag, net een

heel vriendelijk iemand die een zware dag heeft gehad.
'Waarom ben jij hier, Theresa?'
'Mijn moeder is dood.'
'O.' Sarah zweeg, omdat ze niet goed wist wat ze moest zeggen. 'De mijne ook. En mijn papa.'
'Wat rot voor je.' Een lange stilte. Toen zei ze zacht en verdrietig: 'Ik vind het heel erg voor je, Sarah.'
Sarah knikte. Ze voelde dat haar gezicht warm werd en haar ogen prikten. Wees nou niet zo'n stomme, kleine huilebalk!
Theresa had blijkbaar niets gemerkt. 'Ik was acht toen mijn moeder doodging,' ging ze verder, terwijl Sarah luisterde en tegen haar tranen vocht. 'Iets ouder dan jij nu, maar niet veel. Ik weet dus hoe je je voelt en wat je kunt verwachten. Het belangrijkst wat je moet weten is dat de mensen met wie je te maken krijgt vrijwel nooit echt iets om je geven. Je bent alleen. Ik weet dat het niet leuk is om te horen, maar hoe eerder je dat doorhebt, des te beter je het ervan af brengt.' Ze vertrok haar gezicht. 'Je hoort niet bij deze mensen. Je bent geen bloedverwant.'
'Maar... maar... als ze niets om ons geven, waarom doen ze het dan?'
Theresa keek Sarah met een vermoeide glimlach aan. 'Geld. Ze worden ervoor betaald.'
Sarah tuurde in de verte en probeerde dit te begrijpen. Er kwam een angstaanjagende gedachte bij haar op.
'Zijn het slechte mensen?'
Theresa's gezicht stond somber en triest. 'Soms wel, ja. Af en toe tref je een fijn pleeggezin, maar meestal is het akelig.'
'Is het hier akelig?'
De uitdrukking die nu over Theresa's gezicht vloog, was verbitterd, duister en ingewikkeld, deels zwarte kraai, deels tranen, deels smerigheid.
'Ja.' Ze zweeg en staarde voor zich uit. Toen haalde ze diep adem en ze glimlachte. 'Voor jou waarschijnlijk iets minder, hoor. Rebecca is niet degene voor wie je moet oppassen. Zij drinkt lang niet zoveel als Dennis. Zolang je doet wat ze zegt en geen problemen veroorzaakt, laat ze je met rust. Ik denk niet dat ze jou vaak zullen slaan.'
Sarah trok wit weg. 'S-slaan?'
Theresa kneep in Sarahs handen. 'Hou je gedeisd, dan is er niets aan de hand. Zeg alleen niets tegen Dennis wanneer hij dronken is.'
Ondanks haar angst hoorde Sarah dit alles met de zakelijke inslag van een kind aan. Ze geloofde wat Theresa zei: dat deze mensen niets om haar gaven, dat ze haar zouden slaan, dat ze niet tegen Dennis moest praten wanneer hij dronken was.

De wereld werd steeds angstaanjagender en eenzamer.
Sarah tuurde naar haar handen. 'Je zei net dat we pleegzussen zijn. Houdt... Houdt dat in dat je mijn vriendin bent, Theresa?'
Het klonk nederig en treurig, en Theresa's adem stokte in haar keel.
'Tuurlijk, Sarah.' Ze zorgde ervoor dat het overtuigend klonk. 'We zijn nu toch zussen? Oké?'
Sarah glimlachte moeizaam. 'Oké.'
'Goed zo. Kom nu maar mee, want het is tijd om te eten.' Theresa keek grimmig. 'Kom nooit te laat voor het eten. Dan wordt Dennis razend.'

Vanaf de eerste keer dat ze hem zag was Sarah doodsbang voor Dennis.
Hij was een sluimerende vulkaan boordevol hitte, die op het punt stond om uit te barsten. Dat was iets wat iedereen die hem ontmoette aanvoelde.
Hij was
(gevaarlijk)
En
(gemeen)
Hij staarde naar Sarah toen Theresa en zij gingen zitten.
'Ben jij Sarah?' vroeg hij knorrig. Het klonk bijna dreigend.
'J-ja.'
Hij keek haar heel lang aan en richtte zijn aandacht toen op Rebecca.
'Waar is Jesse?'
Rebecca haalde haar schouders op. 'Geen flauw idee. Hij weet wel beter, maar hij wordt de laatste tijd steeds opstandiger.'
Sarah keek nog steeds met grote ogen naar Dennis, dus zag ze de woede die bij het horen van deze woorden over zijn gezicht trok. Het was een akelige grimas vol pure haat.
'Tja,' zei hij, 'daar moest ik dan maar eens iets aan doen.' Zijn gezicht sloot zich weer af. 'We gaan eten.'
De maaltijd bestond uit gehaktbrood. Sarah vond het wel oké. Niet zo lekker als dat van mama, maar dat hoorde eigenlijk ook zo. Het avondeten verliep in stilte en werd alleen onderbroken door het gerinkel van bestek en het geluid van kauwende monden. Dennis had een blikje bier; tussen de happen gehaktbrood door nam hij daar een grote slok uit, waarna hij het weer op tafel zette en om zich heen keek. Sarah zag dat hij heel vaak naar Theresa keek, maar Theresa paste er goed op dat ze geen moment naar hem keek.
Tegen het eind van de maaltijd was Dennis al aan zijn derde biertje toe.
'Meisjes, jullie ruimen de tafel af en doen de afwas,' zei Rebecca. 'Dennis en ik gaan televisiekijken. Wanneer jullie klaar zijn, kunnen jullie naar jullie kamer gaan.'

Theresa knikte, stond op en begon het vaatwerk op te stapelen. Sarah hielp haar. Verder was het stil. Rebecca rookte haar sigaret en keek met een mengeling van wanhoop en berusting naar Dennis, die met een broeierige blik naar Theresa staarde, met een emotie die Sarah niet kon benoemen.
Dit was allemaal nieuw voor haar. Thuis hadden ze tijdens het avondeten altijd druk gepraat, verhalen verteld, gelachen en de honden van zich af moeten houden. Papa plaagde haar, mama keek glimlachend toe. Buster en Doreen zaten afwachtend naast de tafel in de hoop dat er iets lekkers vanaf zou vallen, wat (vrijwel) nooit gebeurde.
Daar was Sarah speciaal, en was alles luchtig en vrolijk.
Hier was alles loodzwaar. Gevaarlijk. Hier was ze niet speciaal, niet eens een klein beetje.
Ze liep achter Theresa aan naar de keuken en ging bij het aanrecht staan.
'Ik spoel de vuile spullen wel af,' zei Theresa, 'dan kun jij ze in de vaatwasser zetten. Weet je hoe dat moet?'
Sarah knikte. 'Ik hielp mijn moeder vroeger altijd.'
Theresa glimlachte. Ze ging aan de slag en al snel hadden ze een prettig ritme te pakken. Het leek bijna normaal.
'Wie is Jesse?' vroeg Sarah.
'Hij woont hier ook. Een jongen van zestien.' Theresa schokschouderde. 'Hij is best aardig, maar hij wordt steeds brutaler tegen Dennis. Ik denk niet dat hij hier nog lang zal wonen.'
Sarah zette een handvol vorken in het bestekmandje. 'Waarom niet?' vroeg ze. 'Wat gaat er dan met hem gebeuren?'
'Binnenkort wordt Dennis razend op hem en slaat hij hem in elkaar, en ik denk dat Jesse deze keer terugslaat. Dan kan zelfs die trut van een Karen Watson er niet langer omheen.'
Sarah pakte het bord aan dat Theresa haar gaf. 'Is mevrouw Watson gemeen?'
Theresa keek haar verrast aan. 'Gemeen? Rebecca en Dennis zijn al erg, maar Karen Watson? Dat mens is het kwaad in eigen persoon.'
Sarah dacht diep na over dit beeld. Het kwaad in eigen persoon.
Ze waren klaar met de afwas. Theresa stopte een vaatwastablet in de vaatwasser en zette hem aan. Sarah luisterde naar de gedempte *kadoenk-kadoenk*-geluiden die eruit kwamen en vond het geruststellend klinken. Het klonk precies hetzelfde als bij haar thuis.
'Nu gaan we naar onze kamer,' zei Theresa. 'Linea recta. Dennis zal inmiddels wel ladderzat zijn.'
Sarah voelde opnieuw gevaar. Ze begon langzaam maar zeker te begrijpen dat het leven hier zo in elkaar zat. Je wandelde in het donker over een mijnenveld vol eieren, terwijl de vijand met vleermuisoren luisterde of hij ook maar iets

hoorde kraken. De lucht in dit huis was zwaar van de spanning en behoedzaamheid en (dat voelde ze) echt gevaar.
Sarah liep achter Theresa aan de keuken uit. Ze kwamen langs de woonkamer en Sarah wierp snel een blik op de bank. Toen ze zag wat daar gaande was, knipperde ze geschrokken met haar ogen. Rebecca en Dennis zaten te zoenen – dat was niet zo erg; ze had mama en papa heel vaak met elkaar zien zoenen –, maar Rebecca had haar shirt niet aan en je kon haar tietjes zien!
Bij die aanblik keerde Sarahs maag zich om. Op de een of andere manier wist ze intuïtief dat ze zulke dingen eigenlijk niet hoorde te zien. Zoenen was niet erg, tietjes waren niet erg (ze was tenslotte zelf een meisje), maar tietjes samen met zoenen... Haar gezicht gloeide en ze voelde zich een beetje misselijk.
Ze gingen de slaapkamer in en Theresa deed zo zachtjes mogelijk de deur dicht.
(Eieren en spanning, eieren en spanning)
Sarah ging op haar bed zitten. Ze voelde zich licht in haar hoofd.
'Sorry dat je dat moest zien, Sarah,' mopperde Theresa boos. 'Ze mogen dat eigenlijk niet doen waar iedereen hen kan zien – vooral kinderen.'
'Ik vind het hier niet leuk,' zei Sarah zacht.
'Ik ook niet, Sarah. Ik ook niet.' Theresa zweeg even. 'Ik zal je nog iets vertellen. Nú zul je het nog niet begrijpen, maar later wel. Je moet mannen nooit vertrouwen. Ze willen maar één ding – wat je net op de bank zag. Het kan sommigen van hen niet eens schelen hoe jong je bent. Die vinden dat juist nog fijner.'
Er klonk zoveel verbittering door in Theresa's stem toen ze dit zei dat Sarah haar aankeek. Het dertienjarige meisje huilde, stille, boze tranen die mochten worden gevoeld, maar niet gehoord.
Sarah sprong van haar bed en ging naast Theresa zitten. Ze sloeg haar armpjes om het grotere meisje heen en knuffelde haar. Dat deed ze zonder erbij na te denken, in een reflex, als een plant die zich naar de zon richt.
'Ssst... niet huilen, Theresa. Het komt wel goed. Niet huilen.'
Het oudere meisje bleef nog even huilen, maar veegde toen haar tranen weg en glimlachte geforceerd.
'Moet je mij nou zien, zo'n grote huilebalk.'
'Het geeft niet,' zei Sarah. 'We zijn zusjes. Zussen mogen best huilen waar de ander bij is.'
Theresa keek verslagen, alsof oude wonden en oud geluk in haar samenkwamen. Die stroomden samen door haar ziel, een modderige vloed met een paar wittinten en heel veel grijs.
Wanneer Sarah in latere jaren aan dit moment terugdacht, was ze ervan overtuigd dat dit Theresa ertoe had aangezet om de dingen te doen die ze deed.

'Ja,' antwoordde Theresa met trillende stem. 'We zijn zusjes.' Ze pakte Sarah vast en omhelsde haar. Sarah deed haar ogen dicht, omhelsde haar ook en snoof. Ze vond dat Theresa naar bloemen in de zomer rook.

Even – heel even maar – voelde Sarah zich veilig.

'Zeg,' zei Theresa en ze maakte zich met een brede glimlach uit de omhelzing los. 'Heb je zin om een spelletje te spelen? We hebben alleen een kwartetspel.'

'Ik vind kwartetten hartstikke leuk.'

Ze keken elkaar grijnzend aan, gingen op een bed zitten en begonnen te spelen, terwijl ze probeerden het gegrom en gekreun uit andere delen van het huis te negeren, veilig op hun eilandje in een zee van eieren.

27

Theresa en Sarah hadden anderhalf uur gekwartet en daarna nog eens twee uur lang liggen praten. De kamer bood hun een plek om te schuilen voor de gebeurtenissen die hen hier hadden gebracht. Theresa had over haar moeder verteld en Sarah een foto laten zien.
'Wat is ze mooi,' had Sarah vol ontzag gezegd.
Het was waar. De vrouw op de foto was halverwege de twintig, een mengeling van Latijns-Amerikaans en iets anders die lachende ogen, exotische gelaatstrekken en een dikke bos kastanjebruin haar hadden voortgebracht. Theresa had nog een laatste blik op de foto geworpen en hem toen glimlachend weer onder haar matras teruggestopt.
'Ja, dat was ze zeker. Ze was ook heel grappig. Ze lachte altijd.' Haar glimlach verstrakte. Theresa's gezicht was killer geworden en haar ogen afstandelijker. 'Ze is verkracht – sorry, ze is vermoord door een onbekende. Een man die het leuk vond om vrouwen pijn te doen.'
'Mijn mama is ook door een slechte man vermoord.'
'Echt?'
Het zesjarige meisje had somber geknikt. 'Ja. Alleen gelooft niemand me.'
'Hoezo?'
Sarah had haar het verhaal van de Vreemdeling verteld en wat hij haar ouders had laten doen. Toen ze was uitverteld, had Theresa even gezwegen.
'Allemachtig, wat een akelig verhaal,' had ze ten slotte gezegd.
Sarah had haar nieuwe zus hoopvol aangekeken. 'Geloof je me?'
'Natuurlijk geloof ik je.'
De liefde die Sarah op dat moment voor Theresa had gevoeld, was heftig geweest.
Jaren later zou ze zich afvragen of Theresa haar echt had geloofd. Ze zou het zich afvragen en het van zich af zetten. De waarheid was onbelangrijk. Theresa had haar een veilig gevoel en hoop gegeven toen ze die het hardst nodig had. Sarah zou haar daarom altijd dankbaar zijn.
Even voor tienen had Rebecca op hun deur geklopt.
'Bedtijd,' had ze gezegd.
Nu lagen ze in het donker naar het plafond te staren.
Sarah voelde zich enigszins opgelucht. Alles was akelig geweest. Echt heel akelig.

De meeste dingen waren dat nog steeds. Ze wist dat dit geen goede plek was om te wonen. Ze wist niet wat de toekomst haar zou brengen. Ze was echter niet meer alleen en dat – tja – dat was op dit moment het belangrijkst voor haar.
'Theresa?' fluisterde ze.
'Ja?'
'Ik ben blij dat jij mijn pleegzus bent.'
Een korte stilte.
'Ik ben ook blij dat jij de mijne bent, Sarah. Ga nu maar slapen.'

Voor het eerst in lange tijd sliep Sarah zonder te dromen, maar ze werd wakker van een geluid in de kamer.
Een man, gehuld in schaduwen, stond over Theresa's bed gebogen.
De Vreemdeling!
Ze begon zachtjes te jammeren.
Het geluid hield op. Er hing een geladen stilte in de lucht.
'Wie is dat? Sarah? Ben je wakker?'
Ze hoorde dat het de stem van Dennis was. Schrik sloeg om in verwarring, gevolgd door een groeiend gevoel van onrust.
Waarom is hij hier?
'Geef antwoord, kind,' siste hij. 'Ben je wakker?'
Zijn stem klonk ontzettend gemeen. Ze jammerde weer en knikte.
Hij kan je toch niet zien, suffie!
'J-ja,' stamelde ze.
Stilte. Ze hoorde Dennis' ademhaling.
'Ga slapen. Of hou je mond. Kies zelf maar.'
'Het is goed, Sarah,' zei Theresa, en haar stem klonk zwak door de duisternis. 'Doe je ogen maar dicht en sla je handen voor je oren.'
Sarah deed haar ogen dicht en trok huiverend de dekens over haar hoofd. Ze bedekte haar oren niet en bleef aandachtig luisteren.
'Vooruit, neem hem in je mond,' hoorde ze Dennis fluisteren.
'Dat... Dat wil ik niet. Alsjeblieft, Dennis, laat me met rust.' Theresa's stem klonk ellendig.
Een fel geluid, gevolgd door een snik van Theresa die Sarah de stuipen op het lijf joeg.
'Neem hem in je mond of ik stop hem ergens anders in. Ergens waar het pijn doet. Begrepen?'
De stilte die volgde, leek eindeloos te duren. Toen klonk er een soppend geluid.
'Goed zo. Brave meid.' Sarah wist niet waar dat 'brave meid' precies op sloeg, maar ze wist wel dat het iets ergs was.

(Heel erg.)
Dat was wat ze nu in deze kamer voelde: de aanwezigheid van iets heel, heel slechts. Iets lelijks. Iets waardoor ze zich vies en beschaamd voelde zonder dat ze wist waarom.
De geluiden veranderden, klonken sneller en toen hielden ze op; Dennis kreunde, een harde, afschuwelijke kreun, en Sarah begon te beven.
Weer een lange stilte. Het geluid van iets wat bewoog, schuivende lakens. De vloer kraakte. Voetstappen. Ze hoorde dat ze naar haar bed toe kwamen.
(Monsters)
Ze hielden op en ze wist dat Dennis naast haar stond. Hij boog zich over haar heen. Ze probeerde zich niet te bewegen, geen adem te halen. Probeerde
(Niets te zijn)
Ze kon hem ruiken. Sigarettenrook en alcohol, vermengd met muskusachtig zweet, een geur waarvan ze moest kokhalzen, en het liefst zou ze het op een gillen zetten.
'Je bent erg mooi, Sarah,' fluisterde hij. 'Je wordt later vast een knappe jongedame. Misschien kom ik over een paar jaar ook wel bij jou langs.'
(Niets zijn Niets zijn Niets zijn)
Sarah was zo bang dat ze er beroerd van werd.
Ze voelde dat hij zich oprichtte. Hoorde zijn voetstappen naar de deur lopen en de kamer uit gaan.
Ze waren weer alleen. Sarah kon haar eigen hartslag horen, snel als een kolibrie, luid als een trommel.
Dit werd langzaamaan iets minder, en toen besefte ze dat Theresa huilde. Het was een zacht, maar heftig geluid.
Zeg iets tegen haar, suffie.
Ik ben bang. Ik wil niet onder de dekens vandaan komen. Zeg alsjeblieft dat het niet hoeft, ik ben pas zes en ik wil dit niet meer doen...
Hou je mond! Ze is je zus, bangerik die je bent!
Sarah kneep haar ogen nog één keer stevig dicht en deed ze toen open. Ze haalde diep adem en raapte alle moed die haar kinderhart kon vinden bij elkaar. Ze duwde de dekens weg.
'Theresa?' fluisterde ze. 'Gaat het?'
Gesnuif.
'Met mij gaat het best, Sarah. Ga slapen.'
Ze klonk anders niet best, helemaal niet best.
'Zal ik je een knuffel geven en bij jou komen slapen?'
Een korte stilte.
'Nee, niet hier komen. Niet in... dít bed. Ik kom wel naar jou toe.'

Sarah zag Theresa's schaduw omhooggaan en naar haar toe komen. Het bed kraakte toen het oudere meisje erin klom.
Sarah stak haar handen uit. Ze raakten Theresa's schouders aan en ze voelde dat het meisje huilde, met haar gezicht in het kussen gedrukt om het geluid te smoren.
Sarah trok met haar handjes aan Theresa's schouders tot het meisje zich naar haar omkeerde.
'Ssst... het komt wel goed, Theresa. Het komt wel goed.'
Theresa liet zich zonder zich te verzetten door het kleine meisje omhelzen. Haar hoofd zakte tegen Sarahs borst, en ze snikte en snikte en snikte. Sarah sloeg haar armen om Theresa's hals. Ze streelde haar haren en huilde zelf ook een beetje.
Wat was er gebeurd? Een paar uur geleden speelden we kwartet en waren we gelukkig, maar dan komt Dennis die zulke akelige akelige akelige akelige akelige dingen doet.
Een nieuwe angst schoot door Sarah heen.
Misschien gaat alles van nu af aan wel zo!
Ze klemde haar kaken op elkaar en schudde haar hoofd.
Nee. God zou vast niet toelaten dat haar leven zo zou worden.
Die gedachten vlogen door haar hoofd, terwijl Theresa naast haar huilde. Het gesnik ging over in stillere tranen, die in gesnuif veranderden, en dat loste ten slotte in het niets op. Theresa's hoofd bleef tegen Sarahs borst liggen. Sarah streelde nog steeds haar haren. Mama deed dat vroeger ook bij haar wanneer ze van streek was en het hielp altijd.
Misschien doen alle mama's dat. Misschien deed Theresa's mama dat ook wel.
Ten slotte verbrak Theresa de stilte. 'Mannen zijn slecht, Sarah,' fluisterde ze.
'Mijn papa niet,' antwoordde Sarah, maar de woorden waren haar mond nog niet uit of ze had er al spijt van.
Ze was pas zes, maar ze wist best dat Theresa het niet echt over mannen als Sarahs vader had. Ze had het over mannen als Dennis. Hoewel hij de eerste van dat soort mannen was die Sarah had ontmoet, wist ze dat Theresa wat hem betreft honderd procent gelijk had.
Theresa zei alleen maar: 'Dat weet ik', en ze klonk niet boos.
'Theresa?'
'Ja?'
'Wat bedoelde hij toen hij zei dat hij over een paar jaar ook bij mij zou langskomen?'
Weer een lange stilte, deze keer vol dingen die Sarah helemaal niet herkende.
'Wees maar niet bang, kleine meid,' zei Theresa. Het klonk zo teder dat

Sarahs ogen plotseling vol tranen stonden. Het oudere meisje hief haar hand op en raakte eenmaal haar wang aan. 'Ik zorg er wel voor dat hij jou niet te pakken krijgt. Nooit.'
Sarah geloofde haar en viel in slaap.

28

'Welke kleur, liefje?'
Het was zondag en Sarah zat met haar moeder in haar atelier. Dat vond ze af en toe leuk om te doen: stilzitten en toekijken hoe mama schilderde of beeldhouwde, of wat dan ook. Haar moeder was het mooist wanneer ze kunstenares was.
Dit schilderij was een landschap. Op de achtergrond bergen en daarvóór een groot, vlak weiland bezaaid met bomen vol weelderige bladeren. De kleuren waren helder en onwerkelijk: een paarsachtige lucht, botergeel gras en een onbestaanbaar oranje gekleurde zon. Sarah vond het prachtig. Haar moeder vroeg haar welke kleur de bladeren aan de bomen moesten krijgen.
Sarah fronste haar wenkbrauwen. Ze kon niet de juiste woorden vinden om uit te leggen waarom ze het schilderij zo mooi vond. Mama had haar vroeger eens gezegd dat het niet erg was, dat wat je voelde belangrijker was dan wat je dacht. Wat ze over dit schilderij voelde, was 'mooi' en 'vrolijk'.
'De echte kleuren, mama, maar dan glimmender.'
Sarahs woordenschat was ontoereikend, maar Linda wist dat haar antwoord heel precies was. Sarah zag in gedachten iets voor zich en probeerde dat nu te beschrijven. Nu moest Linda erachter zien te komen wat ze bedoelde.
'Glimmender... Bedoel je soms feller? Zoals een gloeilamp die meer of minder licht geeft?'
Sarah knikte.
'Goed, liefje.'
Linda mengde peinzend oranje- en roodtinten door elkaar.
Misschien gaat er in haar ook iets kunstzinnigs schuil.
Sarah bedoelde dat de bladeren de echte kleuren van herfstbladeren moesten hebben, maar dan feller, zodat ze bij de rest van het schilderij pasten.
Ze wierp een blik op haar dochter.
'Vind je dit schilderij mooi, meisje?'
'Ik vind het heel mooi, mama. Ik zou er het liefst van gaan spelen en springen en zo.'
Missie volbracht, dacht Linda blij en voldaan bij zichzelf.
Ze concentreerde zich weer op het schilderij en gaf de bladeren hun overdreven felle kleuren.

Sarah sloeg haar moeder gade. Ze werd zich bewust van een gevoel van intens geluk. Ze was een kind, ze leefde in het nu en het nu was heel erg fijn.
Haar moeder hield op met schilderen en verstarde. Ze stond met haar rug naar Sarah toe. Zo bleef ze staan, onbeweeglijk, bevroren op haar plek.
'Wat is er, mama?'
Bij het horen van haar dochters stem ging er een schok door Linda heen en ze draaide zich in slowmotion om. Toffeetijd. Toen Sarah haar gezicht zag, deinsde ze geschrokken achteruit.
Haar moeder schreeuwde een geluidloze schreeuw; haar ogen waren groot, haar mond hing wagenwijd open en haar kaken kwamen van elkaar.
'M-m-mama...?'
Linda's handen schoten omhoog naar de zijkant van haar hoofd. De kwast vloog weg en bespatte Sarah tijdens zijn wilde vlucht met bloedspatten.
Sarahs blik viel op het schilderij achter haar moeder. De bladeren aan de bomen stonden in brand.
De schreeuw was niet langer stil en het was een verschrikkelijk geluid, alsof iemand het dak van de hel had opengetrokken. Hij klonk in stereo, vol echo's, weergalm en razernij.
'Wat heb je gedaan! Wat heb je gedaan! Wat heb je...'
Sarah werd wakker.
'Wat heb je gedaan!'
De schreeuw was echt. Hier, nu, in dit huis.
De Vreemdeling?
De deur van de slaapkamer stond open.
'Dennis! O, god! Wat heb je gedaan, Theresa?'
Het drong tot Sarah door dat Rebecca degene was die zo krijste.
Sta op, bangerik. Misschien heeft Theresa je hulp nodig!
Sarah jammerde zachtjes van angst, frustratie en woede.
Ik wil niet meer dapper hoeven zijn.
Stilte.
Jammer dan, bangerik. Het is nu eenmaal niet anders.
Sarah huilde en beefde van angst, maar dwong zichzelf toch om uit bed te kruipen. Haar benen leken wel van iemand anders, en ze wankelden en trilden.
Ze liep naar de deur, maar toen ze er vlakbij was, verstijfde ze.
Stel dat er nog meer
(nietsen)
zijn daarbuiten?
Stel dat Theresa een
(niets)

(puppy-guppy-kop)
is geworden?
Vooruit, bangerik. Je bent zes. Doe niet zo kinderachtig.
Sarah liep verder, de kamer uit, de gang in. Haar angst was nu zo groot dat ze begon te snikken.
'Wat heb je gedaan?' krijste Rebecca nog steeds.
Sarahs gesnik werd luider, maar ze liep door in de richting van het geluid van Rebecca's gegil. Haar neus begon te lopen en de wereld om haar heen vervaagde.
Ik wil niet kijken! Ik wil niet!
De andere stem klonk nu iets vriendelijker.
Ik weet dat je bang bent, maar het moet. Doe het voor Theresa. Ze is je zus.
Sarah brulde, maar knikte met haar hoofd bij wijze van antwoord en zorgde ervoor dat haar voeten in beweging bleven.
Even later stond ze in de deuropening van de slaapkamer van Dennis en Rebecca. Theresa zat met gebogen hoofd op de vloer. Op haar schoot lag een mes. Het zat onder het bloed. Rebecca zat bloot op het bed, helemaal hysterisch, en haar handen gleden gejaagd over Dennis heen en weer. Zij zat ook onder het bloed.
Dennis lag heel stil. Zijn ogen waren open.
In een flits besefte Sarah dat Dennis
(niets was)
Een
(puppy-guppy-kop)
dus.
'Wat heb je gedáán?'
Sarah hapte naar adem.
O, nee. Theresa heeft dit gedaan.
Ze holde naar het oudere meisje toe, knielde naast haar neer en schudde haar door elkaar.
'Theresa! Wat is er gebeurd?'
Het gezicht van het oudere meisje was slap en bleek, en haar ogen stonden lusteloos.
'Hé, kleine meid,' fluisterde ze. 'Ik had het je toch al gezegd? Hij zal jou nooit 's avonds lastigvallen. Nooit.'
Sarah deinsde vol afschuw achteruit.
'Bel de politie, Sarah.'
Theresa boog haar hoofd en wiegde heen en weer.
Sarah keek verward en gespannen toe.
Wat moet ik doen?

Het visitekaartje. Van die mevrouw van de politie.
'Wat heb je ged-d-dááááááááááán?'
Bel haar, nu meteen.
Ze rende de kamer uit en voelde op de een of andere manier dat de eieren en het gevaar uit dit huis waren verdwenen. Ze vroeg zich af hoe dat kon.
Jaren later wist ze hoe dat kon. Toen geloofde ze inmiddels allang niet meer in God.

29

Cathy Jones was bij Sarah. Ze zaten samen in Cathy's eigen auto – Cathy was niet in functie, maar het meisje had haar gebeld, dus nadat ze het aan het bureau had doorgegeven, was ze toch gekomen.
Dit is toch verdomme afgrijselijk, dacht ze bij zichzelf.
Ze keek naar Sarah. Haar wangen en ogen waren rood van het huilen.
Wie kan haar dat kwalijk nemen? Ze wordt naar een nieuw huis gebracht en op de eerste de beste avond wordt de pleegvader door een van de andere kinderen vermoord. Jezus.
'Sarah? Wat is er precies gebeurd?'
De zesjarige slaakte een zucht. Het was een diepe zucht, belast met een loodzware druk, en de jonge agente reageerde ontzet.
'Dennis kwam bij Theresa langs toen ze in bed lag. Hij deed akelige dingen met haar. Hij zei dat hij over een paar jaar ook bij mij in mijn bed zou langskomen.' Sarahs gezicht vertrok krampachtig. 'Theresa zei dat ze dat nooit zou toelaten. Daarom heeft ze Dennis vermoord. Om mij!'
Sarah kroop in Cathy's armen en begon te huilen.
Cathy verstijfde. Ze was niet getrouwd, had geen kinderen en was zelf een enig kind met een afstandelijke vader. Voor 'intimiteit' gaf ze zichzelf een dikke onvoldoende.
Sla je armen om haar heen, sufferd.
Ze sloeg haar armen om de zesjarige heen. Sarah huilde nu nog harder.
Zeg iets tegen haar.
'Ssst. Het komt wel goed, Sarah. Het komt wel goed.'
Ze bedacht dat haar vader het misschien wel goed had aangepakt door zo karig te zijn met lof en troost. Ze geloofde namelijk niet dat wat ze zei waar was, echt niet – integendeel zelfs. Ze geloofde helemaal niet dat alles wel goed zou komen. Nooit.

'Zei het meisje dat?'
Sarahs huilbui was overgegaan in zacht gesnuif en Cathy had haar alleen gelaten om met Nick Rollins, de leidinggevende rechercheur op de plaats delict, te gaan praten.
'Ja. Ze zei dat die Dennis – de pleegvader die is vermoord – bij het andere

meisje langskwam toen ze in bed lag.'
'Fuck,' zei Rollins hoofdschuddend. 'Tja, als dit waar is, verandert dat wellicht iets aan de gevolgen voor de dader. Als hij haar heeft verkracht en dreigde hetzelfde te doen met dat meisje van jou...' Hij haalde triest zijn schouders op. 'Dan hoeft ze tenminste niet voor moord te zitten.'
Ze keken allebei op toen vrouwelijke agenten met een geboeide Theresa uit het huis kwamen. Het meisje hield haar blik strak op de grond gericht en slofte voort als een geketende geestverschijning.
'Wat wilt u dat ik doe?' vroeg ze aan Rollins.
'Blijf bij dat meisje. Er is iemand van het maatschappelijk werk onderweg.'
'Oké.'
Cathy zag dat Theresa op de achterbank van een politieauto werd gezet. De politieagente wierp een blik op haar eigen wagen. Sarah staarde zonder iets te zien door het raam in het duister.

Cathy zat weer bij Sarah in haar eigen auto en ze wachtten op de maatschappelijk werkster. Rollins had Sarah een verklaring afgenomen. Hij was heel zachtaardig met het meisje omgegaan – daar was Cathy hem dankbaar voor.
Sarah doorbrak de stilte. 'Cathy?' vroeg ze.
'Ja?'
'Je geloofde me niet toen ik je vertelde over die man in ons huis, hè?'
Cathy schoof opgelaten heen en weer op haar plek.
Wat moet ik hier nu mee aan?
'Ik wist niet zeker of ik je kon geloven, Sarah. Je was erg... overstuur.'
Sarah keek Cathy onderzoekend aan. 'Heb je het wel aan de andere mensen van de politie verteld? Wat ik heb gezegd?'
'Ja. Natuurlijk.'
'Zij geloofden me niet, hè?'
Cathy schoof nogmaals heen en weer, en zuchtte. 'Nee, Sarah. Dat klopt.'
'Waarom niet? Denken ze dat ik heb gelogen?'
'Nee, nee. Dat is het niet. Het is... Er is helemaal niets waaruit blijkt dat er iemand anders in jullie huis is geweest. Soms raken mensen... erg in de war wanneer er akelige dingen gebeuren. Niet alleen kinderen. Ook grote mensen. Ze denken dat dat is gebeurd. Niet dat je hebt gelogen, maar dat je erg in de war was.'
Sarah tuurde weer door het autoraam.
'Dat was niet zo. Ik was niet in de war. Het geeft niet. Die gemene vrouw is er.'
Cathy zag een vermoeid uitziende vrouw van middelbare leeftijd naar hen toe komen.
'Gemeen?'

Sarah knikte. 'Theresa zei dat ze het kwaad in eigen persoon is.'
Cathy keek naar het meisje naast haar. Een dergelijke opmerking zou ze gisteren hebben weggewuifd. Maar nu? Het meisje dat een kinderverkrachter had vermoord om Sarah te beschermen, had gezegd dat de vrouw het kwaad in eigen persoon was.
'Sarah. Kijk me eens aan.'
Het meisje draaide zich om naar de politieagente.
'Bewaar mijn kaartje goed. Bel me wanneer je me nodig hebt.' Ze knikte naar Karen Watson. 'Begrepen?'
'Goed.'
Is dat alles? Is dat het enige wat je voor haar doet?
Daarop volgde het onvermijdelijke antwoord, het antwoord waarop Cathy zich beriep in elke situatie die meer intimiteit vereiste dan zij bereid was te geven: dit is het enige wat ik op dit moment kán bieden.
Ze had de nodige ervaring in het negeren van het schaamtegevoel. Haar zelfverloochening ging echter niet zover dat ze de schuld bij die goeie ouwe vader van haar kon leggen.

Karen had Sarah geholpen haar kleren en schoenen in te pakken. Ze had weer heel aardig gedaan. Sarah had haar wel door – er waren andere mensen bij. Ze had meteen geweten dat Karen weer gemeen zou gaan doen zodra ze alleen waren.
Ze waren nu op weg en Karen keek haar inderdaad steeds boos aan. Het deed Sarah niets. Ze was veel te moe.
'Een goed tehuis en je verpest het meteen weer,' mopperde Karen. 'Alsof je zoveel andere mogelijkheden hebt. Tja, nu zul je zien wat er gebeurt wanneer je je niet gedeisd houdt.'
Sarah had geen idee wat Karen bedoelde. Vast iets akeligs. Ze was te verdrietig om bang te zijn.
Theresa, Theresa, waarom, waarom, waarom? Je had met mij moeten praten. We waren zussen. Nu ben ik weer helemaal alleen.
Ze reden naar een groot, gelijkvloers gebouw van grijs beton met een hek eromheen.
'We zijn er, prinses,' zei Karen. 'Dit is een kindertehuis – hier moet je blijven totdat ik vind dat je weer een kans bij een pleeggezin verdient.'
Ze stapten uit de auto. Sarah liep achter Karen aan naar en door de voordeur van het tehuis. Ze liepen door een gang naar een balie. Een moe ogende vrouw van in de veertig stond op. Ze had bruin haar en was de magerste persoon die Sarah ooit had gezien. Karen overhandigde de vrouw een formulier. 'Sarah Langstrom.'

De vrouw las het formulier snel door en wierp een blik op Sarah. Ze knikte naar Karen.
'Oké.'
'Tot ziens, prinses,' zei Karen. Ze draaide zich om en liep weg.
'Hallo, Sarah,' zei de vrouw. 'Ik ben Janet. Ik zal je nu naar je bed brengen, dan leid ik je morgen wel verder rond, goed?'
Sarah knikte.
Mij best, dacht ze bij zichzelf. Ik vind alles best. Ik wil alleen maar slapen.
'Deze kant op,' zei Janet.
Sarah liep achter Janet aan door een gang, door een afgesloten deur en nog een. De muren waren in een saaie kleur groen geverfd. Op de vloer lag versleten linoleum. Het tehuis zag eruit als elk ander intensief gebruikt overheidsgebouw met veel te weinig middelen in het land.
Op de gang waar ze nu doorheen liepen, kwamen een heleboel deuren uit. Voor een ervan bleef Janet staan en ze probeerde hem zo stil mogelijk open te maken.
'Ssst,' zei ze en ze hield een vinger tegen haar lippen. 'Iedereen slaapt.'
Janet liet de deur op een kier staan, zodat het licht van de gang naar binnen scheen. Sarah zag dat ze in een grote, redelijk schone kamer stond met zes metalen stapelbedden. In die bedden lagen meisjes van verschillende leeftijden te slapen.
'Deze kant op,' fluisterde Janet en ze wees naar een van de bedden. 'Het onderste bed is voor jou. De wc is in de gang. Moet je plassen?'
Sarah schudde haar hoofd. 'Nee. Ik ben moe.'
'Ga dan maar slapen. Tot morgenochtend.'
Ze wachtte totdat Sarah onder de dekens was gekropen en liep toen weg. De deur ging zachtjes dicht en het was donker. Sarah was niet bang voor dit donker, want ze bevond zich weer op die plek waar ze
(niets wilde zijn)
Ze wilde niet aan Theresa denken, of aan Dennis, of bloed of vreemdelingen of alleen zijn. Ze wilde alleen maar haar ogen dichtdoen en overal de kleur zwart zien.
Ze stond op het punt uitgeput in slaap te vallen toen ze wakker schrok van een hand in haar hals. Ze kreeg geen adem meer. Haar ogen schoten open.
'Stil,' fluisterde een stem.
Het was de stem van een meisje – een sterk meisje. De hand rond Sarahs hals hield haar in een ijzeren greep.
'Ik heet Kirsten,' zei de stem. 'Ik ben de baas van deze kamer. Wat ik wil, gebeurt. Begrepen?'
De hand liet Sarahs hals los. Sarah schraapte haar keel.

'Waarom?' vroeg ze toen ze weer op adem was gekomen.
'Waarom wat?'
'Waarom moet ik doen wat jij zegt?'
Uit het donker kwam suizend een hand tevoorschijn. Door de klap vloog Sarahs hoofd opzij en de pijn was verschrikkelijk.
'Omdat ik de sterkste ben. Tot morgenochtend.'
De schaduw verdween. Sarahs wang deed pijn. Ze voelde zich eenzamer dan ooit tevoren.
Ach, weet je wat?
Wat dan?
Je gedraagt je nu tenminste niet als een huilebalk.
Ze besefte dat dit waar was. Wat ze nu voelde, was geen verdriet.
Het was woede.
Toen ze bijna weer in slaap was gevallen, hoorde ze de woorden weer die Kirsten tegen haar had gezegd: 'Ik ben de sterkste.'
Nog eenmaal laaide haar woede op.
Dat blijft niet altijd zo.
Toen zakte ze weg in het gezegende zwart.

Hoi. Daar ben ik weer, in het hier en nu.
Nu ik erop terugkijk, zat Kirsten er niet eens zover naast, hoor. Zo ging het er echt aan toe in het kindertehuis: de sterkste was de baas over de zwakkeren. Dat heeft zij me geleerd, hoewel ik het haar toen niet in dank afnam. Jezus, ik was pas zes. Nu ben ik ouder en weet ik hoe het zit.
Iemand moest het doen.
Die les heb ik goed in mijn oren geknoopt.

De opkomende zon begroet me door de ramen en ik leg het dagboek weg. Ik krijg dit met geen mogelijkheid uitgelezen voordat ik naar mijn werk ga, maar ik heb tenminste wel het antwoord op mijn vraag: niemand geloofde haar, omdat hij zijn sporen had uitgewist nadat hij de Langstroms had vermoord. Waarschijnlijk dachten ze dat niemand het op Sarah had gemunt en dat ze gewoon enorm veel pech had. Die gedachte werd ondersteund door de gebeurtenissen die volgden bij haar eerste pleeggezin.
In dat geval duikt er een nieuwe vraag op: waarom heeft de Vreemdeling besloten nu wel in de openbaarheid te treden?
Ik negeer alle andere vragen, de vragen over Sarah en het landschap van haar ziel; die randjes zijn veel te scherp voor deze prachtige zonsopgang.

Boek 2:
Mannen die kinderen eten

30

Ik vervloek de regen en bereid me voor op een sprint naar de trap van de voordeur van het FBI-gebouw in Los Angeles.

Zuid-Californië heeft in bijna tien jaar tijd erg weinig regen en heel veel zon gehad. Moeder Natuur haalt nu ongeveer om de drie dagen de schade in met een zware regenbui. Het is in februari begonnen en gaat nu al twee maanden zo. Het wordt zo langzamerhand erg vervelend.

In Los Angeles heeft nooit iemand een paraplu bij zich, zelfs niet wanneer dat verstandig zou zijn. Ik ben hierop geen uitzondering. Ik duw de kopie van Sarahs dagboek in mijn jas om het papier te beschermen, graai mijn tas naar me toe en hou mijn duim in de aanslag zodat ik al rennend op de SLOT-knop aan mijn sleutelbos kan drukken.

Ik doe het portier open en begin vloekend, vloekend, vloekend te rennen. Tegen de tijd dat ik bij de voordeur aankom, ben ik doorweekt.

'De regen heeft je goed te pakken gekregen, Smoky,' merkt Mitch op wanneer ik door het beveiligingspoortje loop.

Meer dan een glimlach of grimas wordt er niet van me verwacht. Mitch is het hoofd van beveiliging van het gebouw: een grijsharige, voormalige soldaat van een jaar of vijfenvijftig, gezond, met heel scherpe ogen en een wat kille uitstraling.

Ik neem de lift naar de verdieping waar mijn kantoor is. Andere special agents die tegelijk met mij naar boven gaan, zien er net zo verfomfaaid uit als ik. Iedereen is kletsnat. Elke plek heeft zijn eigen vorm van koppigheid; dit is de onze.

De huidige benaming van mijn baan luidt 'coördinator NCAVC. NCAVC staat voor 'National Center for the Analysis of Violent Crime' en het hoofdkantoor staat in Washington, DC. Elk FBI-kantoor heeft iemand aangewezen die als plaatselijke vertegenwoordiger van het NCAVC fungeert, een soort Amwaynetwerk des doods. In rustige, minder hectische plaatsjes is één FBI-agent belast met verschillende taken en is de functie van coördinator NCAVC slechts een van de vele hongerige monden die hij of zij moet voeden.

Hiér nemen wij een bijzondere plek in. We hebben te maken met de beste psychopaten die er rondlopen, en het zijn er voldoende om een fulltime leidinggevende coördinator (ik) en een uit diverse special agents bestaand team

te rechtvaardigen. Ik run dit team al bijna tien jaar. Ik heb alle leden persoonlijk uitgezocht; naar mijn niet zo bescheiden mening zijn ze de allerbesten die er zijn.
De FBI is een bureaucratie, dus er zijn altijd roddels en rumoer over het wijzigen van de naam of de samenstelling van mijn ploeg. Voorlopig zitten we hier goed en hebben we het over het algemeen bijzonder druk.
Ik loop door de gang, sla rechts en dan linksaf, en vervolg druipend op de dunne, laagpolige vloerbedekking mijn weg tot ik bij het kantoor van de 'coördinator NCAVC' aankom, dat in het gebouw ook wel bekendstaat als 'Hoofdkantoor des Doods'. Ik ga naar binnen en de geur van koffie kriebelt in mijn neus.
'Lieve hemel, je bent helemaal doorweekt.'
Ik werp Callie een vernietigende blik toe. Zij is, uiteraard, helemaal droog, volmaakt en beeldschoon. Nu ja, misschien niet helemaal volmaakt. Haar ogen staan moe. Een combinatie van pijn en pijnstillers? Of gewoon slaapgebrek?
'Is de koffie al klaar?' mompel ik.
Mijn behoefte aan cafeïne is enorm.
'Natuurlijk,' zegt Callie, die net doet alsof ze beledigd is. 'Je hebt hier niet te maken met een amateur, hoor.' Ze gebaart naar de pot. 'Vers gezet. Vanochtend met de hand gemalen door ondergetekende.'
Ik loop ernaartoe en schenk een kop voor mezelf in. Ik neem een slok en ril quasiverrukt.
'Jij bent de aller-, allerliefste van de hele wereld, Callie.'
'Dat spreekt voor zich.'
Alan komt met een kopje in zijn hand uit het achterste gedeelte van het kantoor geslenterd.
'Ik dacht dat ik dat was,' bromt hij.
'Dat ben je ook.'
'Je kunt maar één iemand de aller-, allerliefste vinden,' klaagt Callie.
Ik hef mijn kopje bij wijze van toost naar haar op en glimlach. 'Ik ben de baas. Ik kan zoveel mensen de aller-, allerliefste vinden als ik maar wil. Ik kan hen zelfs rouleren. Alan op maandag, jij op dinsdag, James op... Nou ja, James gaat misschien iets te ver, maar je snapt wel wat ik bedoel.'
'Inderdaad,' zegt Alan. Hij beantwoordt mijn toost en glimlacht eveneens.
Er valt een aangename stilte, waarin we gezamenlijk genieten van Callies zalige koffie. We laten ons in een fatsoenlijk tempo door de ochtend bekruipen. Zo gaat het niet altijd – eigenlijk gaat het zelden zo. Op veruit de meeste ochtenden zit de koffie in plastic bekertjes, is hij verre van zalig en wordt hij onderweg genuttigd.

'Was iedereen eerder hier dan ik?' vraag ik. 'Jasses. Ik dacht nog wel dat ik vroeg was. De plichtsgetrouwe baas en zo.'
'James is er nog niet,' merkt Alan op. 'Ik kon vannacht niet slapen en heb toen dat dagboek gelezen.' Hij heft zijn kop nogmaals naar me op, deze keer een tikje spottend. 'Nog bedankt, trouwens.'
'Idem dito,' zegt Callie.
'Dan zijn jullie niet de enigen,' antwoord ik. Ik wrijf met een hand over mijn ogen. 'Hoe ver zijn jullie gekomen?'
'Tot haar aankomst bij het tweede pleeggezin,' zegt Alan.
'Zover ben ik nog niet,' zeg ik. 'Jij, Callie?'
'Ik heb het helemaal uit,' zegt ze.
De deur gaat open en James komt binnen. Ik heb in stilte enig leedvermaak, omdat hij net zo kletsnat is als ik. En nog later binnenkomt ook. Ha ha.
Hij zegt niets. Beent gewoon langs ons heen naar zijn bureau.
'Goedemorgen,' roept Callie hem na.
'Ik heb gisteravond het dagboek uitgelezen,' roept hij terug.
Meer zegt hij niet. Geen 'hallo' of 'goedemorgen'. James is een en al zakelijkheid.
'Dat is een teken voor ons,' zeg ik. 'Aan het werk.'

Ik kijk de anderen aan. Zij zitten, ik sta.
'Laten we beginnen met het dagboek.' Ik vertel hun tot waar ik ben gekomen. 'James, jij hebt het uit. Praat ons eens bij. Zit er, naast datgene wat ik al heb gelezen, iets bij wat mogelijk als bewijs kan dienen?'
Hij denkt even na. 'Ja en nee. Ze komt in een nieuw pleeggezin. Dat loopt niet goed af. Er volgen een paar slechte ervaringen in dat kindertehuis. O ja, op een bepaald moment laat ze doorschemeren dat ze seksueel is misbruikt.'
'Heel fijn,' mompel ik.
'Puur onderzoekstechnisch bekeken zijn er op basis van wat zij heeft geschreven drie dingen die onmiddellijk moeten worden nagetrokken. Ten eerste de oorspronkelijke plaats delict – de moord op haar ouders. Ten tweede die agente die zich haar lot aantrok, Cathy Jones. Jones verdwijnt later uit haar leven en Sarah weet niet waarom.'
'Interessant,' zegt Alan peinzend.
'Ten derde de eerdere slachtoffers over wie hij haar heeft verteld. De dichter, de filosofiestudent.'
'Oké, heel goed,' zeg ik. 'Laten we beginnen met het motief,' ga ik verder. 'Wraak. Is er iemand die het daar niet mee eens is?'
'Klinkt logisch,' zegt Alan. '"Pijn", "Gerechtigheid" enzovoort. De vraag is: wraak voor wat? En wat heeft Sarah ermee te maken?'

'De schuld van de ouders,' zeg ik.

Ze kijken allemaal vragend. Ik vertel hun wat ik de vorige avond heb bedacht.

'Fascinerend,' mompelt James. 'Iets wat de grootvader heeft gedaan dus. Het zou kunnen.'

'Laten we het eens in zijn geheel bekijken. Hij heeft tegen Sarah gezegd dat hij haar "naar zijn eigen voorbeeld vormt". Hij noemt haar zijn beeldhouwwerk en geeft dat beeldhouwwerk een titel: *Een verwoest leven.* Wat vertelt dat ons?'

'Als hij haar in hemzelf verandert, vindt hij dat zijn eigen leven is verwoest,' antwoordt Alan.

'Precies. Hij bedenkt dus een langetermijnplan, niet om haar te doden, maar om haar in emotioneel opzicht te vernielen. Dat is een vrij heftige pathologie. Daardoor weten we dat hij niet gewoon door zijn mammie is genegeerd. Er is iets voorgevallen wat als reactie vraagt om de verwoesting van het leven van een meisje. Welke mogelijkheden kunnen we bedenken?'

'Wat betreft dat "eigen voorbeeld",' zegt Alan. 'Hij heeft haar wees gemaakt. Dan is hij waarschijnlijk zelf ook op jonge leeftijd wees geworden.'

'Prima. Wat nog meer?'

'Volgens mij is hij opgegroeid in een omgeving waarin hij op niets en niemand kon terugvallen,' zegt James. 'Hij heeft alles en iedereen vernietigd aan wie Sarah ook maar in de verste verte steun zou kunnen ontlenen. Hij heeft haar volkomen geïsoleerd.'

'Uitstekend.'

'Bovendien,' gaat James verder, 'kunnen we ervan uitgaan dat hijzelf het slachtoffer is van seksueel misbruik.'

'Waarop baseer je dat?'

'Het is inductief: ouders verloren, gebrek aan emotionele steun – hij is in verkeerde handen gevallen. Statistisch gezien bestaat er dan een grote kans dat hij seksueel is misbruikt. Het past bij zijn ambitieuze plan voor Sarah. Het past sowieso bij de behoefte aan een plan.'

'Callie? Nog iets toe te voegen?' vraag ik.

Haar glimlach is raadselachtig. 'Ja, maar voorlopig hou ik het erop dat ik het ermee eens ben. Ik wil graag als laatste het woord.'

Ik kijk haar fronsend aan, maar ze is er niet van onder de indruk en drinkt glimlachend haar koffie.

'Hij is dus zelf wees en misbruikt,' vervolg ik. 'De vraag is: waarom wil hij wraak nemen, om een van deze redenen of om beide? En waarom meer dan één slachtoffer?'

'Dat begrijp ik even niet,' zegt Alan.

'We hebben met Sarah een levend slachtoffer, een soort symbolische ontvan-

ger van de wraak. Prima. Als we die gedachtegang doortrekken, zijn de Kingsleys ondergeschikt. Bijkomstige schade. Ze hadden gewoon de pech dat ze Sarah hadden geadopteerd. Door Sarahs verhaal weten we echter ook dat er een dichter en een student filosofie zijn geweest. Waarom bevonden zij zich in de vuurlinie? En waarom een afwijkende werkwijze in vergelijking met die bij Vargas?'
Alan schudt zijn hoofd. 'Ik kan je niet meer volgen.'
'Bij Vargas is hij op dezelfde manier te werk gegaan als bij de Kingsleys,' legt James uit. 'Zijn keel was doorgesneden, hij was opengereten en zijn ingewanden waren eruit gehaald. Op zich vrij afschuwelijk, zou ik zeggen, maar niet per se de pijnlijkste manier om te sterven. Wanneer hij het over de dichter en de filosofiestudent heeft, is het een ander verhaal. Het klinkt alsof hun dood beslist geen pretje was. Hetzelfde gaat op voor Sam en Linda Langstrom. Bij hen was het evenmin snel of pijnloos.'
'Bedoel je dat hij zijn werkwijze aanpast aan de zwaarte die hij hun daad toekent?' vraagt Callie.
'Ik bedoel dat hij het idee heeft dat hij gerechtigheid doet geschieden. In zijn optiek verdient niet elke misdaad dezelfde straf.'
Alan knikt. 'Daar kan ik me wel in vinden. Laten we hen als primaire en secundaire slachtoffers aanduiden. Vargas en de Kingsleys vallen onder de secundaire slachtoffers. Sarah en haar ouders, de dichter en de filosoof – dat zijn primaire slachtoffers, die het ergst verdienen wat hij kan bedenken.'
'Ja,' antwoordt James.
'Onze theorie is er echter op gebaseerd dat Sam en Linda secundair zijn,' zegt Alan peinzend. 'Afstammelingen van de echte slechterik.'
'Hij ziet hen echter niet als secundair. Het past nog steeds in het geheel. Als opa Langstrom iets heeft gedaan wat de Vreemdeling als kind beïnvloedde en hij niet meer beschikbaar is om boete te doen, moet zijn nageslacht in zijn plaats lijden,' zegt James.
'Dat zou ook betekenen dat de Vreemdeling opa's misdaden als bijzonder ernstig beschouwt,' zeg ik.
'Baseer je dat op wat hij Sarah heeft aangedaan?' vraagt James.
'Natuurlijk.'
'Hoe weet je dat de onbekende dichter en de filosofiestudent geen kinderen hadden? Hoe weet je dat er niet nog meer Sarahs rondlopen?' vraagt hij.
Ik zwijg en denk na over deze weerzinwekkende, afschuwelijke mogelijkheid.
'Dat weet ik niet. Oké, we gaan dus uit van de theorie dat hij wees was, in verkeerde handen viel en werd misbruikt. De littekens op zijn voeten staven die theorie. Verder nog iets?'
Stilte.

'Mijn beurt,' zegt Callie. 'Ik heb een groot deel van de avond door de computer van meneer Vargas zitten wroeten. Het barst er van de pornografie in alle soorten en maten, waaronder ook harde kinderporno. Hij is niet kieskeurig in zijn perverse gedrag. Behalve kinderporno ben ik ook poep- en plasseks tegengekomen, seks met dieren,' – ze trekt een vies gezicht – 'het eten van kots.'
'Oké, genoeg informatie,' zegt Alan. Hij ziet er geschokt uit.
'Sorry. Dat alles was blijkbaar puur voor privégebruik bestemd. Het bevestigt ons vermoeden dat Vargas geen fijne vent was. Zijn e-mail leverde ook al niets op. De video echter wel.'
'Video? Van wat?' vraag ik.
Ze wijst naar haar beeldscherm. 'Kom allemaal maar hier, dan laat ik het jullie zien.'
We gaan in een halve cirkel om haar heen staan. De videospeler is al opgestart. 'Klaar?' vraagt ze.
'Ga je gang,' antwoord ik.
Ze drukt op PLAY. Heel even is het scherm zwart. Dan verschijnt er een lelijk vloerkleed in beeld.
'Dat heb ik eerder gezien,' mompel ik. 'De vloerbedekking in Vargas' flat.'
De camera beweegt schokkerig en het beeld schuift wankelend als een dronkenlap omhoog, omdat de camera op een statief wordt gezet. Dan stelt het zich met autofocus scherp op het bed, waarop ik Vargas en het meisje dood heb aangetroffen. Een naakt meisje klimt op de matras. Ze is veel te jong, is pas een tiener. Ze neemt even de tijd om zichzelf in positie te brengen. Laat zich op handen en knieën zakken. Haar polsen zijn geboeid.
Buiten beeld mompelt een stem iets. Ik kan de woorden niet verstaan, maar ze richt haar hoofd op en kijkt recht in de camera. Haar levende gezicht is kalm, bijna gedwee. Het verschilt niet eens zoveel van haar dode gezicht. Ze heeft mooie blauwe ogen, maar de blik erin is leeg. Gevuld met niets.
Jose Vargas verschijnt in beeld. Hij heeft zijn kleren aan, een spijkerbroek en een smerig wit T-shirt. Zijn leeftijd is hem aan te zien. Zijn rug is een beetje krom. Hij heeft zich niet geschoren. Zijn gezicht staat vermoeid, maar zijn ogen glanzen fel. Hij heeft zin in wat hij zo meteen gaat doen.
'Is dat een zweepje wat hij in zijn hand heeft?' vraagt Alan.
'Ja,' antwoordt Callie.
Het zweepje is een twijgje dat van een boom is gesneden. Aan één uiteinde zie ik nog net een stukje van de groene kern. Vargas heeft zich voorbereid op een ouderwetse lijfstraf.
Hij gaat achter het meisje staan. Buigt zich naar de camera, blijkbaar om iets te controleren. Knikt bij zichzelf. Hij bekijkt het meisje met een kritische blik.

'Steek je kont hoger in de lucht, godvergeten *puta*,' blaft hij.
Het meisje vertrekt geen spier. Ze wiebelt een beetje heen en weer en tilt haar achterwerk iets hoger op.
'Dat is beter.' Vargas controleert nogmaals de kamer, de camera. 'Veel beter.' Hij knikt even zwijgend in zichzelf en richt dan zijn aandacht volledig op de camera. Hij glimlacht, een akelige grijns vol bruine tanden of lege plekken waar tanden hadden moeten zijn.
'Die vent moet nodig naar de tandarts,' mompelt Alan.
'Zo, meneer Je-Weet-Wel-Wie,' steekt Vargas van wal. 'Hallo. *Buenos dias*. Hier uw oude vriend Jose.' Vargas wijst naar het meisje. 'Sommige dingen veranderen nooit, zal ik maar zeggen.' Hij spreidt zijn handen en gebaart om zich heen. Schokschoudert. 'Andere dingen veranderen juist heel veel. Geld is op dit moment een beetje een probleem. Aan al die tijd in de gevangenis heb ik niet echt veel... hoe zeggen ze dat ook alweer? – werkervaring overgehouden.' Weer een uit gaten en bruine tanden bestaande grijns. 'Ervaring heb ik gelukkig wel. Daar weet u alles van. Ik herinner me alles, alle dingen die u me hebt geleerd toen ik jong was, in betere tijden. Ik zal u laten zien hoeveel ik me nog herinner. Goed?'
Vargas houdt het zweepje omhoog. Glimlacht.
'Het eigendom een lesje leren zonder sporen achter te laten waardoor het eigendom minder waard wordt. Jose weet het nog.'
Vargas buigt zijn arm naar achteren. Zijn mond zakt open. Een gapend zwart gat. Er verschijnt een onbeschrijflijk gretige blik in zijn ogen. Ik denk niet dat hij zich daar zelf van bewust is. Op het hoogste punt van de zwaai blijft het zweepje even trillend in zijn opgewonden hand hangen en dan suist het omlaag. De tik op haar voeten is nauwelijks hoorbaar, maar de reactie van het meisje is heftig. Haar ogen puilen uit en haar mond opent zich in een grote O. Even later vloeien er stille tranen. Ze klemt haar kiezen op elkaar en probeert de pijn uit te zitten.
'Zeg het, puta!' grauwt Vargas.
'U b-bent de god,' stamelt het meisje. 'Dus ik dank u, de god.'
'Dat accent klinkt Russisch,' merkt James op.
Vargas laat de zweep opnieuw omlaagzwiepen. Zijn ogen staan feller, zijn mond is breder. Hij kwijlt een beetje. Krankzinnigheid.
Deze keer kromt het meisje haar hele lichaam en gilt ze het uit.
'Zeg het!' schreeuwt Vargas, deze keer met een brede grijns.
Zo gaat het nog een paar keer door. Wanneer het voorbij is, staat Vargas bezweet en met trillende oogleden uit te hijgen. Ik zie de bobbel in zijn broek. Het meisje snikt nu openlijk.
Vargas wankelt een beetje en schijnt zich dan zijn oorspronkelijke doel te her-

inneren. Hij strijkt een lok vettig haar uit zijn ogen en werpt weer een sluw, smerig lachje naar de camera.
'Ziet u wel? Ik weet álles nog.' Het meisje snikt harder. 'Kop dicht, vuile puta!' snauwt Vargas haar toe, razend over de onderbreking. Ze slaat haar handen voor haar mond om het geluid te dempen.
'Jose denkt dat u hem wel geld zult geven voor wat hij nog weet, meneer Je-Weet-Wel-Wie.' Weer een groteske grijns. 'Bekijkt u dit nog maar eens rustig. Ik weet dat u dat toch wel zult doen. Dat herinnert Jose zich over u. U vindt dit soort dingen leuk. Kijkt u er nog maar eens naar en bedenkt u dan wat u tegen Jose gaat zeggen wanneer u hem spreekt. *Adios*.'
Vargas kijkt naar het huilende meisje, wrijft over zijn kruis en glimlacht naar de camera.
Zwart.
'Wauw,' zeg ik. Ik voel me onwel.
'Meneer Je-Weet-Wel-Wie. Origineel, zeg. Vargas chanteerde dus iemand die bekend is met het fenomeen zweepslagen op voetzolen,' zegt Alan.
'Gedragsmodificatie,' merkt James op. 'Martelingen in combinatie met gedwongen herhaaldelijk gebruik van een vernederend zinnetje waarmee men onderdanigheid toegeeft.'
'Volgens deze opname slaat hij op de voeten, zodat er op andere delen van het lichaam geen sporen worden achtergelaten die de waarde verminderen,' voegt Alan eraan toe.
'Het klopt allemaal nog steeds,' zeg ik. 'De Vreemdeling heeft dezelfde littekens. Dat is geen toeval. Vargas' poging tot chantage geeft aan dat er anderen bij betrokken zijn en duidt eveneens op seksueel misbruik.'
'Ik moet eerlijk zeggen,' zegt Alan hoofdschuddend, 'dat ik misschien niet eens zoveel tegen de dader had gehad als hij zich bij Vargas en zijn soort had gehouden.' Zijn gezicht staat somber. 'Een man die een kind zoiets aandoet? Zo'n man verdient het te sterven.'
Niemand brengt hier iets tegen in.
'Ik heb de harde schijf grondig onderzocht,' zegt Callie. 'Ik verwachtte er veel van. Om de een of andere reden had Vargas de video van een wachtwoord voorzien, dus ik dacht dat hij de opname misschien wel ergens op een server had gezet of iets dergelijks.' Ze schudt haar hoofd. 'Helaas was dat niet zo. Ik neem aan dat hij hem heeft gecodeerd, op een cd-rom heeft gebrand en die naar degene heeft verstuurd die hij chanteerde.'
'Dit lijkt terug te leiden naar de invalshoek van mensensmokkel,' zeg ik. 'Volgens Barry is dat door onze mensen afgehandeld. Hier in Californië. Dat is een belangrijk punt voor het vervolgonderzoek.' Ik wrijf over mijn gezicht en loop terug naar het voorste gedeelte van het kantoor. 'Oké, wat hebben we verder nog?'

'Een belangrijke verandering in zijn gedrag,' zegt James. 'Toen hij de Langstroms vermoordde, ondernam hij stappen om zijn identiteit verborgen te houden. Nu is hij in de openbaarheid getreden. Waarom?'
'Dat kan om allerlei verschillende redenen zijn,' bromt Alan. 'Misschien is hij ziek of stervende, en raakt de tijd op. Misschien heeft het even geduurd voordat hij erachter was wie de mannen zijn die volgens hem moeten worden gedood. Het is een interessante samenloop van omstandigheden dat het precies samenvalt met het moment waarop Vargas met zijn chantagepraktijken begint. Blijkbaar zijn sommige dingen die al waren begraven uit zichzelf weer naar boven geklommen.'
'Alles wijst erop dat dit de finale is,' zeg ik. 'Hij weet dat we achter hem aan zitten. Hij heeft er nota bene zelf om gevraagd. Hij weet dat het einde nadert.'
'Hoe gaan we vanaf hier dus verder, honey-love?'
Ik denk na over deze vraag. We kunnen veel verschillende kanten op. Welke zal waarschijnlijk het meest opleveren?
'Tijd om ons op te splitsen. Alan, ik wil dat jij je op de Langstroms stort. Verzamel alle informatie die je over hen, hun dood en hun achtergrond kunt vinden. Haal de onderste steen boven. Zoek uit wie die grootvader is. Mijn voorgevoel zegt dat hij belangrijk is. Bel Barry wanneer je iemand nodig hebt die alles met de plaatselijke politie regelt.'
'Komt voor elkaar.'
'James, jij gaat je met twee dingen bezighouden. Ik wil een grondig onderzoek via VICAP naar de moord op de dichter en de filosofiestudent. Eens kijken of we erachter kunnen komen wie zij waren.'
VICAP staat voor 'Violent Criminal Apprehension Program'. Het doel is een databasis te creëren met info over gewelddadige misdaden die ons in staat stelt dergelijke daden op landelijk niveau met elkaar te vergelijken.
'Prima. Wat is het tweede?'
Ik vertel hem over het computerprogramma dat op Michael Kingsleys computer is aangetroffen. 'Zoek uit hoe het daarmee staat en vraag of ze misschien hulp kunnen gebruiken bij het achterhalen van de bron. Verder wil ik je zo meteen even spreken in mijn kantoor.'
'Oké.'
Hij vraagt niet wat ik met dat laatste bedoel. Hij weet dat ik samen met hem een mentale blik wil werpen op de Vreemdeling, het enige 'samensmelten der geesten' waartoe hij en ik in staat zijn.
'En ik?' vraagt Callie.
'Bel Barry en vraag hoe de politietekenaar vordert met de schets van die tatoeage. Vraag ook of hij al vooruitgang heeft geboekt met het identificeren van het Russische meisje.'

'Verder nog iets?'
'Voorlopig niet. Goed, dat was het.'
Iedereen gaat aan de slag. Ik ga mijn kantoor in en doe de deur dicht. Ik moet met AD Jones praten en vragen wat hij over Vargas weet, maar na alles wat ik gisteravond heb gelezen moet ik eerst iets anders doen. Ik draai Tommy's nummer. Nadat het toestel twee keer is overgegaan, neemt hij op.
'Hai.'
'Hai,' antwoord ik en ik glimlach bij mezelf. 'Ik heb beroepshalve een gunst van je nodig.'
'Roep maar.'
'Ik heb een lijfwacht nodig.'
'Voor jezelf?'
'Nee. Voor het slachtoffer over wie ik je heb verteld. Een zestienjarig meisje dat Sarah Langstrom heet.'
Tommy klinkt zakelijk. 'Weten we wie het op haar heeft gemunt?'
'Geen uiterlijkheden bekend.'
'Weten we wanneer hij het zal doen?'
'Nee. Er is nog iets. Waarschijnlijk is ze alleen een indirect doelwit; het zijn meestal de mensen in haar omgeving die het met de dood bekopen.'
Hij zwijgt even. 'Ik kan zelf niet. Je weet dat ik het zou doen als het enigszins kon, maar ik ben met iets anders bezig.'
'Dat weet ik.' Ik vraag hem niet wat dat 'iets anders' is. Tommy's gebruik van understatements is een ware kunstvorm. Het zou bijvoorbeeld zomaar kunnen dat zijn auto tijdens dit gesprek door schutters wordt omringd.
'Hebben jullie hier zelf geen mensen voor?' vraagt hij.
'Wel voor algemene surveillance, maar ik wil een professionele fulltime lijfwacht. Ik krijg het er wel door bij de baas, en de FBI betaalt.'
'Akkoord. Ik weet wel iemand. Een vrouw. Ze is goed.'
Ik hoor een lichte aarzeling in zijn stem.
'Wat is er?' vraag ik.
'Geruchten.'
'Over haar?'
'Ja.'
'Zoals?'
'Ze zou een tijdlang mensen hebben gedood.'
Ik zwijg even.
'Wat voor mensen?' vraag ik dan.
'Mensen die de regering van de Verenigde Staten graag dood wilde hebben.' Hij zwijgt. 'Dat wordt dus gezegd. Het is natuurlijk maar de vraag of je daarin gelooft.'

Ik laat het even bezinken.
'Wat vind jij van haar, Tommy?'
'Ze is trouw en ze is genadeloos. Je kunt haar vertrouwen.'
Ik wrijf nadenkend over mijn ogen. Zucht dan. 'Prima. Geef haar mijn nummer maar.'
'Doe ik.'
'Jij kent wel interessante mensen, Tommy.'
'Net als jij.'
Ik glimlach weer. 'Net als ik, ja.'
'Ik moet gaan.'
'Ik weet het, ik weet het. Je bent met iets anders bezig. Ik bel je nog wel.'
Hij verbreekt de verbinding. Ik blijf even zitten en vraag me af wat voor iemand een vrouw die als 'trouw en genadeloos' wordt omschreven kan zijn. Een klop op de deur onderbreekt deze gedachtegang.
James steekt zijn hoofd om de hoek.
'Ben je zover?' vraagt hij.
Ik werp een blik op de klok aan de muur. AD Jones kan nog wel even wachten, denk ik bij mezelf.
'Ja, hoor. Wij moeten het even over onze psychopaat hebben.'

31

James en ik zitten in mijn kantoor. De deuren zijn dicht.
Alleen jij en ik, mijn slechtgehumeurde vriend.
James, misantropische James, heeft dezelfde gave als ik. Zijn gebrek aan tact, zijn onbeschoftheid – de man is een ongelooflijke hork, dat is echt zo –, het doet er allemaal niet meer toe wanneer we om tafel gaan zitten om over het kwaad van gedachten te wisselen. Hij kan het zien, net als ik. Hij hoort, voelt en begrijpt het.
'Je hebt een voorsprong op me, James. Jij hebt het dagboek uitgelezen. Heb je de aantekeningen gezien die ik je heb gefaxt?'
'Ja.'
'Vertel me wat je ervan vindt.'
Hij staart naar een plek op de muur boven mijn hoofd.
'Volgens mij klopt het wraakmotief. De video met Vargas, de berichten op de muren – met name de verwijzing naar gerechtigheid – kloppen allemaal. Toen ik het dagboek las, kreeg ik echter de indruk dat hij zaken door elkaar begint te halen.'
'Leg dat eens uit.'
'Kijk, binnen het eigen kader bezien was het oorspronkelijke doel zuiver: wraak. Iemand heeft hem akelige dingen aangedaan. Hij doet degenen die er direct verantwoordelijk voor zijn – of in Sarahs geval, volgens onze theorie, afstammelingen van degenen die er direct verantwoordelijk voor zijn – ook akelige dingen aan. Dat is de lijn die we volgen en ik denk dat dat iets zal opleveren.' Hij leunt achterover in zijn stoel. 'Maar laten we nu eens kijken naar de manier waarop hij gerechtigheid laat geschieden.'
'Pijn veroorzaakt.'
James glimlacht – een zeldzaamheid. 'Inderdaad. Het eindstation is natuurlijk moord. Hoe snel de dood intreedt... Tja, dat hangt af van de hoeveelheid pijn die je volgens hem hebt verdiend. Hij is geobsedeerd door dit onderwerp. Volgens mij is het plezier dat hij beleeft aan het toebrengen van pijn inmiddels belangrijker voor hem geworden dan het doelgericht gerechtigheid laten geschieden.'
Ik denk hierover na. Het gedrag dat James beschrijft komt vaak voor, te vaak. De misbruikte wordt zelf misbruiker. Molesteer een kind en vaak zal dat als

volwassene zelf anderen molesteren. Geweld is besmettelijk.
In gedachten zie ik de Vreemdeling voor me, geknield zoals het blonde meisje in de video, terwijl een of andere kwijlende vreemde steeds opnieuw tegen zijn voeten slaat.
Pijn.
Hij groeit boordevol woede op en besluit dat het tijd is voor vergelding. Hij stelt zijn plan in werking en alles gaat zijn gangetje, totdat er op een bepaald moment ergens een knop wordt omgezet. De woede die hij probeert uit te drijven muteert in een verziekte vorm van vreugde.
Het is veel beter om degene te zijn die de zweep vasthoudt dan degene die wordt geslagen. Zoveel beter zelfs dat het goed aanvoelt. Verdomme, het voelt zelfs gewéldig aan. Zodra iemand eenmaal in dat konijnenhol is gevallen, vervagen de witte lijnen tot grijs en wordt het vrijwel onmogelijk om nog terug te keren. Dat zou de tegenstrijdigheden op de PD's verklaren. Het bloedschilderij en de erectie versus het rustige, koelbloedige, beheerste van iemand-met-een-plan.
'Hij geniet er nu dus van,' zeg ik.
'Ik denk dat hij het zelfs nodig heeft,' antwoordt James. 'Het beste is nog wel dat hij al een perfecte rationalisering bij de hand heeft. De oude, vertrouwde verklaring voor noodgevallen: het doel heiligt de middelen. Hij heeft iets tegoed, de schuldigen worden gestraft. Als er tijdens dat proces onschuldigen lijden, is dat jammer maar helaas.'
'En dat "helaas" meent hij ook niet, zeg je eigenlijk.'
'Precies. Kijk maar naar Sarah. Hij vindt het prachtig wat hij haar heeft aangedaan. Het motiveert hem.' James haalt zijn schouders op. 'Hij is verslaafd. Ik durf te wedden dat zijn creativiteit zich verder uitstrekt, naar andere slachtoffers. Als we dieper graven, vinden we volgens mij fantasierijke, kleurrijke doden, allemaal variaties op het thema pijn.'
Alles wat hij zegt is onbewezen en tot nu toe onbewijsbaar. Het voelt echter aan alsof het klopt. Er verschuift iets in me, er glijdt iets naar een glibberige wachtplaats. Hij lijdt niet aan waanvoorstellingen. Hij weet wat hij doet en waarom, en zijn slachtoffers behoren niet zomaar tot een bepaald type; ze zijn direct betrokken bij zijn verleden. Maar – en het is een grote maar – hij is inmiddels verslaafd aan de dood. Moord is niet langer louter een antwoord op hem aangedane onrechtvaardigheid; het is een seksuele handeling geworden.
'We moeten twee specifieke dingen bespreken,' zeg ik. 'De verandering in zijn gedrag en zijn plan voor Sarah, hoe het met haar moet aflopen.'
James schudt zijn hoofd. 'Dat eerste baart me echt zorgen. Ik begrijp wel dat hij zijn daden en de redenen daarvoor openbaar maakt. Dat gaat hand in

hand met wraak als motief. Je wilt niet alleen dat ze gerechtigheid ervaren, je wilt ook dat de hele wereld weet waarom.'
'Uiteraard.'
'Hij is zich echter bewust van de veranderingen in hemzelf. Ik denk dat hij er in zijn oorspronkelijke plan misschien wel van uitging dat hij gevangen zou worden genomen en op roemruchte wijze aan zijn einde zou komen, waardoor zijn verhaal de hele wereld over zou gaan. Maar nu is hij erachter gekomen dat hij het leuk vindt om mensen te doden. Als hij sterft, kan dat niet meer. Dat is een te sterke verslaving om zomaar de rug toe te keren.'
'Als hij niet wil worden gepakt, heeft hij ruimschoots de tijd gehad om een vluchtroute uit te stippelen.'
'Inderdaad. Ik denk dat de oorspronkelijke doelstelling van het plan zijn opdracht blijft. Hij wil dat alles bekend wordt, dat de zondaars en hun zonden worden onthuld, maar het liefst zou hij dat alles achter zich laten. Waarschijnlijk met de redenering dat hij zijn "werk" wil voortzetten. Per slot van rekening lopen er nog heel wat zondaars rond.'
'We moeten voorzichtig zijn,' mompel ik. 'Op een gegeven moment zal hij proberen ons om de tuin te leiden. We moeten daarvoor oppassen, onze conclusies steeds opnieuw toetsen.'
'Precies.'
Ik slaak een zucht. 'Mooi. Hoe zit het met Sarah? Maakt hij hier een eind aan door haar te vermoorden? Of mag ze blijven leven?'
James staart diep in gedachten verzonken naar het plafond. 'Ik denk...' zegt hij, 'dat het er helemaal van afhangt hoe succesvol hij is in zijn missie haar naar zijn eigen voorbeeld te herscheppen, en vervolgens van hoezeer hij zich daardoor met haar identificeert. Is zij hem echt? Zo ja, laat hij haar leven en lijden of pleegt hij euthanasie? Ik weet het niet zeker.'
'Ik heb maatregelen getroffen om haar te beschermen.'
'Verstandig.'
Ik trommel met mijn vingers op het bureau. 'Op basis van de video van Vargas, het motief en de littekens op zijn voeten, ga ik van het volgende uit: hij was het slachtoffer van kindersmokkel met commerciële doeleinden, wat leidde tot ernstig lichamelijk en seksueel misbruik. Dit vond gedurende langere tijd plaats en nu hij volwassen is, is hij woedend en van plan om het een en ander recht te zetten. Puur theoretisch, natuurlijk.'
James schokschoudert. 'Het is aannemelijk. Ik denk dat het in elk geval voor een deel klopt. Jammer eigenlijk.'
'Hoezo?'
'Je hebt dat Russische meisje gezien. Ze was geknakt. Er was niet echt veel meer van haar over. Als je echter naar onze dader kijkt, die is helemaal niet

geknakt. Dat betekent dat hij van nature erg sterk was. De basis was heel stevig.'
'Als je het in zijn totaal bekijkt, is hij wel degelijk geknakt, maar ik snap wat je bedoelt. Is er verder nog iets?'
'Nog één ding. Je vroeg me of het dagboek bewijzen bevatte. Het is duidelijk dat het grootste gedeelte waar is, of in elk geval haar versie van of mening over de waarheid, maar...'
'Wacht even. Vertel eens waarom je dat denkt. Waarom je haar gelooft.'
'Eenvoudige logica. We accepteren als een gegeven dat Sarah Langstrom niet de dader is van de moord op de Kingsleys. Prima. Het meisje heeft de afgelopen maanden geschreven over een gestoorde gek die mensen in haar omgeving vermoordt en dan gebeurt dat dus ook echt. De kans dat dat toeval is, is meer dan astronomisch klein. Gezien de moord op de Kingsleys is Sarahs verhaal alleen logisch als ten minste een deel ervan waar is – tenzij ze in de toekomst kan kijken natuurlijk.'
Ik knipper met mijn ogen. 'Inderdaad. Dat is heel logisch. Wat wilde je zoeven zeggen?'
'Ik zei dat ik weliswaar een groot deel van haar verhaal geloof, maar dat er iets ontbreekt. Ik kan er niet de vinger op leggen, maar er is iets, een bepaald aspect van haar verhaal, wat me niet lekker zit.'
'Denk je dat ze over iets liegt?'
Hij zucht gefrustreerd. 'Dat durf ik niet te zeggen. Het is maar een gevoel. Ik ga het dagboek helemaal herlezen. Zodra ik weet wat het is, geef ik je een seintje.'
'Je moet op dat gevoel vertrouwen,' zeg ik.
Hij maakt aanstalten om te vertrekken. Bij de deur blijft hij staan. Hij keert zich naar me om en kijkt me aan.
'Ben je er al uit wat Sarah voor ons is?'
Ik frons mijn wenkbrauwen. 'Wat bedoel je?'
'Wat Sarah voor ons vertegenwoordigt. We weten hoe de Vreemdeling haar ziet: ze is zijn beeldhouwwerk. Een creatie gemaakt van pijn, met als doel wraak. Voor ons staat ze echter ook voor iets. Dat besefte ik gisteravond. Ik vroeg me af of jij dat ook doorhad.'
Ik staar hem aan en zoek naar een antwoord.
'Het spijt me,' zeg ik. 'Ik heb geen flauw idee waar je het over hebt.'
'Ze is een soort Elckerlijc van slachtoffers. Je hebt haar verhaal gelezen en dat is wat je krijgt: ze staat voor elk slachtoffer dat we niet hebben kunnen redden. Ik denk dat hij dat doorheeft. Dat is de reden waarom hij haar ons voorhoudt. Hij houdt haar net buiten ons bereik en laat ons toekijken hoe ze schreeuwt.'

Hij loopt weg en laat me verbijsterd achter.
Hij heeft gelijk, dat zie ik wel. Het komt overeen met mijn eigen gevoel over het een en ander.
Ik sta er echter van te kijken dat het James zoveel doet dat hij dit ook ziet.
Dan denk ik aan James' zus en ik verbaas me over wat hij zei: over de diepte van de gevoelens die nodig zijn om tot die conclusie te komen. Rosa was een slachtoffer dat hij niet heeft kunnen redden.
Is dat de echte reden waarom James altijd zo humeurig is: omdat hij zich de dood van zijn zus nog altijd zo aantrekt?
Misschien.
Hoe dan ook, hij had gelijk, en zijn opmerking eiste nog meer voorzichtigheid van onze kant.
Sarah vormde niet slechts de wraak van de Vreemdeling, ze was ook zijn aas.

32

'Ik ga naar AD Jones,' zeg ik tegen Callie wanneer ik mijn kantoor uit kom. 'Kom mee.'
'Waarom?'
'Die mensensmokkelzaak? Blijkbaar was hij daarbij betrokken.'
'Dat meen je niet.'
'Op mijn erewoord, en de rest ken je al.'

Ik zit weer in het raamloze kantoor, deze keer samen met Callie, voor de grijze megaliet die AD Jones aanduidt als zijn bureau.
'Vertel me alles,' zegt AD Jones zonder enige inleiding. 'Met name over Jose Vargas.'
Ik vat kort samen wat er tot nog toe is gebeurd. Wanneer ik ben uitgepraat, leunt AD Jones achterover in zijn stoel en terwijl hij me aanstaart, trommelen zijn vingers op de armleuning van zijn stoel.
'Denk je dat de dader – de Vreemdeling – een misbruikt kind uit Vargas' verleden is?'
'Dat is de theorie waarvan we momenteel uitgaan,' zeg ik.
'Een uitstekende theorie. De littekens op de voeten van de dader en dat Russische meisje? Ik ben iets dergelijks al eens eerder tegengekomen.'
'U zei dat u hebt meegewerkt aan de mensensmokkelzaak waarin Vargas een van de verdachten was.'
'Klopt. Ik zat in 1979 in een taskforce die werd geleid door special agent Daniel Haliburton.' Hij schudt zijn hoofd. 'Haliburton werkte er al jaren, iemand van de oude garde, maar een fantastische rechercheur. Keihard. Ik was nieuw, had pas twee jaar eerder de opleiding afgerond. Het was een lastige zaak. Echt akelig. Toch vond ik het spannend. Je kent dat wel.'
'Ja.'
'De afdeling Zedendelicten van de LAPD had een piek waargenomen in kinderprostitutie en kinderporno. Het was altijd al een probleem geweest, maar dit was anders. Het viel hun op dat veel van die kinderen gemeenschappelijke kenmerken bezaten.'
'Laat me eens raden,' zegt Callie. 'Littekens op de voeten.'
'Dat was er één van. Het andere was dat ze geen van allen uit de VS kwamen.

Ze waren voornamelijk Zuid-Amerikaans, sommigen Europees. We vermoedden dat de Europeanen via Zuid-Amerika werden aangevoerd en vervolgens hier het land waren binnengesmokkeld.'
Hij zwijgt en staart in de verte.
'De meeste slachtoffers waren meisjes, maar er zaten ook jongens bij. De leeftijd varieerde van zeven tot dertien, niet ouder. Ze waren er allemaal slecht aan toe. Veel van hen hadden verschillende soa's, verwondingen aan vagina en anus...' Hij wuift met zijn hand. 'Jullie begrijpen wel wat ik bedoel. Het hoeft geen betoog dat dit een zaak was die mensen bijblijft.'
'Het enige goede aan pedofielen,' zeg ik, 'is dat iedereen een hekel aan hen heeft.'
'Inderdaad. De LAPD riep ons er dus bij. Niemand maakte zich druk om de vraag wie met de eer zou strijken, wie de pr zou krijgen, of de politieke kant van de zaak. Heel verfrissend. Wij vormden een taskforce, zij deden hetzelfde en de druk werd over de hele linie opgevoerd.' Een korte glimlach. 'Dat betekende in die dagen iets anders dan tegenwoordig. Het ethische debat met betrekking tot wetshandhavers was iets... plooibaarder.'
'Ik neem aan dat u – in theorie, uiteraard – bedoelt dat de verdachten op bijzonder agressieve wijze werden verhoord.'
Zijn glimlach is bars. 'Zo kun je het ook zeggen. "Patiënt opgenomen met onverklaarbare blauwe plekken en kneuzingen." Iets in die geest. Ik stond er niet achter, maar...' Hij haalt gelaten zijn schouders op. 'Haliburton en zijn maatjes stamden uit een ander tijdperk. De mensensmokkelaars waren slim. Eén contactpersoon. Het geld werd overhandigd en vervolgens het kind. Verder geen contact tussen koper en verkoper.'
'Om hoeveel kinderen ging het?' vraag ik.
'Vijf. Drie meisjes, twee jongens. Kort nadat we hen voor hun eigen veiligheid in hechtenis hadden genomen, veranderde dat in twee meisjes en één jongen.'
'Hoezo?'
'Een van de jongens en een van de meisjes hadden er genoeg van. Pleegden zelfmoord. Goed, die kinderen zaten dus bij ons,' gaat hij verder zonder een moment langer bij deze tragedie te blijven stilstaan – te wíllen blijven stilstaan – 'en we hadden het uitschot dat hen had gekocht ook. Een van de meisjes en een van de jongens waren van een pooier, een smerig stuk tuig dat Leroy Perkins heette. Die vent had een ziel als een blok droogijs. Hij had zelf niet eens iets met kinderen, maar wel met het geld dat ze binnenhalen.'
'Op de een of andere manier lijkt dat alleen maar erger,' zeg ik.
'Het andere meisje was van een viespeuk die wél gek was op kindertjes. Bij wijze van bijverdienste filmde hij zichzelf terwijl hij seks met hen had en ver-

volgens verkocht hij die opnames aan gelijkgestemde kinderverkrachters. Zijn naam was Tommy O'Dell.
Hypothetisch gezien oefende een bepaalde groep politieagenten en FBI-agenten bijzonder hardhandig druk uit op Leroy en Tommy. Ze weigerden te praten. We dreigden hen in de gevangenis te gooien en onder de andere gevangenen te laten uitlekken wie en wat ze waren. Dat leverde niets op. Ik had verwacht dat Tommy O'Dell wel onder de druk zou bezwijken, dat dacht ik echt. Hij was een onderkruipsel. Dat gebeurde echter niet. Leroy gaf sowieso geen krimp. Op een gegeven ogenblik zei hij tegen Haliburton: "Als ik jou iets vertel, duurt het weken voordat ik dood ben. Daarna vermoorden ze mijn zus, mijn moeder – jezus, ze vermoorden zelfs mijn kamerplanten. Ik ga liever de cel in, met alle risico's van dien".'
'Dat klinkt alsof hij ervan overtuigd was dat hij met een paar heel enge mensen te maken had,' zegt Callie.
'Enger dan wij, dat is een ding dat zeker is. We zijn langer doorgegaan dan had gemogen en het leverde niets op. Onze laatste kans waren die kinderen. Het duurde vrij lang en er was heel wat overredingskracht voor nodig, maar uiteindelijk wisten we een paar van hen zover te krijgen dat ze wilden praten over wat ze hadden meegemaakt.' AD Jones grimast. 'Akelige, akelige zaken. Conditionering – de zweepslagen op de voeten – in combinatie met verbale vernederingen en verkrachting. Het grootste deel van de tijd hadden ze een kap over hun hoofd of een blinddoek voor, en ze werden in isolement gehouden, geïsoleerd van elkaar én van de smokkelaars. Desondanks had een van de kinderen Vargas gezien en zijn naam opgevangen. Hij was in staat hem te beschrijven. We pakten Vargas op.' De blik in zijn ogen is ijzingwekkend. 'We waren bereid zo ongeveer alles te doen om hem aan het praten te krijgen, en deze keer was ik – in theorie – wél bereid om mijn vuisten te gebruiken.'
Dan zwijgt hij. Een lange, bedachtzame stilte, doorspekt met spijt.
'De jongen heette Juan. Hij was negen. Een leuke, slimme knul, en toen hij eenmaal op dreef was, praatte hij aan één stuk door, ook al stotterde hij een beetje. Hij kwam uit Argentinië. Ik had bewondering voor hem. Wij allemaal, trouwens. Hij was door een hel gegaan, maar knokte om het hoofd boven water te houden en tegelijkertijd zijn waardigheid te behouden.' AD Jones werpt me een blik toe. 'Waardigheid. Een kind van negen.'
'Wat is er gebeurd?' vraag ik.
'We hadden de kinderen veilig op een geheime plek ondergebracht. De avond voordat Juan alles officieel voor ons op band zou vastleggen, werd het pand overvallen. Ze doodden een politieagent en een FBI-agent, en namen alle drie de kinderen mee.'
'Ze namen hen mee?'

'Ja. Terug naar de hel, zou ik zeggen.'
Ik ben sprakeloos. De gedachte vervult me met afschuw. Die kinderen waren uit de klauwen van de monsters gered. Ze behoorden veilig te zijn.
'Wees dat er niet op dat...?'
'... iemand van het onderzoeksteam erbij betrokken moest zijn geweest?' Hij knikt. 'Inderdaad. Alles werd ondersteboven gekeerd, hier en bij de LAPD. Alle leden van de taskforce werden onder een microscoop gelegd en figuurlijk van top tot teen doorgelicht. Er is nooit iets gevonden. Weet je wat nog het mooist was? We hadden geen concrete bewijzen die Vargas in verband brachten met de kinderen. We hadden alleen een verklaring van een getuige, en die was verdwenen. Vargas ging vrijuit, O'Dell en Perkins draaiden de bak in. Perkins heeft het er heelhuids afgebracht. O'Dell is tegen een mes aan gelopen. Er doken geen andere kinderen met littekens op hun voeten meer op. We hebben Juan en de andere twee meisjes nooit gevonden, maar van een informant hoorden we dat een paar kinderen die aan de beschrijving voldeden weer naar Mexico waren gebracht en daar zijn doodgeschoten.' Hij haalt zijn schouders op, nog steeds gefrustreerd. 'Elk ander spoor liep dood, van Immigratie en Zedendelicten tot Zware Misdaad. We breidden het onderzoek uit, lieten andere steden weten waar ze op moesten letten. Niets. De taskforce werd ontbonden.'
'Het lijkt erop dat degene die er toen achter zat nu nog steeds in de buurt is,' zeg ik. 'Vargas heeft die video gemaakt om hem te kunnen chanteren.'
'Vind je dat niet een beetje vreemd?' vraagt Callie.
'Wat?'
'In 1979 waren de slechteriken angstaanjagend. Vargas kwam op mij nu niet bepaald over als een bijzonder heldhaftig figuur.'
'Vraag de dossiers over deze zaak op, Smoky. Als je iemand nodig hebt die erbij is geweest om vragen te beantwoorden, geef je maar een gil.' Zijn glimlach is gespeend van alle humor. 'Dat was dé zaak voor mij. Tot op dat moment ging ik ervan uit dat we de slechterik altijd te pakken zouden krijgen. Dat er gerechtigheid zou geschieden enzovoort. Door deze zaak begon ik te beseffen dat het heel vaak zou voorkomen dat de slechteriken ontsnapten. Dat was ook het moment waarop ik besefte dat er' – hij aarzelt even – 'mannen zijn die kinderen eten.' Stilte. 'Figuurlijk dan, bedoel ik.'
Behalve dan dat het niet echt beeldspraak is, hè? Daarom aarzelde u even. Ze eten hen wel degelijk, rauw en huilend en warm. Ze slikken hen met huid en haar door.

Ik ben weer terug in het Hoofdkantoor des Doods. Callie is bezig het administratieve proces op te starten dat de dossiers over de mensensmokkelzaak

bij ons moet bezorgen. Mijn mobieltje gaat over.
'Ik heb iets waarvan ik vond dat je het meteen moest weten,' zegt Alan.
'Wat dan?'
'Tijdens het opgraven van informatie over de Kingsleys bedacht ik dat ik Cathy Jones ook meteen wel even kon natrekken. De agente uit het dagboek.'
'Prima plan.' Het is een goed idee. Ze was getraind in het observeren, ze was ter plekke en ze had in de jaren erna contact met Sarah. 'Wat heb je ontdekt?'
'Wat ik heb ontdekt, is gruwelijk en bizar. Heel gruwelijk. En ook heel bizar. Jones is twee jaar geleden bevorderd tot rechercheur. Een maand later is ze voorgoed uit het korps gezet.'
'Waarom?'
'Ze is in haar eigen huis overvallen. Zo erg in elkaar geslagen dat ze drie dagen in coma heeft gelegen. Maar dat is nog niet eens het ergst.'
'Hoezo?'
'De dader heeft haar hoofd met een ijzeren staaf bewerkt. Diverse verwondingen, waarvan de ernstigste permanent letsel aan haar oogzenuwen was. Ze is vrijwel blind, Smoky.'
Ik zeg niets en probeer dit tot me door te laten dringen. Dat lukt me maar gedeeltelijk.
'Er is nog meer.'
'Wat dan?'
'De aanvaller heeft haar met een zweep geslagen. Op haar voetzolen. Hard genoeg om littekens achter te laten.'
'Wat?!' schreeuw ik bijna, zo verbaasd ben ik.
'Serieus. Ik reageerde precies zo. Dat is dus niet best, maar...'
'Ik weet al wat je met bizar bedoelde: hij heeft haar laten leven.'
'Inderdaad. Tot dusver heeft hij iedereen die wij kennen gedood, behalve Sarah. Waarom Jones dan niet?'
'Heb je haar al gesproken?'
'Daarom bel ik je ook. Ik heb een adres, maar ik ben nog wel even bezig...'
'Geef maar. Dan gaan Callie en ik wel kijken...' Ik struikel over het woord 'kijken'. 'Dan gaan wij wel bij haar langs.'

33

Cathy Jones woont in een flat in Tarzana, een wijk die als het zoveelste voorbeeld fungeert van een in de uitgestrekte stadsjungle van Los Angeles weggestopte buitenwijk. Het is best een mooi gebouw, goed onderhouden, maar hier en daar zijn toch slijtageplekjes zichtbaar.

Het is opgehouden met regenen, maar de lucht is grijs en de wolken zien er nog steeds boos uit. Callie en ik zijn bijna een uur onderweg geweest. LA en regen gaan niet goed samen, dat blijkt wel; we zijn op de snelweg langs twee ongelukken gereden.

We hebben van tevoren gebeld, maar alleen haar voicemail te pakken gekregen.

'Klaar?' vraag ik aan Callie wanneer we voor de deur staan.

'Nee, maar bel toch maar aan.'

Dat doe ik.

Er verstrijkt een ogenblik. Ik hoor het geluid van voetstappen op een hardhouten vloer en dan een stem, helder, maar onzeker.

'Wie is daar?'

'Cathy Jones?' vraag ik.

Een korte stilte. Dan het droge antwoord: 'Nee, ík ben Cathy Jones.'

Callie kijkt me met opgetrokken wenkbrauwen aan.

'Mevrouw Jones, ik ben special agent Smoky Barrett van de FBI. Naast mij staat een andere FBI-agent, Callie Thorne. We willen graag even met u praten.'

De stilte hangt zwaar in de lucht.

'Waarover?'

Ik zou kunnen antwoorden: 'Over de aanval op u.' Ik besluit echter het anders aan te pakken.

'Sarah Langstrom.'

'Wat is er gebeurd?'

Ik hoor rauwe schrik in die vraag, mogelijk vermengd met lichte berusting.

'Mogen we binnenkomen, mevrouw Jones?'

Weer een stilte, gevolgd door een diepe zucht.

'Dat moet dan maar. Ik kom tegenwoordig niet meer buiten.'

Ik hoor het geluid van een nachtslot dat wordt opengedraaid en dan gaat de deur open.

Cathy heeft een zonnebril op. Bij haar haargrens en op haar slapen zie ik kleine littekens. Ze is een kleine vrouw, tenger, maar stevig. Sportief. Ze draagt een lange broek en een mouwloze bloes; ik zie de pezige spieren in haar arm.
'Kom binnen,' zegt ze.
We lopen naar binnen. Het is donker in de flat.
'Doe gerust een paar lampen aan, als jullie dat willen. Voor mij hoeft het niet. Dat spreekt voor zich. Denk er dus aan dat jullie ze ook weer uitdoen wanneer jullie vertrekken.'
Ze loopt zelfverzekerd voor ons uit naar de woonkamer. De binnenkant van de flat is nieuwer dan de buitengevel. De vloerbedekking is beige, de muren gebroken wit. Het meubilair is schoon en smaakvol.
'U hebt een mooie flat,' zeg ik voorzichtig.
Ze neemt plaats in een comfortabele leunstoel en gebaart met een zwaai van haar hand naar de bank voor ons.
'Ik heb een halfjaar geleden een binnenhuisarchitect in de arm genomen.'
We gaan zitten.
'Mevrouw Jones...'
'Cathy.'
'Cathy,' herhaal ik. 'We zijn hier vanwege Sarah Langstrom.'
'Dat had je al gezegd. Kom ter zake of maak dat je wegkomt.'
'Blind én een pesthumeur,' zegt Callie.
Ik reageer ontzet en kijk Callie woedend aan. Ik had beter moeten weten; Callie is de onbetwistbare kampioen op het gebied van op doortastende wijze het ijs breken. Ze heeft Cathy Jones getaxeerd en haar eerder begrepen dan ik: Cathy wil dolgraag als een normaal mens worden behandeld. Ze weet best dat ze zich onbeschoft gedroeg; ze wilde weten of wij haar met fluwelen handschoenen zouden aanpakken of haar ter verantwoording zouden roepen.
Cathy grijnst in Callies richting. 'Sorry. Ik ben het zat om als gehandicapte te worden behandeld, ook al ben ik dat min of meer wel. Ik heb gemerkt dat dit het snelst voorbij is als ik mensen even kwaad maak.' De glimlach verdwijnt. 'Vertel het me alsjeblieft. Over Sarah.'
Ik vertel haar het verhaal van de Kingsleys, van Sarahs dagboek. Ik vertel over de Vreemdeling en vat onze theorie over hem samen. Ze luistert rustig, met haar hoofd naar mijn stem gedraaid.
Wanneer ik ben uitgesproken, leunt ze achterover in haar stoel. Haar hoofd wendt zich naar het raam in de keuken. Ik vraag me af of dit een onbewuste gewoonte is, iets wat ze deed toen ze nog wel kon zien.
'Hij heeft dus eindelijk zijn gezicht laten zien,' mompelt ze. 'Figuurlijk gesproken dan.'
'Daar heeft het veel van weg, ja,' antwoordt Callie.

'Nou, dat is dan voor het eerst,' zegt Cathy hoofdschuddend. 'In mijn tijd deed hij dat niet. Niet bij de Langstroms, niet bij de anderen later. Zelfs niet bij mij.'
Ik frons mijn wenkbrauwen. 'Dat begrijp ik niet. Hij heeft je dit aangedaan – hoe kun je dan zeggen dat hij zich niet heeft blootgegeven?'
Cathy's glimlach is vreugdeloos en verbitterd. 'Omdat hij er wel voor zorgde dat ik mijn mond hield. Dat is toch hetzelfde als verborgen blijven?'
'Hoe heeft hij dat gedaan?'
'Zoals hij altijd alles doet. Hij gebruikt dingen die je dierbaar zijn. In mijn geval was dat Sarah. Hij zei dat ik, en ik citeer, "mijn verlies moest accepteren en mijn mond moest houden, want anders zou hij Sarah hetzelfde aandoen wat hij mij ging aandoen".' Ze vertrekt haar gezicht in een gekwelde mengeling van woede, angst en permanent verdriet. 'Toen deed hij waarvoor hij was gekomen. Ik wist dat ik nooit kon toestaan dat hij haar hetzelfde aandeed. Dus hield ik mijn mond. Bovendien...' Ze zwijgt bedroefd.
'Wat?' dring ik voorzichtig aan.
'Dat is een van de redenen waarom jullie hier zijn, is het niet? Jullie willen weten waarom hij me heeft laten leven. Waarom hij me niet heeft gedood. Tja, dat is een van de redenen waarom ik mijn mond heb gehouden. Omdat ik leefde. Omdat ik bang was. Niet om haar. Om mezelf. Hij zei dat hij me alsnog zou komen afmaken als ik niet deed wat hij zei.' Haar lippen trillen wanneer ze dit zegt.
'Dat begrijp ik best, Cathy. Echt.'
Cathy knikt. Haar mond vertrekt en ze laat haar hoofd in haar handen zakken. Haar schouders schokken licht, maar niet hevig en niet lang. Het is een stille huilbui, een zomerse onweersbui, hier en ook zo weer weg.
'Het spijt me,' zegt ze en ze heft haar hoofd op. 'Ik weet niet waarom ik er nog aan toegeef. Ik kan niet eens meer echt huilen. Mijn traanbuizen zijn beschadigd, net als de rest.'
'Tranen zijn niet het belangrijkst,' zeg ik, maar ik hoor zelf hoe nietszeggend dit klinkt.
Wie denk je wel dat je bent – dr. Phil?
Ze richt haar nietsziende blik op me. Door de zwarte glazen van haar zonnebril kan ik haar ogen niet zien, maar ik voel ze wel. 'Ik ken jou,' zegt ze. 'Ik weet wie je bent, bedoel ik. Jij bent de vrouw die haar gezin heeft verloren. Je bent verkracht en je gezicht is aan flarden gesneden.'
'Dat klopt.'
Haar blik, blind of niet, boort dwars door me heen.
'Er is een reden voor.'
'Pardon?'
'Hij had er een reden voor om me niet te doden. Daar hebben we het straks

wel over. Vertel me eerst maar wat jullie nog meer willen weten.'
Ik zou haar het liefst willen aansporen om het ons te vertellen, maar zet dat idee uit mijn hoofd. We moeten alles weten. Ongeduld over de volgorde waarin het wordt verteld zou alleen maar averechts werken.
We vertellen haar wat we weten over de moord op de Langstroms, zoals we dat in Sarahs dagboek hebben gelezen.
'Bijzonder nauwkeurig,' bevestigt ze. 'Het verbaast me dat ze zich zoveel details herinnert. Nou ja, ze heeft waarschijnlijk heel veel tijd gehad om erover na te denken.'
'Voor alle duidelijkheid,' zeg ik, 'jij was toch een van de agenten die op de oproep reageerden? Jij bent er zelf geweest, je hebt de lichamen en Sarah zelf toch gezien?'
'Ja.'
'In haar dagboek schrijft Sarah dat niemand geloofde dat haar ouders werden gedwongen om te doen wat ze deden. Is dat waar?'
'Het was toen waar en het is nog steeds waar. Lees het dossier maar. Dan kom je er wel achter dat de conclusie, zelfmoord, nooit is gewijzigd, dat de zaak gesloten is.'
Ik ben sceptisch. 'Kom nou, wil je nou echt beweren dat er in forensisch opzicht niets te vinden was?'
Cathy steekt één vinger omhoog. 'Nee. Dat beweer ik helemaal niet. Ik bedoel dat niemand goed heeft gekeken, omdat hij alles perfect in scène had gezet. Soms heb je weleens het gevoel dat een plaats delict is geënsceneerd. Begrijp je wat ik bedoel?'
'Jazeker.'
'Mooi. Dat gevoel had je hier dus niet. Er was een afscheidsbriefje, dat op zijn plek werd gehouden door een glas water waarop de vingerafdrukken en het speeksel van mevrouw Langstrom zaten. Haar vingerafdrukken zaten op het pistool, evenals kruitsporen en bloed, precies zoals je zou verwachten bij zelfmoord. Haar vingerafdrukken stonden in de hals van haar man. En op de ijzerzaag waarmee de hond was onthoofd. Ze slikte in het geheim antidepressiva. Wat zouden jullie hebben gedacht?'
Ik zucht. 'Ik snap het.'
Nu ik het verhaal uit de mond van iemand anders uit het vak heb gehoord, werpt dat voor mij een heel nieuw licht op de zaak. Ik zie het nu zoals Cathy het zag, zoals de rechercheurs van de afdeling Moordzaken het moeten hebben gezien, zonder te kunnen profiteren van de info over de plaats delict bij de Kingsleys of uit Sarahs dagboek.
'Je suggereerde dat er wél iets was wat gezien had moeten worden,' zegt Callie zacht.

'Twee dingen. Klein, maar toch. Het autopsierapport van mevrouw Langstrom maakte melding van lichte kneuzingen rond haar polsen. Het werd niet als bewijs gezien, omdat we er niet naar op zoek waren. Maar als je een reden hebt om op dergelijke dingen te letten...'
'Dan denk je aan de boeien en Sarahs versie van het verhaal,' zeg ik. 'Dan denk je aan mevrouw Langstrom die kwaad werd en zo hard ze kon aan die boeien rukte, waardoor ze haar polsen bezeerde.'
'Inderdaad.'
'Wat was het tweede?'
'In het door de recherche gehanteerde scenario schoot ze eerst de hond dood en later ook zichzelf. Niemand meldde echter dat hij pistoolschoten had gehoord, en we hebben het echt niet over een kinderachtig .22 proppenschietertje. Daardoor ga je toch aan een geluiddemper denken, maar op het pistool op de PD zat geen geluiddemper.'
'Wat was de reden waarom jij wél op zoek ging?' vraagt Callie.
Cathy zwijgt even en denkt na.
'Sarah. Het duurde even, maar naarmate de tijd verstreek en ik haar beter leerde kennen, begon ik me toch het een en ander af te vragen. Het is een eerlijk kind. Bovendien was het verhaal verdomd duister voor een meisje van haar leeftijd. Om haar heen gingen voortdurend mensen dood of raakten ze gewond. Zodra je eenmaal openstaat voor de mogelijkheid, zie je langzaam maar zeker overal aanwijzingen.' Ze buigt zich een stukje voorover. 'Zijn ware genialiteit heeft altijd in zijn subtiliteit gelegen, zijn kennis van hoe we denken en de keus van zijn slachtoffers. Hij overdrijft de enscenering niet, waardoor die er natuurlijk uitziet. Hij leidt ons naar een conclusie, maar gebruikt daarbij niet te veel broodkruimels, zodat we niet achterdochtig worden. Hij weet dat we zijn opgeleid om alles zo eenvoudig mogelijk en vooral niet te ingewikkeld terug te herleiden. Hij heeft met Sarah een slachtoffer zonder familieleden uitgekozen, dus is er niemand die ons op de vingers kijkt en eist dat we nauwkeuriger zoeken, niemand die zich ook maar ergens druk over maakt.'
'Dat was niet helemaal waar, hè?' zeg ik zachtjes. 'Jij was er.'
Cathy wendt haar hoofd weer naar het keukenraam. 'Inderdaad.'
'Heeft hij je dit daarom aangedaan?'
Cathy slikt iets weg. 'Deels misschien, maar volgens mij was het niet de belangrijkste reden. Wat hij mij heeft aangedaan, kwam hem gewoon goed van pas.' Haar ademhaling klinkt gejaagd.
'Wat hij jou heeft aangedaan – wat jou is overkomen – zouden we daar iets aan kunnen hebben?' vraagt ik dringend. 'Ik weet dat het moeilijk is.'
Ze keert haar hoofd naar me toe. 'Deze man is, of was, een geest. Ik denk dat alles wat hem een gezicht geeft jullie zal helpen, hè?'

Ik geef geen antwoord; het is een retorische vraag.
Cathy slaakt een trillende zucht. Haar handen beven en haar ademhaling blijft gejaagd.
'Grappig. Ik wacht nu al bijna twee jaar op het moment waarop ik het ware verhaal kan vertellen. Nu het eindelijk zover is, zou ik me het liefst willen verstoppen.'
Ik waag de gok. Ik steek een hand uit en leg hem op de hare. Die is klam van het zweet en trilt. Ze trekt hem niet weg.
'Ik viel steeds flauw,' zeg ik tegen haar, 'nadat het was gebeurd. Zonder reden.'
'Echt waar?'
'Niet verder vertellen, hoor,' zeg ik glimlachend. 'Ja, echt waar.'
'De waarheid, honey-love,' zegt Callie zachtjes.
Cathy trekt haar hand los uit de mijne. Ik beschouw dit als een gevecht om kracht van haar kant.
'Sorry,' zegt ze. 'Nadat het was gebeurd, heb ik pillen geslikt tegen paniekaanvallen. Tot een week of twee geleden. Ik vond dat het tijd werd om zonder te kunnen. Ik werd er een zombie van en het is tijd om weer sterk te zijn. Ik geloof nog steeds dat ik de juiste beslissing heb genomen, maar' – ze wuift met haar hand – 'het maakt het soms wel moeilijker.'
'Heb je koffie?' zegt Callie opgewekt.
Cathy fronst haar wenkbrauwen. 'Pardon?'
'Koffie. Cafeïne. Nectar van de goden. Als we iets afschuwelijks moeten aanhoren, lijkt koffie me wel raadzaam.'
Cathy werpt haar een zwak, dankbaar glimlachje toe.
'Dat is een goed idee.'

De alledaagsheid van een kop koffie lijkt Cathy iets te kalmeren. Ze houdt het kopje tijdens het praten stevig vast, en zwijgt af en toe even om een slokje te nemen wanneer het haar te veel dreigt te worden.
'Ik heb jarenlang in de dossiers lopen spitten in de hoop iets te vinden waarmee ik de recherche kon overhalen om er nog eens naar te kijken. Jullie moeten begrijpen dat ik nog steeds in uniform liep, ook al werd ik als een goede agent beschouwd. Tussen de rechercheurs in burger en de geüniformeerde politie gaapt een enorme sociale kloof. Bij de mannen van Moordzaken draait alles om statistieken. Het percentage opgeloste zaken, het aantal moordzaken per hoofd van de bevolking, dat soort dingen. Als je wilt dat ze een onopgeloste zaak op zich nemen, moet je iets wel heel fascinerends voor hen hebben – zeker wanneer het inhoudt dat hij uit de kolom opgeloste zaken wordt gehaald. Dat had ik dus niet.'

'De gekneusde polsen waren niet voldoende?' vraag ik.
'Nee. Laten we eerlijk zijn – als de situatie omgekeerd was geweest, weet ik ook niet of het voor mij wél voldoende was geweest. De kneuzingen zijn opgemerkt, maar volgens de aantekeningen van de patholoog-anatoom konden ze door verschillende dingen zijn veroorzaakt. Haar man die haar polsen stevig had vastgepakt, bijvoorbeeld. Vergeet niet dat men ervan uitging dat zij hém had gewurgd.'
'Dat is waar.'
'Precies. Goed, ik was hier dus al een paar jaar in mijn vrije tijd mee bezig en ik kwam geen stap verder.' Ze zwijgt even en er verschijnt een ongemakkelijke, beschaamde uitdrukking op haar gezicht. 'Als ik eerlijk ben, heb ik er niet altijd even hard aan getrokken als had gemoeten. Soms twijfelde ik aan het hele scenario. Dan lag ik 's avonds in bed te piekeren en kwam ik tot de conclusie dat ik haar helemaal niet geloofde, dat ze gewoon een ontzettend verward kind was dat een verhaaltje had verzonnen om de zinloze dood van haar ouders te verklaren. Over het algemeen kwam ik weer vrij snel bij mijn positieven, maar...' Ze haalt haar schouders op. 'Ik had meer kunnen doen. Dat heb ik diep in mijn hart altijd geweten. Het leven ging gewoon door. Ik kan het niet echt uitleggen.' Ze zucht. 'In de tussentijd deed ik mijn werk en maakte ik promotie. Toen solliciteerde ik naar de functie van rechercheur.' Ze glimlacht bij de herinnering. Ze is zich er waarschijnlijk niet eens van bewust. 'Ik heb het examen met vlag en wimpel gehaald. Dat was gaaf. Heel belangrijk. Zelfs mijn vader zou tevreden zijn geweest.'
Het valt me op dat ze in de verleden tijd over haar vader spreekt, maar ik vraag haar er niet naar.
'Ik wilde naar Moordzaken, maar kwam terecht bij Zedendelicten.' Ze schokschoudert. 'Ik was een vrouw, zag er niet slecht uit en ik was hard. Ze zochten iemand die een prostituee kon spelen. Eerst was ik teleurgesteld, maar toen kreeg ik er lol in. Ik was er goed in. Had er talent voor.'
Weer die onbewuste glimlach. Haar gezicht fleurt ervan op.
'Ik hield contact met Sarah. Ze werd elk jaar killer en afstandelijker. Ik denk dat ik de enige was waardoor ze op de een of andere manier nog een beetje zichzelf bleef. Ik was de enige die al die jaren echt iets om haar gaf.' Ze richt haar nietsziende ogen nadenkend op het keukenraam. 'Ik geloof dat dat ook de reden was waarom hij mij te grazen nam. Niet omdat ik rechercheur was geworden, niet omdat ik rondsnuffelde, maar omdat hij wist dat ik om haar gaf. Hij wist dat hij erop kon rekenen dat ik zijn boodschap zou doorgeven als ik dacht dat het Sarah zou helpen.'
'Welke boodschap?' vraagt Callie.
'Daar kom ik zo op. Het andere... Ik vermoed dat het tijd werd om haar mij

af te nemen.' Ze draait haar hoofd in mijn richting. 'Begrijp je dat?'
'Ik geloof het wel. Je bedoelt zijn grootse plan voor Sarah.'
'Ja. Ik was de laatste die was overgebleven die wist wie Sarah vanbinnen was. De laatste van wie ze zeker was. Ik weet niet waarom hij het zo lang heeft laten doorgaan. Misschien wel om haar hoop te geven.'
'Zodat hij het weer kon afpakken,' zeg ik.
Ze knikt. 'Precies.'
'Vertel ons eens over die dag.' Callies stem klinkt rustgevend, als een zacht duwtje.
Cathy's hand klemt zich in een reflex, een korte, emotionele verkramping, om haar koffiekopje.
'Het was een dag als alle andere. Dat heeft me geloof ik nog wel het meest van mijn stuk gebracht. Er was niets bijzonders gebeurd op mijn werk of in mijn privéleven. De datum had geen speciale betekenis en het weer was hetzelfde als altijd. Het enige verschil tussen die dag en alle andere is dat hij besloot dat het dé dag was.' Ze neemt een slokje koffie. 'Ik had een late dienst gehad. Ik kwam na middernacht thuis. Het was donker. Stil. Ik was moe. Ik ging naar binnen en liep meteen door naar de badkamer om te douchen. Dat deed ik altijd. Het had iets symbolisch voor me: je doet smerig werk, komt thuis en spoelt het onder de douche van je af – je kent dat vast wel.'
'Ja,' antwoord ik.
'Ik kleedde me uit, ik nam een douche. Ik trok een ochtendjas aan, pakte het boek dat ik aan het lezen was – iets oppervlakkigs en dwaas, maar wel onderhoudend –, schonk een kop koffie voor mezelf in en ging toen hier zitten.' Ze klopt met één hand op de armleuning van de leunstoel. 'Andere stoel, zelfde plek. Ik weet nog dat ik mijn koffiekop op tafel zette' – ze gaat zo op in haar herinnering dat ze automatisch het gebaar maakt – 'en voordat ik goed en wel in de gaten had wat er gebeurde, zat er een stuk touw om mijn nek dat me naar achteren trok – heel snel, heel sterk. Ik probeerde na te denken, iets te doen, mijn handen tussen het touw en mijn hals te wurmen, maar hij was te snel. Te sterk.'
'Een verrassingsaanval,' zegt Callie vriendelijk. 'Bij een sterke aanvaller heeft dat meestal succes. Waarschijnlijk had je weinig kunnen doen.'
'Dat hou ik mezelf ook voor. Meestal geloof ik het ook wel.' Ze neemt weer een slokje. Deze keer trilt haar lip. 'Hij wist wat hij deed. Hij trok het touw met een ruk naar achteren en omhoog' – ze pakt haar keel vast om te laten zien wat ze bedoelt – 'en binnen een paar seconden was ik buiten westen.' Ze schudt haar hoofd. 'Een paar seconden. Moeilijk te geloven, hè? Hij had me kunnen doden. Ik zou gewoon nooit meer zijn bijgekomen. Dan was ik gestorven. Maar...' Haar stem sterft weg. 'Maar ik kwam wél weer bij. Steeds

opnieuw. Hij had een touw rond mijn nek gedraaid, volgens de methode van Gacy. Hij trok het strak, de bloedtoevoer naar mijn hersens werd afgeknepen en ik verloor het bewustzijn. Dan liet hij het touw vieren en kwam ik weer bij. Vervolgens trok hij het weer strak aan. Op een gegeven moment kwam ik bij en was mijn ochtendjas weg. Ik was naakt. Ik kwam weer bij, en mijn handen waren achter mijn rug geboeid en er zat een doek voor mijn mond gebonden. Het was alsof ik steeds opnieuw verdronk en telkens weer bijkwam in een nieuw deel van de nachtmerrie. Wat om de een of andere reden nog het ergst was, was dat hij niets zei.'

Ik hoor de spanning in haar stem, de angst bij dit specifieke deel van de herinnering.

'Ik weet nog dat ik dacht dat ik heel graag wilde dat hij iets zei, om het uit te leggen, om het te kunnen begrijpen. Niets, helemaal niets.' Haar handen beven nog steeds en zijn rusteloos. Ze klemt ze in elkaar op haar schoot, wrijft ermee over haar armen. Ze is een schoolvoorbeeld van voortdurende onbewuste, zenuwachtige beweging.

'Ik weet niet hoe lang het heeft geduurd.' Ze forceert een wat droog, ziekelijk lachje. 'Te lang.' Weer kijkt de zonnebril mijn kant uit. 'Je herkent het vast wel.'

'Ik herken het inderdaad,' zeg ik instemmend.

'Op een gegeven moment kwam ik bij en liet hij het zo. Ik lag op mijn bed, mijn handen en enkels waren geboeid. Het duurde even voordat ik echt helemaal helder was. Ik weet nog dat ik me afvroeg of hij me had verkracht en besefte dat ik dit, als dat zo was, nooit zeker zou weten.'

'Hád hij je ook verkracht?' vraag ik.

'Nee. Nee, dat had hij niet.'

Nog steeds geen seksuele pathologie met vrouwen, denk ik bij mezelf.

'Ga verder,' zeg ik.

'Hij begon te praten. Hij zei: "Ik wil dat je weet, Cathy, dat dit niet persoonlijk is. Je speelt alleen een bijrol, meer niet. Dit is iets wat je voor Sarah moet doen".' Haar onderlip trilt. 'Toen wist ik het. Wie hij was. Ik weet niet waarom het niet eerder tot me was doorgedrongen, maar zo was het nu eenmaal. "Ik zal je vertellen wat er gaat gebeuren," zei hij. "Ik sla je zo meteen helemaal in elkaar en waarschijnlijk zul je nooit meer als agent aan de slag kunnen, Cathy Jones. Wanneer het voorbij is, vertel je hun dat je geen flauw idee hebt wie je dit heeft aangedaan of waarom. Doe je dat niet, dan verwoest ik Sarahs gezicht en graaf ik haar ogen met een lepel uit."'

Cathy gaat met gedempte stem verder.

'Wat hij zei, bleef niet echt hangen, maar op een bepaalde manier toch ook weer wel. Ik deed dus wat iedere zichzelf respecterende rechercheur zou doen: ik smeekte. Ik smeekte als een klein kind. Ik... Ik plaste in mijn broek.'

Ik hoor de schaamte in haar stem en herken die.
'Hij wil dat je je daar ellendig over voelt,' zeg ik. 'Dat je je schaamt voor je angst, alsof het belangrijk is.'
Haar mond vertrekt. 'Dat weet ik. Meestal snap ik het ook. Het is soms alleen zo moeilijk.'
'Ja, dat is het zeker.'
Nu wordt ze iets rustiger. Ze gaat verder.
'Hij liet me iets zien. Hij zei dat hij het in de la van mijn nachtkastje zou leggen. "Over een paar jaar staat er iemand voor de deur die vragen komt stellen. Wanneer dat gebeurt, kun je hun jouw verhaal vertellen en hun geven wat in die la ligt. Geef het hun en zeg erbij: symbolen zijn slechts symbolen."'
Mijn ongeduld krijgt bijna de overhand. Wat? Wat ligt er in die la? En wat betekent dat verdomme – symbolen zijn slechts symbolen?
'Het meeste kan ik me niet meer herinneren. Soms zie ik een glimp, groot, fel, bijna onwerkelijk. Als een schilderij waarin te veel wit zit. Ik herinner me de geluiden beter dan de pijn. Dreunende geluiden, diepe trillingen in mijn schedel. Ik neem aan dat hij toen met een ijzeren staaf op mijn hoofd sloeg. Ik weet nog dat ik bloed proefde en dacht dat er vast iets heel ergs gebeurde, maar ik wist niet zo goed wat. Hij sloeg zo hard met een zweep op mijn voetzolen dat ik er een maand lang niet op kon staan.' Haar blik is weer op het keukenraam gevestigd. 'Het laatst wat ik zag – het allerlaatst – was zijn gezicht. Er viel te veel licht op, te fel, en dan die godvergeten nylon panty. Hij keek op me neer en glimlachte. Het volgende wat ik weet is dat ik bijkwam in het ziekenhuis en me afvroeg waarom ik mijn ogen niet kon opendoen.'
Ze valt stil. We wachten rustig af.
'Na een tijdje kon ik weer nadenken. Herinnerde ik me alles weer. Drong het tot me door dat ik blind was.' Ze zwijgt bij de herinnering. 'Weten jullie waardoor ik zeker wist dat hij meende wat hij zei? Dat hij Sarah te grazen zou nemen? Dat hij mij zou afmaken?'
'Wat dan?' vraagt Callie.
'De manier waarop hij zei dat het "niet persoonlijk" was. Ik herinner me nog dat hij dat zei, hoe hij keek en klonk toen hij het zei. Zakelijk. Niet boos, niet gehaast; hij zag er niet uit alsof hij gek was of woedend, of wat dan ook. Hij leek heel normaal, glimlachte zelfs, net iemand die vertelt over een goed boek dat hij heeft gelezen.' Ze tast naar haar koffiekopje, vindt het en neemt een slokje. 'Dus ik deed wat hij zei. Ik hield mijn mond.'
'Ik weet niet of je er iets aan hebt, maar ik denk dat dat een verstandige beslissing was,' zeg ik. 'De indruk die we van die kerel hebben is dat hij niet bluft.

Als je iets had gezegd, zou hij waarschijnlijk Sarah of jou iets hebben aangedaan, misschien wel allebei.'
'Dat hou ik mezelf ook vaak voor,' antwoordt ze en ze probeert te glimlachen.
'Ach ja.' Weer een slokje. 'Hij heeft me flink afgerost. Mijn schedel was kapotgeslagen en op één plek zelfs verbrijzeld, zodat ze een deel van het bot hebben moeten wegsnijden. Hij heeft met die staaf mijn armen en benen gebroken, en de meeste tanden en kiezen uit mijn mond geslagen. Dit zijn implantaten. Wat nog meer? O ja – tot op de dag van vandaag kan ik geen voet buiten de deur zetten zonder een hevige paniekaanval te krijgen.'
Ze zwijgt weer en wacht op een reactie. Ik herinner me de nasleep van de aanval op mezelf en weet nog goed dat ik een enorme hekel had aan de gezegden die mensen aanhaalden, de clichés die ze gebruikten omdat de juiste woorden eigenlijk nog niet waren uitgevonden.
'Ik weet niet wat ik moet zeggen,' zeg ik tegen haar.
Deze keer is haar glimlach warm en gemeend. Ik word erdoor van mijn stuk gebracht.
'Dank je.'
Ze begrijpt dat ik het begrijp.
'Goed, Cathy – wat heeft hij je gegeven?'
Ze gebaart naar de achterkant van de flat. 'De slaapkamer is aan de rechterkant. Het ligt in de bovenste la.'
Callie knikt en loopt naar de slaapkamer.
Even later komt ze terug. Haar gezicht staat zorgelijk. Ze gaat zitten, vouwt haar hand open en laat zien wat ze vasthoudt.
Het glimmende goud glanst in het lamplicht. Een politiepenning.
'Het is de mijne,' zegt Cathy. 'Mijn penning.'
Ik staar ernaar.
Symbolen zijn slechts symbolen.
Ik sta helemaal perplex. Ik kijk Callie aan en trek vragend een wenkbrauw op. Ze haalt haar schouders op.
'Heb je enig idee waarom dit een speciale betekenis voor hem had?' vraag ik aan Cathy.
'Nee. Ik zou graag willen dat ik het wist, maar ik weet het niet. Geloof me, ik heb er heel lang over nagedacht.'
Mijn frustratie neemt toe. Niet jegens Cathy. Ik ben hiernaartoe gekomen in de hoop antwoord te krijgen op mijn vragen, opgewonden over de mogelijkheid dat dit zou gebeuren. Het enige wat het me heeft opgeleverd, was een nieuw raadsel.
'Mag ik jullie iets vragen?' vraagt Cathy.
'Natuurlijk.'

'Zijn jullie goed?' vraagt ze aan mij. 'Krijgen jullie hem te pakken?'
Haar stem is de stem van een slachtoffer: ademloos, een tikje gretig, vol twijfel en hoop. Het lukt me niet de emoties die over haar gezicht vliegen te duiden: vreugde, woede, verdriet, hoop, razernij en nog meer. Een regenboog van licht en donker.
Ik staar haar aan en zie de littekens bij de haargrens, zie mijn eigen gezicht in de glazen van de zonnebril, zie de lelijkheid die hij heeft gecreëerd, maar ook een beetje van de schoonheid die hij niet heeft kunnen verpesten. Een afschuwelijk gevoel overvalt me: verdriet, razernij en een bijna ondraaglijk verlangen om iets slechts te doden.
Callie geeft in mijn plaats antwoord.
'Wij zijn de besten die er zijn, honey-love. De allerbesten.'
Cathy kijkt ons aan en ik voel me 'gezien', blind of niet.
'Oké,' fluistert ze. Ze knikt. 'Oké.'
'Cathy – wil je politiebescherming?' vraag ik.
Ze fronst haar voorhoofd. 'Waarom?'
'Ik... We zitten achter die vent aan. Op een bepaald moment zal hij daar zeker achter komen. Misschien is het juist zijn bedoeling dat we achter hem aan zitten. Daardoor kan zijn belangstelling voor het verleden opnieuw worden gewekt.'
'Voor mij, bedoel je.'
'Het zou kunnen. Ik weet dat hij heeft beloofd dat hij je met rust zou laten als je deed wat hij je vroeg, maar hij is echt niet te vertrouwen.'
Ze denkt heel lang in stilte na. Het lijkt oneindig lang te duren. Ze maakt er hoofdschuddend een eind aan.
'Nee, bedankt. Ik slaap met mijn pistool onder mijn kussen. Ik heb een verrekt goed alarmsysteem.' Haar grijns is vreugdeloos. 'Eigenlijk hoop ik stiekem juist dat hij besluit me te komen opzoeken. Ik schiet hem met alle liefde overhoop.'
'Weet je het zeker?'
'Heel zeker.'
Ik kijk naar Callie en zonder een woord te zeggen nemen we een besluit: we zullen een auto voor het pand laten surveilleren, of ze dat nu wil of niet.
Ze neemt nog een slokje koffie. Die zal inmiddels wel lauw zijn. 'Willen jullie iets voor me doen?'
'Zeg het maar,' zeg ik en ik meen het.
'Kunnen jullie het me laten weten wanneer dit allemaal achter de rug is?'
Ik steek een hand uit en pak de hare vast.
'Wanneer dit allemaal achter de rug is, zal ik Sarah vragen om het je te laten weten.'

Een korte stilte. Dan knijpt ze één keer in mijn hand.
'Oké,' zegt ze nogmaals.
Ze trekt haar hand terug en gaat op zoek naar kracht.

34

Ik staar door het autoraampje naar buiten; ik heb Callie gevraagd of ze wilde rijden, zodat ik kan nadenken. We hebben het gesprek met Cathy doorgenomen en geprobeerd het raadsel rond de politiepenning en zijn stomme woordspelletje op te lossen. Het is ons niet gelukt.

Ik voel me opgewekt, geïsoleerd en teleurgesteld – een cocktail van opwinding en onwerkelijkheid. Opgewekt omdat we bezig zijn. We zijn op jacht en weten dingen die we eerder niet wisten. Teleurgesteld omdat de vragen zich blijven opstapelen zonder dat de bijbehorende antwoorden zich aandienen. Het gevoel van onwerkelijkheid overviel me op weg naar de auto. Gisteravond maakte ik tijdens het lezen van Sarahs dagboek kennis met Cathy Jones. Ze was een jonge politieagente, gezond, toegewijd, iemand met gebreken, met meer goede dan slechte eigenschappen. Menselijk. Nu ik haar vandaag bij haar thuis heb ontmoet, haar heb leren kennen zoals ze nu is, is het alsof je het eind al kent van een verhaal dat je nog niet helemaal hebt gelezen. Alsof je met een tijdmachine reist.

Mijn telefoontje gaat over en ik schrik wakker uit mijn overpeinzingen. Ik kijk naar het nummer op het scherm en zie dat het Alan is.

Ik neem op. 'Hoe gaat het?'

'Ik heb iets interessants gevonden,' bromt hij. 'Iets wat ons misschien goed van pas komt.'

Ik ga rechtop zitten. 'Wat dan?'

'Ik sta voor het huis van de Langstroms. Moet je horen: het is nog steeds het huis van de Langstroms.'

Ik frons niet-begrijpend mijn wenkbrauwen. 'Dat snap ik niet.'

'Ik had met Barry afgesproken. We hebben samen het dossier doorgenomen – daarover heb ik trouwens ook een aantal ideeën – en ik had er gewoon geen gevoel bij. Toen bedacht ik dat ik de plek des onheils in het echt moest zien. Ook al is het inmiddels tien jaar later.'

'En?'

'Barry kent een vrouw die bij het gemeentearchief werkt en ook een bij het telefoonbedrijf.' Ik kan bijna horen dat Alan met zijn ogen rolt. 'Om een lang verhaal kort te maken: het huis is tegenwoordig het eigendom van... de Sarah Langstrom Trust.'

'Wat?' De verrassing klinkt scherp door in mijn stem. Callie kijkt me van opzij aan.
'Je hebt het goed gehoord. Ik dacht: oké, misschien waren de ouders welgestelder dan we dachten. Misschien heeft de toekomst een gelukkig eind in het verschiet en erft Sarah straks een fortuin. Goed, het een blijkt wel waar te zijn, maar het ander niet. De Langstroms hadden niet slecht geboerd en behoorden zeker tot de bovenste helft van de middenklasse. Ze waren echter niet ríjk rijk, als je snapt wat ik bedoel.'
'En?' vraag ik, wachtend op de clou.
'Nou, de trust blijkt opgezet te zijn door een anonieme donor nadát de Langstroms zijn vermoord. Iemand die volgens eigen zeggen een enorme liefhebber was van het werk van wijlen mevrouw Langstrom.'
'Wauw,' zeg ik verbijsterd.
'Zeg dat wel. De trust heeft geen eigen kantoor; er is alleen een advocaat, ene Gibbs, die er toezicht op houdt. Hij wil op dit moment de naam van de donor niet prijsgeven, maar hij is niet onbeschoft of zo. Hij houdt zich alleen strikt aan de juridische voorschriften.'
'Dan moeten we hem laten dagvaarden,' zeg ik nog steeds opgewonden. 'Een "kunstliefhebber"? Dat komt wel heel dichtbij.'
'Dat dacht ik ook. Goed, Gibbs is echt een keurige vent. Hij zei dat het geen enkel probleem was, dat hij ons in het huis zou laten zodra we schriftelijk toestemming van Sarah hebben en hij het telefonisch bij haar kon navragen. We zijn naar het ziekenhuis gereden en hebben haar gesproken.'
'Hoe gaat het met haar? Hoe reageerde ze op het nieuws?'
Een ongemakkelijke stilte, die een ongemakkelijk schouderophalen verraadt.
'Ze was nogal overdonderd. Ze wil het huis zien. Ik heb haar moeten beloven dat we haar er binnenkort naartoe zullen brengen, want anders wilde ze niet in dat bed blijven liggen.'
Ik zucht. 'Ja, natuurlijk brengen we haar ernaartoe.'
'Mooi. Goed, we kregen dus haar toestemming, hebben haar telefonisch in contact gebracht met Gibbs en toen heeft de advocaat ons mee hiernaartoe genomen. Wat denk je?' Hij zwijgt even ter verhoging van de spanning. 'Sinds de technische recherche het huis tien jaar geleden heeft vrijgegeven, is er niemand meer binnen geweest.'
'Dat meen je niet!' Ik kan mijn ongeloof niet uit mijn stem weren. Callie werpt me nogmaals een blik toe.
'Jazeker. Het enige wat ontbreekt, zijn een paar spullen uit Sarahs vroegere kamer. Misschien is de dader nog een keer teruggekomen om wat souvenirs te halen.'
'Wat is het adres?' vraag ik zonder aarzelen.

Ik schrijf het op en verbreek opgetogen de verbinding.
'Vertel op,' zegt Callie. 'Anders zing ik het hele volkslied, hier, nu en keihard.'
Dat is een dreigement. Callie heeft veel mooie kanten. Haar zangstem valt daar niet onder.

Ik heb altijd gedacht dat Malibu een mengeling van rijkelui en geluksvogels was. De rijkelui zijn degenen die het zich vandaag de dag kunnen veroorloven om een huis te kopen in deze begerenswaardige plaats vlak bij zee. De geluksvogels zijn degenen die hier iets hebben gekocht voordat de prijzen zo omhoogschoten dat de meeste huizen buiten het bereik van de gemiddelde koper kwamen.
'Prachtig,' merkt Callie op wanneer we over de Pacific Coast Highway rijden.
'Dat is het zeker,' antwoord ik.
Het is net na de lunch en de zon heeft besloten zijn gezicht te laten zien. De zee ligt links van ons, weids, blauw, een onverplaatsbaar gegeven en onhoudbare kracht ineen. Je kunt van de zee houden, en velen doen dat ook, maar verwacht niet dat de liefde wederzijds is. Dat is te veel voor eeuwig.
Rechts van ons kriskrassen slangachtige, slingerende straten over de heuvelhellingen naar de huizen en wijken van Malibu. Heel veel groen als gevolg van de regen, zie ik. Slecht nieuws voor het aanstaande brandseizoen.
We bereiken onze afslag en na tien minuten en enkele missers houden we stil voor het opgegeven adres. Alan en Barry zijn buiten gebleven; Alan staat te luisteren naar Barry, die rokend tegen Alans auto geleund staat te praten. Ze zien ons aankomen en komen naar ons toe wanneer we uitstappen.
'Mooi,' merk ik op en ik kijk naar het huis.
'Vier slaapkamers,' leest Barry voor uit zijn opschrijfboekje – zijn eigen Ned. 'Ruim driehonderd vierkante meter, met drie grote badkamers. Twintig jaar geleden gekocht voor drie ton, huidige waarde ongeveer anderhalf miljoen en volledig afbetaald door de onbekende weldoener.'
Het huis is typisch Amerikaans, maar dan zonder Californische inbreng. Een grote, met een wit hek omheinde voortuin, de standaardklimboom, een met de hand aangelegd flagstonepad tot aan de voordeur en dat alles overgoten met een gevoel van welbehagen. Het huis zelf is gebroken wit en beige geschilderd en ziet er goed onderhouden uit.
'Ik neem aan dat er regelmatig een onderhoudsbedrijf komt?' vraag ik aan Alan.
Hij knikt. 'Inderdaad. Eenmaal per week komt de tuinman, kreupelhout wordt verwijderd voordat het brandseizoen begint en om de twee jaar een lik nieuwe verf.'
'Om de twee?' zegt Barry. 'Ik verf het mijne om de vijf jaar.'

'Zeelucht,' legt Alan uit.
'Waar is de advocaat?' vraag ik.
'Hij kreeg een telefoontje van een andere cliënt en moest weg.'
'Heeft iemand de sleutel?' vraag ik.
'Jazeker,' zegt Alan glimlachend en hij vouwt een enorme hand open waarin een sleutelring met daaraan twee sleutels blijkt te liggen.
'Laten we dan maar naar binnen gaan.'

Zodra ik het huis betreed, word ik weer overspoeld door dat geïsoleerde gevoel. Ik bevind me opnieuw in een tijdmachine.
Het probleem is volgens mij dat Sarahs beschrijving te levendig is. Ze heeft alles wat ze nog voelt bij elkaar geschraapt en het gebruikt om haar verhaal tot leven te roepen en ons mee te voeren naar de waterpoel.
Ik verwacht bijna dat Buster en Doreen aan komen hollen, en ik voel een lichte droefheid wanneer dat niet gebeurt.
Het huis is onverlicht. Het zonlicht dat door de latten van de luiken naar binnen kruipt, biedt schemerige verlichting. Ik doe een stapje naar binnen en mijn schoenen staan op een vloer van kostbaar kersenrood hardhout, bedekt met een dun laagje stof. Het hout loopt door tot in de keuken aan de rechterkant. Ik zie nog net een granieten aanrechtblad, mooi bij elkaar passende keukenkastjes en stoffig roestvrij staal. De linkerkant wordt in beslag genomen door een grote, open ruimte – niet per se een woonkamer, maar een plek waar mensen bijeenkomen. Er zouden met gemak tien mensen in kunnen rondlopen, twintig zelfs, als ze het niet erg vinden om elkaar af en toe per ongeluk even aan te raken. Het hardhout loopt verder door.
Achter deze ruimte bevindt zich nog meer open ruimte, aan de rechterkant begrensd door de keuken, die toegang geeft tot de woonkamer zelf, waar vloerbedekking het overneemt. Die heeft een opvallende donkerbruine kleur. Ik loop naar voren om alles beter te kunnen zien en glimlach triest. Het bruin komt terug in de rest van de woonkamer, zowel in de verf als in het meubilair. Ingericht door een overleden kunstenares met een instinctief gevoel voor kleur.
Vanaf de linkerkant van de woonkamer leidt een gang naar de rest van het huis. Aan de rechterkant bevindt zich achter een grote, comfortabel uitziende bank een stel schuifdeuren van dik glas, die zo te zien toegang geven tot een flinke achtertuin.
Het is stil in het huis, benauwend stil bijna.
'Het voelt aan als een graftombe,' mompelt Barry, een echo van mijn eigen gedachten.
'Dat is het ook,' zeg ik. Ik kijk naar Alan. 'Laten we hier stap voor stap doorheen gaan.'

Hij slaat het dossier open – dat vrij dun is, zie ik – en raadpleegt de inhoud.
'Geen sporen van braak,' zegt hij. 'Waarschijnlijk had de dader een set sleutels. Santos en Jones, de eerste agenten ter plaatse, kwamen via de glazen schuifdeuren vanuit de achtertuin naar binnen. De lichamen van meneer en mevrouw Langstrom zijn daar vlakbij gevonden.' Hij knikt naar de desbetreffende plek.
We lopen ernaartoe om een kijkje te nemen.
'Je meende het echt toen je zei dat er sinds de technische recherche niemand meer is geweest,' mompel ik.
Er ontbreekt een vierkant stuk bruine vloerbedekking, waarschijnlijk losgesneden door de TR vanwege de bloedsporen die erop zaten. Ze hebben alleen meegenomen wat ze echt nodig dachten te hebben; overal zijn donkere vlekken zichtbaar, ook op de muur en de bank. Een pistoolschot door het hoofd veroorzaakt veel troep.
'Meneer Langstrom was naakt. Eigenlijk waren ze allebei naakt. Hij lag met zijn gezicht naar beneden. Mevrouw Langstrom lag op haar rug met haar hoofd op de plek van het ontbrekende stuk vloerbedekking.'
Ik tuur omlaag en probeer het voor me te zien.
'De politiearts ziet ter plekke dat de ogen van meneer Langstrom puntbloedingen vertonen en dat de kneuzingen in de hals overeenkomen met wurging. De lijkschouwing heeft dit bevestigd.'
'Is er op mevrouw Langstrom ook een lijkschouwing uitgevoerd?' vraag ik. Bij zelfmoordgevallen gebeurt dat niet altijd.
'Ja.'
'Ga verder.'
'Lijkstijfheid toonde aan dat ze na hun overlijden niet zijn verplaatst. Ze zijn gestorven op de plek waar ze zijn aangetroffen. De temperatuur van de lever plaatst het tijdstip van overlijden rond een uur of vijf in de ochtend.'
'Dat is het eerste wat ik een beetje vreemd vind,' zegt Barry.
Ik kijk hem aan. 'Hoezo?'
'Tijdstip van overlijden is vijf uur in de ochtend. De politie is pas uren later gebeld. Wat voor soort wapen heeft ze gebruikt?'
Daarvoor hoeft Alan het dossier niet te raadplegen. De vraag die Barry nu stelt is al eerder bij hem opgekomen. 'Een 9-mm.'
'Luidruchtig,' zegt Barry stellig. 'Lawaaiig. Ze heeft de hond doodgeschoten en ze heeft zichzelf doodgeschoten. Waarom heeft niemand iets gehoord?'
'Die vraag heeft Cathy Jones ook gesteld,' antwoordt Callie.
'Slordig,' zegt Alan verachtelijk en hij schudt zijn hoofd.
Hij doelt op het politieonderzoek. Voordat Alan bij de FBI kwam, heeft hij tien jaar bij de afdeling Moordzaken van Los Angeles gewerkt; daar stond hij

bekend om zijn belangstelling voor details en zijn weigering om de boel af te raffelen. Als hij hier tien jaar geleden de leiding had gehad, zou hij beslist aan het geluid van het pistoolschot hebben gedacht.
'Ga verder,' zeg ik tegen hem.
'Sarah is in vrijwel catatonische toestand buiten aangetroffen. Nergens in het dossier staat iets over een brandwond op haar hand.' De blik die hij me toewerpt, is veelzeggend. 'Toen we in het ziekenhuis bij haar waren, heb ik haar hand bekeken. Er zit een klein litteken.' Hij fronst zijn wenkbrauwen – nog meer verachting. 'Weer slordig. Ze hebben helemaal niets nagetrokken en gewoon alles geslikt wat hun werd voorgeschoteld.'
Ik benadruk het belang hiervan voor ons. 'Toen slecht,' zeg ik, 'maar nu goed. Ze waren niet naar iets op zoek, wat inhoudt dat hier nog steeds iets kan liggen wat ons naar hem leidt.'
'Hoe zit het met het wapen?' vraagt Callie peinzend.
Alan kijkt haar vragend aan. 'Wat bedoel je?"
'Hebben ze daar aandacht aan besteed? Hadden de Langstroms eigenlijk wel een pistool?'
Alan bladert door het dossier en knikt wanneer hij iets vindt. 'Het was niet geregistreerd en het serienummer was weggevijld. Hier staat dat ze ervan uitgingen dat ze het op straat had gekocht.' Zijn stem klinkt sarcastisch. 'Tuurlijk. Linda Langstrom wist uiteraard precies waar ze moest zijn om een gejat wapen te kopen. Waarom zou ze al die moeite doen? Als ze toch van plan was om zelfmoord te plegen, zou ze zich echt niet druk hebben gemaakt of de politie kon nagaan hoe ze eraan was gekomen.'
Ik kijk Barry aan. 'Wordt dat pistool nog steeds als bewijs bewaard?'
'Ik vermoed van wel. Het vernietigen van bewijsmateriaal levert enorm veel gedoe op. Het kost ongeveer een uur om alle formulieren in te vullen, en op grond van wat ik tot nu heb gezien krijg ik niet de indruk dat de lui die aan deze zaak werkten geneigd waren zich extra in te spannen.'
'Dan moeten we het gaan halen, Alan. Laat de ballistische kenmerken van het wapen natrekken.'
'Wellicht is het bij ons bekend vanwege eerdere incidenten,' zegt hij en hij knikt.
'Wat hebben we verder?' vraag ik.
'De kogel was een *hollow point* en richt op de plek waar hij het lichaam verlaat zoveel mogelijk schade aan.' Hij slaat een bladzijde om. 'Linda Langstroms vingerafdrukken zijn in de hals van haar man aangetroffen. Dat komt overeen met het vermoeden dat zij de dader is. Er is een afscheidsbriefje gevonden en antidepressiva.'
'Wat weten we daarover?' vraag ik geïnteresseerd.

'Noppes,' antwoordt hij. 'Alleen een aantekening dat ze van haar waren. Niet nagetrokken.'
'Verder nog bewijsmateriaal?'
Hij schudt zijn hoofd. 'De TR heeft alleen deze ruimte uitgekamd, en zelfs dat is met de Franse slag gebeurd. De rest van het huis hebben ze onaangeroerd gelaten.'
'Ze waren niet op zoek naar bewijzen om een zaak op te lossen,' zegt Callie nadenkend. 'Ze verzamelden bewijsmateriaal dat bevestigde wat ze al wisten.'
'Wat ze vermóédden,' verduidelijkt Alan.
'Waar is de hond gedood?' vraag ik.
Alan kijkt weer in het dossier. 'Vlak bij de voordeur.' Hij fronst zijn wenkbrauwen. 'Bekijk dit eens.'
Hij overhandigt me een foto. Ik bekijk hem aandachtig en grimas. Op de foto ligt de trouwe Buster zonder kop op de hardhouten vloer naast de voordeur. Ik kijk nog eens goed en mijn ogen vernauwen zich tot spleetjes.
'Interessant, hè?' vraagt Alan.
'Heel interessant,' antwoord ik.
Op de foto ligt Buster op zijn zij. Zijn kop – of de plek waar zijn kop zou moeten zitten – is naar de voorkant van het huis gericht. Een stukje bij hem vandaan ligt een bebloede ijzerzaag.
'Als Linda Langstrom de moordenaar was,' merk ik op, 'waarom lag de hond dan bij de voordeur? En waarom lag hij met zijn kop naar de deur toe? Dat doet vermoeden dat hij reageerde op iemand die het huis binnenkwam, niet op iemand die er al was.'
'Er is nog meer,' zegt Alan. 'De bloedsporen die in Sarahs slaapkamer zijn gevonden. Tests hebben uitgewezen dat dit bloed niet van een mens afkomstig was. Dat komt overeen met haar verklaring dat de hondenkop op haar bed is gegooid. Het voelt niet goed. Dat Linda zijn kop zou hebben afgesneden, is al vergezocht. Zou ze hem Sarahs slaapkamer in hebben gegooid? Echt niet.' Ik zie dat Alans woede toeneemt. Ik reageer niet en laat hem stoom afblazen. 'Weet je, die vent was echt niet bijster slim. De rechercheurs die deze zaak afhandelden, waren gewoon lui. Slordig. Het kon hun geen zak schelen. Ik zou de tegenstrijdigheden rond dat pistool meteen hebben opgemerkt en ik zou heel diep hebben nagedacht over die hond, verdomme. Zodra ik eenmaal Sarahs versie had gehoord en had gecontroleerd of haar hand echt was verbrand, zou ik dit hele huis overhoop hebben gehaald. Fuck.' Hij kookt nog een paar seconden door, blaast dan zijn wangen bol en ademt uit, een lange zucht. 'Sorry. Ik ben een beetje boos. Dit had misschien allemaal niet hoeven gebeuren.'
'Misschien niet,' geef ik toe. 'Het zou ook kunnen dat jij het hele huis had

doorzocht, niets had gevonden en uiteindelijk ook tot de conclusie was gekomen dat het zelfmoord was.' Opeens bedenk ik iets en ik zwijg even. 'Weet je wat echt het ergst is? Dat het er allemaal niet toe had gedaan. Sarah had geen familie. Als hij geen forensische sporen heeft achtergelaten – en ik durf te wedden dat dat zo is –, dan zou de afloop voor Sarah hetzelfde zijn geweest, ook als ze haar wél hadden geloofd.'
'Pleeggezinnen en alle ellende die ze daardoor heeft meegemaakt,' zegt Alan.
'Inderdaad. Wij hebben het voordeel van wijsheid achteraf, en nieuwe informatie. We moeten ons concentreren op het rechtzetten van dingen.' Ik kijk naar Callie. 'Ik wil dat jij contact opneemt met Gene en dat jullie dit huis samen binnenstebuiten keren. Eens kijken of we iets kunnen vinden, nu we er wel naar op zoek zijn.'
'Graag.'
'Eigenlijk,' zeg ik en ik hak de knoop door, 'wil ik dat je daar meteen mee begint. Neem de auto maar; ik rij wel met Alan mee.'
Ze knikt, maar zegt niets. Ik voel dat in haar binnenste een korte worsteling plaatsvindt en zie dan dat haar hand naar de zak van haar jasje glijdt.
Pijn, besef ik. Een hevige pijnaanval. Zomaar ineens.
Ik zie aan haar ogen dat ze weet dat ik het weet. Ik begrijp ook de boodschap die in fel neon oplicht: ga door, laat het gaan, dit is privé en gaat je niet aan.
'Wat wil je dat ik doe?' vraagt Barry. De spanning is verbroken. 'Niet dat ik niet al genoeg op mijn bord heb, anders. Veel te veel dode mensen, en bovendien heb ik hier eigenlijk helemaal geen bevoegdheid. Gelukkig ken ik een vrouwelijke rechercheur die voor het korps Malibu werkt.'
'Ik waardeer het enorm dat je meteen bent gekomen toen ik het vroeg, Barry. Echt.'
Hij glimlacht vaag. Schokschoudert. 'Jij zaait nooit onnodig paniek, Smoky. Dus als jij roept, kom ik altijd. Wat kan ik verder voor je doen?'
'Het bewijsmateriaal. Alles. Met name het pistool.'
'Komt voor elkaar. Je krijgt het vandaag nog.'
'Er is nog iets, maar dit vind je vast niet leuk.'
'Wat dan?'
'Ik wil graag dat je de rechercheurs natrekt die indertijd aan deze zaak meewerkten, maar wel discreet.'
Een lange stilte waarin hij nadenkt over wat ik vraag, waaróm ik het vraag.
'Denk je dat een van hen erachter kan zitten?'
'Ze hebben slordig werk geleverd. Ik heb erger meegemaakt en ik begrijp ook waarom ze de conclusies hebben getrokken die ze hebben getrokken, maar ik begrijp niet waarom ze nooit met Sarah hebben gesproken. Er zijn aantekeningen van Cathy Jones, een beginnelinge, maar niet van een verhoor van Sa-

rah door de betrokken rechercheurs. Ik wil weten waarom. Als ik zelf ga rondneuzen, gaan er overal alarmbellen rinkelen.'
Barry slaakt een zucht en schudt zijn hoofd. 'Fuck. Ja. Ik zal het doen.'
'Dank je.'
Ik laat nadenkend mijn blik door de kamer glijden. Neem de graftombe in me op die ooit iemands thuis is geweest. Ik knik, ten teken dat we voorlopig genoeg hebben gezien.
'Laten we maar gaan,' zeg ik tegen Alan.
'Waarnaartoe?'
'Gibbs. Ik wil die advocaat weleens spreken.'
'Als zijn lippen bewegen, liegt hij, honey-love,' zegt Callie.
We lopen allemaal naar buiten.
'Wat doe jij wanneer jouw lippen bewegen, Rooie?' vraagt Barry.
Ze glimlacht. 'Dan maak ik de wereld weer iets wijzer, natuurlijk.'
Dit is Callie, denk ik bij mezelf. Dit zal altijd Callie zijn, met of zonder pijn, met of zonder pillen: een bijdehante, aan taco's verslaafde, donut-soppende vriendin.
We stappen allemaal in een auto en rijden in verschillende richtingen weg.
'Hoe lang duurt het om daar te komen?' vraag ik.
Hij kijkt op het klokje van het dashboard. 'Een minuut of veertig, denk ik.'
'Dan ga ik even wat lezen.'
Ik haal de dagboekpagina's uit mijn tas.
Zij is hem, denk ik bij mezelf, en hij is haar.
Sarah is een microkosmos. De Vreemdeling toont haar aan ons om zijn eigen levensverhaal dichterbij te brengen. Voor mij komt de wetenschap wat Sarah allemaal heeft moeten doorstaan op dit moment het dichtst bij de wetenschap wat hij allemaal heeft moeten doorstaan.
Ik laat me achteroverzakken. De wolken huilen alweer.

Sarahs verhaal, deel 3

35

Een korte onderbreking voor een eerlijke bekentenis.
Het is bij me opgekomen dat ik dit niet alleen als een verhaal opschrijf omdat ik zo goed kan schrijven. Het gaat ook om afstand. Zolang ik in de derde persoon over deze dingen schrijf, lijkt het net alsof het iemand anders overkomt, een fictief personage of iets dergelijks. Is ontkenning niet geweldig?
Als je echt diepzinnig wilt doen en met metaforen gaat strooien, kunnen we het er ook op houden dat dit wel heel veel weg heeft van een gestoord sprookje. Grietje zonder Hans, met een heks die veel te slim is. Ze heeft me in de oven gekregen en roostert me nu langzaam. Roodkapje die de wolf wél te pakken heeft gekregen en in plaats van me in één keer in te slikken neemt hij rustig de tijd om op zijn eten te kauwen.
Goed, waar waren we gebleven? O ja, het kindertehuis.
Het kindertehuis was een arena en wij waren de gladiatoren.
Het kindertehuis was de plek waar ik heb leren vechten. Ik leerde er wat het verschil was tussen een waarschuwing en een aanval. Ik leerde er dat je niet bang moest zijn om iemand pijn te doen en dat lichaamslengte niet het enige was wat telde.
Ik leerde er hoe ik me gewelddadig moest gedragen, iets wat nog niet eerder bij me was opgekomen. Was dat ook een onderdeel van zijn plan?
Ik vroeg het me toen af. Ik vraag het me nu af. Het doet er niet toe. Ik ben toch allang niet meer echt mezelf, of wel?

'Hier met dat kussen, zei ik.'
Sarah kneep haar lippen op elkaar en dwong zichzelf Kirsten aan te blijven kijken.
'Nee.'
Het oudere meisje keek haar ongelovig aan.
'Wat zei je?'
Inwendig beefde Sarah – een beetje maar.
Verzet je. Je bent geen bangerik meer, weet je nog wel?
Dat was gemakkelijker gezegd en gedacht dan gedaan, zoveel was wel duidelijk. Kirsten was niet alleen drie jaar ouder, maar ook heel stevig gebouwd. Ze had bredere schouders dan de meeste andere meisjes van haar leeftijd, ze had

grote handen en ze was sterk. Ze vond geweld leuk. Heel erg leuk.
Dat doet er niet toe. Je bent nu acht. Verzet je.
'Ik zei: nee, Kirsten. Ik wil niet dat je nog langer de baas over me speelt.'
Een kwaadaardige grijns krulde rond de lippen van het grotere meisje.
'Dat zullen we nog weleens zien.'
Sarah woonde nu twee jaar in kindertehuis Burbank. Het was een omgeving die regelrecht uit *Heer der vliegen* leek te komen, waar het recht van de sterkste gold en het toezicht door volwassenen was gebaseerd op straf, niet op preventie. Er hing een sfeer die de woede en wreedheid van iemand als Kirsten aanwakkerde.
Sarah had er geen vrienden. Ze hield zich op de achtergrond en was op haar hoede. Tot nu toe had ze Kirstens eisen ingewilligd, had ze haar al haar toetjes en haar zachte beddengoed gegeven, en zich onderworpen aan de honderden andere kleine kwellingen die het oudere meisje bedacht.
Onlangs had Sarah echter een glimp van de toekomst opgevangen en daardoor had ze haar mening over een aantal zaken bijgesteld. Ze had ontdekt wat zich in de slaapzalen van de oudere meisjes afspeelde. Hier moest ze haar kussen afstaan. Daar zou ze misschien zichzelf uitleveren.
Deze gedachte maakte iets onverzettelijks en kwaads en koppigs in Sarah los.
Sarah had Kirsten lange tijd gadegeslagen. Ze besefte nu dat het oudere meisje het uitsluitend van haar lengte en kracht moest hebben. Er zat geen tactiek achter haar aanvallen. Ze begon altijd – áltijd – meteen wild om zich heen te meppen. Sarah was daar vaak genoeg het lijdend voorwerp van geweest. Losse tanden, pijnlijk schurende botten en met zwellingen gepaard gaande kneuzingen die een week zichtbaar konden blijven.
Deze keer vormde geen uitzondering. Kirsten deed een stap naar voren, haalde uit met haar arm en liet haar hand door de lucht in de richting van Sarahs wang suizen.
Het was het soort aanval dat alleen werkte bij tegenstanders die te bang waren om terug te knokken. Sarah deed wat iedereen zou doen die niet bang was: ze dook omlaag.
Kirstens hand vloog door de lucht boven haar hoofd voorbij. Er verscheen een verbaasde blik op het gezicht van het oudere meisje.
Nú, nu ze uit haar evenwicht is!
Sarahs leven was heel eenvoudig: opstaan, douchen, eten, naar school en dan terug naar de slaapzaal of recreatiezaal. Ze had tijd genoeg om over dingen na te denken wanneer dat nodig was. Na zorgvuldige overweging zag ze in dat een gebalde vuist beter was dan een vlakke hand.
Ze kwam overeind, kromde haar arm, balde haar vuist en sloeg Kirsten zo hard ze kon op haar neus. De klap kwam als een schok.

Dat deed pijn!
Kirsten had ook pijn. Bloed spatte uit beide neusgaten en de pestkop strompelde achteruit, viel en kwam neer op haar achterwerk.
Nu afmaken. Laat haar niet opstaan!
Sarah had een of twee keer eerder meegemaakt dat een van de meisjes tegen Kirstens schrikbewind in opstand kwam. Bij die gelegenheden was het haar opgevallen dat Kirsten geen genoegen nam met een of twee tikken. Een van de meisjes had ze net zo lang geschopt tot ze bewusteloos was en daarna had Kirsten haar hoofd kaalgeschoren. Bij het tweede meisje had ze haar arm zo ver naar achteren gebogen dat die met een afschuwelijk, hoorbaar gekraak brak. Kirsten had het luid krijsende meisje helemaal uitgekleed en haar toen buitengesloten op de gang.
Sarah wist dus dat ze haar eens en voor altijd moest verslaan.
Kirsten deed al verwoede pogingen om overeind te krabbelen. Sarah schopte haar in haar gezicht. Haar voet raakte Kirsten op de mond, waardoor haar onderlip openbarstte. Kirstens ogen puilden uit hun kassen, ze gilde het uit van de pijn en overal zat bloed.
Een duistere, wilde vreugde maakte zich van Sarah meester. Niet meer afwachten tot er iets ergs zou gebeuren. Niet meer ontwaken uit de ene nachtmerrie om tot de ontdekking te komen dat je in een andere leefde. Dit was (beter)
Dit had ze onder controle.
Ze schopte Kirsten nogmaals, deze keer tegen haar neus. Het hoofd van het oudere meisje sloeg achterover en het bloed spoot eruit – een kleine, maar bevredigende fontein. Kirsten keek geschrokken naar Sarah op.
Sarahs neusvleugels trilden toen ze dit zag.
Ga door. Niet ophouden.
Ze sprong boven op Kirsten, duwde het meisje op haar rug en begon haar te slaan, steeds opnieuw, totdat ze geen gevoel meer had in haar vuisten; toen stond ze op en schopte ze tegen Kirstens buik, borst en benen. Het oudere meisje krulde zich helemaal op en probeerde haar gezicht af te schermen.
Sarah had niet het gevoel dat ze haar zelfbeheersing was kwijtgeraakt. Integendeel. Ze voelde zich afstandelijk. Blij, maar afstandelijk. Alsof ze in een droom een bijzonder lekker stuk taart zat te eten.
Toen Kirsten begon te huilen, hield ze op.
Sarah keek even op haar neer en wachtte tot ze op adem was gekomen. Kirsten snikte heftig, met haar armen om haar hoofd gevouwen. Sarah ving een glimp op van bloedende lippen, een scheve neus en een oog dat zo opgezwollen was dat het helemaal dichtzat.
Je overleeft het wel.

Ze liet zich op haar knieën zakken en hield haar mond vlak bij Kirstens oor. 'Als je ooit nog eens probeert me pijn te doen, vermoord ik je. Heb je me gehoord?'
'J-j-ja!'
Een donderslag in haar binnenste en de woede was weg. Zomaar ineens. Iets wat haar moeder eens had gezegd, schoot haar nu te binnen: 'Als je vriendschap kunt sluiten met je vijanden, wordt het leven een stuk leuker, kind.'
Toen had ze niet begrepen wat dat betekende. Ze dacht dat ze het nu misschien wel wist.
Ze stak haar hand uit.
'Kom. Ik zal je helpen je een beetje op te knappen.'
Kirsten keek haar voorzichtig met één oog aan, nog steeds doodsbang. Ze staarde met de nodige achterdocht naar Sarahs hand.
'Waarom zou je me helpen?'
'Ik wil niet de baas over je spelen, Kirsten. Ik wil alleen maar dat je me met rust laat.' Ze boog zich voorover en wapperde met haar hand. 'Kom op.'
Kirsten bleef nog een paar seconden ongelovig zitten, maar liet haar handen toen zakken. Ze ging rechtop zitten en bekeek Sarah met een mengeling van angst en belangstelling. De hand die ze uitstak om die van Sarah vast te pakken beefde. Toen ze opstond, grimaste ze even.
Kirstens gezicht was één grote puinhoop.
'Ik denk dat ik je neus heb gebroken.'
'Ja.'
Sarah haalde haar schouders op. 'Sorry. Zal ik je helpen om je gezicht schoon te maken in de badkamer?'
Kirsten keek het kleinere meisje even nadenkend aan. 'Nee, ik doe het zelf wel en dan ga ik even bij de ziekenboeg langs.' Kirsten probeerde te glimlachen en toen dat niet ging, haalde ze haar schouders op. 'Ik zal tegen de zuster zeggen dat ik ben uitgegleden en op mijn gezicht ben gevallen.'
Ze strompelde weg. Sarah keek het oudere meisje na. Toen ze eenmaal uit het zicht was verdwenen, ging Sarah op haar bed zitten en liet haar hoofd in haar handen zakken. De adrenalineroes was voorbij. Ze trilde en voelde zich een beetje misselijk.
Ze ging op haar rug liggen en staarde naar de onderkant van het bed boven haar.
Misschien wordt alles nu iets gemakkelijker.
Er waren twee jaren verstreken. Het was twee jaar na de dood van haar ouders en de moord op Dennis door Theresa – twee jaar dat ze nu op deze gewelddadige plek zonder vrienden zat. De Vreemdeling bezocht haar nog steeds af en toe in haar dromen, maar steeds minder vaak.

Ze was pas acht, maar ze was geen naïef, onschuldig kind meer. Ze had de dood, bloed en geweld van dichtbij meegemaakt. Ze begreep dat sterke mensen meer kans hadden om te overleven dan zwakke. Ze wist wat seks was, in al zijn gedaanten, ook al had ze er zelf (gelukkig!) nog geen kennis mee gemaakt. Ze had ook geleerd dat ze haar emoties niet mocht tonen, niet eens mocht laten merken dat ze die had. Ze bezat drie voorwerpen, drie talismans, en de betekenis ervan hield ze geheim voor de andere meisjes. Het eerste was meneer Knuffel. Het tweede was een gezinsfoto waarop zijzelf, mama, papa, Buster en Doreen stonden. Het derde was de foto van Theresa's moeder.
Die had ze van de geheime plek onder Theresa's matras weggegrist. Ze was van plan hem op een goede dag aan Theresa terug te geven.
Ze dacht heel veel aan haar zus. Ze wist dat ze Theresa altijd als haar zus zou blijven beschouwen, dat ze zich altijd die ene veilige avond waarop ze hadden gekwartet en gelachen zou blijven herinneren. Ze wist dat ze nooit zou vergeten waarom Theresa had gedaan wat ze had gedaan. Sarah begreep dat nu allemaal heel goed.
Ze tastte in de kontzak van haar broek en haalde de foto van de mooie, jonge vrouw tevoorschijn. Sarah liet haar vingers eroverheen glijden en glimlachte toen ze de lachende ogen en het kastanjebruine haar zag.
Ze wist dat Theresa tot haar achttiende in de jeugdgevangenis moest blijven. Dat had Cathy Jones haar verteld.
Nog drie jaar en dan komt ze vrij.
Ze borg de foto weer op en vouwde haar handen achter haar hoofd. Ze had één keer geprobeerd om Theresa te schrijven. Gewoon een korte, stomme brief. Sarah had een tweeregelig antwoord teruggekregen:

Schrijf me niet zolang ik hier zit. Ik hou van je.

Sarah had het wel begrepen. Ze fantaseerde soms dat Theresa achttien was en haar kwam adopteren. Dwaze dromen, besefte ze nu. Ze kon er niets aan doen.
Cathy Jones kwam haar één keer in de drie of vier maanden opzoeken. Sarah was blij met haar bezoekjes, maar verbaasde zich wel over de beweegredenen van de vrouw. Cathy was moeilijk te doorgronden.
Wat maakt het ook uit? Zolang je er maar voor zorgt dat je haar kaartje niet kwijtraakt.
Sarah had leren denken als een overlever, had geleerd dingen in te delen als nuttig of een blok aan het been. Nuttige dingen waren waardevol. Cathy was zo iemand. Cathy kon belangrijke dingen uitzoeken, zoals dat van Theresa of dat John en Jamie Overman Doreen in huis hadden genomen.

Dat soort dingen.
Naast Cathy was Karen Watson haar enige contact met de buitenwereld. Sarah vertrok haar gezicht. Ze begreep nu wat Theresa had bedoeld met 'het kwaad in eigen persoon'. Het kon Karen Watson niet alleen helemaal geen zier schelen, ze verachtte de kinderen die onder haar verantwoordelijkheid vielen ook. Ze was een van de weinige mensen die Sarah echt haatte.
Een klopje op de deur haalde haar uit haar overpeinzingen. Ze ging rechtop zitten. Janet stak haar hoofd om een hoek van de deur.
'Sarah? Karen is er en ze wil je graag spreken.'
'Ik kom, Janet.'
De magere vrouw glimlachte en liep weg. Sarah fronste haar wenkbrauwen. Wat moest die heks van haar?

Karen zat aan een tafel in de recreatiezaal. Sarah liep naar haar toe en ging tegenover haar zitten. Karen bestudeerde het jonge meisje aandachtig.
'Hoe gaat het met je, prinses?'
'Uitstekend.'
Wat Sarah eigenlijk had willen zeggen, was: 'Wat kan jou dat schelen?', maar ze was wel wijzer. Sterke mensen hadden meer kansen dan zwakke en in deze relatie was Karen de sterkste.
'Denk je dat je je lesje hebt geleerd? Weet je nu hoe je je in een pleeggezin moet gedragen?'
Een jaar geleden had Karen Sarah deze vraag voor het eerst gesteld. Sarah had net haar verjaardag zonder taart moeten vieren, en was verdrietig en boos. Ze had tegen Karen geschreeuwd en was toen weggerend. Ze had er een jaar lang over kunnen nadenken en deze keer was ze voorbereid.
'Ik denk het wel, mevrouw Watson. Echt.'
Sarah wilde weg uit het tehuis. Karen Watson kon haar daarbij helpen. Nuttig versus een blok aan het been.
Karen glimlachte om deze overgave. 'Mooi. Ik ben blij dat te horen, Sarah, want ik heb een gezin waarin ik je kan plaatsen. Geen rijke mensen, bij lange na niet, maar je zou er de enige zijn.'
Sarah boog nederig haar hoofd. 'Dat zou ik erg fijn vinden, mevrouw Watson.'
Karen knikte goedkeurend. 'Ja. Ik denk inderdaad dat jij je lesje hebt geleerd.' Ze stond op. 'Pak vanavond je spullen maar in. Ik breng je er morgen naartoe.'
Sarah keek haar na toen ze vertrok. Ze glimlachte bij zichzelf.
Je kunt mijn rug op, rotwijf.

Sarah was terug in haar kamer en lag weer naar de matras boven haar te staren toen Kirsten terugkwam. Het grote meisje had twee blauwe ogen. Haar neus was rechtgezet en haar lippen waren gehecht. Ze liep mank. Bij het ademhalen trok ze telkens een pijnlijk gezicht. Ze liep naar haar eigen bed, dat zich buiten Sarahs gezichtsveld bevond. Sarah hoorde het bed kraken toen Kirsten ging liggen. Er viel een diepe stilte. Ze waren alleen.
'Je hebt een paar van mijn ribben gebroken met dat geschop van je, Langstrom.'
Ze klonk niet kwaad.
'Sorry,' zei Sarah, hoewel ze wist dat het niet klonk alsof het haar echt speet.
'Je deed wat je moest doen.'
Er volgde weer een lange stilte.
'Waarom heb je je koffer ingepakt?'
'Ik ga morgen naar een pleeggezin.'
Weer een stilte.
'Nou... Veel succes, Langstrom. Even goede vrienden.'
'Dank je.'
Sarah kwam met een schok tot de ontdekking dat er tranen uit haar ogen stroomden. Deze handreiking van haar vijand had haar op onverklaarbare wijze diep getroffen. Ze wist heel goed wie ze hiervoor dankbaar moest zijn.
'Dank je wel, mama,' fluisterde ze zacht bij zichzelf.
Ze veegde de tranen weg.
Nuttig versus een blok aan het been. Tranen behoorden tot de laatste categorie.

36

'Hallo, mevrouw Watson. Welkom, Sarah. Kom maar gauw binnen.'
De vrouw heette Desiree Smith en Sarah vond haar meteen vanaf die eerste kennismaking al aardig. Desiree was begin dertig en zag er heel vriendelijk uit: opgewekte ogen, een lachende mond, spontaan. Ze was klein en had donkerblond haar. Ze was mollig zonder echt dik te zijn en mooi zonder echt knap te zijn. Desiree was heel ongecompliceerd en er ging een oprechte, eenvoudige warmte van haar uit.
Zodra ze binnen waren, nam Sarah haar omgeving in zich op. Het huis was schoon en bescheiden, vol vrolijke rommel, maar geen puinhoop.
Desiree ging hun voor naar de woonkamer.
'Ga zitten,' zei ze en ze gebaarde naar de bank. 'Wilt u misschien iets drinken, mevrouw Watson? Jij, Sarah? Water? Koffie?'
'Nee, dank je wel, Desiree,' zei mevrouw Watson.
Sarah schudde haar hoofd. Als Heks Watson niets wilde hebben, moest zij het vooral niet in haar hoofd halen om wel om iets te vragen.
'Ik heb alles precies zo geregeld als in de voorschriften staat die u met me hebt doorgenomen, mevrouw Watson. Sarah heeft haar eigen slaapkamer en een gloednieuw bed. De koelkast ligt vol met eten. Ik heb een lijst met alle telefoonnummers voor noodgevallen naast de telefoon gehangen – o ja, en ik heb alle formulieren ingevuld die nodig zijn om haar op een school in te schrijven.'
Mevrouw Watson glimlachte en knikte goedkeurend.
Toe maar, doe maar net of het je ook maar iets kan schelen, dacht Sarah bij zichzelf. Zolang je maar vertrekt wanneer je klaar bent.
'Dat is mooi, Desiree, dat is heel mooi.' Mevrouw Watson pakte haar versleten leren aktetas en haalde er een folder uit die ze aan Desiree overhandigde. 'Haar inentingsboekje zit hierin en ook haar schooldiploma's. Je moet haar onmiddellijk ergens inschrijven.'
'Dat zal ik doen. Maandagochtend.'
'Uitstekend. Waar is Ned trouwens?'
Desiree keek bezorgd. Sarah zag dat de vrouw haar handen wrong, maar zichzelf dwong daarmee op te houden.
'Hij werd op het laatste moment weggeroepen voor een meerdaagse rit met

de vrachtwagen. Het betaalt goed; we konden het niet afslaan. Hij was echt van plan hier te zijn. Dat is toch geen probleem, hè?'
Mevrouw Watson schudde haar hoofd en wuifde met haar hand. 'Nee, hoor. Ik heb hem al eens ontmoet en jullie achtergrond is helemaal nagetrokken.'
Desiree reageerde zichtbaar opgelucht. 'Fijn.' Ze keek naar Sarah. 'Ned is mijn man, liefje. Hij is vrachtwagenchauffeur. Hij wilde er graag bij zijn om je te verwelkomen, maar nu komt hij aanstaande woensdag terug.'
Sarah glimlachte naar de zenuwachtige vrouw. 'Dat geeft niet.'
Maak je geen zorgen. Heks Watson wil me toch alleen maar zo snel mogelijk dumpen en weer vertrekken.
'Zijn er nog dingen die je me wilt vragen, Desiree?'
'Nee, mevrouw Watson. Volgens mij niet.'
De maatschappelijk werkster knikte en stond op. 'Dan ga ik maar. Ik kom over een maand kijken hoe het gaat.' Ze keek naar Sarah. 'Gedraag je, Sarah. Doe wat mevrouw Smith zegt.'
'Ja, mevrouw Watson,' antwoordde Sarah gedwee.
Ga weg, akelige heks, dacht ze bij zichzelf.
Sarah bleef op de bank zitten, terwijl Desiree met Karen meeliep naar de deur en daar afscheid van haar nam. De deur ging dicht, Desiree kwam terug en liet zich op de bank vallen.
'Poe! Ik ben blij dat dat achter de rug is! Ik was zo ontzettend zenuwachtig!'
Sarah keek haar nieuwsgierig aan.
'Waarom?'
'We hebben nog nooit een kind in huis gehad, Sarah, en we wilden het zo graag. Dit was de laatste horde. Daarom kwam mevrouw Watson jou zelf brengen en de boel nog één keer inspecteren.'
'Waarom is het zo belangrijk voor jullie?'
'Ach, liefje, soms is Ned veel weg. Hij is ook vaak hier, hoor – maar soms moet hij zo ver weg voor een vrachtje dat hij wel twee weken onderweg is. Ik werk af en toe vanuit huis als reisagent, maar het is nogal eenzaam. We zijn allebei gek op kinderen en het leek een logische oplossing. Snap je?'
Sarah knikte. Ze wees naar een van de foto's aan de muur. 'Is dat Ned?'
Desiree glimlachte. 'Inderdaad. Je vindt hem vast aardig, Sarah, dat beloof ik. Hij is een geweldige vent. Geen greintje kwaad in zijn hele lijf.'
Dat zeg jíj.
Ze wees naar een foto van Ned en Desiree met een baby die haar eerder was opgevallen. 'Wie is dat?'
Desirees glimlach veranderde. Het werd een bedroefde glimlach, die sprak van een altijd aanwezig, maar niet langer verlammend verdriet. Een bepaalde gebeurtenis had haar ziel gekleurd zonder haar kapot te maken.

'Dat is onze dochter, Diana. Ze is vijf jaar geleden overleden, toen ze pas één jaar oud was.'
'Wat is er gebeurd?'
'Ze is met een zwak hart geboren.'
Sarah bekeek de foto peinzend.
Is ze te vertrouwen? Ze lijkt aardig. Ze lijkt echt erg aardig. Misschien is het een list.
Sarah was pas acht, maar haar verblijf bij de Parkers en de twee jaren in het kindertehuis hadden haar een belangrijke les geleerd: vertrouw niemand. Ze zag zichzelf graag als keihard en kil, een gevangene met een hatelijke grijns op het gezicht.
In werkelijkheid was ze pas acht en wilde ze maar wat graag dat de warmte van deze vrouw echt was. Ze wilde het zo ontzettend graag dat haar hart beefde.
'Mist u haar?' vroeg Sarah.
Desiree knikte. 'Elke dag. Elke minuut.'
Sarah zocht in de ogen van de vrouw naar leugens toen ze dit zei. Het enige wat ze zag, was een rivier van verdriet, gedempt door aanvaarding van de kans op hoop.
'Mijn ouders zijn dood,' gooide ze er zonder nadenken uit.
De rivier van verdriet veranderde in medeleven. 'Dat weet ik, liefje. Ik weet ook wat er bij de Parkers is gebeurd.' Desiree tuurde omlaag en zocht naar de juiste woorden. 'Er is iets wat je moet weten, Sarah. Soms denk je misschien dat ik de akelige dingen die op de wereld gebeuren niet begrijp. Ondanks alles wat ik heb meegemaakt, zoals de dood van Diana, ben ik een optimist. Ik probeer de goede kant van dingen te zien. Dat wil niet zeggen dat ik achterlijk ben. Ik weet dat het kwaad bestaat. Ik weet dat jij er te veel van hebt meegemaakt. Wat ik eigenlijk wil zeggen is dat ik je rugdekking zal geven.'
Hoop welde op in Sarahs hart en werd meteen verpletterd door een golf cynisme.
'Bewijs het,' zei ze.
Desiree sperde verrast haar ogen open. 'O – tja...' Ze knikte. 'Oké.' Ze glimlachte. 'Wat vind je hiervan? Ik weet dat Karen Watson niet echt aardig is.'
Nu was het Sarahs beurt om verrast te kijken. 'Echt?'
'Jazeker. Ze doet wel alsof, maar ik heb goed opgelet. Ik zag hoe ze naar je keek. Ze geeft niets om je, hè?'
Sarah trok een lelijk gezicht. 'Ze geeft alleen maar om zichzelf. Weet je hoe ik haar noem?'
'Hoe dan?'
'Heks Watson.'

Desirees mond vertrok en toen lachte ze. 'Heks Watson. Goed gevonden.'
Sarah lachte ook. Ze kon er niets aan doen.
'Goed,' zei Desiree. 'Tevreden?'
'Tevreden,' antwoordde Sarah.
Misschien, voegde ze er in stilte aan toe.
'Fijn. Nu dat geregeld is, wil ik je aan iemand voorstellen. Ik heb hem in de achtertuin gelaten zolang mevrouw – sorry – Heks Watson hier was, maar nu wil ik graag dat je met hem kennismaakt. Ik denk dat je hem wel lief zult vinden.'
Sarah keek verwonderd op. Was Desiree dan toch gek? Het klonk net alsof ze iemand in de achtertuin had opgesloten.
'Ehm... oké.'
'Hij heet Pumpkin. Je hoeft niet bang voor hem te zijn – hij is erg vriendelijk.'
Desiree liep naar de glazen schuifdeur die toegang gaf tot de achtertuin en schoof hem open. Ze floot.
'Kom, Pumpkin. Je mag weer naar binnen.'
Er klonk een woest *woef.*
Een hond!
Een gelukzalig gevoel schoot als een pijl door Sarahs ziel.
Pumpkin dook op in de deuropening en Sarah snapte nu waarom hij zo heette. De kop van de hond was gigantisch. Echt veel en veel te groot – inderdaad net een pompoen.
De koffiekleurige pitbull zag er lachwekkend en tegelijkertijd angstaanjagend uit met zijn hangwangen, zijn wapperende tong en zijn veel te grote kop. Hij rende naar Desiree toe, keek naar haar op en zei: *Woef!*
Desiree glimlachte en bukte zich om de pitbull te aaien. 'Hallo, Pumpkin. We hebben bezoek. Een meisje. Ze komt bij ons wonen en ze heet Sarah.'
De hond hield zijn kop een beetje schuin. Hij begreep dat zijn baasje tegen hem praatte, maar snapte niets van wat ze zei.
Sarah stond op van de bank. Pumpkin hoorde dit en draaide zich om.
Woef!
De hond sprong huppelend op haar af. Normaal gesproken zou Sarah doodsangsten hebben uitgestaan, maar Pumpkin kwispelde in een universeel gebaar van hondenblijdschap. Hij stootte met zijn enorme kop tegen haar aan en likte toen zo enthousiast haar uitgestoken hand dat die al snel onder het kwijl zat.
Sarah grinnikte. 'Getver!' Ze aaide de pitbull, die ging zitten en breeduit grijnsde. 'Wat ben jij een rare hond, Pumpkin.'
'Ik heb hem acht jaar geleden uit een kroeg gered,' vertelde Desiree. Ze glim-

lachte. 'Dat was in mijn jonge jaren, toen ik niet altijd even verstandig was. Ik zag een groep motorrijders lachend en herrieschoppend bij een biljarttafel staan en toen ik ging kijken wat ze aan het doen waren, zag ik Pumpkin. Hij was nog maar een puppy, maar ze hadden hem op de biljarttafel gezet en bestookten hem met ballen. Hij was heel bang en jankte.'
'Wat gemeen!'
'Ja, dat vond ik ook. Ik heb ze allemaal uitgekafferd en misschien had ik ook nog wel een potje met ze gevochten – wat echt heel erg dom van me zou zijn geweest –, maar mijn vriendin pakte snel mijn arm vast en trok me mee. Ik was zo aangeslagen dat ik veel te veel dronk en... Ik weet niet precies hoe het is gegaan. Toen ik de volgende ochtend wakker werd, lag Pumpkin naast me op het bed.'
Sarah aaide de hond en dacht intussen verbijsterd na over deze vreemde vrouw en haar verhaal over de dronken redding van de hond. Er prikte iets zwaars in haar borstkas. Tot haar grote afschuw merkte ze dat er tranen over haar gezicht stroomden.
'Wat is er, Sarah?'
Desiree begreep hoe ze zich voelde. Ze kwam niet dichterbij en probeerde evenmin om Sarah te omhelzen.
Sarah veegde met een boos gebaar haar gezicht droog.
'Het komt... Wij hadden ook honden en mijn moeder zou dat verhaal over Pumpkin erg leuk hebben gevonden, en...' Ze ging met een triest gezicht weer op de bank zitten. 'Het spijt me. Ik ben echt geen huilebalk.'
Pumpkin legde zijn kop op haar schoot en keek haar aan alsof hij wilde zeggen: ik vind het heel jammer dat je zoveel verdriet hebt, maar kun je alsjeblieft wel doorgaan met aaien?
'Het is helemaal niet erg om te huilen als je verdriet hebt, Sarah.'
Sarah keek Desiree aan. 'Ook niet als je altijd verdrietig bent? Dan houd je nooit op met huilen.'
Even was ze bang dat ze iets verkeerds had gezegd, want er verscheen een trieste uitdrukking op Desirees gezicht. Toen begreep ze het: dat is wat ze voor mij voelt.
Hoe vroegrijp en gehard ook, een achtjarige heeft maar een beperkte hoeveelheid complexiteit om uit te putten. Sarahs inwendige muren hadden barsten gekregen; die barsten waren in scheuren veranderd, en hoewel de dam nog niet was ingestort, bleven de tranen stromen. Ze sloeg haar handen voor haar gezicht en huilde.
Desiree ging naast haar op de bank zitten, maar deed verder niets. Daar was Sarah haar dankbaar voor. Ze was er nog niet aan toe om zich weer in de armen van een volwassene te storten. Ze vond het wel fijn dat Desiree er was.

Pumpkin toonde op geheel eigen wijze zijn medeleven: hij eiste niet langer dat ze hem aaide en likte Sarahs knie.
Desiree zei pas weer iets toen Sarah niet meer huilde.
'Oké,' zei ze. 'Pumpkin ken je nu. Wil je je slaapkamer zien?'
Sarah knikte en glimlachte moeizaam. 'Ja, graag. Ik ben moe.'

Weet je wat ik me net realiseer? Ik realiseer me dat een hond echt de beste vriend van een man (of vrouw) is.
Zolang je hem eten geeft en van hem houdt, houdt een hond ook van jou. Hij zal je niet bestelen, slaan of verraden. Hij is eerlijk. Wat je aan de buitenkant ziet, is precies wat er ook aan de binnenkant zit.
Heel anders dan mensen.

'We zijn er,' zegt Alan, en zijn woorden dwingen me om op te houden met lezen.
Ik vouw de pagina's dubbel en stop ze met veel tegenzin terug in mijn tas.
Sarahs ervaringen hadden haar laten kennismaken met geweld. Toch koesterde ze nog altijd hoop.
Wat het bij hem ook zo gegaan? Langzame erosie van de ziel? Op welk moment was geweld van iets eenmaligs in iets permanents veranderd?
Koesterde een deel van hem ook nog steeds hoop?

37

Terry Gibbs, de advocaat, woont in Moorpark. Ik ben bij toeval bekend met Moorpark; Callies dochter en kleinzoon wonen er.
Het geheim van Callies dochter heeft haar jarenlang achtervolgd. Een moordenaar was erachter gekomen en had geprobeerd die kennis in zijn voordeel uit te buiten. Het gevolg? Callie en ik hadden met getrokken wapens bonkend op de voordeur van haar dochter de geluidsbarrière doorbroken, op het ergste voorbereid.
Marilyn mankeerde niets, de moordenaar is inmiddels dood en in plaats van eeuwige spijt heeft Callie nu contact met haar kind. Daarmee wordt aan zowel mijn ideeën over gerechtigheid als mijn gevoel van ironie tegemoetgekomen, een zelfbehagen dat waarschijnlijk even lelijk als aangenaam is. Ik vind dat de dood van de moordenaar eerder leedvermaak dan schuldgevoel van mijn kant verdient.
Moorpark, gelegen in Ventura County, ten westen van Los Angeles, wordt steeds populairder. In veel opzichten staat het voor het oude Californië; wanneer je er over snelweg 118 naartoe gaat, rijd je kilometers lang langs onbewoonde heuvels en heuveltjes. Soms lopen er zelfs koeien.
Vroeger was Moorpark een landelijk gehucht. Tegenwoordig is het een almaar uitdijende, drukke voorstad, bewoond door de gegoede middenklasse en standplaats van enkele van de snelst in waarde stijgende huizen in Zuid-Californië.
'Over twintig jaar is dit één grote, verstedelijkte krottenwijk,' merkt Alan kritisch op als een cynische toekomstecho bij mijn gedachten, terwijl hij uit het raam kijkt.
'Dat hoeft niet,' werp ik tegen. 'In Simi Valley even verderop is het ook nog steeds goed toeven.'
Alan schokschoudert; hij gelooft er niets van. We verlaten snelweg 118 en slaan Los Angeles Avenue in.
'Het is hier aan de rechterkant,' zegt Alan. 'Op het industrieterrein.'
We verlaten de openbare weg en rijden nu tussen een enorme verzameling vier of vijf verdiepingen tellende kantoorgebouwen door, stuk voor stuk net zo nieuw als de rest van Moorpark, met glas dat glinstert in het zonlicht.
'Ik zet de auto hier wel neer,' zegt Alan.

Terwijl hij de auto parkeert, gaat mijn mobieltje over.
'Smoky Barrett?' vraagt een opgewekte vrouwenstem.
'Ja. Met wie spreek ik?'
'Ik ben Kirby. Kirby Mitchell.'
'Sorry – ken ik jou?'
'Tommy heeft je zeker niet gezegd hoe ik heet. Malle vent. Je had hem toch om iemand gevraagd? Voor persoonlijke beveiliging? Dat ben ik.'
Ik besef dat de vrolijke stem toebehoort aan mijn 'trouwe, genadeloze' lijfwacht en mogelijke voormalige huurmoordenaar.
'O, op die manier. Sorry,' hakkel ik. 'Tommy heeft me inderdaad niet gezegd hoe je heet.'
Kirby grinnikt. Het is een geluid dat bij de rest van haar stem past: luchtig, melodieus. Het geluid van iemand zonder zorgen, iemand die het fijn vond om vanochtend wakker te worden, die geen behoefte had gehad aan koffie toen ze opstond, die waarschijnlijk rechtstreeks vanuit haar bed acht kilometer heeft hardgelopen en dat van begin tot eind met een brede glimlach op haar gezicht heeft gedaan.
Ik overweeg haar niet aardig te vinden, maar dat is het hele probleem met die opgewekte types: je voelt je verplicht hun een kans te geven. Ook ben ik geïntrigeerd. De gedachte aan een olijke, altijd optimistische huurmoordenaar spreekt de perverse kant van mijn karakter aan.
'Nou ja,' zegt ze, een en al vrolijkheid, 'niets aan de hand. Tommy is een geweldige gozer, maar het blijft een man, en mannen vergeten zulke details nu eenmaal vaak. Typisch iets voor mannen, zullen we maar denken. Tommy is er iets beter in dan de meesten en is bovendien ook nog eens een lekker ding, dus we zullen het hem maar vergeven, hè?'
'Best,' antwoord ik verbijsterd.
'Oké, waar en wanneer zullen we afspreken?'
Ik werp nadenkend een blik op mijn horloge. 'Kun je om halfzes bij de receptie van het FBI-gebouw zijn?'
'Het FBI-gebouw? Tof, man. Dan kan ik mijn wapens maar beter in de auto laten, denk ik.' Een heldere lach, die op een of andere manier zowel amusant als verontrustend klinkt, gezien de context. 'Dan zie ik je om halfzes. Tot dan!'
'Tot dan,' mompel ik. Ze verbreekt de verbinding.
'Wie was dat?' vraagt Alan.
Ik staar hem even aan. Haal dan mijn schouders op. 'Een mogelijke lijfwacht voor Sarah. Volgens mij is ze een giller.'
Tof, man.

Terry Gibbs verwelkomt ons met een brede glimlach in zijn kantoor. Het is een kleine kamer. Zijn bureau staat helemaal vooraan, met daarachter een rij dossierkasten. Alles ziet er gebruikt maar degelijk uit.
Ik neem de advocaat aandachtig op, terwijl hij gebaart dat we kunnen plaatsnemen in de twee zachte stoelen voor zijn bureau.
Gibbs biedt een interessante mengeling van kenmerken. Het is alsof hij maar niet kan beslissen wie hij wil zijn. Hij is lang. Hij is kaal, maar heeft wel een snor en een baard. Hij heeft de brede schouders en energieke bewegingen van een sportieve vent, maar ruikt naar sigaretten. Hij draagt een bril met dikke glazen die zijn felle, bijna mooie blauwe ogen benadrukken. Hij draagt een pak, maar geen stropdas; het pak ziet er duur en op maat gemaakt uit, en past niet bij het kantoormeubilair.
'Ik kan aan uw ogen zien wat u denkt, special agent Barrett,' zegt hij glimlachend. Hij heeft een mooie stem: glad en vloeiend, niet te zwaar, maar ook niet te hoog. Een prima stem voor een advocaat. 'U probeert mijn pak van duizend dollar met dit sjofele kantoor te rijmen.'
'Misschien,' geef ik toe.
Hij glimlacht. 'Dit is een eenmansbedrijf. Ik verdien geen bakken met geld, maar het gaat niet slecht. Dat vereist een compromis: een chic kantoor of een chic pak? Ik heb voor het chique pak gekozen. Een rommelig kantoor kan een cliënt me wel vergeven. Een goedkoop pak vergeeft hij me nooit.'
'Een beetje zoals wij,' zegt Alan. 'Je kunt hun je FBI-pas laten zien, maar het enige wat ze echt willen weten is of je ook een pistool hebt.'
Gibbs knikt waarderend. 'Precies.' Hij buigt zich voorover, leunt met zijn armen op het bureau en vouwt met een ernstig gezicht zijn handen. 'U moet weten, special agent Barrett, dat ik niet opzettelijk zo lastig ben wat betreft de Langstrom Trust. Ik ben in zowel ethisch als juridisch opzicht gebonden aan de wettelijke voorschriften.'
Ik knik. 'Dat begrijp ik, meneer Gibbs. Ik neem aan dat u er geen bezwaar tegen hebt dat we een dagvaarding regelen?'
'Absoluut niet, zolang het maar inhoudt dat u me op wettige wijze vrijwaart van mijn plicht om de voorschriften aangaande privacy op te volgen.'
'Wat kunt u ons vertellen?'
Hij leunt achterover in zijn stoel en staart peinzend over onze hoofden in de verte.
'De cliënt benaderde me een jaar of tien geleden met het verzoek een trust op te zetten ten behoeve van Sarah Langstrom.'
'Man of vrouw?' vraag ik.
'Het spijt me. Dat kan ik u niet zeggen.'
Ik frons mijn wenkbrauwen. 'Waarom niet?'

'Vertrouwelijke informatie. De cliënt eiste op alle fronten honderd procent vertrouwelijkheid. Om die reden staat alles op mijn naam. Ik ben gevolmachtigde, ik beheer de trust en ik word uit de trust betaald.'
'Is het ooit bij u opgekomen dat iemand die zoveel vertrouwelijkheid eist wellicht weinig goeds in de zin heeft?' vraagt Alan.
Gibbs kijkt Alan doordringend aan. 'Uiteraard. Ik heb navraag gedaan. Dat leidde me naar een kind dat wees was geworden door moord en zelfmoord van de ouders. Als Sarah Langstroms ouders door een onbekende indringer waren gedood, zou ik het verzoek van deze potentiële cliënt hebben geweigerd. Aangezien de moeder echter als dader werd aangemerkt, zag ik geen enkele reden om de opdracht af te slaan.'
'We onderzoeken momenteel de mogelijkheid dat het niet om moord en zelfmoord ging,' zeg ik en ik sla hem aandachtig gade om te zien hoe hij reageert. 'Het zou kunnen dat dit allemaal alleen in scène is gezet om die indruk te wekken.'
Gibbs doet zijn ogen dicht en wrijft over zijn voorhoofd. Hij maakt een aangeslagen indruk. 'Als dat waar is, is het echt verschrikkelijk.' Hij zucht en doet zijn ogen weer open. 'Helaas ben ik als advocaat nog altijd gebonden aan mijn plicht tot geheimhouding.'
'Wat kunt u ons verder vertellen zonder die geheimhouding te schenden?' vraagt Alan.
'De trust is een stichting, opgericht om het ouderlijk huis te kunnen aanhouden en ervoor te zorgen dat Sarah Langstrom een bron van inkomsten heeft. Op haar achttiende verjaardag krijgt ze zelf de beschikking over het geld.'
'Om hoeveel gaat het?' vraag ik.
'Ik kan u niet het exacte bedrag geven. Ik kan u wel zeggen dat ze er een aantal jaar ruimschoots van zal kunnen leven.'
'Brengt u verslag uit aan uw cliënt?'
'Eigenlijk niet, nee. Ik neem aan dat er een bepaalde vorm van toezicht plaatsvindt – dat mijn cliënt me op de een of andere manier in de gaten houdt en erop let dat ik geen graai in de kas doe. Sinds de oprichting van de trust heb ik echter geen contact meer met mijn cliënt gehad.'
'Is dat niet ongebruikelijk?' vraagt Alan.
Gibbs knikt. 'Bijzonder ongebruikelijk.'
'Het viel me op dat de buitenkant van het huis goed wordt onderhouden. Waarom de binnenkant dan niet? Het is er één groot stofnest,' zeg ik.
'Dat is een van de voorwaarden van de trust. Het is niemand toegestaan zonder Sarahs toestemming het huis te betreden.'
'Vreemd.'
Hij schokschoudert. 'Ik heb wel vreemdere dingen meegemaakt.' Hij stopt

even met praten. Er verschijnt een gepijnigde, breekbare uitdrukking op zijn gezicht. 'Special agent Barrett, ik wil dat u weet dat ik nooit opzettelijk zou meewerken aan iets waardoor een kind schade lijdt. Nooit. Ik heb op jonge leeftijd een zus verloren. Mijn kleine zusje. Een zusje dat door haar grote broers beschermd hoort te worden. Begrijpt u me?' Hij kijkt bedroefd. 'Kinderen zijn heilig.'
Het schuldgevoel dat ik in zijn ogen zie opdoemen komt me bekend voor. Het is het soort schuldgevoel dat voortvloeit uit de gedachte dat je verantwoordelijk bent voor iets waaraan je toch niets had kunnen doen. Het soort schuldgevoel dat ontstaat wanneer het lot een fout begaat, maar jij degene bent die met de gebakken peren blijft zitten.
'Ik begrijp het, meneer Gibbs.'

We hebben een uur lang met de advocaat gepraat en zonder succes geprobeerd meer informatie uit hem los te krijgen. Nu zitten we weer in de auto en ik probeer te bedenken wat onze volgende stap zal zijn.
'Ik had de indruk dat hij ons graag meer wilde vertellen,' zegt Alan.
'Ik ook. Ik ben het eens met je eerdere inschatting. Ik denk ook niet dat hij expres lastig doet. Hij is aan handen en voeten gebonden.'
'Tijd voor een dagvaarding,' zegt Alan.
'Ja. Laten we maar teruggaan naar kantoor en onze bedrijfsjurist aan het werk zetten.'
Mijn mobieltje gaat over.
'Een update op andere terreinen,' zegt Callie.
'Ga je gang.'
'Blijkbaar zijn de dossiers over de zaak-Vargas, zowel die van ons als van de LAPD, spoorloos verdwenen.'
De moed zinkt me in de schoenen.
'Kom, zeg. Dat meen je toch niet?'
'Helaas wel. Er heerst een sterk vermoeden dat ze in de tussenliggende tijd gewoon zijn kwijtgeraakt, hoewel het, alles in aanmerking genomen, in theorie natuurlijk ook heel goed mogelijk is dat ze zijn gestolen.'
'We hebben dus geen dossiers.' Ik wrijf over mijn voorhoofd. 'Goed. Ik weet dat je het druk hebt met het onderzoek in het huis van de Langstroms, maar wil je iets voor me doen? Bel AD Jones en vraag hem of hij je een lijst kan geven van de FBI-agenten en politieagenten die indertijd aan de zaak hebben meegewerkt.'
'Komt voor elkaar.'
Ik verbreek de verbinding.
'Slecht nieuws?' vraagt Alan.

'Dat kun je wel zeggen.' Ik vertel hem in het kort over de inhoud van het telefoongesprek.
'Wat is het volgens jou? Kwijtgeraakt of gestolen?'
'Ik denk gestolen. Hij is jarenlang bezig geweest dit te plannen en manipuleert allerlei dingen, zodat de onthulling in zijn tempo verloopt. Dan zou dit wel héél toevallig zijn.'
'Waarschijnlijk heb je gelijk. Waar gaan we nu naartoe?'
Ik sta op het punt antwoord te geven, maar dan gaat mijn mobieltje weer over.
'Barrett,' zeg ik.
'Ha, Smoky. Met Barry. Zijn jullie nog steeds in Moorpark?'
'We rijden net weg.'
'Dat is mooi. Ik heb de rechercheurs nagetrokken die indertijd op de zaak van de Langstroms zijn gezet. Moet je horen: de een is dood. Hij heeft zich vijf jaar geleden door het hoofd geschoten. Op zich bewijst dat eerlijk gezegd niets – blijkbaar ging het al jaren niet echt denderend met hem –, maar wat wel interessant is, is dat zijn partner twee jaar later met pensioen is gegaan. Hij was zomaar ineens vertrokken, vier jaar voordat hij zijn dertig dienstjaren had volgemaakt.'
'Dat is inderdaad interessant.'
'Precies. Het wordt nog mooier. Ik heb hem te pakken gekregen. Hij heet Nicholson. Dave Nicholson. Ik heb hem verteld wat er speelde – en hij wil je spreken. Nu meteen.'
Opwinding hakt als een drilboor door me heen. 'Waar woont hij?' vraag ik.
'Daarom vroeg ik ook of jullie nog in Moorpark waren. Hij woont er vlakbij. In Simi Valley, iets verderop aan de snelweg.'

38

David Nicholson was een uitstekende agent geweest, had Barry me verteld. Hij kwam uit een familie van agenten, een traditie die aan de oostkust was begonnen met zijn opa en in de jaren zestig door zijn naar het westen verhuisde vader was voortgezet. Davids vader was tijdens zijn werk omgekomen toen David twaalf was.

Nicholson had het in recordtijd op eigen kracht tot rechercheur geschopt. Hij stond bekend om zijn scherpe verstand en nauwgezetheid. Hij was iemand met goede inzichten en was een gevreesd ondervrager. Hij klinkt een beetje als Alans verloren gewaande blanke broer.

Niets van dit alles lijkt verband te houden met de losse eindjes in de zaak-Langstrom. Dit plus het feit dat hij me – nu meteen – wil spreken, geeft me hoop.

'Hier moeten we zijn,' zegt Alan. Hij zet de auto stil langs de stoeprand.

Het huis staat aan de rand van Simi Valley, aan de kant van Los Angeles, een plek waar veel oudere huizen zijn. Geen enkel huis in de straat heeft een bovenverdieping. Het zijn allemaal bungalows, gebouwd volgens het ongeïnspireerde ontwerp dat model stond voor zoveel huizen in de jaren zestig. De tuin is goed onderhouden. Een eenvoudig betonnen pad leidt naar de voordeur. Ik zie dat achter een raam rechts van de deur een gordijn opzij wordt geschoven en vang een glimp op van het gezicht dat naar buiten staart.

'Hij weet dat we er zijn,' zeg ik tegen Alan.

We stappen uit de auto en lopen naar het huis. De deur gaat al open voordat we er zijn en er komt een man naar buiten die op de betonnen veranda blijft staan. Hij is blootsvoets en draagt een spijkerbroek en een T-shirt. Het is een lange, stevige vent van ongeveer een meter vijfentachtig, met brede schouders en een brede borstkas. Hij heeft een flinke bos donker haar, een vierkante kaak en een knap gezicht; hij lijkt jonger dan vijfenvijftig. In zijn ogen ontbreekt echter elk spoor van levendigheid. Ze zijn donker en leeg, vol echo's en open vlaktes.

'Meneer Nicholson?' vraag ik.

'Ja. Mag ik jullie FBI-pas even zien?'

Alan en ik halen allebei onze pas tevoorschijn. Hij bekijkt ze aandachtig en ons vervolgens ook. Zijn blik blijft even op mijn littekens rusten, maar niet lang.

'Kom binnen,' zegt hij.

Het interieur voert ons regelrecht terug naar eind jaren zestig, begin jaren zeventig. Houten lambrisering op de muren, een open haard van flagstones. De enige concessie aan de moderne tijd is de donkere hardhouten vloer die in het hele huis ligt.

We lopen achter hem aan naar de woonkamer. Hij wijst op een weelderig uitziende bank en we gaan zitten.

'Iets drinken?' vraagt hij.

'Nee, dank u wel.'

Hij wendt zijn blik af en staart door de glazen schuifdeuren die uitkijken op de achtertuin. Het is een kleine tuin, langwerpig en smal, met meer aarde dan gras. Hij wordt omgeven door een houten schutting. Ik zie helemaal geen bomen.

De tijd verstrijkt. Nicholson blijft als verstard naar buiten staren.

'Meneer Nicholson?'

Hij schrikt op.

'Sorry.' Hij komt naar ons toe en neemt plaats in een leunstoel die schuin tegenover de bank staat. De stoel heeft een lelijke groene kleur, maar ziet er comfortabel, versleten en veelgebruikt uit. Trouwe meubelstukken, stilletjes gekoesterd. Ertegenover staat een middelgrote televisie met daarnaast een opklapbaar tafeltje.

Ik zie in gedachten voor me hoe Dave Nicholson hier 's avonds televisie zit te kijken met een in de magnetron opgewarmde maaltijd op het tafeltje voor hem. Op zich niets bijzonders, maar om de een of andere reden biedt het op deze plek een intrieste aanblik. Alles wordt bedekt door een afwachtende, sombere sfeer. Het voelt haast aan alsof alle meubels met witte lakens zouden moeten worden toegedekt en er een bries door het huis hoort te waaien.

'Luister,' zegt hij voordat ik hem ook maar de een vraag kan stellen. 'Ik ga jullie iets vertellen wat ik jullie móét vertellen, en ik ga jullie iets vertellen wat ik eigenlijk niet mag vertellen. Daarna zal ik doen wat ik móét doen.'

'Meneer Nicholson...'

Hij legt me met een handgebaar het zwijgen op. 'Dit is wat ik jullie móét vertellen: "Wat belangrijk is, is de man áchter het symbool, niet het symbool zelf." Begrepen?' Zijn stem is monotoon en past bij de lege blik in zijn ogen.

'Ja, maar...'

'Dit is het tweede. Ik heb het onderzoek in de zaak-Langstrom opzettelijk in de war gestuurd en de uitkomst gemanipuleerd. Hij had me gezegd dat het bewijsmateriaal op moord en zelfmoord zou duiden, als ik niet al te goed keek. Ik hoefde alleen maar te accepteren wat aan de oppervlakte lag. Dat deed ik dus.' Hij slaakt een zucht. Blijkbaar schaamt hij zich. 'Het was belangrijk voor hem dat de dochter van de Langstroms – Sarah – met rust

werd gelaten. Hij zei dat hij grootse plannen met haar had. Ik had het niet moeten doen, dat weet ik, maar jullie moeten begrijpen dat ik het heb gedaan, omdat... hij mijn dochter heeft.'
Ik verstijf van schrik. 'Uw dochter?'
Nicholson staart naar een plek boven mijn hoofd en gaat bijna in zichzelf verder: 'Ze heet Jessica. Hij heeft haar tien jaar geleden van me afgenomen. Hij zorgde ervoor dat ik geen kant op kon en vertelde me toen wat ik moest doen. Wat ik voor hem moest doen. Hij zei dat iemand jaren later vragen zou komen stellen en dat ik diegene dan de boodschap moest geven die ik jullie net heb gegeven. Als ik dat allemaal deed, plus nog één laatste ding, zou hij haar laten gaan, zei hij.' Zijn ogen kijken me smekend aan. 'U snapt het wel, hè? Ik was een goede rechercheur, maar het ging hier wel om mijn dochter.'
'Bedoelt u dat hij haar heeft ontvoerd?'
Hij wijst met een stevige vinger naar me. 'Zorg dat ze het overleeft. Zorg dat hij zijn belofte nakomt. Ik geloof wel dat hij dat doet.' Hij likt langs zijn lippen en knikt gejaagd. 'Dat geloof ik echt.'
'Meneer Nicholson. Probeert u het iets kalmer aan te doen.'
'Nee. Ik heb al genoeg gezegd. Ik moet het afronden. Nog één ding.'
Hij tast met een hand achter zijn rug en haalt een groot pistool tevoorschijn. Ik spring op, net als Alan. Ik wil mijn wapen trekken, heb het al in mijn hand, maar ik ben niet degene op wie Nicholson het heeft voorzien. De loop draait naar zijn mond, schuift ruw naar binnen en schuin omhoog. Ik steek mijn handen naar hem uit.
'Nee!' schreeuw ik.
Hij doet zijn ogen dicht en haalt de trekker over; zijn hoofd spat met een luide knal uit elkaar en ik sta in een regen van bloed.
Ik kijk sprakeloos toe hoe hij voorover uit de leunstoel tuimelt.
'Allejezus!' roept Alan. Hij rent naar Nicholson toe.
Ik sta als verdoofd naar hen te staren. Buiten scheuren de wolken open en begint het weer te regenen.

39

Alan en ik zijn in het huis van Nicholson. De lokale politie is gearriveerd en wil de boel overnemen, maar in mijn razende woede negeer ik hen.
Een man – een politieagent – is dood en ik weet dat zijn dood niet zomaar zelfmoord is. Ik wil weten waarom.
Ik heb mijn handen gewassen en handschoenen aangetrokken, en ik kan nog steeds de plekken op mijn gezicht voelen waar ik zijn bloed van mijn gezicht heb geboend.
Ik been door de woonkamer de gang in naar Nicholsons slaapkamer. Alan volgt me op de voet.
'Waar zijn we naar op zoek, Smoky?' vraagt hij voorzichtig.
'Een verklaring, godverdomme,' snauw ik met een harde, kwade stem die aan de randen knarst.
Het is zo plotseling gebeurd, het is zo gruwelijk, dat het me als een klap in mijn gezicht met de rug van een hand heeft getroffen. Mijn maag is van slag door de adrenalinestoot. Ik kan er met mijn verstand niet bij, bij deze dood, niet helemaal. Ik weet alleen dat ik laaiend ben. Híj heeft dit gedaan. Dit is zíjn schuld.
De Vreemdeling. Ik ben zijn spelletjes, raadsels en al het andere spuugzat.
Ik wil hem verdomme vermoorden.
Nicholsons slaapkamer is net als de rest van het huis onpersoonlijk en spartaans. Het is er redelijk schoon, maar het huis heeft geen ziel. De muren zijn kaal, de gordijnen voor de ramen zijn goedkoop en passen niet bij elkaar. Hij sliep hier, hij at hier, hij kon hier schuilen voor de regen. Meer niet.
Mijn oog valt op een ingelijste foto op een tafeltje naast het bed. Nicholson staat erop, glimlachend en met levendige ogen. Hij heeft zijn armen om een meisje van een jaar of zestien geslagen. Ze heeft het haar van haar vader: dik en donker. De ogen behoren aan iemand anders toe. Een schaduw van de moeder?
Alan bekijkt de foto ook.
'Zo te zien een foto van vader en dochter,' merkt hij op.
Ik knik, maar zeg niets.
Alan doet de inloopkast open en begint op de planken te zoeken. Hij houdt op – ontbreken van beweging, stilte.

'Wauw,' zegt hij. 'Moet je dit zien.'
Hij komt de kast uit. In zijn handen heeft hij een schoenendoos zonder deksel. Ik zie polaroidfoto's. Heel veel polaroidfoto's. Alan pakt er eentje uit en geeft hem aan mij.
Het meisje is bleek en naakt. Op deze foto is ze begin twintig. De foto is van voren genomen. Ze staat met haar handen op haar rug, haar voeten een stukje naar binnen gedraaid, haar blik afgewend en vertwijfeld. Ze heeft grote borsten en een ongeschoren schaamstreek. Ze ziet er kwetsbaar en emotieloos uit.
Ik vergelijk de foto met die in het lijstje.
'Het is beslist hetzelfde meisje,' zeg ik.
'Hij zit vol met zulke foto's,' zegt Alan, terwijl hij in de doos graait. 'Zo te zien liggen ze op chronologische volgorde. Telkens naakt. Verschillende leeftijden.' Hij zoekt verder. 'Jezus. Aan de veranderingen aan haar gezicht en lichaam te zien gaan ze heel wat jaren terug.'
'Meer dan tien, denk ik zo,' zeg ik mismoedig. Mijn woede is verdwenen en heeft een grote leegte achtergelaten.
Alan staart me aan en laat het bezinken. Hij tikt met zijn voet op de grond en laat de schoenendoos op één enorme hand balanceren. 'Oké. Oké. Logisch. Hij ontvoert Nicholsons dochter. Nicholson is niet zomaar een vader, hij is rechercheur. De dader moet een manier zien te vinden om Nicholson in bedwang te houden, dus levert hij hem regelmatig een bewijs dat ze nog leeft.' Zijn voet tikt sneller. 'Verdomme. Waarom is Nicholson niet naar de FBI gestapt? Waarom heeft hij zijn dochter zo lang in handen van die kerel gelaten zonder ook maar iets te doen?'
'Omdat hij hem geloofde, Alan. Hij geloofde dat de Vreemdeling zou doen wat hij zei. Als Nicholson van het plan afweek, zou de Vreemdeling zijn dochter doden. Als Nicholson zich aan het plan hield, zou hij haar laten leven. Hij stuurde Nicholson regelmatig een bewijs om aan te tonen dat hij zich aan zijn woord hield.'
'Dat snap ik, maar toch – zou jij hebben gedaan wat Nicholson heeft gedaan? Het net zo lang hebben volgehouden als hij?'
Het antwoord komt spontaan. Ik hoef er niet lang over na te denken. De kans dat Alexa leeft of de huidige realiteit van haar dood?
'Waarschijnlijk wel. Als hij overtuigend genoeg was. Ja.' Ik kijk hem aan. 'Stel je eens voor dat het Elaina was?'
Zijn voet houdt op met tikken. 'Je hebt gelijk.'
Ik staar naar de foto. 'Waarom? Waarom Nicholson?'
'Ik dacht dat we dat al wisten. Nicholson moest voor hem het onderzoek bij de Langstroms manipuleren.'

Ik schud mijn hoofd. 'Onzin. Ik bedoel: ja, hij heeft hem voor dat doel gebruikt – maar waarom heeft hij het risico genomen? Waarom al die moeite? Hij had ook gewoon zijn sporen beter kunnen verbergen – hij had ze nu ook al aardig goed verborgen. Door Nicholson erbij te betrekken werd de kans op ontdekking veel groter. Waarom was de Vreemdeling bereid dat risico te nemen?' Ik strijk met een hand door mijn haar. 'We zullen in Nicholsons verleden moeten graven.' Ik ijsbeer heen en weer. 'In deze zaak draait alles om het verleden, we zien alleen de verbanden nog niet. Aan wie heb ik ook alweer gevraagd om Sarahs grootvader na te trekken?'
'Aan mij. Ik ben er nog niet aan toegekomen. Eerst kwam de info over het huis van de Langstroms, daarna de trust en toen' – hij gebaart om zich heen – 'Nicholson. Het is allemaal vrij snel gegaan.'
'Dat weet ik en ik begrijp het ook, maar het is belangrijk.'
'Begrepen.'
Ik tuur naar het treurige meisje op de treurige polaroid. Het beeld is symbolisch voor deze zaak: iets wat eeuwig doorgaat, iets afschuwelijks, iets wat tot het verleden kan worden herleid. Nicholson, Sarahs opa, een zaak uit de jaren zeventig.
Hoe past het allemaal in elkaar?

Ik praat met Christopher Shreveport, het hoofd van het crisisteam. Het CT handelt ernstige gebeurtenissen zoals ontvoeringen en dergelijke af.
'Hij houdt haar dus in gijzeling?' zegt hij.
'Ja. Tenzij ze al dood is.'
Stilte. Shreveport vloekt niet, maar ik heb zo het idee dat hij dat wel graag zou doen.
'Ik zal iemand naar je toe sturen. Hij heet Mason Dickson.'
'Is dat een grapje, Chris?'
'Alleen als zijn ouders in een grappige bui waren toen ze hem zijn naam gaven. Hij is opgeleid bij het CT in Quantico en onze expert op het gebied van ontvoeringszaken in jouw district. Hij zal zijn uiterste best doen. Verwacht er maar niet te veel van. Iets in me zegt dat Mason pas echt iets kan doen nadat je deze zaak hebt opgelost.'
'Misschien houdt hij zich wel aan zijn belofte en laat hij haar gaan.'
'Iedereen heeft recht op een droom, Smoky. Laat dit de jouwe zijn.'

40

Het is nu aan het eind van de middag. Het is opgehouden met regenen, maar de grauwe wolken laten zich niet verjagen. De zon probeert uit alle macht door te breken, maar tevergeefs. Alles is grimmig, nat en kaal. Dit soort weer benadrukt op een weinig flatterende manier het beton van Los Angeles. Het past goed bij mijn stemming.

Special agent Mason Dickson is een klein uur nadat ik met Shreveport had gesproken gearriveerd. Hij heeft rood haar, een kinderlijk onschuldig gezicht en een slungelig lijf van twee meter lang. Niet direct wat je zou hebben verwacht, maar hij komt heel bekwaam over. We hebben hem op de hoogte gesteld van de situatie en hem de doos met foto's overhandigd, en zijn met een loodzwaar gevoel van onmacht vertrokken.

Wanneer we het parkeerterrein bij het FBI-gebouw op rijden, wordt Alan gebeld. Hij mompelt een paar keer wat.

'Bedankt,' zegt hij dan en hij verbreekt de verbinding. 'Sarah Langstrom wordt morgen uit het ziekenhuis ontslagen,' zegt hij tegen me.

Ik trommel onbehaaglijk met een vinger op mijn tas en denk na.

'Ik heb Elaina gisteren gesproken,' zeg ik. 'Volgens mij wil ze Sarah in huis opnemen.'

Er glijdt een verdrietige glimlach om zijn mond. Hij haalt nauwelijks waarneembaar zijn schouders op.

'Ja. Dat heeft ze me verteld. Ik ontplofte bijna en zei: geen sprake van. Ik heb echt mijn poot stijf gehouden.'

'En?'

'Sarah komt bij ons in huis.' Hij tuurt door het autoraampje naar de grijze wolken die maar niet verdwijnen. 'Ik kan haar niets weigeren, Smoky. Dat heb ik eigenlijk nooit gekund, maar na de kanker lukt het me helemaal niet meer.'

'Mag ik je iets vragen, Alan?'

'Ga je gang.'

'Heb je ooit de knoop doorgehakt? Over het plan om ontslag te nemen, bedoel ik.'

Hij antwoordt niet meteen. Hij blijft door het raam naar buiten turen en zoekt zorgvuldig naar woorden als een boer die zijn tarweoogst met de hand binnenhaalt.

'Kijk je weleens naar die *cold case*-realityprogramma's?'
'Ja. Natuurlijk.'
'Ik ook. Weet je wat ik altijd zo opmerkelijk aan die programma's vind? Dat zoveel van de agenten met wie ze oude zaken bespreken nog zo jong zijn en toch al met pensioen. Het komt echt zelden voor dat je een oudere man ziet die nog steeds bij de politie werkt.'
'Daar heb ik nog nooit over nagedacht.' Dat is ook zo. Nu ik er wel bij stilsta, besef ik dat hij gelijk heeft.
Hij kijkt me aan. 'Weet je ook waarom dat is? Omdat aan moordzaken werken gevaarlijk is, Smoky. Ik bedoel niet in fysiek opzicht, maar spiritueel.' Hij gebaart met een hand. 'Of mentaal, als je niet in de ziel gelooft. Noem het zoals je wilt. Het punt is dat je, wanneer je er te lang naar kijkt, het risico loopt dat je wat je ziet nooit meer te boven komt.' Hij slaat zacht met een vuist in de palm van zijn andere hand. 'Ik bedoel echt nóóit. Ik heb heel wat ellende gezien, Smoky...' Hij schudt zijn hoofd. 'Ik heb één keer een halfopgegeten baby gezien. De moeder had verkeerde lsd gebruikt en honger gekregen. Door die zaak ben ik gaan drinken.'
Ik kijk geschrokken op. 'Dat wist ik niet,' zeg ik.
Hij haalt zijn schouders op. 'Dat was vóórdat ik bij de FBI kwam. Weet je waarom ik ben opgehouden met drinken?' Hij wendt zijn blik af. 'Elaina. Een keer kwam ik straalbezopen om drie uur in de ochtend thuis. Ze zei tegen me dat ik moest ophouden. Ik...' Hij grimast. Zucht dan diep. 'Ik greep haar vast bij haar arm, zei dat ze zich met haar eigen zaken moest bemoeien en viel toen bewusteloos neer op de bank. De volgende ochtend werd ik wakker van de geur van gebakken spek. Elaina was bezig het ontbijt klaar te maken, zorgde als altijd voor me alsof er niets was gebeurd. Alleen was er wel degelijk iets gebeurd. Ze had een mouwloos shirt aan dat altijd zo lekker zat en op haar armen had ze een hele verzameling blauwe plekken. Daar waar ik haar had vastgepakt.' Hij zwijgt en raapt nog wat tarwearen. Ik wacht als betoverd af. 'De moeder die haar baby had opgegeten werd op een gegeven moment natuurlijk weer nuchter. Toen het tot haar doordrong wat ze had gedaan, begon ze te krijsen – heel schril. Het was een geluid dat een menselijk wezen niet hoort te kunnen maken, Smoky. Net een aap die in de fik is gezet. Ze begon te gillen, en toen ze eenmaal was begonnen, kon ze niet meer ophouden. Zo voelde ik me dus ook toen ik die blauwe plekken op de arm van die fantastische vrouw zag. Ik had zin om heel schril te krijsen. Snap je dat?'
'Ja.'
Hij draait zich om en kijkt me aan.
'Sindsdien heb ik geen druppel drank meer aangeraakt en ik ben er weer

bovenop gekomen. Vanwege Elaina. Er zijn meer vervelende periodes geweest, maar ik ben er telkens weer bovenop gekomen. Vanwege Elaina, altijd vanwege Elaina. Ze is... het waardevolste wat ik heb.' Hij schraapt een keer zijn keel, een beetje verlegen. 'Toen ze vorig jaar ziek werd en die psychopaat het op haar had voorzien, was ik bang, Smoky. Bang dat er een moment zou aanbreken waarop ik haar nodig had, maar ze er niet meer was. Als dat gebeurde, zou ik er nooit meer bovenop komen. Het gaat erom te vinden van de juiste balans. Begrijp je? Het gaat erom te weten hoe ver ik kan gaan, hoeveel ik kan zien en er dan toch steeds weer bovenop komen, bij haar terug te keren. Op een goede dag besef ik dat het genoeg is geweest en ik hoop dat ik doorheb wanneer dat is.' Hij glimlacht naar me, een gemeende glimlach, maar te complex om 'blij' te kunnen worden genoemd. 'Het antwoord op jouw vraag is dat ik er voorlopig nog ben, maar op een goede dag ben ik er niet meer en ik weet niet wanneer die dag komt.'
Wanneer we langs de beveiliging zijn gelopen en naar de receptie wandelen, blijft een energieke, levendige blonde vrouw van rond de dertig met een brede glimlach voor ons staan. Ze steekt een hand naar me uit. Ze zindert bijna van zelfvertrouwen en energie.
'Special agent Barrett? Kirby Mitchell.'
Ik verstijf even en besef dan dat het inmiddels na halfzes moet zijn. Ik ben het straal vergeten.
O ja, de moordenaar, zeg ik bijna. Aangenaam – of moet ik daar een vraagteken achter zetten? De tijd zal het leren, vermoed ik.
In plaats daarvan schud ik glimlachend de uitgestoken hand en neem ik haar van top tot teen op.
Kirby in hoogsteigen persoon past sprekend bij Kirby als telefoonstem. Ze is aantrekkelijk, tenger en ongeveer een meter zeventig lang, en heeft blond haar dat misschien wel maar misschien ook niet haar eigen kleur is, olijke blauwe ogen en een eeuwige glimlach rondom veel te witte tanden. Ze ziet eruit als iemand die rond haar twintigste al haar tijd feestend op het strand doorbracht, met surfers omging, bier dronk rond kampvuren, sliep met knullen die net zo blond waren als zij en die naar zeewater, surfplankenwas en misschien een beetje naar wiet roken. Het type meisje dat op vrijdagmiddag om vijf uur altijd snel een cocktailjurkje aanschoot. Dat jurkje was natuurlijk altijd zwart en kort, en ze danste erin tot sluitingstijd. Ik heb vriendinnen zoals zij gehad, één brok wildheid.
Kirby is echter een lijfwacht en volgens Tommy een voormalig moordenaar. De tegenstrijdigheid tussen die twee zaken intrigeert en verontrust me.
'Aangenaam,' pers ik eruit.
Ik stel haar voor aan Alan.

Ze grijnst en mept hem speels op zijn arm. 'Grote kerel! Vind je dat handig of juist lastig? Bij je werk, bedoel ik.'
'Voornamelijk handig,' antwoordt hij verbijsterd. Hij wrijft verbaasd over de plek waar ze hem heeft geslagen. 'Zeg, dat doet pijn.'
'Doe niet zo kinderachtig,' zegt Kirby. Ze knipoogt naar me.
'We wilden net naar ons kantoor gaan,' zeg ik.
'Na jullie, FBI-luitjes.'

Het kantoor is leeg. Iedereen is druk bezig met de opdrachten die ik hun heb gegeven. Callie doorzoekt het huis van de Langstroms. James heeft zich waarschijnlijk op Michael Kingsleys computer gestort. We hebben de hele dag lopen rennen en we zijn er nog niet.
Kirby kletst honderduit en ik sla haar stiekem gade wanneer we het kantoor in gaan. Ik zie dat ze al pratend haar ogen goed de kost geeft. Haar omgeving in zich opneemt. Haar blik houdt even stil bij het whiteboard, maar glijdt dan weer verder en ziet alles.
Ik heb die blik vaker gezien, bij luipaarden of leeuwen, of de menselijke versie daarvan. Hij flakkert als een kaars, oogt nonchalant, maar ziet niets over het hoofd.
We gaan mijn kamer in en nemen plaats.
'Goed, nu we vriendschap hebben gesloten,' steekt Kirby van wal, 'zal ik jullie vertellen hoe ik te werk ga. Ik ben erg goed, dat moeten jullie weten. Ik heb nog nooit een cliënt verloren en ik ben niet van plan daar nu mee te beginnen – even afkloppen!' Ze klopt grijnzend met een knokkel tegen mijn bureau. 'Ik heb ervaring met surveilleren, gevechten van man tegen man en ik kan overweg met... ach, eigenlijk met vrijwel alle wapens.' Ze telt af op haar vingers: 'Messen, handwapens, de meeste automatische wapens. Ik ben een redelijk goede scherpschutter, zolang de afstand niet meer dan 350 meter beslaat. Het gebruikelijke.' Weer die glimlach en olijke blik. '"Vechten met de besten, sterven als de rest." Suf, ik weet het, maar ik vind het een geweldige uitspraak.'
'Eh... inderdaad,' antwoord ik.
'Ik heb één regel.' Ze zwaait met een vinger naar me, een blijmoedige waarschuwing. 'Geen dingen voor me achterhouden. Om mijn werk te kunnen doen, moet ik van alles op de hoogte zijn. Als je je daar niet aan houdt en ik kom erachter, ben ik weg. Ik wil niet vervelend doen, maar zo zit het nu eenmaal.'
'Dat begrijp ik,' zeg ik.
Vervelend?
'Oké.' Ze praat verder, een onophoudelijke stroom van woorden. Kirby is net

een vrachttrein: aan boord springen of worden overreden, de keus is aan jou. 'Nu weet ik dat je misschien denkt: wie is dat domme wicht? Tommy is een goudeerlijke gozer – ook een lekker ding, trouwens.' Ze knipoogt samenzweerderig naar me. 'Dus ik weet zeker dat hij vond dat hij móést melden dat ik in het verleden misschíén, naar verluidt, mogelijk weleens wat mensen heb gedood voor een militair-industriële organisatie. Wanneer je met die wetenschap in je achthoofd naar dit hier kijkt,' – ze gebaart met een weids handgebaar naar zichzelf – 'dan denk je nu misschien wel: dat mens is helemaal kierewiet. Waar of niet?'

'Misschien een beetje,' geef ik toe.

Ze glimlacht. 'Tja, zo ben ik nu eenmaal. Een typisch Californisch meisje; dat ben ik altijd geweest, en dat zal ik ook altijd blijven. Ik ben erg gehecht aan mijn blonde haar en aan bikini's, en ik ben gek op de geur van de zee.' Ze wiebelt heen en weer in haar stoel. 'En ik ben gek op dansen!' Weer die glimlach van een miljoen kilowatt. 'Volgens mijn psychisch rapport bezit ik een "sterk ontwikkelde gewoonte om bepaalde menselijke wezens in de categorie 'anderen' te plaatsen". De doorsneemens is er niet op gebouwd om te doden. Het zit niet in hun genen. Wíj moeten echter voortdurend doden. Soldaten. Scherpschutters van SWAT-teams.' Ze knikt eenmaal in mijn richting. 'Jullie. Keuzes, keuzes, problemen, problemen. De oplossing: we besluiten dat zij tot de anderen behoren. Ze zijn anders dan wij, misschien zijn ze zelfs niet echt menselijk, wat dan ook. Wanneer dat eenmaal is gebeurd – en dit is iets wat psychologische en militaire groeperingen allang weten – is het een stuk gemakkelijker om hen te doden, neem dat maar van me aan.' Weer een opgewekte glimlach, maar deze keer blijft hij oppervlakkig, bereikt hij haar ogen niet. Volgens mij doet ze dit met opzet om me de moordenaar te laten zien die in haar schuilt. 'Ik ben geen psychopaat. Ik doe niet luchthartig over het neerknallen van mensen, ik doe niet mee aan het haantjesgedrag van "ingewanden om de rupsbanden van onze tanks mee te smeren".' Ze lacht alsof dit het meest dwaze is wat ze ooit heeft gehoord: ha, ha, ha. 'Nee, ik heb er alleen totaal geen moeite mee te beslissen wie de vijand is, en ach, wanneer je eenmaal zover bent, behoren ze niet langer bij mijn cluppie, als je begrijpt wat ik bedoel.'

'Ja,' antwoord ik. 'Ik begrijp het.'

'Tof, man.' De Kirby-trein dendert verder. Ze praat in golven, en het is bijna onmogelijk iets te zeggen zonder haar te onderbreken. 'Goed, wat betreft mijn cv: ik heb abnormale psychologie gestudeerd en ik spreek vloeiend Spaans. Ik heb vijf jaar voor de CIA gewerkt en zes jaar bij de NSA. Ik heb heel lang in Midden- en Zuid-Amerika gezeten, waar ik... eh... allerlei klussen heb opgeknapt,' – weer een samenzweerderige knipoog, die me licht doet huiveren – 'totdat ik me begon te vervelen en ontslag nam. Man, dat was moeilijk. Daar kan ik je verhalen over vertellen. De jongens van de geheime dienst nemen zichzelf echt bloedserieus. Ze wilden me niet laten gaan.' Ze glimlacht, en ook deze keer dringt de lach niet tot haar ogen door. 'Ik heb hen overgehaald.'

Alan trekt één wenkbrauw op, maar zegt niets.

'Goed – waar was ik? O ja, ik ben dus opgestapt en heb een paar maanden besteed aan de afronding van wat oude zaken. Een paar vervelende mannetjes uit Midden-Amerika bleven me maar lastigvallen. Ze dachten dat ik nog steeds voor de NSA werkte.' Ze rolt vrolijk met haar ogen. 'Sommige mannen leren nooit wat "nee" betekent. Het was bijna zo erg dat ik niets meer van latino's moest hebben – bijna, maar niet helemaal!' Ze lacht, en ik merk dat ik onwillekeurig meelach met deze gevaarlijke, ondeugende vrouw. 'Ik heb een halfjaartje op het strand gelegen, verveelde me nog erger dan daarvoor en bedacht toen dat ik best een poging kon wagen in de privésector. Het betaalt een stuk beter, dat kan ik je wel vertellen. Ik mag nog steeds af en toe mensen neerschieten, en tussen klussen door kan ik altijd naar het strand.' Ze spreidt haar armen in een gebaar van 'goed, hè?' 'Dat is dan het hele levensverhaal van ondergetekende.' Ze buigt zich naar voren. 'Vertel me dan nu maar eens alles over de cliënt en de mafkees die achter haar aan zit.'

Met nog een laatste blik op Alan, die vrijwel onmerkbaar zijn schouders ophaalt, vertel ik haar het verhaal van Sarah Langstrom en de Vreemdeling. Kirby richt haar luipaardogen op me, luistert aandachtig en knikt om aan te geven dat ze begrijpt wat ik zeg.

Wanneer ik klaar ben, leunt ze achterover en roffelt nadenkend met haar vingers op de stoel. Dan glimlacht ze.

'Oké, volgens mij heb ik het wel zo'n beetje door.' Ze kijkt naar Alan. 'Zeg, wat vind jij ervan dat ik bij je thuis kom, grote kerel?' Weer een speelse mep op zijn arm. 'Wat belangrijker is: wat vindt je vrouw ervan?'

Alan reageert niet meteen. Hij staart Kirby even peinzend aan. Ze ondergaat deze kritische blik ogenschijnlijk zorgeloos.

'Zul je mijn vrouw en het meisje beschermen?'

'Met mijn eigen leven. Hoewel... Jezus, laten we hopen dat het niet zover komt.'

'Ben je goed?'

'Niet de beste die er is, maar het scheelt weinig.' Tomeloze opgewektheid, de optimistische huurmoordenaar.

Alan knikt. 'Dan ben ik blij dat je komt. Dat geldt ook vast en zeker voor Elaina.'

'Tof, man.' Ze kijkt weer naar mij met de vingerknippende blik van iemand

die opeens iets bedenkt wat hij bijna was vergeten. 'O, zeg. Ik moet het vragen: als die mafkees langskomt – wil je hem dan levend in handen krijgen of dood?'
De glimlach hapert geen seconde. Ik kijk naar deze uiterst gevaarlijke vrouw en denk erover na wat ik zal antwoorden. Als ik het haar vraag, zal Kirby Mitchell de Vreemdeling in de categorie 'anderen' indelen. Als hij zijn gezicht laat zien, zal ze hem met een glimlach op haar gezicht doden en dan naar het strand gaan voor een kampvuur en een biertje. Ik aarzel alleen, omdat ik het begrijp; de vraag die ze net heeft gesteld is niet hypothetisch.
Wil je dat ik hem dood? Geen probleem, hoor. Ik doe het zo en dan drinken we daarna een paar marguerita's in een of andere nachtclub. Tof, man.
'Het liefst levend,' zeg ik. 'De veiligheid van Elaina en Sarah gaat echter voor.'
Een nietszeggend, ontwijkend antwoord. Ze doet niet moeilijk.
'Gesnopen. Nu dat allemaal duidelijk is, ga ik maar eens naar het ziekenhuis. Daar blijf ik tot morgen en dan brengen we haar naar jouw huis, grote kerel.'
Ze staat op. 'Kan een van jullie me even naar de uitgang brengen? Wat een weertje trouwens, hè?'
'Ik loop wel even mee,' zegt Alan.
Ze stuift het kantoor uit en laat me achter met het gevoel alsof ik zojuist ben overreden, maar gek genoeg wel op een leuke manier.

Ik kijk op mijn horloge. Het is na zessen. Misschien is Ellen, onze bedrijfsjurist, er nog wel. Ik neem de hoorn van de telefoon en draai haar nummer.
'Ellen Gardner,' klinkt het rustig en onverstoord aan de andere kant van de lijn. Zo klinkt Ellen altijd. Het heeft bijna iets onmenselijks.
'Hallo, Ellen, met Smoky. Ik heb een dagvaarding nodig.'
'Eén seconde,' zegt ze zonder aarzeling. 'Even een schrijfblok pakken.'
In gedachten zie ik voor me hoe Ellen achter haar kersenhouten advocatenbureau zit. Ze is een hoekige vrouw en bestaat uit lijnen die niet zozeer streng als wel zakelijk zijn. Ze is halverwege de vijftig, heeft bruin haar dat ze heel kort laat knippen (en verven, vermoed ik – ik heb nog nooit een grijze haar bij haar gezien) en een lang, dun, bijna jongensachtig lichaam. Ellen is bondig, nauwgezet en pragmatisch – met andere woorden, een typische advocaat. Ik heb haar ooit één keer horen lachen. Het was een vrolijk, uitbundig geluid dat me duidelijk maakte dat ik niet in stereotypen moest denken.
'Vertel op,' zegt ze nu.
Ik vertel haar alles, geef haar het totaalplaatje, inclusief de specifieke gegevens over de Langstrom Trust.
'De advocaat beweert dus dat we een dagvaarding nodig hebben om hem te

kunnen dwingen informatie af te staan,' rond ik mijn relaas af. 'Hij zegt dat hij zal meewerken mits die hem "op wettige wijze vrijwaart van zijn plicht om de voorschriften aangaande privacy op te volgen".'
'Juist,' antwoordt ze. 'Daar zit 'm nu net de kneep.'
'Hoezo?'
'Er zijn nog geen juridische gronden voor een dagvaarding om hem tot medewerking te dwingen.'
'Dat meen je toch niet, hè?'
'Helaas wel. Het enige wat je op dit moment hebt, is een zaak die al is afgesloten. Moord en zelfmoord. Daaruit voortvloeiend heb je een anonieme filantroop die heeft besloten een trust op te zetten waarmee voor het huis en Sarah wordt gezorgd. Maar er is nog niet vastgesteld dat er een misdaad is begaan, of wel?'
'Officieel niet,' geef ik toe.
'Goed. Dan is de volgende vraag: is er een manier om na te gaan of de trust zelf een criminele onderneming is? Of het bestaan of de oprichting ervan is bedoeld om te helpen een misdaad of fraude te plegen?'
'Dat ligt niet zo gemakkelijk.'
'Dan heb je inderdaad een probleem.'
Ik bijt nadenkend op mijn onderlip. 'Ellen, de enige informatie die we echt nodig hebben, is de naam van de cliënt. We moeten weten wie hij is. Schiet je daar iets mee op?'
'Beweert Gibbs dat hij gebonden is aan de geheimhoudingsplicht, omdat de cliënt om vertrouwelijkheid omtrent zijn identiteit heeft verzocht?'
'Inderdaad.'
'Dat is geen goede reden. Als jij kunt bewijzen dat het waarschijnlijk is dat de cliënt informatie heeft die van groot belang kan zijn voor een lopend onderzoek, kan ik die naam voor je loskrijgen.'
'Dat zou heel mooi zijn.'
'Het moet overigens wel echt zijn. Begin maar te zoeken naar iets waardoor de moord c.q. zelfmoord van de Langstroms in een fijne, ouderwetse dubbele moord verandert. Zodra je dat hebt, is de trust een logische plek om het onderzoek te vervolgen en kunnen we Gibbs dwingen de identiteit van zijn cliënt vrij te geven.' De klank van haar stem verandert, wordt vriendelijker, minder kortaf. 'Ik zal eerlijk tegen je zijn, Smoky. Gibbs lijkt misschien wel hulpvaardig, maar dat zinnetje dat hij je heeft voorgeschoteld over een dagvaarding die hem "op wettige wijze vrijwaart van zijn plicht om de voorschriften aangaande privacy op te volgen", dat is een heikel punt.'
Ik wil al tegensputteren, maar besef dan dat het verspilde moeite is. Ellen is een doener. Zij denkt in de trant van 'hoe kunnen we', niet: 'dat kan niet,

want.' Als zij iets zegt, dan zegt ze het omdat het zo is. Ik zucht berustend.
'Begrepen. Ik bel je zo snel mogelijk terug.'
Ik hang en op bel Callie.
'Met Overwerkt bv,' zegt ze wanneer ze opneemt. 'Waarmee kan ik u van dienst zijn?'
Ik glimlach.
'Hoe gaat het bij jou?'
'Nog niets spectaculairs, maar we doen rustig aan. We zijn bezig met de voorkant van het huis.'
Ik vertel haar hoe de dag is verlopen nadat onze wegen zich hadden gescheiden. Ik begin bij Gibbs, ga verder met Nicholson en eindig bij Ellen. Wanneer ik ben uitgesproken, blijft het even stil, terwijl ze probeert te verwerken wat ik heb gezegd.
'De afgelopen twee dagen zijn wel heel bizar geweest, zelfs voor jouw doen.'
'Zeg dat wel.'
'Goed, hou er dan voor vandaag mee op. Gene en ik zijn hier. James zit ergens onaangenaam te wezen. Bonnie wacht bij Alan en Elaina op je. Als je dan per se mijn raad om een hond te nemen in de wind wilt slaan, honeylove, ga dan tenminste naar huis, naar je dochter.'
Ik glimlach weer. Callie blijft Callie; het lukt haar vrijwel altijd om me aan het lachen te maken.
'Oké,' zeg ik. 'Je belt me wel, hè, als je iets vindt?'
'Ik beloof min of meer dat ik dat misschien zal doen,' zegt ze bijdehand. 'En nu wegwezen.'
Ik verbreek de verbinding en doe even mijn ogen dicht. Callie heeft gelijk. De afgelopen dagen is het inderdaad een gekkenhuis geweest. Zingende, met bloed besmeurde zestienjarigen. Dat verschrikkelijke dagboek.
Dan is het plotseling alsof ik een enorme dreun krijg. Mijn handen slaan trillend tegen elkaar. Ik bijt op mijn onderlip en benut de pijn om mijn tranen te verdringen.
Vandaag heeft een man zich voor mijn ogen van het leven beroofd, Matt. Hij keek me aan, praatte tegen me, stak een pistool in zijn mond en haalde de trekker over. Zijn bloed zat op mijn gezicht.
Ik kende Dave Nicholson niet. Dat deed er niet toe. Hij viel niet onder de categorie waarover Kirby het had gehad. Hij was niet een van de 'anderen'. Hij was een van ons, van top tot teen mens, en ik kan er niets aan doen, maar ik treur om hem.
Ik hoor voetstappen op de vloerbedekking en veeg met mijn hand over mijn ogen. Een klop op de deur en Alan steekt zijn hoofd om de hoek.
'Ik heb onze vriendelijke buurtmoordenaar naar haar auto gebracht.'

'Wat zou je ervan zeggen als we eens naar huis gingen? Al is het maar voor heel even?'
Hij denkt erover na. Slaakt een zucht.
'Heel even dan. Dat klinkt goed.'

41

Ik heb tegen Alan gezegd dat ik hem straks bij hem thuis wel zie; ik wil onderweg even ergens langs.

Ik rij door nog meer regen naar het ziekenhuis en dat is goed, want binnen in me regent het ook. Geen zware bui, slechts een lichte, maar continue motregen. Dit hoort bij het werk, bedenk ik. Dit inwendige weer. Thuis en familie is zonneschijn, meestal. Werk is vrijwel altijd regen. Soms donder en bliksem, soms alleen motregen, maar altijd regen.

Een tijdje geleden is het tot me doorgedrongen dat ik mijn werk niet leuk vind. Niet dat ik er een hekel aan heb – verre van dat zelfs. Het is alleen niet iets om leuk te vinden. Het is iets wat je doet omdat het moet. Omdat het in je bloed zit. Goed, slecht of onverschillig – je doet het, omdat je geen keus hebt. Behalve dan dat je nu wel een keus hebt. Misschien is er bij Quantico meer zonneschijn te vinden?

Dan nog.

Ik rij het parkeerterrein van het ziekenhuis op, zet de auto weg, hol door de regen naar de hoofdingang en neem me voor om het kort te houden. Het is bijna zeven uur en ik heb behoefte aan een enorme dosis Elaina en Bonnie. Een dosis zonneschijn.

Wanneer ik bij Sarahs kamer aankom, zit Kirby daar op een stoel naast de deur in een ranzig roddelblad te lezen. Zodra ze mijn voetstappen hoort, kijkt ze op. Die luipaardogen van haar flitsen even fel, voordat ze ze achter een olijke blik en een glimlach verbergt.

'Dag, mevrouw de bazin,' zegt ze.

'Hallo, Kirby. Hoe gaat het met haar?'

'Ik heb me voorgesteld. Ik heb moeten praten als Brugman, dan kan ik je wel vertellen. Ze wilde zeker weten dat ik dingen kon doodmaken. Ik moest echt mijn best doen om haar te overtuigen, want anders kon ik mijn biezen pakken. Ik heb haar overtuigd.'

'Oké.'

'Goed' of 'geweldig' lijkt me niet zo geschikt.

'Dat kind zit enorm in de kreukels, Smoky Barrett,' zegt Kirby. Haar stem klinkt zacht, geeft misschien een glimp van spijt prijs. Het is een nieuw geluid en daardoor zie ik haar in een nieuw licht.

Blijkbaar voelt Kirby dat aan. Ze haalt glimlachend haar schouders op. 'Ik mag haar wel.' Ze richt haar aandacht weer op het blaadje. 'Ga maar naar binnen. Ik wil weten hoe het verder gaat met prins William. Als ik de kans kreeg, zou ik zijn koninklijke botten zo bespringen.'
Dit ontlokt me een grijns. Ik doe de deur open en ga de kamer binnen. Sarah ligt op het bed uit het raam te staren. Ik zie nergens boeken liggen en de televisie staat uit. Ik vraag me af of dit het enige is wat ze de hele dag doet: liggen en naar het parkeerterrein staren. Ze draait zich om wanneer ik binnen ben.
'Hoi,' zegt ze en ze glimlacht.
'Ook hoi,' antwoord ik en ik glimlach eveneens.
Sarah heeft een mooie glimlach. Niet zo puur als hij zou moeten zijn – daarvoor heeft ze te veel meegemaakt –, maar hij stemt me hoopvol. Hij laat zien dat ze vanbinnen nog steeds zichzelf is.
Ik schuif een stoel bij het bed en ga zitten.
'Wat vind je van Kirby?' vraag ik.
'Ze is... apart.'
Ik grinnik. Dat is een bondige, juiste omschrijving.
'Vind je haar aardig?'
'Best wel. Ik vind het fijn dat ze nergens bang voor is en dat ze er vrijwillig voor heeft gekozen dit soort dingen te doen. Je weet wel: gevaarlijke dingen. Ze zei dat ik me niet schuldig hoefde te voelen als ze doodgaat.'
Dat is genoeg om de grijns van mijn gezicht te vegen.
'Ja. Ze zal jou beschermen, Sarah. Ze zal ook de mensen beschermen die in het huis wonen waar jij morgen ook naartoe gaat.'
Ze fronst haar wenkbrauwen. 'Geen pleeggezin. Ik moet naar het kindertehuis. Daar doodt hij geen mensen.'
Dat is waar, denk ik bij mezelf. 'Weet je waarom dat is, Sarah?'
'Misschien. Ik denk omdat ik om niemand in het kindertehuis iets geef. En ook omdat hij weet hoe erg het is om daar te zitten. Ik bedoel, het kindertehuis is een rotplek. Er worden meisjes geslagen, mishandeld en...' Ze wuift met een hand. 'Je snapt wel wat ik bedoel. Ik denk dat het genoeg is voor hem dat hij weet dat ik daar zit vanwege hém.'
'Ik snap het.'
Ik leun even achterover en denk na. Ik probeer de juiste woorden te vinden, wat moeilijk is, omdat ik nu eigenlijk pas besef hoe ik er op dit moment zelf over denk. Ik hou van Elaina. Verder heb je Bonnie, die bij Alan en Elaina logeert wanneer ik moet werken. Een niet-klein, heel egoïstisch deel van me zou het liefst roepen: ja! Ik ben het helemaal met je eens! Je moet naar een kindertehuis. In jouw omgeving gaan mensen dood!
Dan voel ik echter een enorme koppigheid in me opkomen, dezelfde koppig-

heid die me ervan heeft weerhouden om weg te gaan uit het huis waarin ik ben verkracht, waarin mijn gezin is gestorven.
'Je moet niet toegeven aan je angst,' zeg ik tegen haar. 'Je zult moeten leren hulp van anderen te accepteren. Deze keer is anders dan de vorige keren, Sarah. We weten nu wat hij is. We geloven dat hij bestaat. We ondernemen stappen om onszelf en jou tegen hem te beschermen. De mensen bij wie je gaat logeren, weten waarmee we te maken hebben en hebben er zelf voor gekozen je in huis te nemen. Verder waakt Kirby over je, vergeet dat niet.'
Ze heeft haar ogen neergeslagen. Ze voert een inwendige strijd.
'Ik weet het niet.'
'Jij hoeft het niet te weten, Sarah,' zeg ik met zachte stem. 'Je bent een kind. Je bent naar mij toe gekomen en hebt me om hulp gevraagd. Die krijg je nu.'
Ze zucht – een lange, rauwe zucht. Haar ogen kijken weer in de mijne en er ligt een dankbare blik in.
'Goed dan. Weet je zeker dat ze veilig zijn?'
Ik schud mijn hoofd. 'Nee, dat weet ik niet zeker. Dat is nooit honderd procent zeker. Ik dacht dat mijn gezin veilig was, maar toch zijn ze gestorven. Het gaat er niet om dat je die garantie hebt; het gaat erom dat je alles doet wat in je vermogen ligt en je leven niet door angst laat bepalen.' Ik wijs naar de deur. 'Daar zit een behoorlijk gevaarlijke lijfwacht die jou overal op de voet volgt. Een team met de beste – de allerbeste – mensen is op jacht naar de Vreemdeling. Dat is het enige wat ik je kan bieden.'
'Dus je weet het echt? Je weet zeker dat hij bestaat?'
'Ja. Honderd procent zeker.'
De opluchting schokt door haar hele lijf en overvalt me. Het doet denken aan lichaamstaal die ongeloof uitdrukt. Ik begrijp dat dit hier misschien een klein beetje meespeelt.
Ze legt een hand op haar voorhoofd. 'Wauw.' Ze omvat met beide handen haar wangen, als iemand die probeert zichzelf bij elkaar te houden. 'Wauw. Sorry. Het is een beetje moeilijk om dit na zoveel tijd te verwerken.'
'Dat begrijp ik.'
Ze kijkt me aan. 'Ben je in mijn huis geweest?'
'Ja.'
'Heb je...' Haar gezicht vertrekt. 'Heb je gezien wat hij heeft gedaan?'
Ze begint te huilen. Ik loop naar haar toe en sla mijn armen om haar heen.
'Heb je gezien wat hij heeft gedaan?'
'Ik heb het gezien,' zeg ik en ik streel haar haren.

42

Elaina heeft gekookt, en Bonnie en ik zijn bij hen blijven eten. Elaina heeft met haar gebruikelijke magie de eetkamer in een vrolijke plek omgetoverd. Toen we aankwamen, waren Alan en ik erg somber gestemd; tegen de tijd dat het toetje op tafel stond, hebben we meer dan eens uitbundig gelachen, en ik voel me bevrijd en blij.

Alan heeft ervoor gekozen het nog één keer tegen Bonnie op te nemen op het schaakbord. Ik weet vrij zeker dat het een vruchteloze onderneming zal worden. Elaina en ik hebben hen hun gang laten gaan en zijn samen aan het werk gegaan in de keuken, waar we langzaam en in goede harmonie de vaat hebben afgespoeld en de vaatwasser ingeruimd.

Elaina schenkt voor ons allebei een glas rode wijn in en we zitten samen een tijdje zwijgend aan de grote tafel in de keuken. Ik hoor Alan mopperen en zie al voor me hoe Bonnie daarop reageert met een glimlach.

'We moeten het over Bonnies school hebben,' zegt Elaina opeens. 'Ik heb een voorstel.'

'Eh... goed. Zeg het maar.'

Ze laat de wijn in haar glas ronddraaien. 'Ik heb hier al een tijd over zitten piekeren. Bonnie moet weer naar school, Smoky.'

'Ik weet het.' Ik klink en voel me alsof ik in de verdediging word gedrukt.

'Dat is niet als kritiek bedoeld. Ik ben me heel goed bewust van de omstandigheden. Bonnie had tijd nodig om zich thuis te gaan voelen, te rouwen en zich weer gewoon te gaan voelen. Dat geldt ook voor jou. Maar ik denk dat die periode nu voorbij is, ik ben alleen bang dat jouw angst een struikelblok is.'

Mijn eerste reactie is om boos te worden en alles te ontkennen. Elaina heeft echter gelijk. We zijn inmiddels een halfjaar verder. Ik ben eerder moeder geweest, ik weet wat de normale gang van zaken is, en toch heb ik Bonnie in al die tijd niet laten inenten, geen tandarts voor haar gezocht, haar niet naar school gestuurd. Als ik een beetje afstand neem van de dagelijkse gang van zaken en het als geheel bekijk, ben ik ontzet.

Ik heb een cocon gesponnen rond Bonnie en mezelf. Hij is ruim en wordt verlicht door liefde, maar heeft een belangrijk gebrek: het bestaan ervan is gebaseerd op angst. Ik strijk met een hand over mijn voorhoofd.

'Mijn god. Waarom heb ik dit zo lang laten doorgaan?'
Elaina schudt haar hoofd. 'Nee, nee, nee. Geen schuld, geen schaamte. We analyseren onze fouten, we accepteren dat we ze maken en we leren ervan. Dat heet verantwoordelijkheidsgevoel, en is veel waardevoller dan jezelf voor je kop slaan. Verantwoordelijkheidsgevoel is iets actiefs, het verbetert dingen. Schuldgevoel zorgt er alleen maar voor dat je je ellendig voelt.'
Ik staar mijn vriendin aan, verbijsterd omdat ze deze eenvoudige waarheid zo goed onder woorden weet te brengen.
'Goed dan,' pers ik er met moeite uit. 'Ik moet je alleen wel zeggen dat ik bang ben, Elaina. Mijn god, het idee dat ze daarbuiten rondloopt...'
Ze onderbreekt me. 'Ik zat te denken aan thuis lesgeven. Dat zou ik graag willen doen.'
Ik staar haar opnieuw verbijsterd aan. Natuurlijk is het wel bij me opgekomen om Bonnie thuis les te geven, maar ik heb die gedachte terzijde geschoven, omdat ik niet voor me zag hoe dat moest. Elaina als onderwijzeres... Ik besef dat dit dé oplossing zou zijn. Daarmee is... tja, álles opgelost. Zowel voor Bonnie de leergierige als voor Bonnie de zwijgzame.
Vergeet vooral ook niet Smoky de bange en Smoky de nalatige.
'Echt waar? Zou je dat echt willen doen?'
Ze glimlacht. 'Ik zou het zelfs heerlijk vinden. Ik heb op internet gekeken en zo moeilijk is het niet.' Ze schokschoudert. 'Ik hou net zoveel van haar als van jou, Smoky. Jullie behoren allebei tot mijn familie. Alan en ik zullen nooit zelf kinderen krijgen, en dat geeft ook niet. Het betekent alleen dat ik een andere manier moet bedenken om kinderen in mijn leven te hebben. Dit is er één van.'
'En Sarah?' vraag ik.
Ze knikt. 'Sarah ook. Dit is een van de dingen waarin ik goed ben, Smoky: met kinderen omgaan, met mensen omgaan die iets akeligs hebben meegemaakt. Dus ik wil het. Net zoals jij waarschijnlijk om dezelfde reden op moordenaars wilt jagen: omdat je móét. Omdat je er goed in bent.'
Ik denk na over de echo die ze aan mijn eerdere eigen gedachten geeft en glimlach.
'Ik vind het een fantastisch plan.'
'Fijn.' Ze kijkt me vriendelijk aan. 'Ik zet je wat dit betreft een beetje onder druk, omdat ik je ken. Zolang jij je niet verschuilt voor de waarheid, zul je Bonnie niet laten vallen. Zo zit je nu eenmaal niet in elkaar.'
'Dank je.'
Het is het enige wat ik kan bedenken om tegen haar te zeggen, maar ik zie aan haar glimlach dat ze het opvat zoals ik het bedoel.
Valt dit niet onder misleiding? Als je naar Quantico gaat, als zij jou niet het

'geluk' kunnen geven dat je denkt nodig te hebben (hoe egoïstisch en ondankbaar is dat trouwens wel niet?), neem je Elaina een kind af. Elaina die nooit moeder heeft mogen zijn, ook al weten jij en ik allebei dat ze het beter zou hebben gedaan dan iedereen die we kennen, inclusief ondergetekende.
Dan nog, denk ik bij mezelf, en voorlopig is de stem gesmoord.
We drinken onze wijn en luisteren glimlachend naar Alan, die moppert omdat hij met schaken van een klein meisje verliest.

Het is halftien; Bonnie en ik zijn weer thuis en we zijn samen in de keuken op zoek naar iets om de lekkere trek te stillen. Ze heeft aangegeven dat ze televisie wil kijken en me duidelijk gemaakt dat ze begrijpt dat ik verder wil lezen in Sarahs dagboek.
Ik pak een pot olijven en Bonnie kiest een zak Cheeto's. We lopen naar de woonkamer en installeren ons allebei op onze favoriete plek op de versleten bank. Ik draai het deksel van de pot olijven, steek er een in mijn mond en de zoute smaak springt als een luchtbel open op mijn tong.
'Heeft Elaina met je gepraat?' vraag ik, om de olijf heen. 'Over thuis lesgeven?'
Ze knikt. Ja.
'Wat vind je ervan?'
Ze glimlacht en knikt.
Ik vind het prima, zegt ze. Ik glimlach.
'Mooi. Heeft ze je ook over Sarah verteld?'
Weer een knikje, deze keer iets somberder, vol betekenislagen. Ik begrijp het wel.
'Ja,' antwoord ik en ik knik in mezelf. 'Ze is er slecht aan toe. Kun je dat wel aan?'
Ze maakt een wegwerpgebaar.
Totaal geen probleem, dus niet de moeite waard om naar te vragen, zegt die hand.
Ik ben niet egoïstisch, zegt die hand.
'Goed,' zeg ik glimlachend en ik hoop dat die glimlach haar toont dat ik van haar hou.
Mijn telefoon gaat over. Ik controleer het nummer van de beller en neem op. 'Hallo, James.'
'Onze vragen zijn ingevoerd in VICAP. Nog geen resultaten. Misschien morgenochtend. Het programma op Michael Kingsleys computer heeft tot nu toe alle pogingen om het te openen weten te weerstaan. Ik ga naar huis om het dagboek nog een keer te lezen.'
Ik vertel hem over mijn dag. Daarna blijft het aan de andere kant stil. Hij denkt na.

'Je hebt gelijk,' zegt hij dan. 'Het houdt op de een of andere manier allemaal verband met elkaar. We hebben info nodig over die opa, die zaak uit de jaren zeventig en Nicholson.'
'Je meent het.'

Ik bestudeer mijn eigen aantekeningen, herlees wat ik heb geschreven.
Ik pak het vel met de kop 'Dader' alias 'De Vreemdeling'.

> Methodologie:

Ik zet erbij:

> Blijft met ons communiceren. Communicatie vindt plaats via raadsels. Waarom? Waarom zegt hij niet gewoon wat hij wil zeggen?

Ik denk hierover na.
Omdat hij niet wil dat we het meteen doorhebben wat hij bedoelt? Om tijd te winnen?

> Heeft Cathy Jones aangevallen, maar haar laten leven, zodat ze ons een boodschap kon doorgeven.
> Heeft David Nicholsons dochter ontvoerd om twee redenen: zodat Nicholson het onderzoek bij de Langstroms kon manipuleren en zodat hij een tweede boodschap kon doorgeven. Riskant.
> Boodschap van Jones – haar politiepenning en de zin: 'Symbolen zijn slechts symbolen.'
> Boodschap van Nicholson: 'Wat belangrijk is, is de man áchter het symbool, niet het symbool zelf,' gevolgd door zijn zelfmoord.
> Waarom moest Nicholson sterven? Antwoord: omdat zijn connectie verdergaat dan alleen het onderzoek bij de Langstroms. Wraak.

Ik lees wat ik zojuist heb geschreven.
Tevergeefs, ik kom geen steek verder.
Ik leg de vellen papier neer. Vanavond zal ik er niets mee opschieten. Ik pak de dagboekpagina's en maak het me zo gemakkelijk mogelijk.
Ik begin te lezen met in mijn achterhoofd de gedachte dat ik een beetje begin door te krijgen hoe Sarahs verhaal in het grotere geheel past, niet voor de Vreemdeling, maar voor haarzelf.
Ze vertelt ons wat haar is overkomen. Het is een microkosmos, een manier om het verhaal te begrijpen van iedereen die door de daden van de Vreemde-

ling in diepe ellende is gestort en gekwetst. Als we haar verdriet begrijpen, zegt haar verhaal, zullen we het Russische meisje, Cathy Jones en de Nicholsons ook begrijpen.

Als we om haar huilen, huilen we ook om hen. Dan zullen we niet vergeten.

Ik sla een pagina om en lees verder.

Sarahs verhaal, deel 4

43

Sommige mensen zijn gewoon van nature goed. Snap je wat ik bedoel? Misschien hebben ze geen bijzondere of opwindende baan. Misschien zijn ze niet mooi of aantrekkelijk, maar ze zijn gewoon... tja – van nature goed.
Desiree en Ned waren zulke mensen.
Ze waren van nature goed.

'Hou op, Pumpkin,' zei Sarah streng.
De hond probeerde zijn snuit tussen haar schoot en de tafel te wurmen, in de hoop wat gemorste kruimels of (halleluja!) brokjes eten te vinden. Sarah duwde de reusachtige kop van het beest weg.
'Volgens mij wil hij niet luisteren. Die hond is gek op taart, vraag me niet waarom,' zei Ned. 'Kom hier, Pumpkin.'
De pitbull liep met veel tegenzin mee naar de achtertuin en keek steels achterom naar de taart op tafel. Ned kwam terug en ging verder met kaarsjes in het glazuur zetten.
Sarah was dol op Ned, precies zoals Desiree al had voorspeld. Hij was een lange, slungelige man, een beetje stil, maar zijn ogen lachten. Hij had altijd hetzelfde soort kleren aan: een flanellen overhemd, een spijkerbroek en bergschoenen. Zijn haar was iets langer dan de laatste mode voorschreef, hij had de neiging om van de hak op de tak te springen en liep er vaak een beetje sjofel bij, wat heel vertederend was; het duidde op een lichte verstrooidheid met betrekking tot hoe hij eruitzag. Sarah had hem weleens boos zien worden, zowel op haarzelf als op Desiree, maar ze had zich nooit bedreigd gevoeld. Ze wist dat Ned nog eerder zijn eigen handen zou afhakken dan dat hij een van hen zou slaan.
'Jeetje, negen kaarsjes,' zei hij plagerig. 'Ik zou maar eens kijken of je al grijze haren hebt.'
Sarah glimlachte. 'Wat ben je toch een halvegare, Ned.'
'Dat hoor ik wel vaker.'
Precies op het moment dat hij het laatste kaarsje op de taart zette, kwam Desiree door de voordeur naar binnen. Sarah zag dat haar blozende gezicht opgewonden stond.
Ze is heel erg blij over iets.

Desiree had een ingepakt cadeau in haar handen, een groot, rechthoekig geval; ze kwam snel de keuken in gelopen en zette het tegen de muur.
'Is dat het?' vroeg Ned en hij knikte naar het pakje.
Desiree glimlachte en kreeg een kleur van plezier. 'Ja – ik wist niet zeker of het me zou lukken om het te vinden. Ik kan bijna niet wachten tot je het ziet, Sarah.'
Sarah stond voor een raadsel, maar wel op een fijne, verjaardagachtige manier.
'Is de taart helemaal klaar?' vroeg Desiree.
'De kaarsjes staan er net op.'
'Mooi. Ik ga even mijn gezicht wassen en me wat opfrissen, dan kunnen we daarna een verjaardagsfeestje vieren!'
Sarah knikte glimlachend en keek Desiree na, die met Ned op haar hielen snel de keuken uit liep.
Ze deed haar ogen dicht. Het was een fijn jaar geweest. Ned en Desiree waren geweldig. Ze waren van het begin af aan dol op haar geweest, en toen dat na twee maanden nog niet was veranderd, had Sarah haar laatste restje wantrouwen overboord gezet en durfde ze ook dol te zijn op hen. Zoals Desiree haar die eerste dag al had verteld, was Ned vaak weg, maar hij maakte het altijd ruimschoots goed wanneer hij thuis was: altijd vriendelijk, altijd zorgzaam. Desiree was – tja... op het geheime plekje in Sarahs binnenste, het best bewaakte stukje van haar hart. Sarah voelde dat ze van haar pleegmoeder was gaan houden.
Ze deed haar ogen open en liet haar blik over de taart, de cadeautjes op de tafel en het grote cadeau tegen de muur glijden.
Ik zou hier gelukkig kunnen zijn. Ik bén hier gelukkig.
Niet alles was even volmaakt. Sarah had nog steeds af en toe last van nachtmerries. Dan werd ze 's ochtends wakker met een zware droefheid die uit het niets was opgedoemd. Hoewel ze het heerlijk vond op school, had ze alle pogingen van anderen om vriendschap te sluiten afgeslagen, niet door regelrecht te weigeren, maar door er eenvoudigweg nooit op terug te komen. Dat kon ze niet aan, nog niet.
Heks Watson was in het begin regelmatig langsgekomen, maar in de afgelopen negen maanden slechts één keer, wat Sarah prima vond. Cathy Jones was een paar keer op bezoek geweest en leek het erg fijn te vinden dat het zo goed ging met Sarah.
Sarah had al lang geleden toevlucht in Desirees armen gezocht wanneer ze getroost wilde worden. Het enige wat ze haar nog niet had verteld, was het verhaal over de Vreemdeling. Ze dacht niet dat Desiree haar zou geloven. Soms wist ze niet eens zeker of ze het zelf wel geloofde. Misschien had Cathy gelijk gehad. Misschien was ze erg overstuur geweest.

Ze schudde haar hoofd om deze gedachten te verjagen. Vandaag was ze jarig en ze was van plan er met volle teugen van te genieten.
Ned en Desiree kwamen terug.
'Klaar voor de kaarsjes?' vroeg Desiree aan Sarah.
Sarah grijnsde. 'Ja!'
Ned had een aansteker en hij stak alle kaarsjes aan. Ze zongen luidruchtig en een beetje vals 'Lang zal ze leven'.
'Doe een wens, lieverd, en blaas zo hard je kunt!' riep Desiree.
Sarah deed haar ogen dicht.
Ik wens... dat ik hier voorgoed kan blijven.
Ze haalde diep adem, deed haar ogen open en blies alle vlammetjes uit.
Ned en Desiree klapten in hun handen.
'Ik wist wel dat je een grote blaaskaak was,' plaagde Ned.
'Zo – wat wil je eerst: taart eten of je cadeautjes uitpakken?'
Sarah voelde aan dat Desiree haar graag meteen het geheimzinnige cadeau wilde geven.
'Eerst de cadeautjes.'
Desiree pakte snel het rechthoekige pak van zijn plek tegen de muur en gaf het aan Sarah.
Sarah tilde het op. Het was groot, maar niet zwaar. Een schilderij, of misschien een foto. Ze scheurde het papier los. Toen ze de bovenste rand van de lijst zag, maakte haar hart een sprongetje.
Zou het...?
Ze rukte zo snel haar handen konden de rest van het papier weg. Toen ze zag wat het was, stokte haar ademhaling. Ze voelde een beklemming op haar borst.
Het was het schilderij dat haar moeder voor haar had gemaakt: de baby in het bos en het gezicht in de wolken. Sarah keek Desiree sprakeloos aan.
'Ik begreep dat je erg dol was op dat schilderij toen je me erover vertelde, liefje. Toevallig had Cathy Jones een paar spulletjes uit jouw slaapkamer ingepakt, nadat ze... nou ja, toen de politie klaar was met haar werk. Alleen een paar foto's en wat speelgoed en zo. Dit heeft ze al die tijd voor jou bewaard, zodat het niet kwijt zou raken. Dit is toch het goede schilderij?'
Sarah knikte, nog steeds sprakeloos. Haar hart bonkte in haar borstkas. Haar ogen brandden.
'O, mijn god,' zei ze ten slotte. 'Heel, heel erg bedankt. Ik...' Ze keek naar Desiree, die glimlachte, en naar Ned, wiens ogen zacht oplichtten. 'Ik weet niet wat ik moet zeggen.'
Desiree raakte Sarahs haar aan en streek een lok achter het oor van het jonge meisje. 'Graag gedaan, kindje.' Ze straalde.

Ned schraapte zijn keel en hield een envelop omhoog. ‘Dit hoort ook bij dat cadeau, Sarah. Het is een... tja – een soort tegoedbon.’
Sarah veegde de tranen van haar wangen en pakte de envelop aan. Ze voelde zich nog steeds ontroerd en een beetje licht in haar hoofd, en maakte hem met trillende handen open. Er zat een eenvoudig, wit kaartje in met op de voorkant ‘Van harte gefeliciteerd’. Ze maakte de kaart open en las wat erin stond.
‘Inwisselbaar door Sarah’, stond er. ‘Goed voor één adoptie’.
Sarahs mond zakte geschrokken open. Haar hoofd schoot omhoog, en ze zag dat Desiree en Ned allebei zenuwachtig glimlachten. Bijna bang zelfs.
‘Het hoeft niet, als je het niet wilt,’ zei Ned met zachte stem. ‘Maar als je het wél wilt... zouden Desiree en ik je graag willen adopteren.’
Wat mankeert me? Waarom kan ik niets zeggen?
Ze had het gevoel alsof ze door een oceaangolf werd overspoeld. Ze was een boot die op de top van de golf balanceerde en in het golfdal weggleed – om vervolgens weer omhoog te worden getild.
Wat is er mis met me?
Plotseling wist ze heel goed wat het was. Dit was het deel van haarzelf dat ze had begraven, verborgen, opgesloten in een kluis. Een plek vol ‘nietsen’ en ‘puppy-guppy’s.’ Bevroren verdriet, in een oogwenk ontdooid. Het walste over haar innerlijke barrières heen, doorspekt met donderslagen en doorns.
Ze kon niets zeggen, maar knikte moeizaam in hun richting en begon toen klaaglijk te huilen. Een woordloos, verschrikkelijk geluid. Neds ogen glansden en Desirees armen vlogen open. Sarah dook erin weg en vergoot alle tranen van de afgelopen drie jaar.

44

Sarah en Desiree hingen lui op de bank, terwijl Ned zacht mompelend in de werkkamer de rekeningen betaalde. Ze hadden taart gegeten. Zelfs Pumpkin had een stukje glazuur gehad, dat Sarah hem stiekem had gegeven. Hij lag opgerold op de vloer en droomde met trillende poten een hondendroom.
'Ik ben zo blij dat je bij ons wilt blijven, Sarah,' zei Desiree.
Sarah keek naar haar pleegmoeder. Desiree zag er heel gelukkig uit. Zo gelukkig had Sarah haar nog nooit gezien. Haar hart liep over van vreugde. Iemand wilde Sarah hebben. Nee, het was meer dan dat: iemand had haar nodig. Ned en Desiree hadden haar nodig om hun leven compleet te maken.
Die wetenschap dempte een gat in haar binnenste dat bodemloos had geleken. Een zielengrot boordevol duisternis en pijn.
'Het was mijn wens,' zei Sarah.
'Hoe bedoel je?'
'Mijn verjaardagswens. Wat ik wenste voordat ik de kaarsjes op mijn taart uitblies.'
Desiree trok verbaasd haar wenkbrauwen op. 'Wauw. Griezelig, zeg.'
Sarah glimlachte. 'Ik vind het bijna tovenarij.'
'Tovenarij.' Desiree knikte. 'Dat klinkt mooi.'
'Desiree?' Sarah tuurde naar de vloer en worstelde met iets.
'Wat is er, lieverd?'
'Ik... Is het raar dat ik hierdoor mijn vader en moeder mis? Ik bedoel, ik ben hier enorm blij mee. Waarom ben ik dan verdrietig?'
Desiree zuchtte en aaide over Sarahs wang. 'Ach, liefje. Ik denk...' Ze zweeg peinzend. 'Ik denk dat dat komt doordat wij hen niet zijn. Wij houden van je en jij maakt ons compleet, waardoor we ons weer een gezin voelen, maar we zijn geen vervanging voor je papa en je mama. Wij zijn iets nieuws in jouw hart, we nemen niet hun plaats in. Snap je dat een beetje?'
'Ik denk het wel.' Ze keek Desiree onderzoekend aan. 'Ben jij dan ook verdrietig? Vanwege jullie baby, bedoel ik?'
'Een beetje. Maar ik ben vooral heel blij.'
Sarah dacht even na.
'Ik ben ook vooral heel blij.'
Ze schoof een stukje naar haar nieuwe moeder toe, zodat die haar kon knuf-

felen. Ze zetten de televisie aan en al snel kwam Ned bij hen zitten, en ze lachten heel veel, ook al waren de programma's niet eens echt grappig. Sarah herkende het vanzelfsprekende, gemakkelijke ritme.
Dit is thuis.

'Hier?' vroeg Ned.
Sarah knikte. 'Helemaal goed.'
Ned sloeg een spijker in de muur en hing het schilderij op. Hij deed een stap achteruit om zijn werk kritisch te bekijken. 'Volgens mij hangt het recht.'
Het schilderij hing tegenover het voeteneinde van het bed, net als in haar oude slaapkamer. Sarah kon haar ogen er niet van afhouden.
'Je moeder had veel talent, Sarah. Het is echt prachtig.'
'Ze maakte elk jaar iets voor me, voor mijn verjaardag. Dit was mijn lievelingsschilderij.' Ze draaide haar hoofd om naar Ned. 'Dank je wel dat je hebt geholpen het terug te halen.'
Ned glimlachte en wendde zijn blik af. Hij was verlegen wanneer iemand hem een complimentje gaf. Sarah kon zien dat hij gelukkig was.
'Graag gedaan. Eigenlijk moet je Cathy bedanken.' Hij fronste zijn wenkbrauwen en kuchte even. 'En eh... dank je wel voor... je weet wel. Dat we je mogen adopteren.' Hij keek haar aan. 'Ik wil graag dat je weet dat dit iets is wat we allebei wilden. Het betekent voor mij net zoveel als voor Desiree.'
Sarah bekeek de slordige, vriendelijke vrachtwagenbestuurder aandachtig. Ze wist dat hij zijn liefde altijd zo onhandig zou laten blijken, maar ze wist ook dat het iets was waar ze altijd van op aankon.
'Daar ben ik blij om,' zei ze. 'Want zo voel ik het ook. Ik hou van Desiree, Ned. En ik hou ook van jou.'
Toen hij haar woorden hoorde, vonkte er een lichtje in zijn grijze ogen. Hij keek zowel gekwetst als vreugdevol.
'Jij mist jullie baby meer dan Desiree, hè?'
Ned staarde haar aan, knipperde eenmaal met zijn ogen en keek toen weg. Zijn blik zocht het schilderij. Tijdens het praten bleef hij daarnaar kijken.
'Toen Diana doodging, stopte ik bijna met leven. Ik kon me niet meer bewegen. Niet meer nadenken. Niet meer werken. Ik had het gevoel dat de wereld voor mij was vergaan.' Hij fronste zijn wenkbrauwen. 'Mijn vader was een dronkenlap en ik had mezelf beloofd dat ik die troep met geen vinger zou aanraken. Maar nadat ik een maandlang had geprobeerd geen pijn meer te voelen heb ik een fles whiskey gekocht.' Hij keek naar Sarah en glimlachte zachtmoedig. 'Desiree heeft me gered. Ze greep de fles, smeet hem kapot in de gootsteen, stompte me en ging tegen me tekeer, totdat ik brak en deed wat ik al die tijd al had moeten doen.'

'Ze maakte je aan het huilen,' zei Sarah.
'Precies. Dat deed ik dus. Ik huilde en huilde en huilde maar. De volgende ochtend heb ik mijn leven weer opgepakt.' Hij spreidde zijn handen. 'Desiree hield zoveel van me dat ze me redde, ook al had ze zelf verdriet. Het antwoord op je vraag is dus nee. Desiree mist Diana meer dan ik, niet minder. Ze heeft namelijk meer liefde te geven dan iedereen die ik ken.' Hij keek weer ongemakkelijk en gegeneerd. 'Zo, ik denk dat het tijd is dat je naar bed gaat.'
'Ned?'
'Wat is er, kindje?'
'Hou je ook van mij?'
Even bleef het stil. Ned glimlachte een prachtige, stralende glimlach, die zijn gêne wegvaagde.
Dat is mama's glimlach, dacht Sarah verbaasd. Zon op rozen.
Hij liep naar Sarah toe en omhelsde haar stevig, een gebaar vervuld met zijn kracht en zachtheid, en de felle belofte om haar te beschermen als een vader.
'En óf ik van je hou.'
Een hard *woef* maakte een einde aan de omhelzing. Sarah keek omlaag en begon te lachen. Daar stond Pumpkin naar hen te staren.
'Ja, het is bedtijd, puppy-guppy,' zei ze.
Ned keek de hond zogenaamd streng aan. 'Nog steeds een overloper, zie ik,' zei hij.
Pumpkin had altijd in de slaapkamer van Ned en Desiree geslapen. Sinds Sarahs komst sliep hij echter bij haar op bed.
Sarah tilde de hond op. Ze kroop onder de dekens. Ned keek op haar neer.
'Zal ik Desiree halen om je in te stoppen?' vroeg hij.
'Nee, dat hoeft niet. Doe jij het maar.'
Sarah wist dat Ned het fijn vond om dit te horen. Zij vond het fijn dat ze het ook echt meende. Ze hield van hem, hij hield ook van haar. Het was prima dat hij haar instopte. Thuis was haar vader meestal degene geweest die haar naar bed bracht. Ze miste dat ritueel.
'Deur op een kier?' vroeg hij.
'Ja, graag.'
'Welterusten, Sarah.'
'Welterusten, Ned.'
Hij wierp nog een laatste blik op het schilderij dat hij voor haar had opgehangen en schudde zijn hoofd.
'Het is echt heel mooi.'

Sarah droomde over haar vader. Er kwamen geen woorden voor in haar droom, alleen hij, zij en gelach. De droom zat boordevol ongecompliceerd

geluk. De lucht trilde en werd gevuld door een volmaakte klank die door een met de hand gemaakte viool werd voortgebracht.
De klank was van een onmogelijke perfectie; hij gaf precies de juiste uitdrukking aan alle dingen die het hart kon bevatten en kon alleen in een droom worden gehoord. Sarah wist niet wie de noot speelde en het kon haar ook niet schelen. Ze keek in haar vaders ogen en glimlachte; hij keek terug en glimlachte ook, en de noot veranderde in wind en zon en regen.
De muziek stopte toen haar vader iets zei. Je kon niet praten en tegelijk de klank horen; die moest het enige geluid zijn.
'Hoor je dat?' vroeg hij.
'Wat, papa?'
'Het klinkt als... gegrom.'
Sarah fronste haar wenkbrauwen. 'Gegrom?' Ze hield haar hoofd schuin en luisterde ingespannen – en ja, nu hoorde ze het ook: een zacht gerommel, als van een zware auto die bij een verkeerslicht stond te wachten. 'Wat denk je dat het is?'
Hij was echter al weg, net als de wind en de zon en de regen. Geen glimlachjes meer. Nu waren er donkere wolken en onweer. Ze keek naar de lucht in haar droom en de wolken bromden, deze keer harder, zo hard dat haar botten rammelden en...
Sarah werd wakker van Pumpkin, die naar de deur van haar slaapkamer tuurde en gromde. Sarah aaide over zijn kop.
'Wat is er, Pumpkin?'
De hond spitste zijn oren bij het geluid van haar stem, maar zijn ogen bleven op de deur gericht. Het gebrom werd harder, ging over in een harde blaf.
Het volgende geluid dat Sarah hoorde, joeg een scherpe, ijskoude rilling over haar lijf, zo koud dat het alles bevroor wat ze aanraakte en de warmte in haar binnenste in een gletsjer veranderde.
'Een wild dier met zelfmedelijden heb ik nog nooit gezien...' zei de stem.
De deur van haar slaapkamer vloog open.
Pumpkin verhief zich brullend.
'Gefeliciteerd met je verjaardag, Sarah.'

Ik heb mezelf gedwongen alles over mijn vader en moeder te vertellen. Dat verdienden ze. Daarmee is tenslotte alles begonnen.
Met Desiree en Ned kan ik het niet. Ik kán het niet. Zelfs niet in de derde persoon. Ik denk dat het voldoende is dat je weet wie ze waren, wat voor mensen ze waren, de goedheid die ze in zich hadden.
Hij heeft hen allemaal vermoord, meer hoef je niet te weten. Hij heeft Ned doodgeschoten en Desiree voor mijn ogen doodgeslagen, en dat deed hij alle-

maal omdat ik van hen hield en zij van mij hielden, en omdat mijn pijn zijn gerechtigheid is, wat dat ook mag betekenen.
Als je echt wilt weten hoe het eruitzag, hoe het aanvoelde, moet je het volgende doen: denk aan iets akeligs, het akeligste wat je kunt bedenken – het roosteren van een baby op een open vuur, bijvoorbeeld – en grinnik er dan om. Bedenk vervolgens waarom je grinnikt en wat dat betekent, en dan kom je een beetje in de richting van hoe ik me toen voelde.
Hij deed het om een groot zwart gat in mijn binnenste te openen, om alle hoop te doden en me te laten zien hoe gevaarlijk het voor me was om van iemand te houden. Het werkte. In mijn tijd bij Desiree en Ned geloofde ik heel even dat ik deel kon uitmaken van een gezin. Dat gevoel heb ik daarna nooit meer gehad.
Mijn god... Desiree heeft als een tijger met hem gevochten. Ze vocht voor mij, ook al leverde het haar niets op.
Mijn god...
Ik moet dat echt niet meer zeggen. Kom op, zeg, als ik die nacht één ding heb geleerd, dan is het namelijk dat wel: er is geen God.
Hij vermoordde hen, en ik keek toe en stierf met hen, maar ik stierf niet echt; ik bleef leven en ik wilde wel dat ik dood was, maar het leven ging verder en ik deed het enige wat ik kon doen.
Ik belde Cathy Jones.
Ik belde haar en ze kwam. Zij was de enige die altijd kwam. Na die nacht geloofde ze me ook en ze was de enige die dat ooit heeft gedaan.
Ik hou van Cathy. Dat zal ik altijd blijven doen. Ze heeft haar best gedaan.

45

'Je brengt ongeluk, prinses,' zei Karen Watson toen ze bij het huis van Ned en Desiree wegreden. 'Sommige mensen hebben gewoon nooit geluk, maar jij bréngt de mensen om je heen ongeluk.'
Sarah grijnsde spottend. 'Misschien heb ik ook een keer geluk en neemt u wat van mijn ongeluk over, mevrouw Watson.'
Karen wierp Sarah een blik toe. Ze kneep haar ogen tot spleetjes. 'Als je zo begint, kan het weleens heel lang duren voordat ik je weer bij een pleeggezin onderbreng.'
Sarah keek uit het zijraampje. 'Kan me niets schelen.'
'Echt niet? Uitstekend. Dan blijf je maar in het kindertehuis tot je achttien bent.'
'Ik zei toch dat het me niets kan schelen?'
Sarah concentreerde zich op het landschap dat voorbijschoot. Karen had het gevoel alsof ze was afgedankt. Daardoor werd ze pisnijdig.
Wie dacht die meid verdomme wel dat ze was? Had ze dan echt geen flauw idee wat een zware last ze was?
Rot op! Dan zou zij Sarah even fijntjes afdanken.
'Wat mij betreft kun je daar verrekken.'
Sarah reageerde niet. Karen Watson had haar als altijd weer weten te ergeren, maar het duurde niet lang. Het verlammende, verdoofde gevoel maakte zich weer van haar meester en had honderden kilo's aan gewicht meegebracht.
Sarah was naar de EHBO gebracht en daar onderzocht. Ze had een lichte hersenschudding (wat dat ook mocht betekenen) en dat hield in dat ze niet mocht slapen. Verder had ze overal blauwe plekken en kneuzingen, maar er waren haar geen ernstige verwondingen toegebracht. Niet aan de buitenkant tenminste.
Ned, Desiree, Pumpkin. Mama, papa, Buster.
Jouw liefde betekent de dood.
Ze begon langzamerhand te geloven dat het waar was. Iedereen van wie ze hield, was voorgoed weg.
Een sprankje twijfel.
Behalve Cathy. En Theresa. Misschien Doreen, als ze nog leefde.
Sarah slaakte een diepe zucht.
Theresa zat in de gevangenis. Daar nam de Vreemdeling voorlopig vast wel

genoegen mee. Ze kon altijd nog bedenken wat ze met haar pleegzus aan moest wanneer ze vrijkwam. Wat betreft Cathy – zij was politieagente, dus zij zou voor zichzelf moeten kunnen zorgen. Ja toch?
Daarover zou ze zich een volgende keer druk maken. Op dit moment had ze wel andere dingen aan haar hoofd.
Sarah had tijdens haar vorige verblijf in het kindertehuis haar lesje wel geleerd. Ze was niet van plan om weer helemaal onder aan de voedselketen te beginnen.

Janet was nog steeds mager en had nog steeds de leiding over het tehuis. Ze was zich nog steeds niet bewust van de gevaren ervan. Janet was een goedbedoelende wereldverbeteraar van het ergste soort: iemand die niet in staat was het kwaad te herkennen. Ze knikte Sarah meelevend toe.
'Hallo, Sarah.'
'Hallo.'
'Ik weet wat er is gebeurd. Heb je veel pijn?'
Het antwoord was ja, maar Sarah schudde haar hoofd.
'Het gaat wel. Ik zou graag even willen liggen.'
Janet knikte. 'Je mag alleen niet in slaap vallen. Dat weet je, hè?'
'Ja.'
'Heb je hulp nodig met je tas?'
'Nee, bedankt.'
Janet liep voor haar uit door de bekende gangen. Er was het afgelopen jaar niets veranderd.
Waarschijnlijk is er de afgelopen tíén jaar niets veranderd.
'Hier is het. Twee deuren bij je oude kamer vandaan.'
'Dank je, Janet.'
'Het is al goed, hoor.' De magere vrouw draaide zich om en wilde al weglopen.
'Janet? Zit Kirsten hier nog steeds?'
Janet bleef staan en wierp over haar schouder een blik op Sarah. 'Kirsten is drie maanden geleden door een ander meisje gedood. Ze kregen ruzie en het liep een beetje uit de hand.'
Sarah staarde Janet aan en slikte iets weg.
'O,' kon ze nog net uitbrengen. 'Oké.'
De magere vrouw keek bezorgd. 'Red je het echt wel?'
Er rustten honderden kilo's ijzer boven op Sarahs hoofd.
Het welbekende verlammende, verdoofde gevoel. Omarm het en hou het stevig vast.
'Ja, hoor, het gaat best.'

Sarah had haar spullen uitgepakt en was afwachtend op haar bed gaan liggen. Ze was aan het eind van de middag aangekomen; het zou tot het begin van de avond vrij rustig blijven in de slaapzaal. Ze wist dat dat het moment was om in actie te komen.

Haar hoofd deed nog altijd pijn, maar ze was tenminste niet meer misselijk. Sarah had de pest aan overgeven.

Dat vindt toch niemand leuk, sufferd.

Iemand die een normaler leven had geleid, zou zich misschien zorgen maken wanneer hij zoveel in zichzelf praatte. Bij Sarah was die gedachte nog nooit opgekomen; wanneer je zo vaak alleen was als zij, praatte je juist in jezelf om te voorkomen dat je gek werd, niet omdat je het al was.

Het verlammende, verdoofde gevoel hing als een sluier om haar heen, sijpelde door haar lichaam en hechtte zich aan haar DNA. Sarah had het gevoel alsof ze een drempel van pijn was overgestoken. Bedroefdheid, verdriet – dergelijke emoties moesten worden onderdrukt. Ze waren te omvangrijk geworden om vrij rond te laten zwerven. Ze zouden haar verslinden als zij ze uit hun kooi liet.

Andere emoties waren wél toegestaan. Boosheid. Razernij. Ze voelde hoe ze in haar groeiden. Er was een put in haar ziel gegraven en die liep nu vol met duistere, gewelddadige dingen. Een wilde hond dronk bij de put en gromde continu. Ze vroeg zich af hoe lang ze hem nog in toom kon houden, óf ze hem wel in toom kon houden.

Tegelijk met dit alles had er een tektonische verschuiving plaatsgevonden in haar pragmatisme. Overleving was alles. De rest was een illusie.

Ik ben aan het veranderen. Precies zoals hij het wilde.

Hoe?

Ik denk dat ik nu iemand zou kunnen vermoorden als het moest. Dat had ik niet gekund toen ik zes was.

Van harte gefeliciteerd met je verjaardag. Ze wikkelde een sliert haar om haar vingers en glimlachte een lege lach.

Ik heb de vinger van een meisje gebroken en haar bed ingepikt, en dat was dat. Ik was weer de baas van de kamer, koningin van alles wat mijn oog kon zien.

Hé – trek eens niet zo'n gezicht.

Ik ben niet trots op wat ik heb gedaan, maar ik deed wat ik moest doen. Bovendien heb ik veel meer gemeen met de 'ik' als negenjarige dan met de 'ik' als zesjarige. De 'ik' als zesjarige is allang weg en heel diep begraven.

46

Nu ik er tijdens het schrijven op terugkijk, denk ik dat Cathy als mijn spiegel fungeert. Een manier om mezelf te zien door de ogen van iemand anders. Wat ik me afvraag: dacht ze deze dingen echt? Of leg ik haar nu de woorden in de mond? Misschien een beetje van allebei? Misschien was Cathy gewoon Cathy, maar op deze pagina's is Cathy ook de ik van nu die terugkijkt op de ik van toen.
Heftig, man...

Cathy was ontzet over de veranderingen die zich in Sarah voltrokken. Dat was natuurlijk niets nieuws.
Het was Sarahs elfde verjaardag. Cathy was langsgekomen met een eenvoudig cadeautje: een cakeje met één kaarsje. Sarah had erom geglimlacht, maar Cathy had doorgehad dat ze dat puur uit beleefdheid deed.
Wat Cathy het meest dwarszat, waren Sarahs ogen. Die waren niet langer open en expressief, zoals vroeger. Ze zaten nu vol muren, lege plekken en waakzaamheid. De ogen van een pokerspeler of een gevangene.
Cathy had zulke ogen eerder gezien: bij geharde straathoertjes en onverbeterlijke criminelen. Ze zeiden: 'Ik weet hoe de wereld in elkaar steekt', 'Ik hou je in de gaten', en: 'Waag het niet om iets in te pikken wat van mij is'.
Cathy had de afgelopen twee jaar ook andere veranderingen waargenomen. Ze wist dat Sarah de 'leidster' van haar slaapzaal was en ze had sterk het vermoeden dat ze wist hoe dat tot stand was gekomen. De andere meisjes voegden zich naar Sarah. Sarah bejegende hen laatdunkend. Het was een gevangenismentaliteit, heerschappij gebaseerd op macht en geweld. Sarah leek dat heel goed door te hebben.
Waarom verbaast dat je? Dit is immers typisch een plek waar het recht van de sterkste geldt.
Het frustreerde Cathy dat ze niet in staat was hoop te bieden. Ze was er niet in geslaagd er ook maar iemand van te overtuigen dat Sarahs verhaal over de Vreemdeling waar was. Eerlijk gezegd was ze er 's avonds in bed ook niet helemaal van overtuigd dat ze het zelf echt geloofde. Ze had het geprobeerd, het was haar niet gelukt, en hoewel Sarah had gezegd dat het er niet toe deed, wist Cathy dat dat een regelrechte leugen was. Het deed er wel degelijk iets toe.

Cathy had gedaan wat ze kon. Ze had kopieën aangevraagd van de dossiers over de dood van Sarahs ouders, en de moord op Ned en Desiree. Ze had er vele avonden na haar werk in zitten lezen, op zoek naar aanwijzingen en tegenstrijdigheden. Ze had er zelfs een paar gevonden. Op die manier bleef de band tussen Sarah en haar intact. Die harde ogen leefden op wanneer ze deze zaken besproken. Dat Cathy haar geloofde, was belangrijk voor Sarah. Het deed er wel degelijk iets toe.

Alleen raken we je kwijt, hè Sarah? Dit tehuis en jouw leven worden je dood. Vlak voor onze ogen.

'Ik heb nieuws over Theresa,' zei Cathy.

Een sprankje belangstelling.

'Wat dan?'

'Ze wordt over drie weken voorwaardelijk vrijgelaten.'

Sarah wendde haar blik af. 'Dat is fijn.' Haar stem klonk vaag.

'Ze wil je graag zien.'

'Nee!' Het woord schoot er zo heftig uit dat de agente ervan schrok.

Cathy beet afwachtend op haar onderlip.

'Mag ik vragen waarom niet?'

Alle leegheid, hardheid en afstandelijkheid waren verdwenen, en hadden plaatsgemaakt voor een openlijke wanhoop waarvan Cathy's hart bijna brak.

'Vanwege hém,' fluisterde Sarah met een dwingende klank in haar stem. 'De Vreemdeling. Als hij weet dat ik van haar hou, vermoordt hij haar.'

'Sarah, ik...'

Sarahs handen schoten over de tafel heen en grepen die van Cathy vast. 'Beloof het me, Cathy. Beloof me dat je ervoor zorgt dat ze wegblijft.'

De agente staarde de elfjarige even aan en knikte toen. 'Goed, Sarah,' zei ze rustig. 'Goed. Wat wil je dat ik tegen haar zeg?'

'Zeg maar dat ik haar niet wil zien zolang ik hier zit. Dan begrijpt ze het wel.'

'Weet je het zeker?'

Sarah glimlachte, een vermoeide glimlach. 'Ik weet het zeker.' Ze beet op haar onderlip. 'Zeg maar tegen haar... dat het niet lang meer duurt. Zodra ik hier weg kan, bedenk ik wel een manier om contact met haar op te nemen. Een veilige manier.'

De glimlach, het sprankje belangstelling en de indringende klank waren verdwenen. De leegte was terug. Sarah stond op en pakte het cakeje. 'Ik moet gaan,' zei ze.

'Wil je het kaarsje niet aansteken?'

'Nee.'

Cathy keek Sarah na toen ze wegliep. Het jonge meisje liep kaarsrecht, een houding die duidelijk maakte dat ze zeker van zichzelf was zonder het nog een keertje te hoeven controleren. Cathy vond dat ze er klein uitzag. Het stoere loopje benadrukte dat alleen maar.

Sarah lag op haar bed, at het cakeje op en bekeek de envelop. Hij was aan haar geadresseerd, per adres het tehuis. Er stond geen afzender op, alleen een postzegel en het poststempel.
Het was de eerste post die ze ooit had gekregen en ze had er geen goed gevoel bij.
Maak nu maar open.
Oké. Misschien is hij wel van Theresa.
Ze dacht bijna elke dag aan Theresa. Soms droomde ze over haar pleegzus – fantasierijke dromen waarin ze samen voorgoed wegzeilden of -vlogen. De plaatsen waar ze naartoe gingen, waren nooit duister en er waren altijd overal borden waarop stond: VERDRIET EN MONSTERS VERBODEN.
Door deze dromen zou Sarah het liefst eeuwig willen doorslapen. Theresa was de as waar het wiel van Sarahs hoop om draaide.
Ze scheurde de envelop open. Er zat een eenvoudige witte kaart in. Op de voorkant stond: 'Op je verjaardag denken we aan je'. Ze fronste haar wenkbrauwen en vouwde hem open. Aan de binnenkant stond een tekening van een dominosteen met daarnaast de woorden: 'Wees een wild dier'.
Het glazuur van het cakeje smaakte opeens heel vies in haar mond. Er schoot een huivering door haar hele lichaam.
Dit is van hem.
Ze wist dat het waar moest zijn. Het deed er niet toe dat hij haar nog nooit eerder iets had gestuurd. Een verklaring was niet nodig. Het was gewoon zo.
Ze staarde nog een tijdje naar de kaart en stopte hem toen terug in de envelop. Ze schoof hem onder haar hoofdkussen en at het cakeje verder op.
Ik verander langzaam in een 'wild dier'.
Kom maar eens langs, dan zal ik het bewijzen.
Haar glimlach was vreugdeloos.
Eén ding is fijn, dacht ze bij zichzelf, en dat is dat het niet erger kan worden. Dat is tenminste iets.

Nu weet ik dat het dom was om dat te denken. Natuurlijk kon het nog erger worden. Veel en veel erger. En dat gebeurde ook.
Karen Watson belandde ten slotte in de gevangenis. Ik weet niet precies waarom, maar het verbaast me niets. Ze was het kwaad in eigen persoon. Ze haatte kinderen en vond het prachtig dat ze kinderlevens kon verpesten. Ze was een grote, oude vampier die geen bloed dronk maar zielen leegzoog, en uiteindelijk heeft iemand haar daarbij betrapt.

Ze heeft ervoor gezorgd dat alle pleeggezinnen waarbij ik terechtkwam slecht waren. Slechte mensen. Bij sommige gezinnen werd ik geslagen. Bij andere werd ik betast en dat was akelig, heel akelig, maar daar hebben we het niet over, mooi niet, geen sprake van. Ik denk dat Theresa het heeft geprobeerd. Toch was het nooit meer zo erg als die keer toen Desiree en Ned stierven. Ik heb er veel over nagedacht en dat was voor mij echt het begin van het einde. Het is begonnen bij mama, papa en Buster, en het eindigde met Desiree, Ned en Pumpkin. Sinds die tijd is alles, al het goede en al het slechte, net geweest alsof ik door een droom liep.
Cathy heeft een keer aangeboden om me te adopteren, maar dat wilde ik niet.
Ik was bang, begrijp je? Bang dat als Cathy me in huis nam dat haar dood zou betekenen.
Cathy is later alsnog verdwenen. Ze vertelden me dat ze gewond was geraakt, maar wilden niet zeggen hoe of door wie. Toen ik belde, nam ze niet op en ze heeft nooit teruggebeld.
Dat heb ik net als de rest in de grote zwarte waterpoel gegooid.
Zo noem ik het: de grote zwarte waterpoel. Dat wat binnen in me zit. Hij begon vol te lopen op de dag dat Desiree en Ned werden vermoord. De poel is slijmerig, hij stinkt en voelt aan als olie. Dat is ergens ook best cool, want je kunt er dingen in gooien die pijn doen, en ook die zinken en verdwijnen voorgoed.
Dat Cathy nooit belde, deed pijn, dus dat gooide ik in de grote zwarte waterpoel. Tot nooit meer ziens.
Eén ding dat ik niet in de waterpoel gooide, was wat er met Karen Watson gebeurde toen die kuthoer de gevangenis in draaide. Ik weet het, ik weet het: 'kuthoer' is een vreselijk woord, vooral wanneer een meisje het zegt, maar ik kan het niet helpen. Karen Watson wás een kuthoer. Toe, kom op zeg, dat woord is zo'n beetje speciaal voor haar bedacht! Ik had de pest aan haar en ik hoopte dat ze in de gevangenis zou doodgaan. Soms droomde ik dat iemand haar aan een mes reeg en haar maag als die van een vis openreet. Dan spartelde ze krijsend en bloedend rond. Na die droom werd ik altijd met een brede grijns wakker.
Op een goede dag is ze trouwens echt overleden. Iemand sneed haar hals van oor tot oor open. Ik glimlachte tot ik dacht dat mijn wangen zouden opensplijten. Toen huilde ik, en de Gek knipperde een paar keer met zijn ogen en huilde ook. Zwarte waterpoeltranen.
Vuil water, schatje, al het water is nu vuil.
En ik? Ik keerde steeds weer terug in het kindertehuis. Mijn reputatie was bekend, dus er waren maar weinig meisjes die het tegen me probeerden op te nemen. Ik hield me afzijdig.

Gelukkig maar, want het is toch min of meer afgelopen met me. Soms heb ik het gevoel dat ik in mijn blootje op de Noordpool zit, maar ik heb het niet koud, want ik kan toch niets voelen. Ik kijk omlaag in de grote zwarte waterpoel en zie hem kolken. Zo nu en dan schieten er handen uit omhoog en soms herken ik ze.

De Vreemdeling liet me een paar jaar lang met rust. Ik weet het niet zeker, maar ik vermoed dat hij me in de gaten hield. Zolang het ellendig was bij de pleeggezinnen vond hij het wel prima, denk ik.

Op mijn veertiende verjaardag kreeg ik weer een kaart. Daarop stond: 'Tot binnenkort'. Meer niet. Die nacht werd ik gillend wakker en ik kon niet ophouden met gillen. Ik gilde en gilde en gilde. Ze hebben me weggesleurd, aan een bed vastgebonden en me een of ander slaapmiddel gegeven. Die keer was ík degene die in de grote zwarte waterpoel werd gegooid. *Slurp*. Tot nooit meer ziens.

De Kingsleys besloten me als pleegkind in huis te nemen en ik weet eigenlijk niet waarom ik me er niet tegen heb verzet. Ik vind het tegenwoordig erg moeilijk om me tegen wat dan ook te verzetten. Meestal zweef ik. Ik zweef en ik tril soms, en af en toe praat ik wat in mezelf, en daarna zweef ik weer. O ja, en ik gooi dingen in de grote zwarte waterpoel. Daar besteed ik tegenwoordig vrij veel tijd aan, aan dingen in de grote zwarte waterpoel gooien. Volgens mij ben ik er nu wel zo'n beetje. Ik wil een lege kamer zijn met witte muren. Ik ben bijna zover. De zwarte killer-bijen hebben het licht bijna overgenomen.

Ik schrijf dit verhaal nu, omdat het misschien mijn laatste kans is om dit allemaal zwart op wit te zetten, voordat ik mezelf voorgoed in de grote zwarte waterpoel werp. Ik wil er niet echt naartoe, maar het wordt steeds moeilijker om elke dag verder te gaan, en de Gek wil blijkbaar steeds vaker uit de waterpoel naar boven komen. Maar er is iets, een klein, koppig deel van me, dat zich nog steeds herinnert hoe het was om zes te zijn. Het praat steeds minder vaak tegen me, maar als het dat doet, zegt het me dat ik alles moet opschrijven en een manier moet bedenken om het aan jou te geven.

Ik denk niet dat jij me kunt redden, Smoky Barrett. Ik ben bang dat ik te veel tijd bij de waterpoel heb doorgebracht, te veel tijd heb besteed aan het schrijven van verhalen die ik daarna verbrandde. Misschien, heel misschien, krijg je hém wel te pakken.

Misschien kun je hem in die waanzinnig grote zwarte waterpoel smijten.

Dat is het wel zo'n beetje. Een laatste sprintje hier op het wit tussen de regels. Een verwoest leven?

Het komt aardig in die richting, denk ik.

Ik droom niet meer over mijn vader en moeder. Ik heb laatst wel over Buster gedroomd. Daar keek ik erg van op. Ik werd wakker en dacht bijna dat ik kon voelen waar zijn kop op mijn buik had gelegen.

Maar Buster is dood, net als al die anderen.
De grootste verandering is de ingrijpendste verandering: ik hoop niet meer.
Het einde?

Ik lees de laatste regel van Sarahs dagboek, wrijf met een hand over mijn ogen en ontdek dan dat er tranen in staan. Bonnie komt naar me toe, pakt mijn andere hand en wrijft er troostend over. Ik droog snel mijn tranen.
'Het spijt me, kindje,' zeg ik. 'Ik heb iets gelezen wat me erg verdrietig maakt. Sorry.'
Ze schenkt me de glimlach die zegt: het is al goed, we leven nog, ik ben gewoon blij dat je hier bij me bent.
'Oké,' zeg ik en ik glimlach geforceerd. Ik voel me nog steeds gedeprimeerd. Bonnie vangt mijn blik op. Ze tikt tegen haar hoofd. Dat gebaar ken ik, dus ik hoef er niet over na te denken.
'Je hebt iets bedacht?'
Ze knikt. Wijst dan naar de muur, waar een foto van Alexa hangt. Wijst vervolgens naar het plafond boven onze hoofden. Het duurt even voordat ik het snap.
'Je hebt bedacht wat we met Alexa's kamer kunnen doen?'
Ze knikt glimlachend. Ja.
'Zeg het maar, lieverd.'
Ze wijst op zichzelf, doet alsof ze slaapt en schudt dan haar hoofd.
'Je wilt er niet slapen.'
Kort knikje. Inderdaad.
Ze doet alsof ze iets vasthoudt, beweegt het met vegende gebaren op en neer, en de volledige betekenis dringt in één keer overdonderend tot me door, zoals dat soms gebeurt.
Toen Bonnie me een tijd geleden duidelijk maakte dat ze waterverf wilde hebben, was ik enorm blij. De therapeutische mogelijkheden waren overduidelijk: Bonnie praatte niet, maar misschien kon ze haar penseel voor haar laten praten.
Ze schilderde lichte en donkere scènes: prachtige, door de maan verlichte nachten, door regen en grijstinten overspoelde dagen. Er zat geen vast patroon in haar werken, afgezien van het feit dat ze allemaal bijzonder intens waren, ongeacht het onderwerp. Mijn lievelingsschilderij, een afbeelding van een woestijn onder een vlammende zon, was een mengeling van grimmige schoonheid. Gloeiend heet, felgeel zand. Een blauwe, eindeloze, wolkeloze hemel. Eén cactus, die alleen in die grote leegte stond, recht en sterk en hoog. Hij had zo te zien geen behoefte aan aanspraak of gezelschap. Het was een zelfverzekerde, afstandelijke cactus. Hij kon tegen de zon, de warmte en het

gebrek aan water, en maakte het uitstekend, echt uitstekend. Ik vroeg me uiteraard af of hij symbool stond voor Bonnie.
Inmiddels is ze van waterverf op olie- en acrylverf overgestapt. Ze besteedt één dag per week aan schilderen, ingespannen, met haast woeste concentratie. Ik heb weleens staan kijken zonder dat ze het wist en was diep onder de indruk van haar totale overgave. Ik zag dat de wereld om haar heen verdwijnt wanneer ze schildert. Haar blik beperkt zich tot het doek voor haar, het geschreeuw in haar hoofd, de bewegingen van haar hand. Meestal schildert ze zonder te pauzeren, alsof de duivel haar op de hielen zit.
Misschien is hoe te schilderen zelf wel therapeutisch. Wellicht zijn de schilderijen slechts een bijkomstigheid. Misschien is het dóén wel het belangrijkst.
Hoe het ook zij, de schilderijen zijn goed. Bonnie is geen Rembrandt, maar ze heeft wel talent. Haar werk bezit een levendigheid, een kracht, die elk schilderij tijdloos maakt.
'Wil je Alexa's kamer inrichten als atelier?'
Bonnie schildert tot nu toe in de bibliotheek, en daar stapelen papier, doeken en rommel zich in rap tempo op.
Ze knikt blij, maar ook behoedzaam. Ze steekt een hand uit, pakt de mijne en kijkt me bezorgd aan. Opnieuw dringt begrip in één keer overdonderend tot me door.
'Maar alleen als ik het goedvind?'
Haar glimlach is mild. Ik glimlach terug en aai haar over haar wang.
'Ik vind het een fantastisch idee.'
Ze laat de voorzichtigheid in haar glimlach varen. De glans ervan dringt tot de duisterste plekjes in me door.
Ze gebaart naar de televisie en kijkt me vragend aan. Ze kijkt naar de zender met tekenfilms.
Wil je ook kijken? vraagt ze.
Dat klinkt goed.
'Graag.'
Ik spreid mijn armen, zodat ze tegen me aan kan kruipen, en terwijl we samen televisiekijken, probeer ik al die inwendige regen door haar zonneschijn te laten verdrijven.
Wees die cactus, hou ik mezelf voor. We hebben zon. Het zand kan de pot op.

47

Het is ochtend en ik probeer Sarah te kalmeren.
Ze heeft kennisgemaakt met Elaina en een nieuwe blik vol afschuw en angst is over haar gezicht getrokken. Ze deinst achteruit, naar de deur toe.
'Nee,' zegt ze met wijd opengesperde ogen die glanzen van niet-geplengde tranen die. 'Echt niet. Niet hier.'
Ik begrijp wat er aan de hand is. Ze heeft in een flits de goedheid in Elaina herkend, en nu ziet ze Desiree en haar moeder en de doden die nog zullen vallen.
'Sarah, lieverd, kijk me eens aan,' zeg ik geruststellend.
Ze blijft Elaina aankijken.
'Echt niet. Zij niet. Dat wil ik niet op mijn geweten hebben.'
Elaina doet een stap naar voren en duwt me opzij. De blik op haar gezicht is een mengeling van medelijden en verdriet. Wanneer ze iets zegt, is haar stem vriendelijk en o zo zacht.
'Sarah, ik wil graag dat je hier blijft. Hoor je me? Ik ben op de hoogte van de gevaren en ik wil graag dat je blijft.'
Sarah blijft naar Elaina staren, zonder iets te zeggen nu, maar hoofdschuddend, heen en weer, heen en weer.
Elaina wijst naar haar eigen kale hoofd.
'Zie je dat? Dat komt door kanker. Ik heb kanker overwonnen. Weet je wat nog meer? Een halfjaar geleden heeft een man Bonnie en mij ontvoerd; hij was van plan ons te doden. Hem hebben we ook verslagen.' Ze gebaart naar de groep mensen om haar heen: ik, Alan, Bonnie, zijzelf. 'We hebben hem sámen verslagen.'
'Nee,' kreunt Sarah.
Nu doet Bonnie een paar stappen naar voren. Ze kijkt naar me op en wijst op zichzelf. Ik kijkt haar vragend aan en probeer te bedenken wat ze bedoelt. Ze wijst nogmaals op zichzelf en dan op Sarah. Iedereen kijkt gebiologeerd toe. Het duurt even, maar dan dringt het tot me door.
'Wil je dat ik haar over jou vertel?'
Een knikje.
'Zeker weten?'
Een knikje.

Ik kijk Sarah aan. 'Bonnies moeder, Annie, was mijn beste vriendin. Een man – dezelfde die later ook Elaina en Bonnie wilde vermoorden – heeft Annie voor de ogen van Bonnie gedood. Daarna heeft hij Bonnie aan het lichaam van haar dode moeder vastgebonden. Zo heeft ze drie dagen gelegen. Totdat ik haar vond.'

Sarahs blik is nu gereserveerd voor Bonnie.

'Weet je waar hij nu is?' zegt Alan. 'Hij is dood. Wij zijn nog steeds hier. We hebben allemaal akelige dingen meegemaakt, Sarah. Je hoeft je over ons geen zorgen te maken – we passen goed op onszelf. We passen ook goed op jou. Dit is mijn huis en ik wil ook graag dat je blijft.'

Ik voel dat haar weigering wankelt onder een heftig verlangen. Bonnie is degene die de kloof dicht. Ze loopt naar Sarah toe en pakt haar hand. Het moment lijkt eindeloos te duren en we wachten rustig af.

Sarah laat haar schouders hangen.

Ze zegt niets. Knikt alleen maar. Het doet me aan Bonnie denken, en terwijl ik dit denk, vangt mijn pleegdochter mijn blik en ze werpt me een triest lachje toe.

'Ik ben er ook nog, hoor,' zegt Kirby, die haar mond niet langer kan houden. 'Ik ben hier en ik heb genoeg bij me om een beer neer te schieten. Een reusachtige, gemuteerde beer.' Ze grijnst al die witte tanden van haar bloot en haar luipaardogen glinsteren. 'Als die mafkees hier komt opdagen, is hij er geweest.'

Op deze ochtend is er helaas geen versgemalen koffie, maar het is tenminste opgehouden met regenen. Iedereen staat voor me in de gemeenschappelijke werkruimte van ons kantoor. Niemand ziet er zo fris en helder uit als gisteren. Zelfs Callie niet. Ze is als altijd tot in de puntjes verzorgd, maar haar ogen zijn roodomrand van vermoeidheid.

Adjunct-directeur Jones komt door de deur naar binnen met een bekertje koffie in de hand. Hij verontschuldigt zich niet voor het feit dat hij ons heeft laten wachten en dat verwacht niemand ook van hem. Hij is de baas; te laat komen is zijn voorrecht.

'Begin maar,' zegt hij.

'Goed,' zeg ik. 'Jij eerst, Alan.'

Ik weet dat Alan gisteravond laat is teruggekomen om nogmaals in het leven van de Langstroms te graven.

'Om te beginnen opa Langstrom. Nou ja, hij was Linda's vader, dus eigenlijk opa Walker. Tobias Walker.'

'Wacht even,' zegt AD Jones en hij zet zijn koffie neer. 'Tobias Walker, zeg je?'

'Ja.'

'Allemachtig.'
Iedereen draait zich om en kijkt hem aan. Zijn gezicht staat ernstig.
'Ik heb je vanochtend een lijst gegeven, special agent Thorne. De politieagenten en FBI-medewerkers van de taskforce die zich bezighield met die mensensmokkelzaak. Kijk even.'
Callie neemt het vel papier vluchtig door. Haar blik blijft hangen.
'Tobias Walker werkte namens de LAPD mee in dat team.'
Het gevoel dat nu door me heen stroomt is overweldigend. Onwerkelijkheid vermengd met elektrisch geladen opwinding.
'Nog een naam die u bekend zal voorkomen,' zegt ze. 'Dave Nicholson.'
'Nicholson?' vraagt AD Jones fronsend. 'LAPD, grote kerel. Goede rechercheur. Wat is er met hem?'
Ik geef hem een korte samenvatting van de gebeurtenissen van de vorige dag. Hij is diep geschokt.
'Zelfmoord? En zijn dochter ontvoerd?' Hij wil zijn koffie pakken, bedenkt zich en strijkt met één hand over zijn haar. Ik kan niet zien of hij ontzet of woedend is. Waarschijnlijk allebei.
Er komt een idee mijn kant op gerend, zo groot dat mijn mentale horizon erdoor wordt verduisterd. Een rijzende zon van besef.
'Stel nu eens...?'
Iedereen kijkt me vragend aan. Iedereen, behalve James, zie ik. Hij staart nadenkend voor zich uit.
Ziet hij hetzelfde als ik?
Misschien. Waarschijnlijk.
'Luister,' zeg ik. Ik hoor de opwinding in mijn eigen stem. 'We hebben een taskforce die faalde, waarschijnlijk als gevolg van interne corruptie. We hebben een motief, namelijk wraak. We hebben een paar belangrijke boodschappen. Een via Cathy Jones, samen met haar politiepenning: "Symbolen zijn slechts symbolen". Een tweede via Nicholson: "Wat belangrijk is, is de man áchter het symbool, niet het symbool zelf". Als we dat combineren met wat we al weten, wat zegt dat ons dan?'
Niemand is snel genoeg om James voor te zijn. Hij is er al, heeft me ingehaald. Boten en water, rivieren en regen.
'Hij verwijst naar de corruptie. Dat iemand een politiepenning heeft, wil nog niet per se zeggen dat hij geen slechte vent is. Symbolen zijn slechts symbolen.'
Alans ogen lichten op wanneer het hem begint te dagen. 'Precies, precies. We hebben de plank misgeslagen. Wraak is inderdaad het motief, maar de smokkelaars waren niet degenen die hij het zwaarst wilde straffen. Daarom is Vargas er zo gemakkelijk vanaf gekomen. Het is hem te doen om de leden van de taskforce. Degene die het veilige huis en de kinderen heeft verraden.'

Stilte. Iedereen laat dit tot zich doordringen, dan wordt er hier en daar geknikt. Dat klinkt alsof het de waarheid kan zijn.
'Meneer,' vraag ik aan AD Jones, 'wat herinnert u zich nog over Tobias Walker?'
De adjunct-directeur wrijft over zijn gezicht. 'Geruchten, dat is wat ik me herinner. Hij zat er zelfs nog langer dan Haliburton. Vervelende vent. Racist. Had altijd een gummiknuppel bij zich, dat soort dingen. Was niet vies van geweld in de verhoorkamers. Degene die ze na de aanval op het veilige huis het intensiefst hebben nagetrokken.'
'Waarom?'
'Hij was daarvoor al driemaal door het bureau Intern Onderzoek van de LAPD onderzocht op verdenking van het accepteren van smeergeld. Kwam er telkens heelhuids uit, maar de geruchten hielden aan, waaronder ook het verhaal dat hij op de loonlijst van de georganiseerde misdaad stond. Er kon nooit iets worden bewezen. Hij is in 1983 overleden aan longkanker.'
'Blijkbaar is onze dader ervan overtuigd dat het meer dan alleen maar geruchten waren,' merkt James op.
'Inderdaad,' zeg ik. 'Wat is er van Haliburton terechtgekomen?'
Het gezicht van de adjunct-directeur ziet opeens asgrauw. 'Tot vandaag had ik gezegd dat hij zijn vrouw heeft vermoord en daarna zelfmoord heeft gepleegd, maar onder de huidige omstandigheden...'
'Bent u bekend met de details?'
'Het speelde in 1998. Hij was toen al een tijdje met pensioen. Hij was eind zestig en druk in de weer met wat je zoal doet wanneer je met pensioen bent. Waarschijnlijk schreef hij nog steeds gedichten.'
'Gedichten?' onderbreek ik hem.
'Dat was wat Haliburton een menselijk gezicht gaf. Die tegenstrijdigheid. Hij was een heel conservatief type. Kerkganger, streng in de leer, vertrouwde niemand met haar dat over zijn oren groeide, kocht al zijn pakken bij Sears. Zo iemand dus. Hij was hardvochtig, stond snel met zijn oordeel klaar. Maakte nooit een grapje. Hij schreef echter wél gedichten. Hij liet ze ook graag aan anderen lezen. Sommige waren best goed.'
Ik vertel hem het verhaal van de Vreemdeling over de amateurdichter en zijn vrouw.
'O, man,' zegt hij en hij schudt ongelovig zijn hoofd. 'Het wordt steeds mooier. Haliburton heeft eerst zijn vrouw doodgeschoten en toen zichzelf. Dat hebben wij tenminste altijd aangenomen.'
'Hoe zit het met die filosofiestudent? Zat er bij de taskforce iemand op wie die beschrijving van toepassing is?'
'Het zegt me niets.'

'Andere voortijdige sterfgevallen?'
'We waren met ons drieën: Haliburton, Jacob Stern en ik. Stern is in... ergens eind jaren tachtig naar Israël geëmigreerd. Hij was ook een oude rot. Sinds die tijd heb ik nooit meer iets over hem vernomen. Namens de LAPD had je Walker, Nicholson en een vent van Zedendelicten, ene Roberto Gonzalez. We weten wat er met Walker en Nicholson is gebeurd; over Gonzalez heb ik geen informatie. Hij was een jonge agent, tweetalig. Voor zover ik me nog kan herinneren een goede knul.'
'Dan zullen we Stern en Gonzalez moeten natrekken,' zeg ik.
'De belangrijkste vraag blijft ongewijzigd,' zegt Alan peinzend, 'ook al hebben we nu het werkterrein beperkt: wie is de Vreemdeling en waarom geilt hij zo op leden van de taskforce?'
'Ik heb er ook een,' zegt Callie. Ze werpt een blik op AD Jones. 'Ik wil u niet beledigen, meneer, maar waarom leeft ú nog?'
'Ik denk dat het antwoord op die vraag ligt in het feit dat u adjunct-directeur bent,' zegt James. 'Volgens mij heeft hij u niet van zijn lijst geschrapt, maar bewaart hij u misschien wel tot het laatst. Een AD vermoorden – dat trekt veel aandacht. Misschien is hij nog niet toe aan zoveel bekijks.'
'Een opbeurende gedachte,' antwoordt AD Jones.
'Even terug naar Alans vraag,' zeg ik. 'Het is logisch dat hij als kind zelf slachtoffer is geweest van de bende mensensmokkelaars. Het gaat niet om een familielid van een van de kinderen.'
'Hoezo?' vraagt Alan, maar hij geeft onmiddellijk zelf antwoord: 'Vanwege de littekens op zijn voeten.'
'Inderdaad.'
Ik denk even na. 'Callie, heb jij in het huis van de Langstroms nog iets nuttigs gevonden?'
'Ik heb er een dag en een nacht lang met Gene gezeten. We hebben heel wat stof gevonden, maar niets met forensische bewijswaarde. De antidepressiva van Linda Langstrom waren niet door hun eigen huisarts voorgeschreven, maar door een arts aan de andere kant van de stad.'
'Ze heeft haar uiterste best gedaan om ze te verstoppen,' merk ik op.
'Ja. Ze heeft er echter nooit één ingenomen.'
Er verschijnt een diepe rimpel op mijn voorhoofd. 'Heeft iemand daar ideeën over?'
Niemand reageert.
'James? Al nieuws over de computer van die knul?'
'Nee.'
Ik denk na en probeer iets uit de hoge hoed te toveren. Niets.
'De meest veelbelovende richting om verder in te zoeken is dus de trust.' Ik

vertel hun over mijn gesprek met Ellen. 'We hebben die dagvaarding nodig. Vandaag nog.'
'Daar kan Cathy Jones je mee helpen,' zegt AD Jones. 'Zij moet in staat zijn te getuigen dat de Langstroms waarschijnlijk door een derde partij zijn vermoord. Dat heeft prioriteit.' Hij gooit zijn bekertje in de prullenbak en loopt naar de deur. 'Hou me op de hoogte.' Hij blijft staan en kijkt om. 'O, ja. Smoky? Zorg dat je die kerel oppakt, oké? Ik wil graag blijven ademhalen.'
'Jullie hebben hem gehoord,' zeg ik. 'Callie en Alan, dat is een klus voor jullie. James, ik wil dat jij uitzoekt wat er eventueel met die twee andere namen op de lijst is gebeurd. Stern en Gonzalez.'
Iedereen komt in beweging, net jagers bij een geurspoor.

48

'Roberto Gonzalez is in 1997 in zijn eigen huis vermoord,' dreunt James op. 'Hij is gemarteld en gecastreerd, en zijn geslachtsdelen zaten in zijn mond gepropt.'
'Klinkt als zijn beschrijving van de "filosofiestudent",' mompel ik. 'Wat nog meer?'
'Stern leeft blijkbaar nog. Ik heb het crisisteam gewaarschuwd; zij nemen contact op met de Israëlische autoriteiten en laten hem bewaken.'
'Ik ben het eens met je theorie wat betreft AD Jones, maar waarom Stern? Waarom heeft hij hem laten leven?'
James haalt zijn schouders op. 'Dat kan om puur geografische redenen zijn. Te ver weg, dus daarom is hij de laatste die wordt aangepakt.'
'Misschien.' Ik bijt op mijn onderlip. 'Weet je,' zeg ik dan, 'er is een spoor dat we nog helemaal niet hebben nagetrokken.'
'Wat dan?'
'Meneer "Je-Weet-Wel-Wie". De man tegen wie Vargas het op de videoband had. Ik neem aan dat hij de leider is. Kan hij niet ook een belangrijk doelwit voor de Vreemdeling zijn?'
'Dat is iets waar we ons voorlopig niet over hoeven te buigen.'
'Waarom niet?'
'Omdat het een vraag is die misschien wel nooit wordt beantwoord. De taskforce heeft hem in 1979 niet kunnen vinden. Waarom zouden wij hem nu dan wél vinden?'
'Om te beginnen zijn wij niet corrupt.'
Hij schudt zijn hoofd. 'Dat doet er niet toe. Ja, ik denk inderdaad dat hij indertijd is gewaarschuwd, en ja, ik geloof ook dat iemand hem, of in elk geval zijn belangen, heeft beschermd. Maar volgens mij was het geen grote samenzwering, niet op het niveau van wetshandhavers. Het valt echt niet mee om een agent om te kopen, ook al denken burgers van wel. Het is nog veel moeilijker om een politieagent, of een special agent, onder één hoedje te laten spelen met een kindersmokkelaar. Nee. Dit was het werk van één persoon bij die taskforce, hooguit twee.'
'Walker?'
'Hij is de meest voor de hand liggende verdachte. Wat mij alleen dwarszit is

dat het hele netwerk ogenschijnlijk in rook is opgegaan. Het is net alsof het zichzelf van de ene op de andere dag heeft ontbonden. Geen nieuwe kinderen met littekens op hun voetzolen. Dat spookt maar steeds door mijn hoofd.'
'Hoezo? De slechteriken waren gewoon voorzichtig.'
'Nee. Voorzichtig waren ze de hele tijd al. Daarom hadden ze iemand uit het andere team omgekocht die vertrouwelijke informatie aan hen doorspeelde. Voorzichtig zou zijn geweest als ze een nieuwe route en een nieuwe markt hadden gezocht. De boel helemaal opheffen? Criminelen worden steeds slimmer, ze geven hun handel echt niet zomaar op.'
'Dat is ons probleem niet. Misschien zijn ze wel nooit gestopt. Misschien zijn ze inderdaad gewoon slimmer geworden of hebben ze hun werk ergens anders voortgezet. Jezus, sekstoerisme is al jaren een groeimarkt; misschien zijn ze in hun eigen land iets begonnen en hebben ze zo alle risico's uitgesloten.'
James haalt zijn schouders op, maar ik weet dat hij niet tevreden is. Hij is een puzzelaar. Hij houdt niet van onbeantwoorde vragen, of ze nu relevant zijn voor ons onderzoek of niet.
'Hij is geen broer van een slachtoffer,' zegt James.
De Vreemdeling, bedoelt hij.
'Ik weet het. Daarvoor is het veel te persoonlijk. Dit is niet iets wat een familielid is overkomen; hij heeft zélf iets ellendigs meegemaakt.'
'Dat dagboek zit me ook niet helemaal lekker,' zegt hij.
Ik neem hem nauwlettend op. 'Enig idee waarom?'
'Nog niet.'
Mijn mobieltje gaat over.
'We hebben een schriftelijke verklaring van Cathy Jones,' meldt Callie. 'We komen eraan.'
'Mooi werk, Callie.'
Ze snuift verachtelijk. 'Had je dan iets anders verwacht?'
Ik glimlach. 'Breng de verklaring hiernaartoe, dan sturen we die meteen door naar Ellen.'
'Tot over twintig minuten.'
Een stoot adrenaline golft krachtig en onverwacht door me heen. Ik voel me energieker en ook een beetje rillerig, alsof alles door een heldere stralenkrans wordt verlicht.
Dit is het, besef ik.
'We krijgen straks onze dagvaarding,' zeg ik tegen James.
'Vergeet niet waarover we het hebben gehad.'
'Nee, nee, dat doe ik ook niet.'
Ik weet wat James bedoelt. Bekijk elk resultaat. We volgen namelijk nog steeds het pad dat hij voor ons heeft uitgestippeld.

49

Iedereen gaat mee. Alan, Callie, James en ik. We hebben de dagvaarding en we zijn op weg naar Gibbs.

Er hangt een opgewonden sfeer, een soort elektriciteit in de lucht. Tot op dit moment hebben we voornamelijk gedwongen zitten afwachten en alles op ons af laten komen. Het hele verhaal, kilometer na kilometer, één grote horrorshow. In gedachten hebben we Sarah en anderen zien lijden.

Nu weten we over een uur misschien wel wie hij is. Het doet er niet meer toe dat hij ons hierheen heeft geleid. We willen zijn gezicht zien.

We lopen de lift uit en de hal in. Bij de receptie staat Tommy met een telefoon in zijn hand. Hij ziet me en zwaait.

'Een ogenblikje,' zeg ik tegen de anderen.

'Hou het kort,' moppert James.

'Hai,' zegt Tommy wanneer ik bij hem ben. 'Ik wilde zeker weten dat Kirby je had gevonden. Even horen of dat allemaal loopt.'

Ik kijk hem grijnzend aan. 'Het is een interessante dame. Ik...'

Ik vang een metaalachtig geluid op dat ik niet direct kan thuisbrengen. Ik wil het negeren, maar er begint iets te gillen in mijn hoofd en het zegt me dat ik dat maar beter niet, echt beter niet kan doen...

Ik draai me geschrokken om en mijn blik valt op een grimmige, hardvochtige latino die net de hal in is komen lopen. Hij kijkt me recht aan, ik weet zeker dat hij me ziet, hij draait zich om...

'Tommy,' mompel ik, en mijn hand kruipt naar mijn pistool.

Geen vragen, zo werkt Tommy; hij volgt slechts mijn blik en zijn hand schiet onder zijn jasje.

Wat is dat?

De hardvochtige man steekt beide handen naar voren, ze vouwen zich open en er buitelen twee voorwerpen door de lucht. Ze suizen op ons af, twee prachtige bogen...

'Fuck!' schreeuwt Tommy.

Hij duwt me achteruit, uit de weg, en ik val achterover; in een als een geweerschot knallende flits begrijp ik wat er gebeurt.

'Granaten!' krijs ik, te laat.

De ontploffing in de hal is enorm en oorverdovend. Ik voel een schokgolf en hitte, er vliegt iets langs mijn gezicht en dan wordt de lucht weggezogen, heel even maar, en ik val, voel dat ik met mijn hoofd tegen de marmeren vloer sla, en dan wordt alles heel, heel grijs...

De schapenwolkjes in mijn hoofd worden verdrongen door de geur van rook en het geluid van pistoolschoten.
Automatisch wapen, denk ik wazig bij mezelf.
Opeens ben ik weer klaarwakker en alert. Ik lig op mijn rug. Ik wurm me omhoog tot zithouding en kruip paniekerig naar links als er iets jankend van het marmer naast me wegketst.
Mijn god, wat heb ik een koppijn.
In mijn oren zeurt een schel rinkelend geluid. Ik kijk om me heen en zie Callie, haar gezicht besmeurd en somber, die vanachter een marmeren pilaar haar wapen afvuurt. Ik zie James, die moeizaam omhoogklautert, terwijl bloed over zijn gezicht stroomt. Alan begint tegen hem te schreeuwen.
'Blijf liggen, idioot!'
Het automatische pistool blijft schieten, onophoudelijk, en het regent kogels in de hal.
Het is de hardvochtige man ernst, jazeker, denk ik bij mezelf, en ik giechel bijna, maar doe het niet, omdat dat volslagen krankzinnig zou zijn.
Ik moet mijn hoofd helder zien te krijgen...
Ik hoor het brullende antwoord van handwapens en trek, wankelend en rillend, puur instinctief, mijn eigen wapen.
Het glijdt mijn hand in en fluistert met onderdrukte vreugde tegen me, klaar voor actie.
Ik zit in de gang waar Tommy me in heeft geduwd en dan weet ik het weer en dan (o god, o shit, o fuck) boort de angst door me heen en ik zoek hem, zoek naar het bloedende lichaam dat ik zeker zal vinden, dat ik vrees te zullen vinden, dat ik niet wil...
'Hier,' fluistert Tommy.
Ik draai me met een ruk om. Op de een of andere volslagen onbegrijpelijke manier (godzijdank godzijdank godzijdank) is hij achter me beland. Hij zit met zijn rug tegen de muur. Zijn gezicht is asgrauw. Zijn schouder bloedt.
'Je bent geraakt,' roep ik.
'Je meent het,' mompelt hij en hij probeert een glimlach te onderdrukken. 'Het doet nog pijn ook. Ik red het wel. Granaatscherven in mijn schouder, geen belangrijke organen geraakt. Ik heb de bloeding gestelpt.'
Ik staar hem aan en probeer wat hij zegt tot me te laten doordringen.
'Het is oké, Smoky. Knal die hufter nou maar neer.'

Ja, graag, fluistert mijn pistool, en deze keer grom ik terug, me helder bewust van mijn doel.
Ik hoef hem alleen maar te zien. Zodra ik hem zie, zal ik niet missen.
Ik sluip in elkaar gedoken naar voren met mijn wapen in de aanslag. De schoten uit het automatische wapen gaan door, waanzin van lood en staal. Ik ruik het metaal dat krakend en jankend van elk oppervlak afketst.
'Callie!' gil ik.
Ze kijkt me aan en ik wijs op mijn ogen.
Hoeveel?
Ze steekt één vinger omhoog.
Eén.
Ik knik en gebaar dan dat Alan en zij me rugdekking moeten geven.
Ze knikt en ik kijk toe terwijl ze het plan aan Alan doorgeeft. James is erin geslaagd achter de pilaar te kruipen waar Callie zit. Uit een snee op zijn voorhoofd stroomt bloed. Hij ziet er verdwaasd en afwezig uit.
Callie steekt haar duim omhoog.
Ik werp nog één blik op Tommy. Ik grijp mijn pistool stevig vast en wacht gehurkt op de onderbreking die zeker zal komen.
Iedereen moet op een gegeven moment herladen.
Het automatische wapen blijft maar vuren. Ik weet dat dit een illusie is; in een vuurgevecht duurt de tijd langer, verliest hij zelfs elke betekenis. Zweet gutst over mijn voorhoofd. Een bonkende pijn waart door mijn hoofd en ik heb de metalige smaak van cordiet in mijn mond.
Wanneer de stilte valt, komt dat als een schok. Na al het gebulder is de afwezigheid ervan bijna een geheel eigen geluid.
Ik zie dat Callie vanachter haar pilaar tevoorschijn springt, wapen in de aanslag, en ik kom ook overeind, laat mijn blik door de hal glijden en zoek de hardvochtige man...
Ik verstar. Mijn pistool krijst van woede.
De hal voor ons is verlaten.

50

Ik vlieg naar de uitgang, langs de metaaldetectors, die schel piepend protesteren. Ik zie het bewegingloze lichaam van een bewaker. Ik weet niet of hij nog leeft of dood is.
Ik duw met mijn schouder tegen de deuren en ren naar de trap, zwaar ademend, met mijn pistool in beide handen geklemd.
Niets!
Ik ren de trap af, het parkeerterrein op. Ik wend met een ruk mijn hoofd om, kijk van links naar rechts in de hoop hem te zien. Ik hoor dat de deuren opengaan en dan staat Callie naast me, op de voet gevolgd door Alan.
'Waar is hij?' snauwt Callie. 'Hij is net weg!'
We vangen het gebrul op van een krachtige automotor en piepende banden, en ik ren op het geluid af. Ik zie een zwarte Mustang wegracen, hef mijn pistool op om te vuren – en dan dringt het tot me door: ik weet niet zeker of hij het is.
'Fuck!' krijs ik.
'Zeg dat wel,' mompelt Alan.
Ik hol de trap weer op, drie treden tegelijk, terug door de deuren. Callie en Alan rennen achter me aan.
De hal is één groot bloedbad. Ik zie drie mensen op de vloer liggen die door andere FBI-medewerkers worden verzorgd. Minstens vier anderen hebben hun wapen getrokken en Mitch, het hoofd van de beveiliging, praat met een bedrukt gezicht in zijn walkietalkie.
Ik veeg met een bevende hand het zweet van mijn voorhoofd en probeer mijn inwendige stress-en-strijd-stem het zwijgen op te leggen. Ik denk in flitsen. Ik moet snel actie ondernemen, maar eerst vanbinnen tot rust komen.
'Kijk hoe het met James gaat,' zeg ik tegen Callie.
Ik loop naar Tommy. Hij ziet er iets beter uit. Zijn gezicht is iets minder bleek, maar hij heeft duidelijk veel pijn. Ik hurk naast hem neer en neem zijn hand in de mijne.
'Je hebt mijn leven gered,' zeg ik met trillende stem. 'Dwaze, heldhaftige drol die je bent.'
'Ik...' Hij grimast. 'Ik durf te wedden dat je dat tegen alle kerels zegt die je wegduwen voor rondvliegende granaten.'

Ik probeer een gevat antwoord te bedenken en merk dan dat ik even niets kan zeggen. Ik hou niet van Tommy, nog niet, maar hij betekent meer voor me dan alle andere mannen die ná Matt in mijn leven zijn gekomen. We zijn sámen.
'Jezus, Tommy,' fluister ik. 'Ik dacht dat je d-d-dood was.' Het is net alsof mijn tong met novocaïne is verdoofd, en er fladdert iets misselijkmakends in mijn maag.
Hij geeft zijn pogingen om te glimlachen op. Staart me doordringend aan.
'Nou, dat ben ik dus niet. Oké?'
Ik vertrouw mijn stem op dit moment niet. Ik knik krampachtig.
'James is in orde,' roept Callie me toe en ik schrik op, 'maar hij heeft wel een paar hechtingen nodig.'
Ik kijk naar Tommy. Hij grijnst.
'Ik red me wel. Ga maar.'
Ik knijp nog een laatste maal in zijn hand en kom dan overeind op benen die tot mijn grote opluchting stabiel zijn. De liftdeuren schuiven open en AD Jones komt met zijn pistool in de hand en een in gevechtsformatie uitwaaierende groep gewapende FBI-agenten achter zich aan naar buiten gestormd.
'Wat is hier verdomme gebeurd?' blaft hij.
'Een indringer heeft twee granaten in de hal gegooid,' zeg ik. 'Daarna heeft hij het vuur geopend met een automatisch wapen. Hij is door de uitgang aan de voorkant ontsnapt.'
'Doden?' vraagt hij.
'Dat weet ik nog niet.'
'Weten we wie de indringer was?'
'Nee.'
Hij wendt zich tot een van de FBI-agenten die samen met hem uit de lift zijn gekomen.
'Ik wil dat er mensen op wacht worden gezet bij de hoofdingang. Afgezien van medisch personeel mag er niemand in en uit, tenzij ik daarvoor persoonlijk toestemming heb gegeven. Zorg dat er snel een ambulance komt en zoek in de tussentijd uit met welke verwondingen we van doen hebben. Laat alle medewerkers met enige EHBO-kennis komen meehelpen.'
'Jawel, meneer,' antwoordt de FBI-agent en hij gaat aan het werk.
AD Jones volgt zijn mensen met zijn ogen, terwijl de chaos onder de tweevoudige werking van ervaring en leiderschap langzaam begint op te lossen.
'Met jou alles in orde?' vraagt hij terwijl hij me kritisch bekijkt. 'Je ziet een beetje grauw.'
'Spanning,' antwoord ik. Ik tast naar de plek waar mijn achterhoofd onzacht in aanraking is gekomen met de marmeren vloer. Tot mijn opluchting voel ik

alleen een bult, geen bloed. De hoofdpijn wordt al minder, dus bang voor een hersenschudding ben ik niet.
'We moeten erachter zien te komen wie het was en wat er zojuist is voorgevallen,' mompelt hij.
'Ja,' antwoord ik.
Hij zucht uit frustratie en woede. 'Heb je die vent gezien?'
'Ja.'
'Een Midden-Oosten-type?'
'Nee. Een latino. Eind dertig, begin veertig misschien.'
AD Jones vloekt.
'Hoe is hij verdomme langs de beveiliging gekomen?'
'Dat hoefde niet. Hij bleef bij de deur staan, gooide een paar granaten naar ons, opende het vuur en vertrok.'
Hij schudt zijn hoofd. 'Hoe kan ik mijn mensen nu tegen dat soort bedreigingen beschermen?'
Ik zeg niets. Het is niet echt een vraag.
'Wat wilt u dat we doen, mijn team en ik?'
Hij strijkt met een hand over zijn haar en staart naar het tafereel voor hem.
'Laat Alan hier,' zegt hij dan vastbesloten. 'Neem Callie mee en ga aan de slag met die dagvaarding.'
Gezien de omstandigheden sta ik versteld van zijn woorden.
'Maar...' Ik veeg nogmaals mijn voorhoofd af. 'Hoor eens, als u ons nodig hebt, blijven we hier.'
'Nee. We leggen niet al het werk neer vanwege deze gebeurtenis. Echt niet. Binnen een halfuur hebben we de band met video-opnamen van de dader uit de bewakingscamera's. Met onze mensen hier in het gebouw en het team dat Quantico ongetwijfeld stuurt, is mankracht wel het laatste waarover ik me druk ga maken.'
Ik reageer niet. Hij kijkt me nijdig aan.
'Het is geen verzoek, Smoky.'
Ik zucht. Hij heeft gelijk, hij is de baas en hij is razend, een onverslaanbaar trio.
'Ja, meneer.'
'Aan het werk.'
Ik loop naar Callie. James staat inmiddels weer overeind, maar zijn blik is wazig. Hij houdt een zakdoek tegen de wond op zijn hoofd gedrukt. Het bloed is langs zijn gezicht en hals gestroomd en heeft zijn overhemd doorweekt.
'Je ziet eruit alsof iemand een bijl in je schedel heeft geparkeerd,' zeg ik tegen hem.

Hij glimlacht, een gemeende glimlach, en nu weet ik dat hij echt van de wereld is.
'Het is maar een oppervlakkige hoofdwond,' zegt hij nog steeds glimlachend. Zijn stem klinkt een beetje zweverig. 'Die bloeden altijd vrij heftig.'
Ik kijk met opgetrokken wenkbrauwen naar Callie. Ze haalt haar schouders op.
'Ik heb geprobeerd hem zover te krijgen dat hij gaat zitten.' Ze bekijkt James kritisch. 'Ik moet zeggen dat ik hem zo veel leuker vind.'
'Zeg, Rooie,' zegt James loeihard en hij buigt zich wiebelend naar Callie toe. 'Ik kan jou missen als... als koppijn.' Hij giechelt en wankelt dan onzeker op zijn benen. Callie en ik grijpen allebei een arm beet.
'Hé, moet je eens horen,' zegt hij weer met die zweverige stem en hij kijkt naar mij.
'Wat?' zeg ik.
'Ik voel me niet zo lekker.'
Zijn benen worden slap, en Callie en ik laten hem moeizaam op de vloer zakken tot hij zit. Hij doet geen enkele moeite om op te staan, zijn gezicht is bleek en glimt van het zweet.
'Hij heeft een arts nodig,' zeg ik bezorgd. 'Ik gok op een zware hersenschudding.'
Het is alsof ze op mijn teken hebben staan wachten, want onmiddellijk gaan de deuren open en komen er ambulancebroeders naar binnen gerend, vergezeld van politieagenten met getrokken wapens.
'Vraag en er zal je gegeven worden,' merkt Callie op. Ze bukt zich en geeft James een klopje op zijn arm. 'Zij komen je zo ophalen, honey-love.'
Hij kijkt met troebele ogen naar haar op. Hij lijkt nu minder afwezig, geconcentreerder. Hij slikt en trekt een pijnlijk gezicht.
'Goed,' is het enige wat hij zegt en hij verschuift een stukje, zodat hij zijn hoofd tussen zijn knieën kan houden.
'Wat is ons plan de campagne?' vraagt Alan, die zich bij ons voegt.
Ik bekijk hem vluchtig van top tot teen. Zo te zien is hij niet gewond. Zijn handen zitten echter tot aan zijn polsen onder het bloed. Hij voelt mijn blik. 'Jonge knul,' zegt hij toonloos. 'Bloedde uit een wond in zijn maag. Ik heb mijn hand erin gestoken om het bloeden te stelpen. Hij is dood.' Stilte. 'Goed, ons plan de campagne?'
Ik vind mijn stem weer. 'Jij blijft hier, op verzoek van AD Jones. Callie en ik gaan met de dagvaarding naar Gibbs.'
'Oké.'
Alans stem klinkt eentonig, maar wanneer ik in zijn ogen kijk, begrijp ik dat hij allesbehalve verdoofd is.

'Weet je,' zegt hij, terwijl hij zijn bebloede handen aan zijn overhemd afveegt, 'ik kan qua werk een heleboel hebben. Soms is het zwaar, vooral wanneer de slachtoffers kinderen zijn, maar over het algemeen kan ik het wel aan.' Hij laat zijn blik door de hal glijden en schudt zijn hoofd. 'Wat ik niet kan hebben, is willekeurige shit, zoals dit.'
Ik raak even zachtjes zijn arm aan.
'Ga maar,' zegt hij. Hij kijkt omlaag naar James. 'Ik let wel op hem.'
Hij wil niet meer praten. Dat begrijp ik best.
Ik wend mijn hoofd af en overzie de ravage in de hal, zoals hij dat net ook deed. Het is er nu een drukte van jewelste. Tot mijn grote verbazing besef ik dat ik mijn pistool nog altijd in mijn hand heb. Ik kijk op de klok aan de muur, die weliswaar scheef hangt maar het nog steeds doet.
Sinds het moment waarop we uit de lift stapten zijn er negen minuten verstreken.
Ik laat mijn wapen in de holster glijden. Werp nog een laatste blik op Tommy, die door de ambulancebroeders wordt verzorgd.
'Laten we gaan,' zeg ik dan tegen Callie.

Zodra we op de snelweg zitten, bel ik Elaina. Ik weet dat de gebeurtenissen van zo-even straks op het nieuws zullen zijn; toen Callie en ik wegreden, zag ik de busjes en helikopters al aankomen.
'Met Alan is alles in orde, met mij is alles in orde, met Callie is alles in orde en met James is alles in orde,' beëindig ik mijn relaas. 'Hier en daar wat schaafwonden en blauwe plekken, maar verder helemaal in orde.'
Ze ademt zwaar uit, een opgelucht geluid.
'Godzijdank,' zei ze. 'Wil je dat ik het Bonnie vertel?'
'Graag.'
'Dank je wel dat je me hebt gebeld, Smoky. Als ik het op televisie had gezien zonder eerst iets van jou te hebben gehoord... Nu ja, daarom heb je natuurlijk ook gebeld.'
'Ik wist dat Alan volkomen in beslag zou worden genomen door wat er daar gaande is. Ik wilde niet dat je je zorgen maakte. Bedankt dat je het Bonnie wilt vertellen. Mag ik dan nu Kirby even?'
Even later komt mijn huurmoordenaar aan de lijn. 'Wat is er, baas?' zegt ze.
Ik leg haar alles uit.
'Ik wil dat je hen daar weghaalt, Kirby. Jullie moeten Elaina's huis uit. Weet je een veilige plek waar je hen naartoe kunt brengen?'
'Jazeker. Ik heb een paar plekjes achter de hand als appeltjes voor de dorst. Krijgen we straks dorst?'
'Ik verwacht van niet, maar neem liever geen enkel risico.'

'Ik bel je zodra we er zijn.'
Ze hangt op. Niet vragen waarom, maar meteen actie ondernemen. Tommy had gelijk: Kirby was een goede keus.
Ik heb geen enkele reden om aan te nemen dat wat zich zojuist in de FBI-hal heeft afgespeeld verband houdt met Sarah of met de Vreemdeling. Ik heb echter ook geen reden om het níét aan te nemen, en mijn angst zegt me dat dit in de huidige situatie op zich al reden genoeg is.
Callie is zwijgzaam en tuurt met verontrustende concentratie naar de weg. Op haar rechterwang zit een veeg. In haar hals ontwaar ik iets wat volgens mij een beetje geronnen bloed is.
'Het voelt raar,' zegt ze, alsof ze doorheeft dat ik haar zit te bekijken. 'Om weg te gaan terwijl iedereen dáár blijft.'
'Ik weet het. Maar ze zijn met genoeg mensen. Wij moeten doen wat we nu doen.'
'Toch zit het me niet lekker.'
'Mij ook niet,' geef ik toe.

We zijn vrij snel bij Moorpark, en algauw nadat we de snelweg hebben verlaten, lopen we Gibbs' kantoor binnen. Hij zet grote ogen op en zijn mond valt open.
'Wat is er verdorie met jullie gebeurd?' vraagt hij.
'Dat ziet u straks wel op het nieuws,' zeg ik en ik laat hem de dagvaarding zien. 'Alstublieft.'
Hij staart ons nog even aan. Dan maakt hij de envelop open en neemt het document door.
'Dit gaat alleen over de identiteit,' merkt hij op.
'Daar is het ons ook om te doen.'
'Goed, dat is dan in orde,' zegt hij. Hij klinkt opgelucht.
Hij maakt de la van zijn bureau open en haalt een dunne dossiermap tevoorschijn. Die laat hij op zijn bureau vallen.
'Het is een kopie van het ondertekende contract tussen ons tweeën en een kopie van zijn rijbewijs.' Hij glimlacht. 'Jullie hebben uitstekend juridisch advies gekregen. Wat betreft de trust zou ik me met hand en tand hebben verzet, maar de identiteit?' Hij schokschoudert. 'Daar is al te vaak een uitspraak over gedaan.'
Mijn glimlach is plichtmatig. Ik trek de map naar me toe en sla hem open. De eerste pagina bevat een getypt contract. Het maakt melding van kosten en diensten, betalingsovereenkomst, aansprakelijkheid. Ik neem het vluchtig door en onderaan vind ik wat ik zocht.
'Gustavo Cabrera,' lees ik voor.

Eindelijk een naam voor de Vreemdeling?
Misschien.
Ik sla de pagina om. Wat ik zie, is schokkend en tegelijkertijd ook weer niet – een verontrustende combinatie. Kippenvel trekt over mijn hele lichaam.
'Smoky?'
Ik wijs. Callie kijkt. Ze knijpt haar ogen tot spleetjes.
De kleurenfoto op Cabrera's rijbewijs is helder en scherp, en we herkennen hem allebei meteen.
De hardvochtige man in de hal.
'Klootzak,' mompel ik.
Is het echt zo'n verrassing?
Nee. Nee, niet echt.
Ik onderdruk de impuls om meteen het kantoor uit te rennen. Alles in me schreeuwt om beweging, maar mijn gesprek met James is me bijgebleven.
Dit is het gevaarlijkste deel, besef ik. We zijn hier, hij weet dat we hier zijn en dit is waar hij ons wilde hebben. Als we de stappen zetten die hij van ons verwacht, wat zullen de gevolgen dan zijn? Hij heeft zijn bedoelingen al bijzonder duidelijk gemaakt met kogels en granaten. Zijn verlangen betreft een vuurzee, een armageddon waar hij zich grijnzend en kreunend doorheen wil slaan.
Hoe kunnen we voorkomen dat hij zijn zin krijgt?
En dat andere? Datgene wat probeert uit mijn onderbewustzijn naar boven te klauteren, hetzelfde wat James ook dwarszat?
'Bedankt,' zeg ik tegen Gibbs. 'We moeten gaan.'
'Laat u het me weten?' zegt hij. 'Voor het geval de uitkomst invloed heeft op de trust?'
'Dat zullen we doen.'

'Wie is het?' Ik heb Barry aan de telefoon.
'Gustavo Cabrera. Achtendertig jaar. In 1991 vanuit Midden-Amerika naar de VS gekomen. In 1997 genaturaliseerd. Dat is allemaal niet zo interessant. Wat wél interessant is, is dat hij een gigantisch huis heeft aangeschaft op een enorme lap grond, maar geen vaste baan heeft; verder gaat het gerucht dat hij een grote voorraad wapens bezit.'
'Hoe bedoel je – als een militie?'
'Of anders gewoon een wapenliefhebber. Het heeft nooit ergens toe geleid. De informant van wie deze tip afkomstig is, werd over het algemeen als onbetrouwbaar beschouwd en is inmiddels aan een overdosis harddrugs overleden. Twee andere stukjes informatie. Allebei zijn ze zogenaamd vertrouwelijk – medische info, dus privé –, maar iemand is erachter gekomen en heeft er een aantekening van gemaakt. Het eerste: Cabrera is hiv-positief.'

'Echt?'
'Jawel.'
'Wat is het tweede?'
'De dokter ontdekte op een bepaald moment dat Cabrera het slachtoffer was geweest van martelpraktijken. Iets wat op zweepslagen leek op zijn onderrug en – je voelt het wel aankomen – littekens op zijn voetzolen.'
'Allemachtig. Verder nog iets?'
'Dat was het.'
'Ik laat je weten hoe het verdergaat.'
Ik verbreek de verbinding, nog steeds ongerust en afwezig.
Er ontbreekt iets, er is een niets, een iets-wat-er-wel-moet-zijn.
Cabrera. Geografisch gezien afkomstig van de juiste locatie. Hij heeft littekens. Is hij de Vreemdeling? Waarom valt het me zo moeilijk om daar eenvoudigweg 'ja' op te zeggen?
Sarahs dagboek. Wat heeft ze weggelaten?
'Wat is er, Smoky?' vraagt Callie zachtjes. 'Wat zit je dwars?'
'Het is te gemakkelijk,' zeg ik. 'Te perfect. Er is iets wat niet bij hem past. Wat niet past bij wie hij is.'
'Waarom? Hoezo?'
Ik schud gefrustreerd mijn hoofd. 'Dat weet ik niet precies. Ik denk alleen niet dat het zo eenvoudig kan zijn. Waarom zou hij ons regelrecht naar zichzelf toe leiden?'
'Misschien is hij gewoon gestoord, Smoky.'
'Nee. Hij weet heel goed wat hij doet. Hij wilde dat we een dagvaarding haalden en hij wilde dat we dat dossier onder ogen kregen. Hij heeft met zijn optreden als "terminator" in de FBI-hal in de organisatie lopen porren als in een bijenkorf. Hij heeft zich schietend een weg naar de top van de lijst met meest gezochte misdadigers gebaand en ons zijn gezicht laten zien, terwijl hij zich juist al die tijd verborgen heeft gehouden. Waarom?'
'Jij bent degene die kunt denken zoals zij,' spoort ze aan. Verwachtingsvol. Erop vertrouwend dat ik met een onthulling op de proppen kom.
'Ik zie het niet. Ik weet dat het er is, maar ik zie het niet. Er is iets met Sarahs dagboek. Iets wat er niet in staat.'
Ik voel het nu aan de rand van mijn gezichtsveld. Ik zie het uit mijn ooghoeken, maar als ik mijn hoofd omdraai om het recht aan te kijken, verdwijnt het.
Er ontbreekt iets wat er wel zou moeten zijn.
Iets, iets, ie...
Ik verstijf en mijn ogen vliegen open wanneer het tot me doordringt.
Zo gaat het in zijn werk. Dit is het eindresultaat van het leegdrinken van een

zee aan informatie, bewijsmateriaal, overwegingen, conclusies, mogelijkheden en gevoelens. Alsof je een berg door een fijn zeefje zeeft om een korreltje zand te vinden, maar o, dat korreltje kan enorm belangrijk zijn.
O, mijn god.
Niet iets.
Iemand.
'Je weet wat het is, hè?' mompelt Callie.
Ik knik kort.
Nog niet alles, denk ik bij mezelf, ik weet nog niet alles. Dit... Ja, dit wel, denk ik.
Sommige dingen zijn zojuist veel duidelijker geworden, duidelijker en afschuwelijker.

51

'Weet je het heel zeker, Smoky?' vraagt AD Jones.
'Ja.'
'Het baart me zorgen. Te veel variabelen. Straks overleeft iemand dit niet.'
'Als we het niet op mijn manier doen, verliezen we misschien de gijzelaars, als ze nog in leven zijn. Ik zie geen alternatief.'
Een lange stilte, gevolgd door een diepe zucht. 'Bereid alles maar voor. Laat me weten wanneer we in actie moeten komen.'
'Dank u wel.' Ik verbreek de verbinding en kijk Callie aan. 'Hij gaat akkoord.'
'Ik vind het nog steeds erg moeilijk te geloven.'
'Ik weet het. Kom, dan gaan we op zoek naar de benodigde laatste harde feiten.'

De veilige plek waar Kirby Elaina, Bonnie en Sarah naartoe heeft gebracht ziet er erg onveilig uit. Het is een oud, verwaarloosd, vervallen pand in Hollywood. Dat is ook juist de bedoeling, vermoed ik. Kirby doet de deur open wanneer ze ons ziet aankomen en laat ons binnen. Ze grijnst breeduit, en uit de broeksband van haar spijkerbroek steekt een pistool. Ze is net een krankzinnige blonde piraat.
'De hele bende is er,' roept ze uit. Ze verbergt haar moordenaarsogen niet langer. Ze glijden van links naar rechts door de straat en haar vingers roffelen op de greep van haar wapen. Ze doet de deur dicht.
'Hallo, Rooie Sonja,' zegt ze grinnikend. Ze steekt een hand uit. 'Jij bent zeker Callie? Ik ben Kirby, de lijfwacht. Wat doe jij precies?'
Callie pakt Kirby's uitgestoken hand en schenkt haar een stralende glimlach. 'Ik fleur de wereld op met mijn aanwezigheid.'
Kirby knikt onmiddellijk zonder zelfs met haar ogen te knipperen. 'Hé, ik ook. Tof, man.' Ze draait zich om naar de achterkant van het huis. 'Buut vrij. Alles is veilig. Kom maar.'
Sarah, Bonnie en Elaina komen tevoorschijn. Bonnie komt naar me toe en klemt haar armen om mijn middel.
'Hallo, ukkepuk,' zeg ik.
Ze kijkt naar mij, naar Callie. Haar ogen staan bezorgd.
Callie begrijpt de hint. 'Er is niets aan de hand, hoor, alleen wat vieze rook.

Niets wat niet met een beetje zeep en make-up kan worden verholpen.'
'Tommy is door een paar granaatscherven in zijn schouder geraakt, lieverd,' zeg ik tegen Bonnie. 'Hij maakt het goed, het is niets ernstigs.'
Ze kijkt me aandachtig aan, op zoek naar de waarheid. Neemt even de tijd om in zich op te nemen hoe ik eraan toe ben. Omhelst me nogmaals.
Elaina is bezorgd, maar ik zie dat ze zich groot houdt voor de meisjes. Of misschien laten ze haar dat alleen maar denken.
'Ik ben blij dat alles met iedereen in orde is,' zegt Elaina, en haar bezorgdheid uit zich kort in de vorm van wringende handen. 'Maar waarom moesten we nou hiernaartoe?'
'Voorzorgsmaatregel. Het kan een willekeurige daad zijn geweest om paniek te zaaien. De FBI heeft heel wat vijanden. Het profiel waarmee we werken geeft echter aan dat het ook typisch iets is wat de Vreemdeling zou kunnen uithalen. Nu blijkt dat we gelijk hadden.'
Sarah doet een stap naar voren. Haar gezicht staat rustiger dan het hoort te zijn.
'Wie is hij?'
'Hij heet Gustavo Cabrera. Hij is achtendertig jaar en komt uit Midden-Amerika. Veel meer weten we niet over hem.'
Sarah staart naar de vloer. 'Wat gaat er nu gebeuren?'
Ik werp steels een blik op Kirby en Callie. Zij zijn allebei op de hoogte. Elaina niet.
'Nu gaan jij en ik even met elkaar praten,' zeg ik. 'Onder vier ogen.'
Haar hoofd schiet met een ruk omhoog. De blik die ze me toewerpt, is behoedzaam. Ze haalt haar schouders op, probeert onverschillig over te komen, maar ik zie de spanning in haar schouders.
'Oké,' antwoordt ze.
Ik kijk vragend naar Kirby.
'Achter zijn twee slaapkamers,' roept ze vrolijk. 'De andere meiden en ik blijven hier om over wapens en make-up te kletsen.'
Ik loop naar Sarah toe en leg voorzichtig een hand op haar schouder. Ze kijkt me aan en in die prachtige ogen sluimert iets heftigs, iets verschrikkelijks en opgejaagds.
Heeft ze het door, vraag ik me af.
Nog niet helemaal, denk ik. Ze vreest echter het ergst.
Ik neem haar mee naar de slaapkamer en doe de deur dicht. We gaan op het bed zitten. Ik bereid me voor op de vraag die ik moet stellen.
Het bewijs dat het moeilijkst te vinden is, is bewijs dat er niet is. Bewijs dat er behoort te zijn, maar ontbreekt. We zien weglatingen over het hoofd omdat het in hun aard ligt om afwezig te zijn. Juist die afwezigheid was wat in eerste

instantie James en vervolgens ook mij na het lezen van Sarahs dagboek had dwarsgezeten.
Toen we eenmaal doorhadden wat er ontbrak en dit koppelden aan wat we over de Vreemdeling wisten, werd het allemaal duidelijk. Het is inderdaad alleen een vermoeden en is nog niet bewezen, maar we hebben er veel vertrouwen in.
We hebben hem tegen onze huid gevoeld, James en ik.
Het is logisch.
Het is logisch.
Ik stel haar de vraag.

52

'Sarah, waar is Theresa?'

De verandering die zich in haar voltrekt is als een bliksemschicht. Afschuw trekt over haar gezicht en ze schudt haar hoofd heen en weer.

'Nee, nee, nee, nee, nee,' fluistert ze. 'Alsjeblieft. Ze is...' Haar hele gezicht vertrekt.

Net een handdoek die heel strak wordt uitgewrongen.

'Ze is het enige wat ik nog heb... Als ik haar kwijtraak... is alles wég... weg... wég... weg...'

Ze kruipt in elkaar op het bed, klemt haar armen om haar knieën en buigt haar hoofd omlaag. Ze wiegt van voor naar achteren. Ze schudt nog steeds haar hoofd.

'Hij heeft haar, hè?' vraag ik.

Wat James en mij had dwarsgezeten, was een ingewikkelde mengeling van gedeeltelijk zichtbare dingen en ontbrekende korreltjes zand. Het gevoel dat we hadden bij de Vreemdeling. Sarahs liefde voor Theresa. Het meisje dat was ontvoerd. Het pad dat voor ons was uitgestippeld.

Het belangrijkst was echter de totale afwezigheid van Theresa in de rest van Sarahs dagboek.

Theresa had te horen gekregen dat ze geen contact met Sarah moest opnemen zolang ze in het tehuis zat. Oké.

Wat was er daarna dan gebeurd? Ze hield van Theresa en ze had ons verteld wat er met de mensen gebeurde van wie ze hield. En Theresa dan?

'Sarah, vertel het me.'

Ze laat haar hoofd hangen, haar voorhoofd rust op haar knieën, en dan begint ze te praten. Rennend, ook al staan de woorden niet op papier. Een laatste wandeling naar de waterpoel.

Sarahs verhaal, het ware eind

53

Tijdens het slapen was Sarah veertien geworden en het deed haar niets. Toen ze wakker werd, besefte ze dat ze weer een jaar ouder was en het deed haar niets.

Om dingen geven was iets wat ze niet vaak meer deed. Het was gevaarlijk. Het deed vaak pijn en pijn was iets waar ze niet meer tegen kon.

Tegenwoordig balanceerde Sarah als een koorddanser op een strakgespannen touw. Dat was al een paar jaar zo. De akelige ervaringen hadden zich opgestapeld en haar ziel had een keerpunt bereikt. Ze was ervan doordrongen geraakt dat ze op het punt stond helemaal gek te worden. Eén vederlichte aanraking zou voldoende zijn om haar over de rand te jagen en dan zou ze heel diep vallen.

Dit had ze op een ochtend in het kindertehuis beseft. Ze zat buiten naar niets te staren, aan niets te denken. Ze krabbelde aan een jeukende plek op haar arm. Ze knipperde één keer met haar ogen en er was een uur verstreken. Haar arm deed pijn. Ze keek omlaag en ontdekte dat ze zichzelf tot bloedens toe had zitten krabben.

Dat moment had door haar verdoving heen geprikt. Het had haar de stuipen op het lijf gejaagd. Ze wilde niet gek worden.

Soms begon ze zomaar te trillen. Ze deed haar best ervoor te zorgen dat ze alleen was wanneer dit gebeurde. Ze wilde niet dat de andere meisjes haar zwakte zouden zien. Ze voelde altijd aan wanneer het ging gebeuren: ze kreeg een wee gevoel in haar maag en de randen van haar gezichtsveld werden donker. Dan ging ze op bed liggen of sloot ze zich op in een toilet en sloeg ze haar armen om zichzelf heen en trilde ze. Wanneer dit gebeurde, had tijd geen betekenis.

Het ging altijd weer over.

Ze was dus bang, en daar had ze alle reden voor. Ze moest er nu hard voor werken om geestelijk gezond te blijven. Het was iets waar ze zelf voor moest zorgen, niet iets vanzelfsprekends.

Meestal kon het haar echter allemaal niets schelen. De grote zwarte waterpoel bevond zich in haar, bruisend, vettig, altijd hongerig. Ze had hem haar herinneringen gegeven en was elk jaar iets meer van zichzelf kwijtgeraakt.

Nu was ze veertien. Ze had het gevoel alsof ze eeuwig leefde. Ze voelde zich oud.

Ze kroop uit bed, kleedde zich aan en liep naar buiten. Ze had niets van Cathy gehoord en ze stond op het punt haar ook in de grote zwarte waterpoel te gooien, maar ze kon best even buiten gaan zitten en nog heel even wachten voordat ze dat deed. Misschien kwam Cathy wel langs. Misschien zou ze Sarah een cakeje komen brengen. Cathy deed haar best, dat wist Sarah wel. Sarah begreep de strijd die in Cathy's hart woedde, het gevecht met intimiteit. Ze zou niet met de politieagente willen ruilen.
Het was een heerlijke dag. De zon scheen, maar er stond een koel briesje, dus het was niet te warm. Ze deed haar ogen dicht, leunde met haar hoofd achterover en genoot even van het moment.
Een auto toeterde en ze schrok op uit haar overpeinzingen. Er werd nogmaals doordringend getoeterd en ze keek fronsend in de richting van de straat. Ze zat vlak bij het hek dat de tuin omheinde, uit de buurt van andere mensen. Rechts van haar liep een straat met woonhuizen en daar stond de auto tegen de stoeprand. Een of andere lelijke Amerikaanse blauwe bak, zo te zien een hoop schroot. Achter het raampje aan de passagierskant zat iemand.
Weer getoeter, en nu wist ze vrij zeker dat dat voor haar was bestemd, en ze vroeg zich heel even af of het misschien Cathy was. Maar nee – Cathy had een Toyota. Ze stond op en liep naar het hek. Ze tuurde naar de auto en haar ogen concentreerden zich op het gezicht achter het smerige raampje aan de passagierskant.
Ze kon het bijna zien, het was een jonge vrouw...
Het gezicht werd ruw tegen het raam geduwd en nu zag Sarah het duidelijk, en het bloed stolde in haar aderen.
Theresa!
Sarah bleef gebiologeerd staan kijken. Ze kon zich niet bewegen. De wind waaide door haar haren.
Theresa was ouder –
(Klopt; ze moet nu eenentwintig zijn)
– maar het was wel degelijk Theresa
(geen twijfel mogelijk, maak een foto, die is langer houdbaar)
– en ze was doodsbang en bedroefd, en ze huilde.
Toen ontdekte Sarah een schaduw achter Theresa. De schaduw bewoog en Sarah zag een gezicht, een gezicht dat van gesmolten was leek door de panty die eromheen zat. Het grijnsde.
Sarah stond aan de rand van een afgrond en voelde haar armen in de rondte maaien toen ze probeerde haar evenwicht te bewaren; er bruiste iets omhoog uit de grote zwarte waterpoel, het was
(Busters kop, Buster was dood, mama met het pistool)
en ze maaide nog steeds met haar armen, maar –

(Oeperdepoeps...)
Ze hief haar gezicht op naar de volmaakte hemel boven haar, begon te gillen en hield niet meer op.

Waarschijnlijk was er tijd verstreken.
Sarah werd wakker en constateerde verbaasd dat ze niet gek was. Ze bedacht dat dat misschien geen goed teken was. Misschien werd geestelijke gezondheid wel schromelijk overschat.
Haar polsen waren aan het bed vastgebonden. Haar voeten ook. Het bed leek op een ziekenhuisbed, zoals... nou ja, zoals ziekenhuisbedden er dus uitzien.
Ze giechelde.
Medicijnen, ze hebben me medicijnen gegeven. Fijne medicijnen. Ik voel me gelukkig en tegelijkertijd alsof ik zelfmoord zou willen plegen. Jazeker, dat komt absoluut door medicijnen.
Sarah was één keer eerder op deze plek wakker geworden, na een levendige droom die ze – verdikkeme – maar niet uit haar hoofd kreeg.
Sarah giechelde en verloor het bewustzijn weer.

Sarah zat op de rand van het bed en probeerde te bedenken hoe ze het moest aanpakken.
Twee dagen geleden hadden ze de riemen losgemaakt. Ze zat op een gesloten afdeling, maar werd niet echt continu in de gaten gehouden. Ze gaven haar alleen haar medicijnen, die ze niet slikte, en lieten haar verder met rust, wat zij prima vond. Het gaf haar de tijd om haar zelfmoord goed te plannen.
Hoe zal ik u doden? Laat me de mogelijke manieren tellen.
Iets waarvan ze haar niet konden terughalen.
Ze dacht er lang over na. Uiteindelijk begreep ze dat ze hier eerst moest zien weg te komen. Hier zouden ze haar nooit laten doodgaan. Irritant, maar waar.
Ze moest hen ervan overtuigen dat ze zichzelf weer in de hand had, klaar was om terug te keren naar de
(rol maar met jullie ogen, feestbeesten)
gezonde omgeving van het kindertehuis.
Een makkie. Zo moeilijk zou dat niet zijn. Ze gaven hier niet genoeg om de patiënten om je goed in de gaten te houden.

Een week later was Sarah terug in het tehuis. Magere Janet leek blij haar te zien en glimlachte. Sarah dacht aan Janet die Sarah bungelend aan een touw vanaf een dakspant vond en glimlachte ook.
Toen ze in de slaapzaal kwam, lag er een nieuw meisje op haar bed. Sarah maakte haar duidelijk wat de regels waren. Dat deed ze door een van de wijs-

vingers van het meisje te breken, en haar en haar troep door de slaapzaal te smijten. Sarah was niet boos – het meisje was nieuw. Ze wist niet wat alle anderen wel wisten: dat je Sarah niet kwaad moest maken.
Ze wierp een blik op het meisje, dat jammerend haar vinger vasthield, en dacht: dan weet je het nu.
Ze liet zich op haar bed vallen en sloot zich af voor het geluid van het brullende meisje. Sarah had belangrijker zaken om over na te denken. Zoals doodgaan.
Daar was ze in gedachten nog steeds mee bezig toen een paar uur later een van de meisjes binnenkwam en naar Sarahs bed liep. Ze zag er zenuwachtig en respectvol uit.
'Wat is er?' vroeg Sarah.
'Post.' Het meisje was echt bloednerveus.
Sarah fronste haar wenkbrauwen. 'Voor mij?'
'Eh... ja.'
'Geef op dan.'
Het meisje gaf Sarah een witte envelop en vloog weg.
Sarah staarde ernaar en herkende de valse banaliteit van het witte papier.
Dit kwam van hem.
Ze overwoog de envelop weg te gooien. Hem gewoon niet open te maken.
Ja joh, natuurlijk.
Ze vloekte inwendig en maakte de envelop open. Er zat één vel wit papier in. Een brief, op een computer getypt en op een inkjetprinter geprint. Gezichtsloos, net als hij. Dreigend, net als hij.

> Een beetje laat, maar van harte gefeliciteerd met je verjaardag, Sarah.
> Herinner je je mijn eerste les over keuzes nog? Zo ja (ik weet zeker dat je het nog wel weet), dan herinner je je ongetwijfeld ook nog wel de belofte die ik je moeder heb gedaan en je weet dat ik die ben nagekomen. Houd dat in gedachten wanneer je het volgende leest.
> Met Theresa is alles in orde. Ik zal niet zeggen dat het goed met haar gaat – eerlijk gezegd voelt ze zich niet zo lekker –, maar ze is gezond. We zijn nu zo'n drie jaar bij elkaar.
> Ze wil je graag weer zien en ik zou dit graag mogelijk maken. Zolang je in dat tehuis zit, zal dat echter niet gebeuren.
> Geef ons een seintje zodra je weer bij een pleeggezin woont, dan nemen we contact op.

De brief was niet ondertekend.
Hij had hem zo geschreven dat iemand anders die hem zou lezen hem vreemd,

maar onschuldig zou vinden. Sarah begreep de diepere betekenis echter, precies zoals hij had verwacht.
Theresa leeft nog. Zolang ik doe wat hij zegt, blijft ze leven. Hij wil dat ik weer naar een pleeggezin ga en daar wacht.
Sarah had zich de laatste tijd juist verzet tegen plaatsing bij een pleeggezin. Ze wist dat ze Janet alleen maar hoefde te laten weten dat ze weer belangstelling had en glimlachen wanneer potentiële ouders langskwamen. Ze zag er leuk uit, ze was een meisje en stellen wilden haar altijd als pleegkind in huis nemen in de hoop dat het tot daadwerkelijke adoptie zou komen.
De gedachte drong zich ongewild aan haar op.
Wat gaat er met hen gebeuren? De onbekenden die me in huis nemen?
Ze merkte dat de duisternis de randen van haar gezichtsveld naderde en het weeë gevoel in haar maag zijn kop opstak. Ze keerde zich om naar de muur, sloeg haar armen om zichzelf heen en trilde.
Een uur later vernietigde ze het briefje en ging ze op zoek naar Janet.

54

Ongeveer een jaar later bezocht hij haar op een goede dag toen ze alleen thuis was in het huis van de Kingsleys. Het gezin was een dagje weg, maar zij had zich niet zo lekker gevoeld (dat had ze tenminste beweerd – eigenlijk had ze gewoon geen zin om gezellig te doen met mensen die binnenkort misschien wel dood zouden zijn).

Michael misbruikte haar toen al. In het begin was ze bang geweest voor haar eigen reactie. Ze moest hier blijven omwille van Theresa. Ze moest wachten. Stel echter eens dat hij haar aanraakte en er gewoon iets bij haar... knapte?

Het was niet zo erg. Ze had weliswaar de pest aan Michael, maar het scheelde wel dat hij geen volwassene was. Ze wist niet waarom, maar zo was het nu eenmaal. Het scheelde ook dat de Vreemdeling Michael waarschijnlijk zou doden. Daarom moest ze glimlachen. Op een keer had ze na de seks geglimlacht en Michael had dat gezien.

'Wat valt er te lachen?'

Het idee dat jij straks doodgaat, had ze bij zichzelf gedacht.

'Niets,' had ze gezegd.

Als ze het enigszins kon voorkomen, dacht ze niet aan Dean en Laurel. Laurel was niet bepaald een geweldige moeder en als pleegmoeder haalde ze het niet bij Desiree, maar ze was zo slecht nog niet. Er waren momenten waarop ze echt iets om Sarah leek te geven, waarop Sarah voelde dat Laurels belangstelling voor Sarahs welzijn gemeend was. Dus trok Sarah zich zo vaak ze kon terug.

Ze zat in haar kamer achter haar computer toen hij opdook. Het was aan het begin van de middag. Hij had een panty over zijn hoofd. Hij glimlachte. Altijd weer diezelfde glimlach.

'Hallo, Kleine Pijn.'

Ze zei niets. Wachtte af. Dat deed ze tegenwoordig voortdurend. Ze zei niets, voelde nog minder en wachtte af.

Hij kwam naar haar toe en ging op het bed zitten.

'Je hebt mijn briefje dus ontvangen en je gelooft me. Dat is heel mooi, Sarah, want het is de waarheid. Theresa leeft en jij hebt ervoor gezorgd dat dat zo blijft.'

Ze vond haar stem terug. 'Heb je haar pijn gedaan?'

'Ja. Zodra we hier klaar zijn, ga ik naar huis en doe ik haar weer een beetje pijn. Maar zolang je doet wat ik zeg, zal ik haar niet doden.'
Sarah voelde iets nieuws over de ravage in haar binnenste klauteren. Het duurde even voordat ze doorhad wat het was, maar toen wist ze het.
Haat. Ze voelde haat.
'Ik haat je,' zei ze tegen hem. Haar stem klonk in haar eigen oren niet eens kwaad. Hij klonk heel gewoon. Als iemand die de waarheid sprak.
'Dat weet ik,' gaf hij toe. 'Luister goed. Ik zal je vertellen wat je moet doen. Wanneer ik klaar ben, wil ik weten wat je antwoord is.'

55

Sarah heft haar hoofd op van haar knieën en kijkt me aan. Ik zie een uitputting die me ontzet. Dit is het gezicht van iemand die het al heeft opgegeven.
'Wat heeft hij je verteld?' vraag ik. Ik zorg ervoor dat mijn stem gevrijwaard blijft van alles – álles – wat zij als kritiek zou kunnen opvatten.
Ze wendt haar blik af.
'Hij wilde het wachtwoord van Michaels computer hebben. Hij zei dat hij de politie achter de verkeerde man aan wilde sturen en dat ik hem daarbij ging helpen. Daarom moest ik een dagboek schrijven. Daarom moest ik naar jou vragen.'
'Moest je van hem speciaal naar mij vragen?'
Haar stem is vlak. 'Ja.'
'Wat bedoelde hij met "de verkeerde man"?'
'Hij zei dat hij nog meer werk te doen had. Ik weet niet wat hij daarmee bedoelde. Hij zei dat hij van plan was geweest zichzelf op een bepaald moment aan te geven, maar dat hij van gedachten was veranderd.'
Ik laat dit bezinken. Twee gedachten:
Een: James had gelijk over hem.
Twee: het is Cabrera niet.
Dan een vraag: waarom is Cabrera hierbij betrokken?
'Heeft hij je verder nog iets verteld?'
Ze kijkt me weer aan en haar blik is speculatief, berekenend. Iemand die een gigantische waarheid te vertellen heeft, maar de risico's afweegt die aan het vertellen kleven.
'Sarah. Ik begrijp wat hij heeft gedaan. Hij heeft met jou hetzelfde gedaan wat hij ook met je moeder, Cathy Jones en alle anderen heeft gedaan. Hij heeft iemand ontvoerd van wie je hield en die persoon gebruikt om jou te dwingen bepaalde dingen te doen, met bepaalde dingen in te stemmen.' Ik vang haar blik. 'Jij kunt er niets aan doen. Ik neem het je echt niet kwalijk. Je moet me aankijken, naar me luisteren en me geloven.'
Haar gezicht kleurt langzaam rood. Of dat uit verdriet of boosheid gebeurt, weet ik niet.
'Maar – maar... ik wíst het! Ik wist dat hij zou komen om Dean, Laurel en Michael iets aan te doen. En' – ze haalt diep adem, een enorme teug – 'toen

hij me dwong om Michaels keel door te snijden, kon ik er alleen maar aan denken dat ik had geglimlacht bij de gedachte dat hij zou d-d-d-d-doodgaan, en toen kwam jij, en ik loog tegen je, en – en – en die man die vandaag jullie kantoor wilde opblazen, er raken mensen gewond, er sterven mensen en...'
Ze trekt wit weg. 'Ik had hem ook hiernaartoe kunnen leiden. Dan had hij Bonnie en Elaina iets aangedaan. Ik wíst het.'
'Hij wilde dat je het wist, Sarah,' zeg ik.
Ze staat op en ijsbeert heen en weer, heen en weer, terwijl tranen over haar gezicht gutsen.
'Er is nog meer, Smoky. Hij zei dat hij hen zou laten gaan als ik deed wat hij zei.'
'Wie?'
'Theresa en nog een ander meisje; hij zei dat ze Jessica heette.'
Ik laat mijn schouders hangen, kwaad en tegelijkertijd ontzet. Hij heeft Sarah verantwoordelijk gesteld voor de levens van heel veel mensen, haar met een ondraaglijke last opgezadeld en een zak met onmogelijke keuzes gegeven.
Ik denk terug aan de voetafdrukken die we bij de Kingsleys hebben gevonden en mijn vraag van zo-even over Cabrera. Misschien is hij hier wel bij betrokken, omdat hij ook littekens op zijn voetzolen heeft. Misschien wil hij zelf ook wraak nemen?
'Was die andere man er ook bij, Sarah? Bij Laurel en Dean?'
'Ik heb niemand anders gezien.'
Misschien was Cabrera er wel, maar heb jij hem gewoon niet gezien. Misschien had hij maar één taak: met zijn blote voeten op de tuintegels staan.
'Is er verder nog iets, Sarah? Iets wat ik volgens jou moet weten?'
Weer die blik. Berekenend.
'Nadat jij de verkeerde man had gedood, moest ik nog één ding doen. Nog één laatste ding en dan zou hij haar vrijlaten.'
'Wat?'
'Ik moest met hem neuken.'
Ik staar haar even aan, niet in staat om iets te zeggen. Dit is het dus, denk ik bij mezelf. De kers op zijn taart van 'pijn is leuk'.
Een andere blik op dat jonge-maar-oude gezicht. Een vastberaden blik vermengd met een kilheid die ik niet meteen kan plaatsen.
Kirby.
Zo ziet Kirby eruit wanneer ze haar ware blik niet verbergt.
'Hij zei dat hij zijn plan binnen ongeveer een week zou uitvoeren. Ik nam me voor te doen wat hij wilde, ervoor te zorgen dat Theresa veilig was en daarna zou ik hem vermoorden, en ten slotte mezelf.'
Ze zegt dit zo overtuigend dat ik niet aan haar woorden twijfel.

'Theresa moet blijven leven, Smoky.' Ze gaat weer op het bed zitten en legt haar voorhoofd opnieuw op haar knieën. 'Het spijt me. Het spijt me dat ik dat allemaal heb gedaan. Het is mijn schuld dat Dean, Laurel en Michael dood zijn. Het is mijn schuld van jullie pand. Ik ben slecht. Een slecht mens.'
Ze wiegt heen en weer, heen en weer. De deur gaat open. Elaina.
'Ik heb staan luisteren,' zegt ze zonder zich te verontschuldigen. Ze loopt naar Sarah, die probeert achteruit te kruipen. Elaina negeert dit, pakt Sarah stevig vast en omhelst het tegenstribbelende meisje zo goed en zo kwaad als dat gaat. 'Nu moet je eens goed naar me luisteren,' zegt Elaina ferm. 'Je bent niet slecht. Je bent helemaal niet slecht. Wat er ook gebeurt... Wat er ook gebeurt, je hebt altijd mij nog. Begrepen? Je hebt altijd mij nog.'
Elaina probeert niet haar wijs te maken dat de zaken er niet slecht voor staan. Ze zegt alleen dat ze niet alleen is.
Sarah beantwoordt Elaina's omhelzing niet, maar stribbelt ook niet meer tegen. Ze blijft trillend met gebogen hoofd zitten, terwijl Elaina haar haren streelt.

Ik zit met Kirby en Callie aan de ouderwetse formica keukentafel. Ik heb AD Jones en Alan aan de lijn, en mijn mobieltje staat op de speaker. Ik heb iedereen op de hoogte gesteld van mijn gesprek met Sarah.
'We zitten met een enorm probleem,' zeg ik. 'Nou ja, verschillende eigenlijk, maar één in het bijzonder. Zelfs als we een manier bedenken om Cabrera te overmeesteren zonder hem te doden, dan nog hebben we geen greintje bewijs tegen de Vreemdeling. We weten niet wie hij is. Hij heeft Sarah nooit zijn gezicht laten zien. Ik vermoed overigens ook dat de voetafdrukken bij de Kingsleys van Cabrera zijn en niet van de Vreemdeling.'
'Misschien weet Cabrera wie hij is,' merkt Alan op.
'Zou kunnen,' antwoord ik. 'Als dat niet zo is, wordt het erg lastig.'
'Handel nou eerst eens af waarmee jullie al bezig zijn,' zegt AD Jones ferm.
'Ja, meneer.'
'Hoe zit het nu dus? Is Cabrera de zondebok?'
'Niet zomaar een zondebok. Een dóde zondebok. Ik ben er vrij zeker van dat het de bedoeling is dat hij zich opzettelijk door een politieagent laat doodschieten. Waarschijnlijk in zijn eigen huis. Als we hem doden, durf ik te wedden dat we allerlei aanwijzingen vinden die erop duiden dat hij de dader is.'
'Dan gaat die mafkees vrijuit,' doet Kirby een duit in het zakje.
Stilte aan de telefoon, terwijl AD Jones hierover nadenkt. 'Hoe gaan we dit dus aanpakken?'
Ik vertel het hem. Hij bombardeert me met vragen, denkt weer even na en komt dan vervolgens met nog meer vragen.

'Goed,' zegt hij ten slotte instemmend. 'Wees wel voorzichtig. Oké, Smoky? Hij heeft drie FBI-agenten gedood. De veiligheid van mijn mensen staat voorop, de zijne achteraan. Begrepen?'
'Jazeker, meneer.'
Natuurlijk begrijp ik hem. Hij zegt dat ik Cabrera moet doden als ik daarmee FBI-levens kan redden.
'Ik roep de SWAT bij elkaar. Kom zo snel mogelijk hiernaartoe, dan kunnen we aan de slag.'
'U gaat dus akkoord met Kirby, meneer?'
'Akkoord is niet helemaal het juiste woord, maar ik stem in met het plan.'
Kirby is slim genoeg om te weten wanneer ze haar mond moet houden, maar ze kijkt me breed grijnzend aan en steekt een duim op. Ze is zo blij als een kind dat voor zijn verjaardag het cadeau krijgt waarom het heeft gevraagd.
'Tot straks.' Ik verbreek de verbinding.
'Aangezien ik hier blijf om als lijfwacht te fungeren,' zegt Callie droog, 'heb ik één vraag.'
'En dat is, Cal?' vraagt Kirby.
'Waar is de koffiepot?'
Kirby haalt haar schouders op. 'Slecht nieuws, ben ik bang, Cal. Je zult hier geen koffie vinden. Bovendien is die niet goed voor je. Al die chemicaliën in koffie. Jakkes.'
Callie staart haar ongelovig aan. 'Hoe durf je kritiek te leveren op mijn religieuze overtuiging?'
Luchthartig als altijd, maar ik vind dat haar stem gespannen klinkt. Ik kijk aandachtig en zie dat ze een beetje wit is. Voor het eerst merk ik dat de strijd die ze levert vrijwel permanent is. De pijn gaat nooit weg en ze verzet zich ertegen, maar het eist heel veel van haar.
Grappig, van alle afgrijselijke dingen die ik de laatste tijd heb gezien en gehoord, is dit degene die me het hardst treft: de gedachte dat iets Callie eronder dreigt te krijgen.

Ik loop de slaapkamer in. Sarah trilt niet meer, maar ze ziet er verschrikkelijk uit. Datgene waarmee ze zichzelf de afgelopen jaren bij elkaar heeft weten te houden, heeft er de brui aan gegeven. Ze stort helemaal in. Elaina streelt haar haren en Bonnie houdt haar hand vast.
Ik vertel hun wat we gaan doen. Sarahs ogen lichten op.
Nou ja, een beetje dan.
'Gaat het lukken?' vraagt ze.
'Volgens mij wel.'
Ze kijkt me doordringend aan.

'Smoky...' Haar stem valt even weg. 'Wat er ook gebeurt, zorg ervoor dat hij jou en de anderen geen pijn doet. Zelfs als dat inhoudt' – haar stem breekt – 'dat het niet helemaal afloopt zoals ik het graag zou willen. Ik wil niet verantwoordelijk zijn voor nog meer slachtoffers. Niet meer. Niet meer.'
'Jij bent hier niet verantwoordelijk voor, Sarah. Laat het los. Wij nemen het nu over.'
Ze kijkt weg; meer zal ze nu niet zeggen. Bonnie vangt mijn blik en kijkt me veelbetekenend aan.
Wees voorzichtig, zegt ze.
Ik glimlach.
'Dat ben ik altijd.'
Elaina, die prachtige, kale vrouw, knikt me even toe en richt haar innerlijke schoonheid dan weer op Sarah. Als iemand de ziel van het meisje tot leven kan wekken, is het Elaina wel.
Kirby verschijnt in de deuropening. 'Klaar voor de strijd?' vraagt ze, opgewekt als altijd.
Niet echt, denk ik bij mezelf, maar laten we maar gaan.

56

Elk FBI-kantoor heeft zijn eigen SWAT-team. Net als de SWAT van de politie besteden ze elk werkuur aan training, tenzij ze natuurlijk bij een echte zaak betrokken zijn. Ze moeten altijd op scherp staan, en dat is hun aan te zien.

De leider van het team heet Brady. Ik weet niet wat zijn voornaam is. Ik ken hem alleen als Brady. Hij is halverwege de veertig. Zijn donkere haar is kort en plat, legerstijl. Hij is lang, erg lang, waarschijnlijk een meter negentig, en heeft een zakelijke beminnelijkheid over zich die niet vriendelijk, maar ook niet onvriendelijk is. Hem de hand schudden is alsof je een rotsblok de hand schudt.

'U runt deze operatie, special agent Barrett,' zegt hij. 'Zeg maar wat we moeten doen.'

We zitten in de vergaderzaal op de verdieping onder mijn kantoor. Iedereen is aanwezig en kijkt ernstig. Iedereen, behalve Kirby. Zij staart met een hongerige blik naar de zes leden van het SWAT-team alsof ze een verzameling overheerlijke, bijzonder fitte ijscoupes zijn.

'Gustavo Cabrera,' steek ik van wal en ik leg de foto van twintig bij vijfentwintig die we van hem hebben uitgeprint op de tafel. 'Achtendertig jaar. Woont in een huis in de heuvels bij Hollywood. Een groot, oud pand op een flinke lap grond.'

Een van de leden van het SWAT-team fluit. 'Dat moet aardig wat waard zijn.'

'We hebben een plattegrond van het terrein en ook van het huis.' Die leg ik ook op tafel. 'Het probleem is het volgende: we willen hem levend in handen krijgen. We weten echter vrij zeker dat hij opdracht heeft gekregen zich te laten doodschieten. Waarschijnlijk heeft hij een klein wapenarsenaal en ik neem aan dat hij het er authentiek moet laten uitzien.'

'Heel fijn,' zegt Brady droog.

'Daar komt nog bij dat wij het er óók authentiek willen laten uitzien. We willen Cabrera niet doden. We willen wél dat de Vreemdeling denkt dat dat onze bedoeling was.'

'Hoe gaan we dat precies aanpakken? Zonder zelf aan gort te worden geschoten, bedoel ik.'

'Afleidingstactiek, jongens,' zegt Kirby en ze doet een stap naar voren. 'Afleidingstactiek.'

'Wie ben jij, verdomme?' vraagt Brady.
'Een blondine met een pistool,' zegt ze lijzig in een redelijke imitatie van zijn manier van praten.
'Ik wil u niet beledigen, mevrouw,' zegt een van de jongere leden van het SWAT-team, 'maar u lijkt me ongeveer net zo gevaarlijk als de poedel van mijn vriendin.'
Kirby kijkt de jonge SWAT-agent grinnikend aan en knipoogt. 'Je meent het.' Ze loopt naar hem toe. Op zijn naamplaatje staat Boone. Hij is gedrongen, gespierd en erg zelfverzekerd. Het klassieke type van stoere jongen.
'Moet je opletten, Boone,' zegt ze tegen hem.
Het is in een flits gebeurd. Ze beukt met een vuist tegen Boones zonnevlecht. Zijn ogen puilen uit en hij zakt happend naar adem door zijn knieën. Het duurt even voordat de andere leden van het SWAT-team reageren, en in de tussentijd heeft ze haar pistool getrokken, dat ze nu beurtelings op ieder van hen richt: 'Pang, pang, pang, pang...'
'Pang,' zegt Brady op hetzelfde moment. Hij is erin geslaagd zijn wapen te trekken en dat op Kirby te richten voordat zij het hare op hem richt.
Ze blijft even nadenkend in de schiethouding staan. Dan stopt ze grijnzend haar pistool weg. Ze negeert Boone, die inmiddels weer lucht krijgt en met enorme, hijgende halen ademt.
'Niet slecht, ouwetje,' zegt ze. 'Daarom ben jij natuurlijk meneer de baas. Tof, man.'
Hij kijkt haar eveneens grinnikend aan. Het is alsof je naar twee wolven zit te kijken die vriendschap hebben gesloten.
'Sta op, Boone,' blaft hij. 'Zet het van je af.'
De jonge SWAT-agent krabbelt moeizaam overeind. Hij werpt Kirby een duistere blik toe. Ze zwaait met een vinger naar hem.
'Zijn we klaar met ons testosteronwedstrijdje?' vraagt AD Jones. 'Zowel de mannelijke als de vrouwelijke variant?'
'Hij begon,' merkt Kirby op. 'Als hij iets vriendelijker was geweest, had ik hem wel ergens anders aangeraakt.'
Iedereen gniffelt. Zelfs Boone glimlacht onwillig. Ik zie dat Brady Kirby goedkeurend opneemt en hetzelfde inziet wat ik ook heb ingezien. Kirby is niet zomaar een goed teamlid. Ze heeft leidinggevende capaciteiten. Op haar eigen lukrake manier is ze erin geslaagd de spanning uit de kamer te verjagen, de stemming op te fleuren, de mannen voor zich in te nemen én hun respect te verwerven. Indrukwekkend.
'Hoe heet je eigenlijk?' vraagt Brady.
'Kirby. Je mag me ook Moordenaar noemen.' Ze kijkt hem met een stralende glimlach aan. 'Dat doen al mijn vrienden.'

'Heb je veel vrienden?'
'Nee.'
Hij knikt. 'Ik ook niet. Leg eens uit wat je bedoelde met afleidingstactiek.'
'Tuurlijk. U en uw team moordlustige macho's vallen van voren aan, volgens de regels. Trompetgeschal, "Geef je over! Geef je over!" en ga zo maar door. Terwijl jullie dat doen en hij wordt afgeleid, gaan Smoky en ik aan de achterkant naar binnen.'
'Stiekem, bedoel je?'
'Soepel, gladjes, als de binnenkant van mijn dij. En die is héél soepel en glad, meneer Brady.'
'Ja, ja. Dus jij denkt dat hij de achterkant niet in de gaten houdt?'
'Misschien wel. Daarom moeten jullie ook iets laten ontploffen.'
Brady trekt een wenkbrauw op. 'Wablief?'
'Iets laten ontploffen. U weet wel – *kaboem*.'
'Hoe moeten we dat dan doen?'
'Kunnen jullie niet een bom in zijn voortuin gooien of zoiets?'
Brady kijkt Kirby nadenkend aan. Hij knikt.
'Oké, jongedame. Het idee is goed. Alleen kunnen we het iets beter uitvoeren, zonder dat we – hoe zei je het ook alweer? "Iets laten ontploffen."'
Kirby schokschoudert. 'Mij best. Ik dacht dat types als jullie het juist leuk vonden om dingen op te blazen.'
'O, dat vinden we ook leuk,' verzekert hij haar. 'We proberen het alleen te voorkomen, tenzij het echt moet. Anders worden de buren maar zenuwachtig.' Hij buigt zich voorover en vouwt een plattegrond van het terrein open. 'Ik stel het volgende voor. Als we te voet gaan, komen we zeker in de problemen vanwege de omvang van het gebied. Dan ziet hij ons van mijlenver aankomen. Shit, voor hetzelfde geld heeft hij overal mijnen ingegraven. Daarom gaan we in plaats daarvan door de lucht.'
'Helikopter?' vraagt Alan.
'Precies.' Hij wijst naar een plek aan de voorkant van het huis. 'We blijven hier onder een schuine hoek hangen. Dan is het moeilijker voor hem om een gericht schot af te vuren. Laten we hopen dat hij geen bazooka of iets anders onzinnigs heeft. We bedelven hem onder een regen van kogels. Het zware spul... Ik denk dat ik wel aan een paar 50-kalibers kan komen, evenals aan een paar rookgranaten. We trekken zijn aandacht, zorgen dat het lijkt alsof aan de voorkant van het huis de Derde Wereldoorlog is losgebarsten.'
'Tof, man,' zegt Kirby.
'Precies. Terwijl dit gaande is, proberen jullie de achterkant te bereiken. Op jullie teken gooien we de tent vol met traangas. Jullie infiltreren het pand en...' Hij spreidt zijn handen.

'... en hopelijk hoeven we die arme stakker niet om zeep te helpen,' maakt Kirby zijn zin af.
Brady kijkt naar mij. 'Wat vind je ervan?'
'Een héél slecht idee,' zeg ik, 'maar gezien de omstandigheden het beste wat we hebben.' Ik kijk op mijn horloge. 'Het is nu vier uur. Hoe snel kunnen jullie klaar zijn?'
'Over een halfuur kunnen we de lucht in. En jullie? Jullie moeten wel een kogelvrij vest en een gasmasker hebben.'
'Voor mij geen vest,' meldt Kirby. 'Dan word ik te traag. Een masker wil ik wel hebben.'
'Het is jouw leven,' zegt Brady schouderophalend.
Ze geeft hem een mep op zijn arm. 'Als je eens wist hoe vaak ik dat al niet heb gehoord...'
Net als Alan een dag eerder kijkt ook Brady verbaasd, en hij wrijft over de plek waar ze hem heeft geraakt. 'Au.'
'Dat zeggen ze ook allemaal,' zegt ze gevat. 'Goed – kunnen we nu dan eindelijk iets gaan neerknallen?' Ze houdt het pistool dat ze eerder al heeft getrokken opnieuw in de lucht. 'Nieuw,' legt ze uit. 'Ik moet nodig een testrit maken.'

57

In tegenstelling tot Kirby wil ik wel een kogelvrij vest hebben. Ik snap waarom ze die dingen niet prettig vindt, maar mij ontbreekt het roofdierinstinct dat zij heeft. Kirby is geboren om dit te doen, om achterdeuren in te trappen en huizen vol traangas en rondvliegende kogels binnen te rennen. Op Kirby zit geen Bonnie te wachten. Op mij wel.

'Door dat stomme masker is mijn kapsel straks natuurlijk helemaal naar de maan,' merkt ze op, terwijl ze het ding bekijkt.

We zitten gehurkt tegen de muur die het terrein aan de achterkant begrenst. De muur, die is gebouwd om privacy te bieden, is zo'n twee meter hoog. We klimmen er niet theatraal overheen. We hebben allebei een trapleer van anderhalve meter hoog.

We hebben ook allebei een MP5-machinepistool aangeboden gekregen. We hebben het aanbod allebei afgeslagen. 'Vertrouw op wat je kent' is een gezegde in tactische situaties. Ik ken mijn eigen pistool, mijn slanke zwarte Beretta, net zo goed als de kleur van mijn eigen ogen. Kirby had gegrapt dat de MP5 niet bij haar outfit paste, maar ik weet dat haar redenen dezelfde zijn als de mijne: lichte bepakking met een wapen naar keuze. Zij heeft ook een handvuurwapen.

'Klaar om ertegenaan te gaan. Over,' meldt Kirby zacht in het microfoontje in haar hals.

'Roger,' antwoordt Brady even later. 'Armageddon vangt twee minuten na mijn teken aan. Een, twee, drie – countdown.'

'Ooooo, gelijkgezette horloges,' fluistert Kirby.

'De countdown is begonnen, Kirby,' zegt Brady. 'Is dat tot je doorgedrongen?'

'Jawel, baas.' Ze kijkt me grijnzend aan. 'Hé, Boone. Denk je nog steeds dat ik niet gevaarlijk ben?'

'Nee, BB,' klinkt Boones stem geamuseerd door de koptelefoons. BB staat in dit geval voor 'Beach Bunny'. 'Je bent een hoop ellende verpakt in een leuk uiterlijk, en dat is de zuivere waarheid.'

Kirby zet de speelse conversatie voort en controleert intussen haar wapen. Ik heb geen zin om mee te doen. Mijn maag fladdert onrustig en ik ben zo gespannen dat het me niets zou verbazen als er vonken van me af springen.

Je handen zijn tenminste droog, denk ik bij mezelf.

Dit is altijd zo geweest. Wat er ook op het spel staat, hoe gevaarlijk een operatie ook is, bij een vuurgevecht zijn mijn handen nog nooit bezweet geweest en ze trillen al evenmin.
'Vijfenveertig seconden tot het startschot,' zegt Brady, en het klinkt alsof hij zich verveelt.
Ik denk aan Gustavo Cabrera in dat huis. Ik vraag me af of hij met een wapen in zijn handen geklemd door het raam staat te staren. Trillen zijn handen? Waar denkt hij aan?
'Dertig seconden,' zegt Brady.
'Hoe gaat het?' vraagt Kirby me. Haar stem klinkt luchtig, maar haar ogen nemen me onderzoekend op. Nuttig of een blok aan het been? vragen ze.
Ik strek een hand uit. Toon haar hoe onbeweeglijk vast hij is.
Ze knikt. 'Tof, man.'
'Vijftien seconden tot D-day.'
Kirby controleert nogmaals neuriënd haar wapen. Ik kan het deuntje niet meteen plaatsen. *Yankie Doodle Dandy*. Ze merkt dat ik naar haar kijk.
'Ik ben dol op die ouwe nummers,' zegt ze schouderophalend.
'Tien seconden. In positie.'
We nemen allebei aan de voet van onze ladder plaats.
Mijn endorfinevriendjes zijn terug en hebben hun maatjes meegebracht.
(Angst en euforie, euforie en angst)
'Vijf seconden. Bereid je voor op het openen van de poorten van de hel.'
'Ga je gang, pappie,' zegt Kirby welgemoed, ook al vlammen haar moordenaarsogen.
Het geluid van ratelende machinegeweren is ongelooflijk hard, zelfs vanaf deze afstand.
'Dat is ons teken!' roept Kirby.
We klimmen de trapjes op, steken onze handen uit naar de bovenkant van de muur en hijsen onszelf eroverheen. We draaien ons om en laten ons hangend aan onze handen zakken, als een optrekoefening, voordat we ons aan de andere kant op de grond laten vallen. In het echte leven doe je geen sprong-met-rol; je hebt zo een verstuikte enkel.
Het geweervuur gaat onverminderd voort en ik zie ook lichtflitsen in de nok van het huis. Ik hoor de rotors van de helikopter en een serie geluiden die vermoedelijk afkomstig zijn van flashbang-granaten die worden afgevuurd. Tijdens het rennen hoor ik nog iets anders. Het duurt even voordat ik het geluid herken. Er wordt teruggeschoten met een automatisch wapen.
Kirby en ik racen als een speer naar de achterkant van het huis. Ze loopt bijna twee lichaamslengtes op me voor, niet gehinderd door een kogelvrij vest of door mijn extra jaren.

Het huis is kleiner dan ik op grond van de grootte van het terrein had verwacht. Volgens de blauwdrukken is het ongeveer driehonderd vierkante meter, alles op de begane grond. Er is een achterdeur, die door een klein gangetje naar de keuken leidt. We komen bij de deur aan. Ik adem snel en diep. Kirby is blijkbaar kalm en onverstoorbaar.
'We zijn er, meneer de baas,' zegt ze tegen Brady.
'Roger. We gaan los.'
'We gaan los' betekent in dit geval dat ze de voortuin met machinegeweervuur aan mootjes hakken, gevolgd door flashbang-granaten en traangasgranaten, die ze door de ramen aan de voorkant naar binnen werpen.
'Tijd voor een naar-de-maan-kapsel,' zegt Kirby en ze knipoogt naar me.
We schuiven de maskers voor onze gezichten. Het is de SWAT-uitvoering met een breed gezichtsveld en veel zicht aan de zijkanten, maar het blijven natuurlijk wel gasmaskers. Mijn voorhoofd is onmiddellijk klam van het zweet.
'We beginnen,' zegt Brady.
Ik vond het daarnet al zo lawaaiig, maar dat was nog niets vergeleken bij de geluidsaanslag die erop duidt dat Brady's team inderdaad 'losgaat'.
Het geluid van twee 50-kaliber machinegeweren vult de lucht met gebrul. Niet lang daarna knallen de flashbangs, de een na de ander, onophoudelijk. We horen het gerinkel van brekend glas.
Kirby schopt de deur open en we zijn binnen. Ik ruik alleen het rubber van mijn masker, maar het huis is gevuld met een waas van rook. Cabrera gebruikt een automatisch wapen en het gebulder in het huis is enorm. Hij kan er onmogelijk iets anders bovenuit horen. Kirby loopt met getrokken wapen verder. Ik volg haar op de voet, eveneens met mijn wapen in de aanslag. We sluipen in de richting van het geluid van zijn schoten. Er ontploffen nog steeds flashbangs. We lopen door de keuken naar een deur die toegang geeft tot de woonkamer en de voorkant van het huis. We gaan allebei aan één kant van de deur staan en gluren om de hoek.
Moet je dat nu zien, denk ik bij mezelf. Wat een slachting.
Cabrera is scherp afgetekend tegen het licht. Hij zit op zijn hurken en vuurt schuin omhoog – op de helikopter, besef ik. Zijn rug is naar ons toe gekeerd en zijn lichaam schudt wanneer hij zijn wapen afvuurt – een M16, zie ik nu. Overal liggen glasscherven.
Op dit punt is het plan onelegant, maar eenvoudig. Zoals Kirby het had verwoord: 'Probeer die hufter onderuit te halen.'
Ik kijk naar Kirby en zij kijkt naar mij. Ik zie dat haar ogen even samenknijpen in een lachje en ik knik.
We hebben niet veel tijd. Het zal niet lang duren voordat Cabrera zich begint

af te vragen waarom Brady's mensen zulke slechte schutters zijn. Dan beseft hij dat het een valstrik is.
Kirby schiet naar voren en rent naar Cabrera toe. Ik haal eenmaal diep adem in mijn masker en hol dan achter haar aan.
Cabrera's intuïtie grijpt in en hij draait zich met grimmig vertrokken mond om met de M16. Kirby houdt haar pas niet in, ze blijft naar hem toe lopen, niet van hem weg, en duwt het wapen naar boven, zodat de kogels achter elkaar in het plafond slaan. Ik hef mijn pistool op en beweeg me heen en weer in een poging hem in het vizier te krijgen, terwijl zij met elkaar worstelen.
'Verdomme, Kirby,' roep ik, 'weg uit de vuurlinie!'
Mijn stem wordt gedempt door het masker en gaat verloren in het door mensenhanden veroorzaakte onweer.
Kirby's andere hand komt omhoog met haar pistool erin. Cabrera laat de M16 voor wat hij is, hakt met één hand in op haar pols en probeert de andere hand om haar keel te klemmen. De aanval op haar keel weet ze af te weren, maar ze is wel haar wapen kwijt. Cabrera's ogen zijn roodomrand door het traangas en hij hoest aan één stuk door, maar hij blijft knokken.
'Fuck,' mompel ik. Ik spring zigzaggend heen en weer, met een bonzend hart, bonzend hoofd en droge handen, en roep nogmaals: 'Fuck!'
Kirby mikt met een snelle trap op zijn kruis. Hij draait zijn been naar binnen, vangt de klap met zijn dij op en ramt de muis van zijn hand tegen haar wang. Haar gezicht klapt met een schok opzij en ze valt achterover.
De tijd staat stil.
Eindelijk!
Door haar val heb ik hem nu duidelijk in het vizier en ik schiet hem in zijn schouder.
Hij zakt grommend door zijn knieën. Kirby neemt het over en slaat hem één, twee, drie keer met haar vuist in het gezicht; wanneer hij probeert op te staan, gaat ze snel achter hem staan en neemt ze hem in de wurggreep.
Hij graait naar haar armen. Te laat. Zijn ogen rollen omhoog in zijn hoofd. Ze laat hem los en duwt hem naar voren, zodat hij op zijn buik valt. Ze haalt vlug een paar *zip-ties* tevoorschijn en bindt zijn polsen aan elkaar vast.
Dan is het opeens voorbij.
'Staakt het vuren, jongens,' zegt Kirby. Het masker geeft haar stem een echoënde galm. 'We hebben hem.'
Opeens staat het zweet in mijn handen.

58

Gustavo Cabrera zit op een stoel en staart ons aan. Zijn schouder is verzorgd. Zijn handen zijn niet langer achter zijn rug vastgebonden, maar liggen op zijn schoot. Hij zou banger moeten zijn. In plaats daarvan ziet hij er heel vredig uit. Zijn ogen zijn behandeld voor het traangas en ze zijn nu op Alan gericht. Taxerend.

Alan laat dit gemoedelijk toe. Onverstoorbaar, maar dat is bedrieglijk, want wat verhoren betreft is Alan een roofdier. Een wolf zonder schaapskleren. Hij houdt zijn hoofd schuin en neemt Cabrera eveneens onderzoekend op. Afwachtend.

'Ik beken,' zegt Cabrera. 'Ik zal jullie alles vertellen. Ik zal jullie graag vertellen waar de gijzelaars kunnen worden gevonden.'

Zijn stem is zacht, lyrisch en een beetje eerbiedig.

Alan tikt nadenkend met een vinger tegen zijn lippen. Plotseling staat hij op. Hij buigt voorover en wijst met een enorme vinger naar Cabrera. Wanneer hij iets zegt, klinkt zijn stem fel, hard en beschuldigend.

'Meneer Cabrera, we weten dat u niet de man bent die we zoeken!'

De vreugde in Cabrera's ogen maakt plaats voor schrik. Zijn mond zakt verrast open, gaat dicht en weer open. Het duurt even voordat hij zijn zelfbeheersing heeft hervonden. Hij perst vastberaden zijn lippen op elkaar. Zijn ogen staan droevig. Nog wel steeds vredig, trouwens.

'Het spijt me. Ik weet niet wat u bedoelt.'

Alan lacht hard en agressief. Het klinkt een tikje krankzinnig en zeker ook dreigend. Angstaanjagend. Als ik niet wist dat dit allemaal toneel was, zou ik me zorgen maken. Hij gaat net zo plotseling als hij is opgestaan weer zitten en steunt nu met zijn armen op zijn knieën. Ontspannen nu, gewoon twee mannen die wat met elkaar kletsen. Hij glimlacht en zwaait met een vinger naar Cabrera alsof hij wil zeggen: ouwe schavuit! Ik heb je wel door, grapjas die je bent. 'Luister. Ik heb een getuige. We weten dat u het niet bent. Daar bestaat geen enkele twijfel over. Onze enige vraag is: waarom werkt u samen met deze man?' Alans stem klinkt zacht en vloeiend, gelijkmatig als stroop die op pannenkoeken wordt gegoten. Dan: 'Hé! Ik heb het tegen ú!' Hard, een schreeuw. Cabrera schrikt op. Wendt zijn hoofd af. Alans gezigzag tussen extremen brengt hem van zijn stuk. In zijn wang trilt een spiertje.

'Hij is zelf gemarteld,' heeft Alan me vóór het verhoor van Cabrera verteld. 'Bij martelen draait het in wezen om beloning, straf en het kweken van intimiteit. De folteraar schreeuwt tegen je, scheldt je verschrikkelijk uit en bewerkt je met een brandende sigaret, om vervolgens zelf zalf op de brandwonden te smeren en zich bezorgd en troostend te gedragen. Het slachtoffer wil maar één ding.'
'De vent met de zalf en de aardige stem.'
'Precies. We zullen Cabrera natuurlijk niet met een brandende sigaret bewerken, maar wel steeds van kwaad naar vriendelijk overstappen en vice versa; dat moet genoeg zijn om hem overstuur te maken.'
Goed ingeschat, denk ik bij mezelf. Cabrera begint te transpireren.
'Meneer Cabrera. We weten dat het de bedoeling was dat u hier zou sterven. Stel nu eens dat ik u zeg dat we bereid zijn te doen alsof u dood bent? Dat we de rest van de wereld vertellen dat u bent neergeschoten toen we probeerden u op te pakken?' Alan gaat op gewone toon verder. Zijn overwicht staat nu vast en bij de ander overheerst de angst.
Cabrera kijkt hem aan – een hoopvolle, speculatieve, complexe blik.
'Als u ons helpt,' vervolgt Alan, 'dragen we u straks in een lijkzak weg.' Hij leunt achterover. 'Als u niet meewerkt en onze hulp afslaat, zult u voor het oog van de camera's naar buiten moeten lopen; dan weet hij dat u nog leeft.'
Geen antwoord. Ik zie echter de strijd die in hem woedt.
Hij kijkt Alan een tijdje onderzoekend aan. Dan richt hij zijn ogen op de vloer tussen ons in. Zijn hele lichaam verslapt. Het trillende spiertje in zijn wang is weg.
'Het kan me niet schelen wat er met mij gebeurt. Begrijpt u dat?'
Zijn stem is nederig, kalm. Het is moeilijk te geloven dat de zachtaardige man die ik nu voor me zie dezelfde is die ik woest om zich heen schietend de FBI-hal heb zien binnenkomen. Welk van de twee is zijn ware gezicht? Misschien wel allebei.
'Ik begrijp de gedachte erachter,' zegt Alan. 'Ik begrijp niet waarom die op u van toepassing is. Vertelt u me dat eens.'
Weer die onderzoekende blik, langer deze keer.
'Uiteindelijk zal ik toch sterven. Dit is mijn eigen schuld, niet die van iemand anders. Een zwak voor vrouwen, het gebrek aan bereidheid om het veilig te doen.' Hij haalt zijn schouders op. 'Hiv is mijn verdiende loon. Soms hou ik mezelf echter voor dat het misschien niet helemaal mijn eigen schuld is. Ik ben als kleine jongen... beschadigd geraakt.'
'In welk opzicht?'
'Ik ben een korte, afschuwelijke periode lang het bezit geweest van in- en inslechte mannen. Ze...' Hij kijkt ons niet aan. 'Ze hebben me misbruikt. Toen

ik acht was. Die mannen hebben me ontvoerd toen ik water haalde voor thuis. Ze hebben me meegenomen en op die eerste dag verkracht en geslagen. Ze hebben mijn voeten met een zweep bewerkt totdat het bloed er in straaltjes van afdroop.'

Zijn stem is zacht, bijna dromerig.

'Tijdens het afranselen gaven ze me een opdracht. Woorden die ik moest zeggen. "U bent de God. Ik dank u, de God." Hoe harder we huilden, des te langer ze ons sloegen. Nooit ergens anders, altijd op de voetzolen.

Ik ben samen met andere kinderen, jongens én meisjes, meegenomen naar Mexico-Stad. Het was een lange reis en ze hielden ons rustig met dreigementen.' Zijn blik is weer op mij gericht en hij ziet eruit alsof hij zo kan gaan bloeden. 'Ik bad soms om de dood. Ik had pijn, niet alleen in mijn lichaam.' Hij tikt tegen zijn hoofd. 'Ook in mijn geest.' Tikt op zijn borst. 'In mijn hart.'

'Ik begrijp het,' zegt Alan.

'Misschien. Misschien begrijpt u het. Het was een speciale hel,' gaat hij verder. 'In Mexico-Stad hoorden we de bewakers af en toe met elkaar praten en uit hun woorden maakten we op dat we binnen een paar maanden naar Amerika zouden gaan. Dat onze opleiding dan voltooid zou zijn en dat we voor een flinke som geld aan slechte mannen zouden worden verkocht.'

De mensensmokkelzaak, denk ik bij mezelf. De cirkel is rond.

'Ik bevond me op een diepe plek zonder licht. Ik ben heel gelovig opgevoed. Ik geloofde in God, in Jezus Christus, in de Heilige Maagd Maria. In mijn ogen had ik uit alle macht tot hen allen gebeden en toch bleven die mannen me pijn doen.' Hij trekt een pijnlijk gezicht. 'Ik begreep het niet. Gods volledige plan. Op die duistere plek, waar mijn wanhoop het grootst was, zou God me een engel toesturen.'

Hij glimlacht wanneer hij deze woorden uitspreekt en zijn ogen stromen vol licht. Zijn stem krijgt een bepaalde klank, als een golf die voortdurend komt aanstormen, maar nooit de kust bereikt.

'Hij was bijzonder, de jongen. Dat moest wel. Hij was jonger dan ik, kleiner dan ik, maar op de een of andere manier was hij zijn ziel niet kwijtgeraakt.' Hij kijkt met een intense blik naar mij. 'Ik zal jullie helpen de betekenis daarvan te begrijpen. De jongen was pas zes jaar en hij was mooi. Zo mooi dat de mannen het liefst hem gebruikten. Elke dag, soms twee keer per dag. Hij maakte hen ook kwaad. Omdat hij niet huilde. Ze wilden tranen zien, maar die onthield hij hun. Ze sloegen hem om hem aan het huilen te maken.' Hij schudt triest zijn hoofd. 'Uiteindelijk huilde hij natuurlijk altijd. Toch... raakte hij nooit zijn ziel kwijt. Alleen een engel kon zich op die belangrijke manier tegen hen verzetten.'

Gustavo doet zijn ogen dicht, opent ze weer.

'Ik was geen engel. Ik raakte mijn ziel wel kwijt, verviel in een steeds diepere wanhoop. Wendde me af van het gezicht van God. In mijn wanhoop overwoog ik zelfmoord te plegen. Ik denk dat hij dat aanvoelde. Vanaf toen kwam hij 's nachts vaak bij me en fluisterde hij in het donker tegen me, terwijl zijn handen mijn gezicht aanraakten. Mijn mooie witte engel.
"God zal je redden," zei hij me. "Je moet in Hem geloven. Je moet vertrouwen in Hem hebben."
Hij was pas zes, misschien zeven, maar hij gebruikte oudere woorden, en die hebben me gered. Hij vertelde me zijn verhaal: dat hij door God was geroepen toen hij pas vier jaar oud was, dat hij zich had voorgenomen zo jong mogelijk naar het seminarie te gaan en zijn leven te wijden aan de Heilige Drie-eenheid. Toen kwamen op een nacht de mannen, die hem van zijn familie weghaalden.
"Ondanks alles," zei hij vaak tegen me, "mag je je geloof niet verliezen. We worden door God beproefd." Dan glimlachte hij naar me, een glimlach die zo puur was, zo gelukzalig, zo vol geloof, dat hij me bij de wanhoop wegsleurde die me wilde verdrinken.'
Cabrera's ogen zijn dicht in eerbiedige herinnering.
'Dit heeft hij een jaar lang gedaan. Hij leed elke dag, net als wij allemaal. 's Avonds sprak hij ons allemaal toe, en hij liet ons bidden en voorkwam dat we liever voor de dood kozen dan voor het leven.' Cabrera zwijgt even en staart in de verte. 'Op een dag, die noodlottige dag, redde hij niet alleen mijn ziel, maar ook mijn lichaam.
We waren met ons tweeën. We werden door een bewaker naar het huis van een rijke man gebracht, een man voor wie één jongetje niet genoeg was. Ik rilde van angst, maar de jongen, de engel, bleef als altijd heel rustig. Hij raakte mijn hand aan, glimlachte naar me en bad, maar naarmate we langer onderweg waren, begon hij zich zorgen te maken, omdat hij zag dat zijn gebeden mijn hart niet bereikten. Die keer was ik ondanks zijn woorden echt bang. Hoe dichter we bij de plaats van bestemming kwamen, des te groter werd mijn angst, totdat ik onophoudelijk beefde. We kwamen bij het huis aan, en plotseling stak hij zijn armen uit en nam hij mijn gezicht tussen zijn handen. Hij kuste mijn voorhoofd en zei dat ik klaar moest staan.
"Wees niet bang, vertrouw op God," zei hij.
We stapten uit de auto en de bewaker kwam achter ons lopen. Opeens draaide de jongen zich om en hij stompte de bewaker in zijn kruis. De bewakers waren gewend dat we gehoorzaam waren, dus werd hij volkomen overrompeld. Hij klapte dubbel van de pijn en schreeuwde het uit van woede.
"Rennen!" zei de jongen tegen me.
Ik bleef trillend van angst staan. Onzeker. Altijd het slachtoffer.

"Rennen!" zei hij weer, maar deze keer was het een brul, de stem van een engel, en hij viel de bewaker bijtend en schoppend aan.
Zijn woorden drongen tot me door.
Ik begon te rennen.'
Cabrera wrijft met één hand over zijn onderarm. Ik zie hem voor me zoals hij daar toen moet hebben gestaan, maar ik zie ook dat dat moment zich met het heden vermengt. De uit angst voortvloeiende besluiteloosheid, de blijdschap over de ontsnapping uit de hel. Schuldgevoel omdat hij had aangenomen wat de jongen hem bood en hem had achtergelaten.
'Ik hoef jullie niet te vertellen over alle momenten, maanden of jaren die daarop volgden. Ik ben ontsnapt uit die hel op aarde. Ik ging terug naar mijn familie. Ik leefde daarna vele jaren als een gekweld kind en later als een gekwelde man. Ik was geen heilige, ik was vaak een zondaar, maar – dit is het allerbelangrijkst – ik lééfde. Ik heb geen zelfmoord gepleegd. Ik heb mijn onsterfelijke ziel niet verdoemd. Begrijpt u dat? Hij had me voor het allerergste lot behoed. Door wat hij voor mij heeft gedaan, zal ik niet uit de hemel worden verbannen.'
Ik deel Cabrera's geloofsovertuiging niet. Ik voel echter wel de kracht van zijn geloof, de steun die het hem biedt, en ben ontroerd.
'Ik ging naar Amerika,' gaat hij verder. 'Ik geloofde in God, maar ik was een gekwelde man, ben dat altijd gebleven. Ik schaam me ervoor te moeten zeggen dat ik soms drugs gebruikte. Dat ik prostituees bezocht. Dat ik het virus heb opgelopen.' Hij schudt zijn hoofd. 'Weer die wanhoop. Weer de gedachte dat de dood misschien beter was dan het leven. Toen, op dat moment, realiseerde ik me dat het virus een boodschap van God was. Hij had ooit een engel naar me toe gestuurd en die engel had me gered. Ik had dankbaar moeten zijn. In plaats daarvan had ik vele jaren verspild aan mijn eigen verdriet en woede.
Ik nam Gods waarschuwing ter harte. Ik veranderde mijn gedrag, leefde vanaf toen kuis. Ik groeide naar God toe. En toen, op een dag nu elf jaar geleden, keerde mijn engel terug.'
Cabrera's ogen staan treurig.
'Nog steeds een engel, maar niet langer een van het licht. Hij was een engel der duisternis. Een engel met als doel wraak.'
De tatoeage, denk ik bij mezelf.
'Hij vertelde me dat hij verschrikkelijke dingen had moeten doorstaan, omdat hij mij had helpen ontsnappen. Ik kan jullie niet vertellen wat hij mij heeft verteld. Het is heel slecht. Hij vertelde me dat hij soms, heel kort, aan Gods liefde had getwijfeld. Dan dacht hij aan mij, dan bad hij en was hij weer overtuigd. God stelde hem op de proef. God zou hem van die plek weghalen.' Cabrera grimast. 'Op een dag deed God dat inderdaad. Op een dag

werden zijn geloof, zijn gebeden en zijn opofferingen voor mij beloond. Hij en andere kinderen, inmiddels in Amerika, werden gered door de politie, door jullie FBI.

Hij beschreef het als een schitterend moment. Voor hem was het net alsof God hem had gekust. Zijn geloof en zijn lijden waren gerechtvaardigd.'

Cabrera zwijgt. Er volgt een lange stilte. Ik heb een akelig gevoel dat steeds sterker wordt. Iets zegt me dat ik weet wat er nu komt.

'Op een nacht, zo vertelde hij, stuurde God hen terug naar de hel. Er kwamen mannen naar de plek waar ze sliepen, die de politiemannen vermoordden die hen bewaakten. De mannen namen hen mee en dwongen hen weer tot slavernij. Afschuwelijk,' fluistert Cabrera. 'Kunt u zich het voorstellen? Denken dat je veilig bent en dan wordt die hoop je weer ontnomen? Voor hem was het het ergst van allemaal. Ze wisten dat hij had geholpen, dat hij de politie de naam van een bewaker had verteld. Ze doodden hem niet, maar straften hem zo erg dat zijn eerdere verblijf in die hel daarbij vergeleken op de hemel leek.'

Ik wist het al, ergens diep vanbinnen, maar nu wordt het bevestigd.

Ik schuif een stukje op, zodat ik naast Alan sta. 'Die jongen heette Juan, hè?' vraag ik aan Cabrera.

Hij knikt. 'Ja. Een engel die Juan heette.'

Ik weet niet of zijn beeld van Juan als jonge heilige overeenkomt met de waarheid of eerder een geïdealiseerde herinnering is van een ooit doodsbang en misbruikt kind dat een goede vriend vond toen hij die het hardst nodig had. Wat ik wél weet, is dat ik dit verhaal eerder heb gehoord. Het is een verhaal waarin niemand wint, ook wij niet.

Moordenaars blijven moordenaars en wat ze doen is onvergeeflijk, maar er schuilt een zekere tragedie in degenen onder hen die door omstandigheden zo zijn gemaakt. Je ziet het aan hun woede. Bij hun daden draait het niet zozeer om vreugde als wel om geschreeuw. Geschreeuw tegen de vader die hen misbruikte, tegen de moeder die hen sloeg, tegen de broer die hen met een brandende sigaret bewerkte. Ze beginnen met hulpeloosheid en eindigen met de dood. Je vangt hen en sluit hen op omdat dat nu eenmaal moet, maar het levert geen innige tevredenheid op.

'Gaat u alstublieft verder,' zegt Alan, vriendelijk nu.

'Hij zei dat hij tot het besef was gekomen dat God andere plannen met hem had. Dat hij had gezondigd door te denken dat hij heilig was en zijn lijden met dat van Christus te vergelijken. Zijn plicht, begreep hij nu, was niet om te helen, maar om te wreken.' Cabrera schuift ongemakkelijk heen en weer op zijn stoel. 'Zijn ogen waren vreselijk om te zien toen hij dat zei. Die afgrijselijke woede en gruwelijkheid. Ze zagen er niet uit als de ogen van iemand die door God was aangeraakt. Ach, wie was ik om dat te zeggen?' Hij zucht. 'Hij was aan zijn ontvoerders ontsnapt. Hij vertelde me hoe hij later midden in de nacht was teruggekeerd om bloedig wraak te nemen op de mannen die hem hadden gekweld. Zo was hij erachter gekomen dat er twee mannen waren geweest, een FBI-agent en een rechercheur, die hem en de andere kinderen hadden verraden. Deze mannen, vertelde hij me, mannen met maskers op, mannen die zich achter symbolen verscholen, waren de slechtste mannen van allemaal.

Hij had een plan, een langetermijnplan, en hij vroeg me om hulp. Hij mocht niet worden gepakt wanneer alles eenmaal was voltooid, omdat God aan hem had onthuld dat zijn werk verderging dan alleen maar wraak omwille van zijn eigen lijden. In jullie ogen moest ik hem zijn. Ik stemde toe.'

'Meneer Cabrera,' zegt Alan tegen hem. 'Weet u waar we Juan kunnen vinden?'

Hij knikt. 'Natuurlijk, maar dat zeg ik niet.'

'Waarom niet?' vraagt Alan. 'U moet toch inzien dat hij helemaal niet Gods wil uitvoert. Dat wéét u. Hij heeft onschuldige mensen vermoord. Hij heeft het leven van een jong meisje verwoest.' Alan kijkt hem recht in de ogen. 'Gij zult niet doden, meneer Cabrera. U hebt voor hem mensen gedood. In die FBI-hal zijn onschuldige jonge mannen omgekomen, goede mannen die nooit een kind kwaad zouden doen en gewoon hun werk deden.'

Een pijnlijke uitdrukking vliegt over zijn gezicht. 'Dat weet ik. Heus! Ik zal God om vergeving vragen. U moet me echter begrijpen – alstublieft! Ik kan hem niet verraden. Dat kan ik niet. Ik doe dit niet omwille van wie hij nu is. Ik doe dit voor degene die hij vroeger was.'

Het zou melodramatisch moeten klinken; zijn pure oprechtheid zorgt er echter juist voor dat het hartverscheurend is.

Alan pakt hem opnieuw stevig aan, het zweet en de trillende wangspier keren terug, maar het is alsof hij telkens tegen een muur op loopt.

Cabrera werd gered van een lot dat volgens sommigen erger is dan de dood. Juan had hem geholpen te ontsnappen, niet alleen aan zijn fysieke gevangenis, maar ook aan zijn wanhoop. Cabrera's eigen leven is tot op zekere hoogte verwoest door het kwaad dat hem is aangedaan, maar zijn geloof belooft hem nog steeds totale verlossing, een deur die Juan voor hem had opengehouden.

Wat Juan betreft... tja. Dat is een afgrijselijk verhaal waar ik totaal niet bij kan. Het aller-, aller-, allerverschrikkelijkst is nog wel dat wij hebben geholpen dit monster te creëren. Een corrupte agent heeft hem verraden en de zachtaardige jongen met zijn onwankelbare geloof te gronde gericht. Juan is gevallen, maar dan wel met behulp van mensen die hij vertrouwde.

Alles draait om het allerslechtste of het allerbeste in mensen, en ik geloof niet dat Cabrera ook maar een duimbreed zal toegeven.

'Ik heb toestemming om één goede daad te verrichten,' zegt Cabrera nu.
'Wat dan?'
Hij gebaart met zijn hoofd naar de linkerkant van het huis. 'In de werkkamer, op de computer. Daar kunnen jullie de plek vinden waar de meisjes zitten. Jessica en Theresa. Ze leven nog.' Hij zucht nogmaals, somberder deze keer. 'Door een engel in de hel beland. Ze hebben het zwaar gehad.'

'Waar zijn ze?'
Ik vraag dit aan Alan. Hij heeft het me al verteld, maar het is niet tot me doorgedrongen.
'North Dakota,' zegt Alan. 'In wat vroeger een raketsilo is geweest. Duizend vierkante meter, helemaal ondergronds, en het terrein waar de silo zich bevindt, ligt volkomen geïsoleerd. De regering heeft de afgelopen jaren een flink aantal silo's en ondergrondse bases leeggehaald. Ze hebben ze verkocht, meestal aan ontwikkelaars die de boel hebben laten opknappen en de panden aan particulieren hebben doorverkocht.'
'Is dat legaal?' vraag ik verbijsterd.
Alan schokschoudert. 'Ja, hoor.'
Zoals Cabrera had beloofd, hadden we op de pc in het werkkamertje de locatie gevonden waar Theresa en Jessica werden vastgehouden, evenals een aantal grofkorrelige foto's van, naar ik aannam, de meisjes zelf. Ze waren naakt en zagen er moe en ongelukkig, maar wel gezond uit.
'Neem contact op met het FBI-kantoor in die regio. We moeten de meisjes bevrijden en hierheen halen. Weten we hoe we erin kunnen komen?'
'Een elektronisch combinatieslot met een code van dertig cijfers. Ik zal die aan hen doorgeven.'
Hij loopt naar de voorkant van het huis. De lucht is gevuld met het geluid van helikopters van diverse televisienieuwsprogramma's. Tot dusver alleen zij; dat is een van de voordelen van een huis op een stuk land dat door poorten en muren wordt omringd. Brady heeft mensen op wacht gezet bij de toegang tot het terrein, totdat de plaatselijke politie het komt overnemen. Niemand naar binnen, punt uit. Boone en een ander lid van het SWAT-team zitten in een lijkwagen om Cabrera's 'stoffelijk overschot' zogenaamd naar het mortuarium te begeleiden. In werkelijkheid zal Cabrera nooit bij het mortuarium aankomen. Hij zal onder bewaking op een veilige plek worden ondergebracht.
Ik neem even de tijd en kijk om me heen.
Hij is hier geweest, maar hij heeft hier niet gewoond.
Ik druk een getal in op mijn snelkiestoets en hou mijn mobieltje tegen mijn oor.
'Wat is er?' vraagt James, zoals gewoonlijk zonder enige inleiding.

'Waar zit je?'
'Ik ontsla mezelf net uit het ziekenhuis. Die sukkels willen dat ik hier blijf. Ik ga naar huis.'
'Da's niet aardig, James. Die "sukkels" hebben je wel opgelapt.'
'Dat was ook niet stom. Me hier vasthouden wél.'
Ik ga er niet verder op in. 'Ik heb de visie van iemand anders nodig.'
'Vertel op,' zegt hij zonder enige aarzeling.
Dit is de reden waarom de rest van ons James niet allang heeft gewurgd: hij is altijd bereid om te werken. Altijd.
Ik vertel hem wat er heeft plaatsgevonden.
'Cabrera zegt te weten wie de Vreemdeling is, maar hij wil het niet vertellen.'
James zwijgt en denkt na.
'Ik kan niets bedenken.'
'Ik ook niet. Hoor eens, ik weet dat je net zei dat je naar huis ging, maar ik zou graag willen dat je verdergaat met Michael Kingsleys computer. Het moet op te lossen zijn. Hij wil namelijk juist dat we de code kraken.'

'Dakota is op de hoogte,' zegt Alan. Ik schrik op uit mijn overpeinzingen. 'Ze sturen er agenten en een SWAT-team op af. Plus een ploeg van de plaatselijke explosievenopruimingsdienst, voor het geval de Vreemdeling geintjes wil uithalen.'
'Waar is Kirby?'
'Weg. Ze zei dat ze terugging naar het safehouse.'
'We zitten met een probleem, Alan. We hebben geen bewijsmateriaal. Nog geen flintertje forensische data waar we iets mee kunnen. Zelfs als we wisten wie hij was, is alles nog steeds indirect. Op z'n best.'
Hij spreidt zijn handen voor zich uit. 'Dan zit er maar één ding op.'
'En dat is?'
'De plaats delict onderzoeken. Haal Callie en Gene en wie je nog meer kunt bedenken hiernaartoe en laat ze zich maar uitleven. Ik heb dit eerder meegemaakt. Jij ook. Soms zit er niets anders op dan letterlijk door het stof te kruipen.'
'Dat weet ik. Mijn probleem is eerder theoretisch. Weet je wat ik zie als ik naar deze zaak kijk? Dat elke vooruitgang die we hebben geboekt totaal niet op forensisch bewijs is gebaseerd. We hebben elke keer alleen maar beter nagedacht dan hij. Hebben hem steeds beter leren begrijpen. Hij laat helemaal geen tastbare sporen achter.'
'Hij laat wel dingen weg. Zoals Theresa. Daarover had hij geen controle en hij zag het feit dat Sarah het had weggelaten over het hoofd.' Alan schokschoudert. 'Hij is slim. Hij is niet bovenmenselijk.'
Ik weet dat Alan gelijk heeft. Ik voel het diep vanbinnen. Toch irriteert het

me. Het gevoel hebben dat je er zó dichtbij zit en beseffen dat je eigenlijk geen stap dichterbij bent gekomen.
'Goed,' zeg ik, omdat ik er toch niet onderuit kan. 'Haal Callie en Gene er dan maar bij.'
'Komt voor elkaar.'
Terwijl Alan Callie op de hoogte stelt van haar nieuwe opdracht, slenter ik de werkkamer in in een poging mijn frustratie van me af te zetten. Net als de rest van het huis is ook deze kamer aangekleed met donker hout, donkere vloerbedekking en bruine muren. Ouderwets en bedoeld om weelderig over te komen; ik vind het gewoon lelijk.
Ik zie dat het bureau onberispelijk en geordend is. Té geordend. Ik loop ernaartoe en knik bij mezelf. Blijkbaar heeft Cabrera last van een dwangneurose. Aan de linkerkant van het bureau liggen drie vulpennen. Ze liggen kaarsrecht naast elkaar en in een rechte hoek ten opzichte van het bureaublad zelf. Aan de rechterkant van het bureau liggen ook drie pennen, en een korte blik bevestigt dat ze niet alleen ten opzichte van elkaar kaarsrecht liggen, maar ook ten opzichte van de pennen links. Een briefopener ligt horizontaal langs de bovenste rand van het bureau, vlak bij het computerscherm. Hij ligt precies in het midden van de twee setjes vulpennen. Nieuwsgierig trek ik de middelste la open. Ik zie heel precies neergelegde punaises, paperclips en elastiekjes. Ik zal ze niet tellen, maar ik vermoed dat ze qua aantal precies overeenkomen.
Interessant, maar nutteloos. Ik grimas uit pure frustratie.
Ik tuur naar het beeldscherm. Mijn oog valt op het icoontje: Adressen.
Ik buig me voorover en dubbelklik erop met de muis. Op het scherm verschijnt een lijst telefoonnummers en adressen. Het zijn er niet veel en er zitten zowel zakelijke als persoonlijke bij. Ik scroll erdoorheen.
Er flikkert iets. Een lichtflitsje in mijn hoofd. Ik frons mijn wenkbrauwen.
Ik scroll nogmaals door de namen. Weer dat lichtflitsje.
Weglatingen...
Er ontbreekt iets. Wat?
Ik scroll vijf keer door de namenlijst voordat ik het zie.
'Smerige klootzak,' zeg ik en ik recht geschrokken mijn rug. Ik sla een hand voor mijn ogen, ontzet over mijn eigen stomheid. 'Stomme idioot,' zeg ik bestraffend tegen mezelf.
Het is niet het bewijsmateriaal dat ons naar hem toe leidt, maar juist het ontbreken ervan.
'Alan!' snauw ik.
Hij wandelt de kamer in en trekt vragend een wenkbrauw op.
'Ik weet wie de Vreemdeling is.'

59

'Ze hebben de meisjes bevrijd,' zegt Alan tegen me. Hij heeft net een gesprek gevoerd via zijn mobieltje. 'Jessica en Theresa. Lichamelijk zijn ze helemaal gezond, maar verder weten we nog niets.' Hij grimast. 'Jessica heeft er meer dan tien jaar gezeten. Theresa vijf. Hij heeft hun duizend vierkante meter woonruimte gegeven, hij heeft hun eten gegeven – jezus, hij heeft hun zelfs satelliettelevisie en muziek gegeven. Alleen mochten ze nooit naar buiten. Bovendien mochten ze geen kleren dragen. Hij heeft hun gezegd...' Alan zwijgt en slaakt een zucht. 'Hij heeft hun gezegd dat hij, als ze ook maar iets probeerden – zoals een poging om te ontsnappen of zelfmoord te plegen – een van hun dierbaren zou doden. Ze zijn allebei erg teruggetrokken en gesloten. Het kan zijn dat hij hen heeft geslagen.'

'Waarschijnlijk wel,' zeg ik. Ik ben blij dat de meisjes leven, maar ik voel me uitgeput en kwaad bij de gedachte aan wat ze hebben moeten doormaken, net als alle andere dingen aan deze zaak.

We zaten in de auto op Callie te wachten toen het telefoontje ons bereikte. Nu schiet me opeens iets te binnen.

'Bel hen eens terug,' zeg ik tegen hem. 'Laat de leidinggevende agent de meisjes vragen of ze zijn gezicht weleens hebben gezien.'

Alan toetst het nummer in en wacht. 'Johnson?' vraagt hij. 'Met Alan Washington. Wil je de meisjes iets voor me vragen?'

We wachten gespannen af.

'Ja?' Alan kijkt me hoofdschuddend aan. Ze hebben zijn gezicht nooit gezien. Verdomme.

Alan fronst zijn wenkbrauwen. 'Sorry, kun je dat even herhalen?' Zijn gezicht betrekt. 'O. Zeg haar maar dat het goed gaat met Sarah. Johnson? Ik heb slecht nieuws voor Jessica Nicholson. Kun je het aan haar doorgeven?' Hij verbreekt de verbinding. 'Theresa heeft naar Sarah gevraagd.'

Ik geef geen antwoord. Wat moet ik zeggen?

Callie en Gene komen aangereden. Callie springt uit de auto en beent glimlachend naar ons toe. Ze heeft zich opgeknapt en ziet er natuurlijk weer pico bello uit. Ze knikt in de richting van het huis en neemt de gebroken ramen en het verbrande, door kogels aan flarden gereten gazon in zich op.

'Jullie hebben wel eer van je werk.'

'Hallo, Smoky,' zegt Gene. Hij ziet er niet pico bello uit. Hij ziet er erg moe uit.
'Hai, Gene.'
Ik wil hun net alles vertellen, maar zie dan dat er nog een auto aankomt. Terwijl die langzaam dichterbij komt, duikt Brady uit het niets op.
'AD Jones,' zegt hij.
'Jippie, nu zijn we pas echt compleet,' mompelt Callie. 'Zeg Smoky, Kirby leek een beetje teleurgesteld omdat ze niemand mocht neerknallen.'
'Ze heeft zich goed geweerd,' zegt Brady en hij neemt Callie bedachtzaam van top tot teen op.
Ik zie dat Callie zijn blik beantwoordt en herken het halfbegerige vonkje in haar ogen. Ze steekt een hand uit.
'Volgens mij kennen wij elkaar nog niet,' kirt ze.
'Brady,' zegt de SWAT-leider, en hij schudt haar hand. 'En u bent?'
'Callie Thorne. U mag ook schoonheid tegen me zeggen.'
'Dat spreekt voor zich.'
Callie kijkt me grinnikend aan. 'Ik mag hem wel.'
De auto houdt naast ons stil en maakt een eind aan hun scherts. AD Jones stapt uit. Hij doet me aan zowel Callie als Brady denken: onvermoeibaar en energiek, zijn pak ongekreukt, geen haartje van zijn plek.
'Vertel,' zegt hij zonder enige inleiding.
Ik beschrijf de aanval en het verhoor van Cabrera voor hem. Vertel hem over de meisjes in North Dakota.
'Al nieuws over de meisjes?'
'Nee, meneer. Hopelijk binnenkort.'
Ik vertel hem over Juan. Zie hoe hij zijn ogen openspert en dan bedroefd kijkt. Zijn gezicht betrekt. Hij wendt zijn blik af. Zijn lippen bewegen.
'Christus,' zegt hij. 'Wíj hebben dit gedaan.'
Ik wacht tot hij zichzelf weer onder controle heeft.
'Goed,' gaat hij verder, 'we weten dus wie hij was. Weten we ook wie hij is? Hebben we een naam?'
Ik vertel het hem. Alan wist het al. Callie hoort het voor het eerst en haar geschokte blik wordt weerspiegeld op het gezicht van AD Jones.
'Gibbs?' vraagt AD Jones. 'De advocaat van de trust? Dat meen je toch verdomme niet?'
'Helaas wel. Het ligt voor de hand, en we hadden het veel eerder moeten bedenken. Een enorme flater van mijn kant. Hij zit ermiddenin. Ik had het pas door toen ik het adressenbestand op Cabrera's computer doornam. Het ging niet om wat er wél stond, maar om wat er ontbrak.'
Hij kijkt me fronsend aan. Wanneer hij het begrijpt, klaart zijn gezicht op.

'Gibbs stond niet op de lijst. Jezus christus.'
'Precies. Een korte zoektocht door de werkkamer leverde evenmin iets op wat verband hield met Gibbs of de trust. Helemaal niets. En dat terwijl Cabrera blijkbaar last heeft van een dwangneurose – bijna obsessief. Zijn adressenlijst was niet lang, maar wat er was, was helemaal compleet. Hij had de telefoonnummers van iedereen, van de vrouw die zijn haar knipt tot de vuilnisophaaldienst. Privénummers, mobiele nummers, e-mailadressen, faxnummers, andere nummers – maar die van zijn advocaat dus niet. Die kan hij onmogelijk per ongeluk hebben weggelaten. En er was nog iets, iets wat Cabrera zei toen we hem verhoorden.' Ik kijk met samengeknepen ogen naar AD Jones. 'Juan had een lichte huid, hè?'
'Dat klopt. Hij kon gemakkelijk voor blank doorgaan. Het is niet bij me opgekomen dat te melden.'
'Gibbs is blank. Cabrera noemde Juan een "witte engel". Ik dacht eerst dat het figuurlijk bedoeld was, poëtisch, maar toen ik die informatie combineerde met het ontbrekende deel van het adressenbestand besefte ik dat hij wit van huid bedoelde.'
'Het is niet waterdicht,' zegt Alan, 'maar het voelt goed aan. Zich in het volle zicht verstoppen. Eenvoudig, slim, en het past bij zijn werkwijze.'
AD Jones schudt nogmaals zijn hoofd, een gebaar dat ongeloof, frustratie en woede omvat. Ik weet precies hoe hij zich voelt. 'Wat is nu het probleem?' vraagt hij.
'Afgezien van de minuscule kans dat ik er wat dit betreft naast zit? Geen bewijs,' zeg ik. 'Behalve Cabrera heeft niemand ooit zijn gezicht gezien. De bij ons bekende plaatsen delict hebben niets bewijskrachtigs of nuttigs opgeleverd. Als we geen bekentenis loskrijgen, hebben we niets waarmee we een verband kunnen aantonen tussen hem en de misdaad.' Ik wijs naar Callie en Gene. 'Zij gaan dit pand van onder tot boven uitkammen in de hoop dat het iets oplevert.'
AD Jones schudt geërgerd zijn hoofd. 'Verdomme.' Hij wijst gebiedend naar mij. 'Zorg dat je iets vindt, Smoky. Het is genoeg geweest. Zorg dat het afgelopen is.'
Hij draait zich om, stapt weer in zijn auto en laat mij in verwarring over zijn uitval achter. Even later rijdt hij naar de poort en de aanzwellende horde verslaggevers.
'Zo,' zegt Callie tegen Brady, 'ik denk dat we ons gesprek straks even moeten voortzetten. Er komt toch wel een straks?'
Hij neemt een denkbeeldige hoed voor haar af.
'Jazeker.'
Hij kuiert weg. Callie gluurt wellustig naar zijn achterwerk.

'Ach, begeerte,' zucht ze. Ze keert zich weer om naar het huis en geeft me een knipoog. Callie doet wat Callie altijd doet: ze probeert de onverbiddelijke luguberheid te verlichten, net als een eeuwigheid geleden met de gettoblaster en het zonlicht in mijn slaapkamer. 'Zullen we dan maar, Gene?'
Ze lopen samen weg. Ik zie dat ze een hand in haar zak steekt en een vicodintablet inneemt.
Ik voel op dit moment met haar mee. Ik heb nu ook enorm behoefte aan een glas tequila.
Eentje maar.

Ik wacht. Ik word er gek van.
Alles wat ik kan doen, is gedaan. Gibbs wordt in de gaten gehouden. Cabrera zit in een cel. Theresa en Jessica worden in een ziekenhuis onderzocht. Bonnie, Elaina en Sarah zijn veilig. Alan belt Elaina en vertelt haar het nieuws over Theresa, zodat Elaina het aan Sarah kan doorgeven. Callie en Gene proberen binnen een gulden middenweg te vinden tussen snelheid en nauwkeurigheid. Nauwkeurigheid wint.
Ik kan nu alleen maar afwachten.
Alan komt naar me toe. 'Elaina vertelt het aan Sarah. Dat hebben we tenminste voor haar kunnen doen.'
'Wat denk jij, Alan? Loopt het allemaal goed af als het ons lukt Juan op te pakken? Of krijgt hij dan gewoon waar het hem al die tijd om te doen was?'
Ik weet niet goed waarom ik hem dit vraag. Misschien omdat hij een goede vriend van me is. Misschien omdat Alan van alle mensen in mijn team degene is tegen wie ik mag opkijken, ook al is hij in naam mijn ondergeschikte.
Het blijft heel lang stil. 'Als we hem oppakken, doen we volgens mij gewoon ons werk. We voorkomen dat hij nog meer schade aanricht. We geven Sarah een kans. Meer niet. Het is misschien niet het beste antwoord, maar het is het enige wat we hebben.' Hij kijkt me aan en glimlacht vriendelijk. 'Dat is het enige waarvoor we verantwoordelijk zijn, Smoky. Jij wilt weten of Sarah vanbinnen al dood is, of hij haar ziel heeft vermoord. De waarheid is dat ik dat niet weet. Een nog grotere waarheid is dat Sarah het niet weet. De laatste waarheid: we geven haar de kans om daarachter te komen. Dat is niet alles en het is misschien niet genoeg, maar het is meer dan niets.'
'En hijzelf? Juan?'
Alans gezicht betrekt. 'Hij is nu een dader. Zijn dagen als slachtoffer liggen ver achter hem.'
Ik denk na over wat hij zegt; het troost me en toch ook weer niet. Mijn ziel woelt onrustig, probeert te slapen in een bed dat alleen op bepaalde plekken zacht is. Het is geen nieuw gevoel en ik laat het over me heen komen.

Gerechtigheid voor de doden. Het is niet niets. Het is verre van niets. Het is echter evenmin een wederopstanding. De doden blijven dood, ook nadat hun moordenaars zijn gepakt. Door de waarheid, de triestheid, die hierin besloten liggen, is ons werk weliswaar niet zinloos, maar ook niet bevredigend.
Aanvaarding en onrust. Aanvaarding en onrust. Twee golven die zacht over me heen spoelen, de een volgend op de ander, eeuwig in mijn hart.
Ik wacht.

Tijdens het wachten word ik gebeld door Tommy. Ik voel me schuldig en opgetogen, twee nieuwe golven. Schuldig omdat ik hem niet heb gebeld om te vragen hoe het met hem gaat. Opgetogen bij het horen van zijn stem, bij het besef dat hij leeft.
'Hoe gaat het?' vraag ik.
'Goed. Geen ernstige schade aan de spieren. Mijn sleutelbeen is geschampt en dat doet verrekte zeer, maar ik zal niet arbeidsongeschikt worden. Het gaat goed met me.'
'Het spijt me dat ik niet heb gebeld.'
'Geeft niet. Je bent aan het werk. Het zal heus ook wel een keer voorkomen dat ik het te druk heb. Het zit nu eenmaal in onze aard. Als we gaan bijhouden hoe vaak het gebeurt, is het al afgelopen voordat we goed en wel zijn begonnen.'
Zijn woorden verwarmen me vanbinnen. 'Waar ben je nu?'
'Thuis. Ik wilde je even spreken voordat ik mijn pijnstillers slik. Het kan zijn dan ik er een beetje maf van word.'
'Echt? Misschien kom ik dan nog wel even langs om misbruik van je te maken.'
'Zuster Smoky die me komt afsponzen? Ik moet me vaker laten neerknallen.'
Door de inwendige druk die ik voel, begin ik te giechelen. Ik sla diep beschaamd een hand voor mijn mond.
'Goed,' zegt Tommy. 'Ga maar weer aan het werk. We spreken elkaar morgen wel.'
'Dag,' zeg ik en ik verbreek de verbinding.
Alan kijkt me zijdelings aan. 'Zat je nu daarnet te giechelen?'
Ik frons mijn wenkbrauwen. 'Natuurlijk niet. Ik giechel nooit.'
'Aha.'
We wachten.

Callie en Gene hebben de helft van het huis gedaan. Ze hebben Cabrera's vingerafdrukken afgenomen ter vergelijking. Tot dusver niets.

Het is drie uur in de ochtend. De verslaggevers en hun helikopters zijn vertrokken, behendig weggewerkt door AD Jones. Hij heeft zichzelf als woordvoerder aangewezen en ze zijn als een horde hongerige vampiers achter hem aan gehold. Ik neem aan dat het verhaal zoals wij het naar buiten willen brengen inmiddels breed is uitgemeten op televisie en websites, en morgen de krantenkoppen zal halen. Cabrera opgespoord. Verdachte overleden. Zaak gesloten.
We wachten.

Om halfvier in de ochtend gaat mijn mobieltje over.
'Met Kirby.'
Het simpele feit dat haar stem ernstig klinkt en er geen bijdehante opmerkingen volgen zet alle alarmbellen op scherp.
'Wat is er?' vraag ik.
'Sarah is weg.'

60

Ik sta bijna te schreeuwen tegen Kirby. Dat is woede, voortgedreven door angst.
'Hoe bedoel je: weg? Het was jouw taak haar te bewaken.'
Kirby klinkt rustig, maar niet defensief. 'Dat weet ik. Ik was bang dat er mensen zouden proberen naar binnen te dringen, niet dat zij naar buiten zou sluipen. Ze is niet ontvoerd, Smoky. Ze is zelf weggegaan. Ik zat op de wc. Ze is gewoon door de deur naar buiten gelopen. Ze heeft een briefje achtergelaten: "Ik heb iets te doen."'
Ik hou het mobieltje bij mijn gezicht vandaan. 'Smerige klootzak!' gil ik tegen de lucht. Alan is in het huis. Hij komt snel naar buiten gehold.
'Enig idee waar ze naartoe kan zijn?' vraagt Kirby.
Ik ben sprakeloos.
Weet ik dat?
De stem in mijn hoofd antwoordt beschuldigend: ja, natuurlijk weet je dat. Als je had geluisterd, was je hierop voorbereid. Je had het weer eens te druk met jezelf, hè?
De waarheid die ik mezelf probeer duidelijk te maken licht op.
Sarah die in gedachten een beeld van hem probeert te vormen. De manier waarop hij praat. Sarah die zegt dat ze zijn stem nooit zal vergeten.
Sarah die Gibbs kortgeleden aan de telefoon heeft gehad, zogenaamd om te controleren of ze ermee instemde dat we het huis binnengingen.
Ik druk met een hand tegen mijn slapen. Mijn hoofd tolt en mijn hart raast als een bezetene.
Hij heeft haar onlangs gesproken, op de dag waarop hij de Kingsleys vermoordde. Daarna sprak hij als Gibbs telefonisch met haar toen ze in het ziekenhuis lag. Ze wist het op het moment dat ze zijn stem hoorde. Hij wilde waarschijnlijk dat ze het wist.
'Ik denk het wel,' zeg ik tegen Kirby. 'Blijf bij Bonnie en Elaina. Ik bel je straks terug.'
Ik verbreek de verbinding voordat ze kan reageren.
Ze wist het, en zodra ze eenmaal wist dat Theresa in veiligheid was, is ze op pad gegaan om dat ene te doen wat ze het aller-, allerliefst wilde doen.
Ze is naar hem toe om hem te vermoorden.

De cirkel die zich sluit.
'Wat is er?' vraagt Alan.
Ik zie angst in zijn ogen. Ik kan het hem niet kwalijk nemen. Toen de vorige keer de ontknoping naderde en ik een telefoontje kreeg waarop ik precies zo reageerde, liep Elaina gevaar.
'Met Elaina en Bonnie is alles prima. Sarah is ervandoor gegaan.'
Ik zie hem nadenken, zie zijn brein op volle toeren draaien en zie wanneer hij het doorheeft.
'Gibbs. Ze wil Gibbs vermoorden.'
'Ja,' zeg ik.
De angst verdwijnt niet uit zijn ogen. Het gaat niet om Elaina, niet om Bonnie, niet om mij. Het gaat niet om Callie of zelfs om James.
Het gaat wél om Sarah.
Ik hoor in gedachten James' stem: een soort Elckerlijc van slachtoffers.
'Als we toestaan dat ze hem doodt, is er geen weg terug meer voor haar,' mompelt hij.
Ik ben niet langer verstijfd van schrik en kom met een ruk in beweging.
'Kijk of je de surveillancewagen bij Gibbs te pakken kunt krijgen. Waarschuw hen en vraag het adres. Als ze haar zien, moeten ze haar tegenhouden. Anders moeten ze op de uitkijk blijven en wachten tot wij er zijn. Ik ga Callie vertellen waar we naartoe gaan.'
Ik ren naar het huis. Ik tref Callie in een van de slaapkamers aan.
Ik vertel haar wat er aan de hand is. Opnieuw zie ik angst. Dezelfde angst die ik ook bij Alan heb gezien. Het is vreemd om dit bij Callie te zien, verontrustend. Niemand is zonder littekens uit Sarahs verhaal gekomen.
'Ga,' zegt ze bars. 'Ik neem het hier wel over.'

61

Gelukkig blijkt Gibbs – Juan – niet al te ver weg te wonen, naar LA-begrippen dan. Zo vroeg op de ochtend is er vrijwel geen verkeer dat voor oponthoud kan zorgen en we moeten binnen twintig minuten bij zijn huis in San Fernando Valley kunnen zijn.

Onderweg gaat mijn mobieltje weer over.

'Smoky Barrett?' vraagt een zware stem.

'Wie bent u?'

'Mijn naam is Lenz. Ik ben een van de politieagenten die bij Gibbs surveilleren. We hebben een probleem.'

Mijn hart begint zo mogelijk nog sneller te kloppen. 'Wat is er?'

'Mijn partner en ik hielden een oogje in het zeil. Tot nu toe was alles rustig. Ongeveer vijf minuten geleden heeft er iemand op ons geschoten. Nou ja, op de auto. Kogels door de klep van de achterbak en een van de ramen aan de passagierskant. Wij duiken omlaag, trekken onze wapens, komen weer tevoorschijn en zien een jong meisje keihard naar de voordeur hollen.'

'Verdomme!' zeg ik. 'Is ze het huis binnengegaan?'

Hij klinkt ellendig. 'Ja. Nog geen drie minuten geleden.'

'Ik ben onderweg. Hou je ogen open, maar blijf uit het zicht.'

Het is een klein huis. Nederig. Een huis met een bovenverdieping, gebouwd in oudere – volgens sommigen betere – tijden. Het heeft een kleine, boomloze, hekloze voortuin. De oprit voert vanaf de straat naar een vrijstaande garage voor één auto. Het is stil op straat. Aan de horizon breekt ergens de zon door; we zien de gloed over de daken van de huizen omhoogklimmen.

Een politieagent die ik niet ken staat ons op te wachten. Wanneer we uitstappen, komt hij naar ons toe.

'Lenz,' zegt hij. Hij is een jaar of veertig en ziet er een beetje gewoontjes uit. Hij heeft het magere uiterlijk en de vale huid van een roker. 'Het spijt me echt verschrikkelijk.'

'Blijf jij hier,' zeg ik tegen hem, 'en zeg tegen je partner dat hij de achterkant bewaakt. Wij nemen de voordeur.'

'Komt voor elkaar.'

Ze gaan aan de slag. Alan en ik volgen hun voorbeeld. We hebben onze wa-

pens nog niet getrokken, maar onze handen liggen op de kolf. Wanneer we de veranda langs de voorgevel bereiken, hoor ik Sarah. Ze schreeuwt.
'Je verdient het te sterven! Ik vermoord je! Heb je me gehoord?'
Een tweede stem antwoordt iets, maar zo zacht dat ik het niet versta.
'Klaar?' vraag ik aan Alan.
'Klaar,' zegt hij, de vriend tegen wie ik heimelijk opkijk. Geen vragen.
We staan op een keerpunt. Ik hoor het aan Sarahs stem. Er is geen tijd om tactvol te handelen, we moeten meteen in actie komen.
We lopen naar de voordeur. Ik voel aan de knop. Hij draait mee onder mijn hand en ik gooi de deur wijd open. Ik ga als eerste naar binnen, met mijn pistool in de hand. Alan volgt me op de voet.
'Sarah?' roep ik. 'Ben je hier?'
'Ga weg! Ga weg ga weg ga weg!'
Het komt uit de keuken aan de achterkant van het huis. Het is niet ver bij ons vandaan; met een paar flinke stappen sta ik in de deuropening. Ik kijk de keuken in en blijf staan.
Het is een kleine ruimte. Ouderwets en efficiënt. De eettafel staat een stukje bij het fornuis vandaan, schoon, maar gebutst, met vier stoelen eromheen. Kaal. Functioneel.
Op een van de stoelen zit Juan en hij glimlacht. Sarah staat ongeveer anderhalve meter bij hem vandaan. Ze heeft een pistool op zijn hoofd gericht. Het ziet eruit als een .38 revolver. In haar kleine handen een obsceen voorwerp. Iets wat er niet thuishoort.
Ik herken Gibbs amper. Zijn baard en snor zijn verdwenen.
Die waren natuurlijk vals, sufferd.
Hij draait zich om, ziet me, lacht.
Ook geen blauwe ogen meer. Bruin. Hij had contactlenzen in.
'Hallo, special agent Barrett.' Zijn stem klinkt nederig, maar zijn ogen glinsteren. Hij houdt zich niet langer in, laat de krankzinnigheid in hem naar buiten komen. 'Bent u de goede zijde van wat ik ben geworden?'
'Hou je kop!' gilt Sarah. Het pistool beeft in haar hand.
Ik kijk achterom naar Alan en schud mijn hoofd. Een teken dat hij moet wachten. Ik laat mijn wapen zakken, maar berg het niet op.
Sarah heeft al eerder tekenen vertoond die erop wezen dat ze zichzelf niet meer in de hand had. Nu is ze echt helemaal doorgedraaid. Ik kijk naar haar gezicht en begrijp eindelijk wat Juan als de Vreemdeling probeerde te bewerkstelligen.
Haar gezicht is het gezicht van een engel die met gekortwiekte vleugels uit het aangezicht van God is verbannen. De afwezigheid van hoop als een geheel. Een verwoest leven.

Ik kijk naar Juan en zie dat hij het gruwelijke opzuigt, dat dit voor hem een vorm van extase is geworden. In het begin hield hij zichzelf voor dat het allemaal om gerechtigheid ging, en misschien was dat ooit ook wel zo. Hij veranderde echter op een vreselijke, elementaire manier, totdat het nog slechts om één ding draaide: de Vreugde van het Lijden.

Hij wilde slechte mannen straffen en was hierdoor zelf in een slechte man veranderd.

'Dit is niet de afloop die ik in gedachten had,' zegt hij en hij negeert me verder, 'maar Gods wil bepaalt alles en ik begrijp – ik begrijp wat hij hier doet, in Zijn oneindige wijsheid, geprezen zij de Heer. Hij heeft me het juiste pad gewezen, zodat ik jou naar mijn eigen voorbeeld kon vormen en dat kan slechts worden voltooid, ik begrijp het, ik begrijp het, wanneer ik door jouw handen sterf, geprezen zij de Heer. Je zult me doden uit naam van wraak, je zult me doden omdat je denkt dat dit juist is, maar ik begrijp... Ik begrijp dat je mij slechts doodt omdat je dit wilt, geprezen zij de Heer.' Hij zwijgt even en buigt zijn hoofd. 'Je doodt me niet om Theresa te redden. Ze is bevrijd, ze mankeert niets. Je doodt me omdat je ernaar verlangt mijn bloed te zien vloeien, een behoefte die zo fel en groot en verschrikkelijk is dat ze je huid brandt als een heldere blauwe vlam. Waaruit komt die behoefte voort, waaruit komt die vlam voort?' Hij knikt en glimlacht met open mond. 'Het is de vlam van God, Kleine Pijn. Zie je dat dan niet? Ik was een wraakengel, door de schepper gezonden om de mannen te vernietigen die zich achter symbolen verschuilen, demonen die in gestoomde pakken over de aarde dartelen en zich op hun goedheid laten voorstaan, terwijl ze intussen de zielen van onschuldigen verslinden. Ik ben door God gezonden om flink huis te houden, om bloedig tekeer te gaan, een bloedbad waarin zowel slachtoffer als onderdrukker, zowel onschuldigen als schuldigen verdrinken. Wat betekent de dood van iemand die niet in de naam van het grotere goed dient te sterven? Ik ben geofferd, zodat ik het wapen van de Heer kon worden. Ik heb jou geofferd – ik begrijp het, ik begrijp het – zodat jij mij kunt worden en mijn plaats kunt innemen, geprezen zij de Heer.' Hij leunt voorover en doet met een gelukzalig gezicht zijn ogen dicht. 'Ik ben klaar om mijn God te ontmoeten. Wees gegroet, Maria, Moeder van God.'

Ik stap de keuken in, negeer Juan en staar naar Sarah. Ik loop zonder aarzelen naar haar toe en blijf naast haar staan. Ze reageert niet. Ze kan haar ogen niet van Juans gezicht losrukken.

Ze ziet het, voel ik. Zoals ik het zie. Zoals James het ziet. Zoals die arme FBI-agente die zichzelf door het hoofd heeft geschoten. Sarah ziet Juan en begrijpt hem. Haar pijn is zijn orgasme. De achterliggende redenen zijn echter tragisch en krankzinnig.

Ik voel de behoefte die er van haar uitgaat, een brandend verlangen. Haar vinger beeft rond de trekker, het moment is daar en ze staat klaar. Ze wil dat hij sterft, maar ze is bang. Bang dat het niet voldoende zal zijn. Dat het niet lang genoeg zal duren. Dat het te snel voorbij zal zijn en dat dit alles het gapende gat niet zal vullen.
Ze heeft gelijk. Ze zou hem tot in de eeuwigheid kunnen doden, maar uiteindelijk raakt ze alleen zichzelf kwijt.
Wat kan ik tegen haar zeggen? Ik krijg maar één kans. Misschien twee.
Juan bidt nog altijd, vurig, zelfverzekerd, trots.
Waanzin. In het begin was hij heel georganiseerd, maar dokter Child had gelijk. De waanzin was ook toen al aanwezig, lag sluimerend te wachten, als een virus.
Ik verjaag zijn stem met mijn eigen gedachten en richt mijn ogen strak op Sarahs engelengezicht.
Vallend, maar nog niet gevallen.
Theresa, Buster, Desiree. Ze hadden haar lief, zij had hen lief. Goedheid en glimlachjes en... weg. Wat is de sleutel? Wat kan haar terughalen van de rand van dat ravijn waar ze elk moment in kan tuimelen?
Het besluipt me zacht – veren, geen onweer. De schaduw van een kus.
Ik buig me voorover en hou mijn mond bij haar oor. Ik fluister tegen haar en leg alle kracht van mijn eigen wezen, mijn eigen overleefde pijn, in mijn stem. We zijn allebei vleugelloze engelen, vanbinnen én vanbuiten vol littekens, bloedend uit wonden die zich tegen genezing verzetten. Het besluit draait niet om goed of slecht, om geluk of verdriet, om hoop of wanhoop. Het besluit is heel eenvoudig: het is het besluit om te leven of te sterven. Om de gok te nemen dat het lijden minder zal worden terwijl het leven verdergaat en dat er uiteindelijk iets beters zal overblijven.
Ik leg Matt en Alexa in mijn stem, en hoop dat zij mijn woorden naar haar hart brengen.
'Je moeder kijkt vanuit de wolken naar je, kindje. Voor eeuwig en altijd, en dit is niet wat ze wil. De enige plek waar zij nu nog woont, is in jou, Sarah. Dat is het laatste deel van haar. Als je hem doodt, sterft zij voorgoed.' Ik sta op en loop achteruit. 'Meer zeg ik niet, lieverd. De keus is nu aan jou. Jij kiest.'
Juan kijkt me achterdochtig aan. Tuurt dan onderzoekend naar Sarah. Glimlacht als een slang die met suiker vermengde melk oplikt.
'Je hebt al gekozen, Kleine Pijn. Moet ik je helpen? Moet ik je eraan herinneren, de vlam in je aanwakkeren, zodat je Zijn wil uitvoert?' Zijn tong glijdt over zijn lippen. 'Je moeder? Ik heb haar lichaam aangeraakt toen ze dood was. Ik heb haar intieme plekjes aangeraakt. Ik heb haar vanbinnen aangeraakt.'

Sarah verstart. Ik verstar ook. Ik verwacht dat ze hem doodt. Een duister deel van me, de plek waar ik mijn eigen moordenaarsogen bewaar, vergeet mijn doel en wil dat ze hem doodt. In plaats daarvan begint ze te trillen.
Het begint met een kleine huivering, als de schokjes die aan een aardbeving voorafgaan. Die trekt van haar handen via haar armen naar haar schouders. Dan omlaag langs haar borst naar haar benen, een afschuwelijke huivering, totdat het bijna lijkt alsof ze uit elkaar zal spatten, maar dan – verstijft ze.
Ze laat haar hoofd achterovervallen en brult luidkeels.
Het is vreselijk.
Het is het geluid van een moeder die is bijgekomen en beseft dat ze in haar slaap op haar baby is gaan liggen en hem heeft verstikt. Het doorboort mijn hart.
Terwijl ze brult, zie ik Juan, ben ik getuige van zijn vervoering. Ik zie hem rillen, zie hem beven, zie hoe zijn bovenlichaam naar voren overhelt, hoe hij zijn gekromde handen tot vuisten balt. Hoor hem kreunen. Lang, zwaar, vol glibberende dingen en buitelende, stinkende, kleverige doden. Deze demonische wanklank harmonieert met het geluid van Sarah. Juans val is voltooid. Hij is nu geen haar beter dan de mannen die hem hebben gemaakt tot wat hij nu is.
Sarah zakt op de vloer in elkaar en rolt zich strak op, steeds strakker. Ze blijft jammeren.
'Verroer je niet,' zeg ik tegen Juan.
Hij negeert me. Hij kan zijn ogen niet van Sarahs pijn losrukken.
Wanneer hij zijn mond opendoet, trilt zijn stem van verwondering: 'Dáár ben ik dus.'

Aan het einde: de dingen die gloeien

62

'Weet je het heel zeker, liefje?'
Bonnie glimlacht sereen naar me.
We staan op het punt de verhoorkamer binnen te gaan. Daar zit Juan. Bonnie wil hem zien, om redenen die ze me niet wil vertellen. Aanvankelijk wilde ik het niet toestaan. Ik ben er zelfs kwaad om geworden, iets wat me met Bonnie nog niet eerder is overkomen.
Ze hield vol.
'Waarom?' heb ik haar gevraagd. 'Vertel me dan in elk geval waarom.'
Ze maakte een gebaar alsof ze iemand iets gaf.
'Je wilt iets geven? Een geschenk?'
Ze knikte. Aarzelde. Deed alsof ze mij iets overhandigde en wees vervolgens iets aan – ze wees naar de naam op het papier – Juan.
'Je hebt een geschenk voor mij en voor Juan?'
Een serene glimlach. Een knikje.
Ze gaf niet op. Ik heb toegegeven. Ik hoopte nog dat Juan me hiervoor zou behoeden door te weigeren met ons te praten. Tot mijn verbazing en ongerustheid heeft hij er echter mee ingestemd. Dus hier zijn we dan.
Bonnie heeft een schrijfblok onder haar arm. In haar hand heeft ze een viltstift. Ze mag geen pen meenemen – te scherp. Ik heb moeten praten als Brugman om hen zover te krijgen dat ze de viltstift wel toelieten.
We gaan de kamer binnen. Juan zit er al, geboeid aan polsen en enkels, en vastgeketend aan een ijzeren ring in de vloer. Hij glimlacht wanneer we binnenkomen. Een brede glimlach, een lome glimlach, een hond op een stukje grond in de zon. Deze keer de zondaar, niet de heilige.
Ik heb me laten vertellen dat hij tussen deze twee stemmingen heen en weer schommelt. Onlangs heeft hij een hele middag op zijn knieën met naar God opgeheven armen doorgebracht in de gevangeniskapel. Diezelfde avond verkrachtte hij zijn celgenoot, grinnikend terwijl de jonge man gilde. Juan bidt voorlopig in een isoleercel.
'Special agent Barrett. De kleine Bonnie. Hoe maken jullie het?'
'Uitstekend, dank je,' antwoord ik – emotieloos, hoop ik.
Zodra het eenmaal tot hem was doorgedrongen dat hij zou blijven leven, had Juan letterlijk alles opgebiecht. Hij was uiteraard trots op wat hij had bereikt.

Hij vond zijn daden rechtvaardig en nu had hij publiek waar hij tegen kon preken. We hingen aan zijn lippen en lieten hem zichzelf verraden.
Het had even geduurd voordat hij met zekerheid kon vaststellen welke twee leden van de taskforce hem hadden verraden.
Hij had jaren besteed aan het achterhalen en vastleggen van de oorspronkelijke geldbron. Ruim tien jaar geleden was hij erin geslaagd om het bewijs met betrekking tot Tobias Walker rond te krijgen. De FBI-kant van de zaak lag iets ingewikkelder – Jacob Stern was slim geweest. Juan kwam erachter dat Stern via de LAPD bij de FBI was terechtgekomen en in een bepaalde periode zelfs op hetzelfde politiebureau werkzaam was geweest als Walker. Dit had Juans achterdocht gewekt. Zijn meedogenloosheid en volhardendheid hadden er uiteindelijk toe geleid dat hij de informatie die hij zocht in handen kreeg.
Walker was de belangrijkste contactpersoon met de onderwereld geweest, de ware Judas van de operatie. Na afloop had hij Sterns hulp nodig gehad om het geldspoor te verdoezelen en zo was de FBI-agent erbij betrokken geraakt. Juan had bewijzen voor Sterns medeplichtigheid en Walkers zonden. Ze stonden op Michael Kingsleys computer.
'Ik was van plan jullie het wachtwoord te geven, zodat jullie een verzoek om Sterns uitlevering konden indienen. Zodra hij eenmaal hier was...' Juans glimlach had veel te veel tanden blootgelegd, 'kon ik wraak nemen. Het zou natuurlijk op een ongeluk moeten lijken, aangezien ik zogenaamd "dood" was, maar daar kon ik wel mee leven. Het belangrijkst was dat de hele wereld zou weten, zou doorhebben, dat symbolen niets betekenen en de ziel alles.'
Hierin is hij inderdaad geslaagd. De uitlevering van Stern is inmiddels in gang gezet. Ik hoop dat hij in de gevangenis op gruwelijke wijze aan zijn eind komt. Ik beschouw Walker en hem als de belangrijkste verantwoordelijken voor wat er is gebeurd. Zij hebben dit monster gecreëerd, en als Juan zich had beperkt tot wraak op alleen deze twee, zou ik van mening zijn geweest dat er gerechtigheid was geschied. In plaats daarvan had hij echter naar willekeur jarenlang heel veel levens verwoest. Hij had onschuldigen kapotgemaakt, en dat kan ik hem niet vergeven.
We hebben Juan ook naar AD Jones gevraagd. Hij had een verrassende pragmatische inslag getoond. 'Veel te riskant, een adjunct-directeur van de FBI om zeep helpen. Ik had er geen problemen mee om daarmee tot een later tijdstip te wachten.'
Dit alles verklaart waarom hij in de openbaarheid moest treden. Het was een samenloop van omstandigheden, in gang gezet om ons naar Cabrera te leiden en Stern te ontmaskeren. Zodra Stern eenmaal hier was...
Ik ril wanneer ik eraan denk hoe dicht hij tegen succes aan heeft gezeten.

Juan nam het iedereen in de oorspronkelijke taskforce kwalijk dat ze de ware aard van Walker en Stern niet hadden 'gezien'. Hij vond dat ze hem hadden moeten beschermen. Dat was hun niet gelukt. Daarom verdienden ze het te sterven.
Hij was minder hard jegens de vrouwen, omdat zij niet direct bij het oorspronkelijke verraad betrokken waren geweest.
'Maar het waren hoeren, blind voor de gebreken van de ziel van hun mannen,' verklaarde hij met rationele kalmte.
Dat was hun niet gelukt. Daarom verdienden ze het te sterven.
Alles draaide om het feit dat mensen hadden gefaald, maakte ik hieruit op, letterlijk alles. Waarschijnlijk hadden mensen Juan vanaf zijn geboorte al in de steek gelaten en was hij daarom opgegroeid tot een moordenaar die geen genade kende met mensen die faalden.
Toen Juan over Walker sprak, wist ik dat ik getuige was van de puurste haat die ik waarschijnlijk ooit zou tegenkomen. Zijn gezicht werd rustig, maar zijn ogen vlamden en zijn stem trilde van gif en dood.
'Hij is aan me ontkomen, maar zijn kinderen en hun kinderen niet,' zei hij vol leedvermaak en tegelijkertijd ook haat. 'Ik heb de Langstroms verwoest. Jullie hadden hun verdriet eens moeten zien. Het was werkelijk schitterend! Hun dood is dus mijn gerechtigheid. Weten jullie waarom? Omdat ik ervoor heb gezorgd dat ze naar de hel zouden gaan!' Zijn ogen bestonden slechts uit pupillen en waren zwart. 'Begrijpen jullie dat? Ze hebben zelfmoord gepleegd. Wat er verder ook met mij gebeurt, zij zullen nu eeuwig branden in de hel!'
Hij had gelachen, lang en hard. Waanzin.
Ik was nieuwsgierig geweest naar de verandering in zijn werkwijze. Hij had Haliburton eerst gedwongen een gedicht te schrijven en hem toen neergeschoten, en Gonzalez had hij gemarteld en gecastreerd.
'Het ging me niet om rituelen,' legde hij uit. 'Het ging om hun lijden. Ik had hun dood zo gepland dat ze zoveel mogelijk pijn zouden lijden voor ze stierven. De lichamelijke kant was belangrijk, dat klopt, maar hun geestelijke pijn was het belangrijkst, geprezen zij de Heer.'
Sarah was hém natuurlijk – maar alleen in zijn ogen. Hij had haar leven verwoest, van verraad doordrongen, en haar een fractie getoond van de nachtmerrie waarin hij had geleefd in de stellige overtuiging dat zij uiteindelijk zou worden wat hij was. Hij is er nog steeds van overtuigd dat dat ook precies is wat er is gebeurd.
Ik weet echter wel beter. Sarah is er niet best aan toe, maar ze is ook geen Juan. Juan is in- en inslecht. Sarah is goed. In mijn vak krijg ik zelden de kans zo zwart-wit te denken, maar hier kan het. Ze heeft littekens op haar ziel, maar geen gangreen.

De man die op de video door Vargas meneer Je-Weet-Wel-Wie wordt genoemd, leeft niet meer. Daar heeft Juan lang geleden voor gezorgd. Hij wist op zijn vijftiende aan zijn beulen te ontsnappen. Vier jaar spoorde hij hen een voor een op en liet hij hen allemaal op verschillende manieren een gruwelijke dood sterven. De video was een vals spoor, bedoeld om ons bezig te houden en in verwarring te brengen. Juan had Vargas betaald om hem te maken.
'Hij was al zo ver heen,' vertelde Juan, 'dat hij zich niet eens afvroeg waarom ik die video nodig had of zich zelfs maar herinnerde wie ik was. Dat is toch niet te geloven? Junkies zijn echt verstoken van Gods liefde.'
Nu zijn we dus hier en ik vraag me af waarom. Ik wil hier niet zijn. Juan is verloren en verdient zowel mijn medelijden als mijn woede.
Hij richt zijn glinsterende ogen nu op Bonnie. 'Waarom wilde je me zien, kleine meid?'
Bonnie is nog steeds sereen. Blijkbaar raakt Juan – wat hij is, zijn aanwezigheid – haar niet. Ze slaat het schrijfblok open op tafel en begint te schrijven. Ik kijk gefascineerd toe.
Ze is klaar en schuift het schrijfblok naar mij. Gebaart dat ik moet voorlezen wat ze heeft opgeschreven.
'Ze wil weten of je op de hoogte bent van haar voorgeschiedenis.'
Juan knikt, vol belangstelling nu. 'Natuurlijk. Dat was een bijzonder geïnspireerde daad van pijn. Jou dwingen om toe te kijken terwijl hij je moeder verkrachtte en vermoordde. Jou aan haar lichaam vastbinden. Vakwerk van een ware meester in het lijden.'
'Vuile schoft,' zeg ik bevend van woede.
Bonnie legt een hand op mijn arm. Ze pakt het schrijfblok uit mijn hand. Terwijl ze weer iets schrijft, staar ik razend naar Juan. Hij kijkt glimlachend terug. Ze overhandigt me het schrijfblok weer. Ik lees wat ze heeft geschreven en mijn hart hapert.
'Ze...' Ik schraap mijn keel. 'Ze wil weten of je het leuk zou vinden als zij je vertelt waarom ze niet praat. De echte reden. Ze denkt dat je daar wel waardering voor zult hebben.'
Ik kijk Bonnie aan. 'Volgens mij kunnen we beter gaan. Ik vind dit helemaal niets.'
Ze klopt nogmaals op mijn arm. Sereen, zo sereen.
Heb vertrouwen in me, zeggen haar ogen.
Juan likt langs zijn lippen. Eén mondhoek trilt.
'Ik denk... dat ik dat heel leuk zou vinden,' zegt hij.
Bonnie glimlacht naar hem, neemt het schrijfblok weer over en buigt zich er druk schrijvend overheen. Ze geeft het weer aan mij, maar voordat ik de tekst kan lezen, vangt ze mijn blik. Daarin zie ik bezorgdheid. Een beetje wijsheid.

Te veel voor een kind van haar leeftijd, eigenlijk. Ook zie ik nog meer sereniteit.
Zet je schrap, maar wees niet bang, lijkt ze tegen me te zeggen.
Ik lees wat ze heeft opgeschreven en begrijp dan waarom. Ik sper mijn ogen open. Mijn adem stokt. Even later rolt er onwillekeurig een traan over mijn wang. Ik heb het gevoel alsof ik val.
Mijn pijn is koren op de molen van Juan. Zijn neusvleugels trillen.
'Vertel het me,' zegt hij.
Ik kijk als verdoofd naar Bonnie. Wanhoop sluipt door me heen.
Een geschenk voor Juan? Dat is maar al te waar. Hij, het slechte deel van hem, zal dit prachtig vinden. Waarom wil ze hem zoiets afschuwelijks geven?
Ze steekt een hand uit en veegt de traan van mijn wang.
Toe maar, zegt haar glimlach. Heb vertrouwen in me.
Ik haal diep adem.
'Ze zegt...' Ik stop even. 'Ze zegt dat ze heeft besloten dat ze niet meer zou praten, omdat haar moeder ook niet meer kon praten.'
Juan wordt hier net zo door geraakt als ik, maar om heel andere redenen. Zijn mond zakt open en hij leunt achterover.
Hij knippert razendsnel met zijn ogen. Haalt oppervlakkig adem.
De Vreugde van het Lijden.
Ik kijk naar Bonnie. 'Kunnen we dan nu gaan?' vraag ik. Ik voel me leeg. Ik wil naar huis en onder de dekens kruipen en huilen.
Ze steekt één vinger op.
Nog één ding, bedoelt ze.
Ze kijkt Juan aan en glimlacht nogmaals die fantastische, prachtige, serene glimlach. Zij heeft alles wat Sarahs gezicht in de keuken niet had, en er verschijnt een diepe rimpel op Juans voorhoofd. Hij voelt zich niet op zijn gemak.
'Ik ben van gedachten veranderd,' zegt ze, en haar stem klinkt helder en duidelijk verstaanbaar. 'Ik heb besloten dat het tijd is om weer te gaan praten.'
Ik sta zo snel op uit mijn stoel dat die omvalt.
'Bonnie!' Het komt er in een schreeuw uit.
Zij staat ook op. Ze steekt het schrijfblok onder haar arm en pakt mijn hand. 'Hallo, Smoky.'
Nu ben ik degene die sprakeloos is.
'Laten we maar naar huis gaan,' zegt ze. Ze kijkt naar Juan. Minder sereen ditmaal. 'Brand maar in de hel, meneer Juan.'
Hij staart haar aan, boos, maar ook peinzend.
Ziet hij het, vraag ik me af.
Op dit moment en in een bepaald opzicht is Bonnie de engel die Juan ooit

was. Zonder inwendige strijd, puur, zonder medelijden met hem om wat hij mogelijk was geweest, alleen met de zekerheid tot wat hij is verworden.
Ze heeft hem een geschenk vol wanhoop gegeven en het hem meteen weer afgenomen door mij een geschenk vol triomf te geven.
Hier in deze verhoorkamer, bij die slechte, beschadigde man, ben ik gelukkiger dan ik in lange, heel lange tijd ben geweest. Dat is ook precies wat ze mij, ons, iedereen duidelijk wil maken: hoe akelig dingen soms misschien ook zijn, slechte mannen overwinnen alleen op belangrijke punten wanneer wij dat toelaten.
Dit is ook het moment waarop ik besef dat ik de baan bij Quantico niet zal aannemen. Ik wil niet meer vluchten. Op dit moment heeft het leven weer gloed gekregen.
Dat moment komt altijd. Je moet het alleen een kans geven.

63

Ik zit op de stoel voor Matts computer en tuur naar het beeldscherm. Ik heb een glas tequila in de hand, klaar om me te hulp te schieten. Vloeibare moed. Ik werp een blik op het glas en frons mijn wenkbrauwen.
Bonnie slaapt. Ik vergelijk haar kracht met mijn zwakte en schaam me.
Ik zet het glas neer. Ik tuur naar het beeldscherm.
1forUtwo4me.
Vijf dagen. Zoveel tijd zat er tussen mijn eerste ontmoeting met Sarah en het gevangennemen van Juan. Sindsdien zijn er meer dagen verstreken, maar die vijf dagen blijven me bij alsof het jaren zijn.
Ik heb een nieuw litteken, Sarahs litteken. Het is niet zichtbaar, maar de diepste wonden zijn de wonden die je niet kunt zien, een inwendige dodenmars. Het lichaam wordt ouder, verschrompelt en sterft. Een ziel kan ook ouder worden. Een zesjarige kan tussen twee hartslagen in zestig worden.
In tegenstelling tot het lichaam kan de ziel dit proces terugdraaien, en hoewel hij misschien niet jonger meer wordt, kan hij wel levendig worden. Levend.
Sarahs reis heeft een diepe wond in me geslagen. Mijn eigen reizen hebben me ouder gemaakt – te ver, te snel. Littekens zijn echter meer dan herinneringen aan wonden uit het verleden; ze zijn het bewijs van genezing.
Ik accepteer de waarheid dat ik op bepaalde momenten altijd verdriet zal blijven voelen om Matt en Alexa. Dat geeft niet. De enige manier om daar voorgoed van verlost te worden is door hen te vergeten, en ik ben niet van plan ook maar één heerlijk moment op te geven.
Ik accepteer dat ik momenten van diepe angst zal kennen om Bonnie en ik accepteer ook dat dit misschien wel nooit ophoudt. Alle ouders vrezen voor hun kinderen en ik heb meer reden om te vrezen dan de meeste anderen.
Ik ben niet volmaakt, het verleden heeft diepe sporen in me achtergelaten, maar ik leef en ik weet vrij zeker dat ik vaker gelukkig dan ongelukkig zal zijn. Ik weet vrij zeker dat mijn leven zal blijven gloeien.
Meer dan dat kan ik niet vragen. Hopen wel. Vragen niet.
We hebben het huis opgeruimd en alles ingepakt. Bonnie en ik. We hebben Alexa's kamer omgebouwd tot een atelier voor Bonnie, een passend gedenkteken.

Er rest me nog één ding.
1forUtwo4me.
Ik ben me ervan bewust geworden dat mijn angst hiervoor niet alleen de angst is voor wat ik misschien aantref.
Je houdt van iemand, je woont met hem samen, je trouwt met hem. Je bent de rest van je leven bezig hem te leren kennen. Ik leerde elke dag, elke maand, elk jaar iets nieuws over Matt. Toen stierf hij en hield het leren op.
Tot nu.
Als ik 1forUtwo4me gebruik en de map 'privé' open, kom ik misschien iets goeds of iets slechts te weten, maar het zal hoe dan ook het laatste zijn wat ik ooit over mijn man leer.
Ik ben bang voor de onontkoombaarheid ervan.
Misschien moet ik het bewaren. Bewaren tot een dag waarop ik oud en grijs ben, en hem mis.
Ik schenk geen aandacht aan mijn tequila, buig me voorover en klik op de map. Ik typ het wachtwoord in en krijg toegang.
Ik zie aan de icoontjes dat de mappen foto's bevatten. Ze zijn allemaal genummerd. Ik schuif het pijltje met de muis naar een ervan en aarzel.
Wat zal ik vinden wanneer ik hierop klik?
Even, heel even maar, overweeg ik om alles te verwijderen. Het los te laten.
Ik klik op de eerste map en die gaat open op het scherm. Mijn mond zakt open.
Het is een foto van mij. Van mij en Matt. Terwijl we vrijen.
Ik tuur ingespannen naar het beeld en dan weet ik het weer. De foto is van opzij gemaakt, zodat onze lichamen in profiel te zien zijn. Ik heb mijn hoofd achterovergegooid en mijn ogen zijn in extatische concentratie gesloten. Matt kijkt met openhangende mond naar mij.
Het is niet kunstzinnig, maar evenmin expliciet in anatomisch opzicht. Het ziet eruit als een amateurfoto. Dat is het ook.
Matt en ik hebben een periode gekend – iets wat heel veel stellen meemaken, heb ik begrepen – waarin seks een onderwerp van geconcentreerde fascinatie en ontdekking is. Je probeert dingen uit, experimenteert, laat oude, vertrouwde zaken achter je. Ten slotte bereik je een plek ongeveer halverwege die twee, een plek waar evenwicht is tussen de dingen die je opwinden zonder dat je je daarvoor schaamt. Het is een periode van onhandigheid, vol fouten. Er is vertrouwen voor nodig. De ontdekkingstocht verloopt niet altijd even elegant. Soms is het bijzonder vernederend.
Matt en ik hadden op een gegeven moment naaktfoto's van elkaar gemaakt en een paar waarop we seks hadden. In het begin vonden we het opwindend, maar dat bleef niet lang zo. Het was niet iets waarvoor we ons schaamden, we

waren er gewoon klaar mee. We hadden het geprobeerd, het was interessant geweest, we gingen verder.
Ik blader door de foto's, open ze een voor een, herinner me elk moment. Er zijn foto's bij van mij waarop ik probeer ondeugend te zijn (het ziet er alleen maar heel dwaas uit). Er is één foto van Matt waarop hij met zijn rug tegen het hoofdeinde zit geleund. Breed grijnzend. Ik doe mijn ogen dicht. Ik heb de foto niet nodig. Ik zie die grijns, dat verwarde haar, het pretlichtje in zijn ogen. Ik zie zijn pik en ik weet nog dat ik eens heb gedacht dat ik die beter kende dan welke vrouw waar ook ter wereld; ik heb hem in me gehad en op me en tegen me aan. Ik heb hem aangeraakt en erom gegiecheld, ik ben er kwaad op geweest, omdat hij te veeleisend was. Ik ben erdoor ontmaagd.
Mijn ogen prikken. Dit, denk ik bij mezelf, zijn momenten die nooit meer terugkeren. Ik weet niet wat mijn toekomst me op het gebied van liefde en kameraadschap zal brengen. Ik weet wel dat ik nooit meer zo jong zal zijn, dat ik nooit meer de behoefte zal voelen om dat specifieke nogmaals te ontdekken.
Matt en ik hebben dat allemaal al gedaan. We hebben geneukt en geknokt en gelachen en gehuild en geleerd, en die nieuwsgierigheid is geweest.
Dit is van hem, alleen van hem.
'1forUtwo4me, schat,' glimlach ik, terwijl de tranen over mijn wangen rollen.
Matt geeft geen antwoord. Hij glimlacht. Afwachtend.
Zeg het dan, vraagt die glimlach.
Dus dat doe ik.
'Vaarwel, Matt.'
Ik sluit de map.

64

'Klaar om te gaan?' vraagt Tommy.
'Als je even mijn rits dichtdoet, is het antwoord ja,' zeg ik.
Hij doet wat ik vraag en trekt me dan met zijn ene gezonde arm tegen zich aan. Hij kust me in mijn hals. Het voelt vertrouwd, prettig.
Ik hoor voetstappen. Mijn vroegrijpe dochter verschijnt in de deuropening. Ze rolt met haar ogen en trekt een vies gezicht.
'Jakkes, is het nou eens afgelopen? Ik wil naar Sarah.'
'Ja, ja, ukkepuk,' glimlach ik, en ik wikkel me los uit Tommy's omhelzing. 'We gaan al.'

Er is een maand voorbijgegaan. Sarah is een week lang in die foetushouding blijven liggen. Een week dáárna begon ze weer te praten. Theresa, Bonnie en Elaina hebben urenlang aan haar bed in het ziekenhuis gezeten en haar uit haar wanhoop teruggehaald.
Cathy Jones is uiteindelijk degene geweest die echt tot haar doordrong. Callie had de agente meegenomen naar het ziekenhuis. Toen Sarah haar zag, begon ze te huilen. Cathy ging naar haar toe en omhelsde haar stevig, en we lieten hen alleen.
Theresa is inderdaad net zo geweldig en veerkrachtig als Sarah haar heeft beschreven. Ze heeft weinig behoefte gehad aan verwennerij of geknuffel. Ze wilde maar één ding: Sarah zien. Ze bezit een kracht, een warmte, die Juan niet heeft kunnen doven, en dat biedt me hoop voor Sarah.

Een week geleden ben ik gebeld. Sarah kwam naar huis. Echt naar huis – het huis dat ze jaren geleden had moeten verlaten. De ironie van de situatie – dat dit een geschenk was van Juan – is ons niet ontgaan. Het kon ons niets schelen.
Cathy was er op Theresa's verzoek ingetrokken. Theresa had het huis van onder tot boven schoongemaakt, alle luiken opengegooid en het licht weer binnengelaten. Ze had het schilderij aan de muur tegenover het voeteneind van Sarahs bed gehangen.
Ik had ook iets bedacht, een mogelijkheid. Met hulp van Theresa heb ik het nagetrokken en ontdekt dat het waar was. We hebben een 'welkom thuis'-

cadeau waarvan we allemaal denken dat Sarah het geweldig zal vinden.
'Zijn we er nog niet?' vraagt Bonnie.
'Bijna,' zegt Tommy. 'Ik moet alleen even bedenken welke afslag we moeten hebben. Die vervelende slingerweggetjes in Malibu ook.'
'Hier naar links,' antwoordt Bonnie geduldig. 'Ik heb de route vanaf de plattegrond uit mijn hoofd geleerd.'
Ik leun achterover en geniet van het geluid van Bonnies stem. Die klinkt als magie in mijn oren. Muziek.
'We zijn er.'
De auto remt af. Elaina, Theresa en Callie komen naar buiten om ons te begroeten, gevolgd door een speciale gast – Kirby.
'Is ze er al?' vraagt Bonnie en ze stormt op hen af.
'Ja,' zegt Elaina glimlachend. 'Ze ligt binnen te rusten.'
Bonnie holt direct naar de deur.
'Nu ken ik onze plek in de hiërarchie,' zegt Callie. 'Wij zijn niet interessant, honey-love, niet interessant, en oud.'
'Spreek voor jezelf, Rooie,' zegt Kirby opgewekt. 'Ik blijf eeuwig jong.'
'Dat is omdat jij dood zult gaan voordat je oud kunt worden,' zegt Brady, die uit het huis opduikt, lijzig.
Callie en hij gaan regelmatig samen uit. Ik weet nog dat ze me vertelde over haar problemen met relaties en dat haar glas 'halfleeg' was; ik vraag me af of daar nu misschien verandering in is gekomen. Ik hoop het. Haar hand glijdt nog steeds vaker dan me lief is naar de jaszak met vicodin en de afloop is onzeker, maar er zijn verschillende soorten pijn en de pijn die wordt veroorzaakt door eenzaamheid... tja, daar zijn geen pillen voor.
Het overvalt me vanuit het niets, geen vleermuis of duif, maar iets daartussenin. Alan die werd gekweld door het schrille gekrijs van een moeder. Callie die vanbuiten perfect, maar vanbinnen licht verminkt is. Ik met mijn littekens. Ik besef dat we plezier en pijn afwisselen, altijd van het een naar het ander gaan en terug, en onze donuts eten terwijl we bij de waterpoel naar onze gloed zoeken.
Dat geeft niet. Zo is het leven. Nog altijd het beste alternatief voor de dood.
'Goed,' zegt Theresa opgewonden. 'Ga je het cadeau nog ophalen?'
Ik grinnik. 'Nu meteen. Ik zie jullie zo binnen.'
Het groepje gaat het huis in. Zo direct zullen anderen zich bij hen voegen. Callies dochter en kleinzoon. Barry Franklin. Mensen die met Juan in aanraking zijn geweest of Sarah eenvoudigweg een beetje hoop willen geven. Mensen die willen dat de cirkel bij Juan ophoudt. Die ervoor willen zorgen dat Sarahs leven niet echt 'een verwoest leven' is.
Ik loop naar de buren en klop op de deur. Even later gaat die open. Jamie

Overman staat voor me en vraagt me om binnen te komen. Haar man duikt naast haar op.
'Dank jullie wel dat jullie dit doen,' zeg ik tegen hen. 'En niet alleen dit. Dank jullie wel dat jullie dit mogelijk maken.'
John is een verlegen man. Hij glimlacht, maar zegt niets. Jamie knikt kort. 'Graag gedaan. Sam en Linda waren fijne buren en goede mensen. Ik zal haar even voor je halen.'
Ze loopt weg en komt even later terug met datgene waarvoor ik kom. Iets uit het verleden wat Sarah misschien een beetje hoop kan geven.
Ik kijk neer op de hoopgever, een levend wezen uit een lang geleden gestorven verleden. Ze is ouder, trager, grijzer. Ik vang echter een glimp op van de dwaze liefde en verwachting in haar ogen, en moet lachen.
'Hallo, Doreen,' zeg ik en ik ga op mijn hurken zitten, zodat we elkaar kunnen aankijken. Ze kwispelt en geeft me een lik over mijn gezicht.
Jij ook hallo en ik vind je lief, en wat gaan we doen?
'Kom mee, liefje. Ik wil je graag voorstellen aan een oude bekende. Ze heeft je nodig.'

Dankwoord

Mijn dank gaat als altijd uit naar Liza en Havis Dawson voor hun geweldige steun, adviezen, aanmoedigingen en vertegenwoordiging. Naar Danielle Perez en Nick Sayers, mijn redacteuren bij respectievelijk Bantam en Hodder; dit was een lastig boek, en ik mocht het van hen pas af noemen 'toen het ook echt af wás'. Naar Chandler Crawford voor haar fantastische vertegenwoordiging in het buitenland. Ten slotte naar mijn familie en vrienden, die het met me hebben uitgehouden terwijl ik dit boek schreef. Ik weet niet hoe het bij andere schrijvers is, maar ik weet wel dat het erg moeilijk kan zijn om met déze schrijver te leven wanneer het schrijven even niet wil vlotten.